현대교회사

후스토 L. 곤잘레스 지음
엄성옥 옮김

현대교회사
THE STORY OF CHRISTIANITY

개정판 발행 2012년 8월 15일
지은이 후스토 L. 곤잘레스
옮긴이 엄성옥
발행처 은성출판사
등록 1974년 12월 9일 제9-66호
©1987년 도서출판 은성

주소 서울시 강동구 성내동 538-9
전화 070)8274-4404
팩스 02)477-4405
홈페이지 http://www.eunsungpub.co.kr
전자우편 esp4404@hotmail.com

printed in Korea
ISBN 978-89-7236-404-7 33230

THE STORY OF CHRISTIANITY

by
JUSTO L. GONZALEZ

서 문

내가 어떤 의미에서 이 책을 자서전이라 생각하고 있음을 알면 독자들은 놀랄 것이다. 내가 그렇게 생각하는 이유는 오르테가 가세트(Ortega Gasset)가 말한 바와 같이 각 세대는 마치 거대한 인간 피라미드에서처럼 이전 세대들의 어깨 위에 서 있는 곡예사들과 같기 때문이다. 따라서 우리의 선배들과 선조들의 이야기를 한다는 것은 곧 우리 자신의 생애에 관한 전기에 긴 서문을 쓰는 것과 같다.

이 책은 또 다른 의미의 자서전일 수도 있다. 왜냐하면 내가 30년 동안 함께 해온 친구들과 동지들을 다루고 있기 때문이다. 나는 처음 이레네우스(Irenaeus), 아타나시우스(Athanasius), 그리고 그 외의 여러 사람들을 만나고 그들의 저술을 읽고 생각하면서 점차 역사를 보는 눈에 익숙해져 왔다. 이들은 현재 내 친구들과 마찬가지로 많은 기쁨을 주었고, 어떤 때에는 당혹을, 드물게는 분노까지 가져다주었다. 그러나 이들은 나의 일부분이 되었으며, 나는 지금 이들에 관해 글을 쓰면서 이들과 함께 나의 생애에 관해 쓰고 있음을 자각하지 않을 수 없다.

서문을 쓸 때에는 그 책을 저술하는 데 도움을 준 사람들을 언급하기 마련이지만, 나에게는 이것이 불가능하다. 왜냐하면 현재 살아있거나 이미 작고한 많은 학자들을 열거해야 하기 때문이다. 오리겐, 유세비우스, 잉카 가르실라소(Inca Garcilaso), 하르낙(Harnack), 그리고 사본들을 베끼고 다시 베꼈던 이름 없는 여러 수도사들도 이에 포함될 것이다.

그러나 나와 동시대인들 중 두 사람을 꼭 언급해야 한다. 우선 나의 아내이며 콜롬비아 신학교(Columbia Theological Serminary)의 교회사 교수인 캐서린 군살루스 곤잘레스(Catherine Gunsalus Gonzalez)이다. 그녀는 내가 지난 10년 동안 고대사를 연구하는 데 끊임없는 도움이 되었으며, 책의 교정쇄를 읽고 비평을 해주었다.

두 번째로 언급되는 이름은 이 시대를 잘 반영하는 것이다. 왜냐하면 이는 나와 함께 6년 동안 일해 온 비서이기 때문이다. 즉 내가 처음 이 책의 원본을 쓰는 데 사용한 워드 프로세서이다. 서문에서 흔히 타이피스트들에게 바쳐지는 헌사를 나의 워드 프로세서에게 바쳐야 한다. 그는 항상 참을성 있고 조심성스럽고 불평 없이 나를 섬겨왔기 때문이다. 실제로 이 비서는 불평 없이 나의 사본을 몇 번이고 고쳐 쓰곤 했다. 그러나 지금 이 책을 마감하여 서문을 쓰는 데 있어서 나는 스스로도 알 수 없는 충동에 임하여 펜을 사용하고 있다. 이는 나에게 우리가 오리겐과 유세비우스의 시대로부터 그리 멀리 떨어져 살고 있지 않음을 다시 상기시켜 주는 것이다.

이 책을 세상에 내놓으면서 마지막으로 바라는 것은 내가 이 책을 읽으면서 즐겼던 만큼 다른 이들이 이 책을 즐겨 읽어주는 것이다.

개정증보판 서문

　역사를 다시 논의하고 개정하고 재서술해야 할 필요가 있다는 것이 이상한 일처럼 보일 수 있지만, 실제로 그리 할 필요가 있다. 왜냐하면 역사는 단순히 실제로 발생한 적나라한 과거가 아니라 현존하는 전거들을 꼼꼼히 읽고 무수히 많은 세대의 역사가들에 의해 선별되고 우리의 현재와 우리가 바라는 미래에 비추어 해석된 과거이기 때문이다. 따라서 나는 약 25년 전에 저술한 본서를 읽으면서 재확인해야 할 것들과 개정해야 할 것이 많음을 발견한다. 이 책의 초판이 출판되고 나서 몇 년 후에 소련이 붕괴되었다. 그 후 이슬람이 부활했는데, 모든 대륙에서 극단적이고 광신적인 무슬림들이 테러를 계획하고 자행함으로써 세계는 이슬람의 부활을 의식하게 되었다. 기독교 내에서는 전통적인 기독교 지역 을 비롯한 다양한 지역에서 성장한 오순절운동 및 그와 유사한 운동들이 각광을 받았다. 이 지역들 중 여러 지역에서 신흥종교들이 발생했는데, 그 중 다수는 기독교에서 비롯되었거나 기독교의 요소들을 취한 것들이다. 전례 없는 환경 재앙이 발생할 수도 있다는 예측이 여러 국가들 및 지도자들의 관심을 획득했다. 급진적인 이론적 지도자들뿐만 아니라 존경받는 경제학자들도 세계 경제 질서의 지속 가능성에 심각한 의심을 표했다. 커뮤니케이션 기술이 폭발적으로 발달했다. 이것들 및 다른 많은 발달 현상들이 과거와 미래를 보는 우리의 시각을 형성해왔다. 이것이 이 책의 개정판이 필요한 이유이다.

　개정판이 필요한 또 하나의 이유는 그 동안 나에게 주어진 많은 논평들과 제안들을 반영하고픈 소원이다. 그러한 제안과 논평들 중에는 영어로 이 책을 읽고 사용한 동료들의 것들이 있고, 여러 국가의 언어로 번역되는 과정에서 원어에서는 즉시 눈에 뜨이지 않는 애매한 점들이 드러난 데 따른 결과들도 있다. 일본, 브라질, 러시아, 한국 등 다양한 문화권에서 이 책을 읽은 독자들은 이 책에 포함되어야 할 것의 범위를 넓혀 주었다. 이 개정판에 그들이 제안한 것들을 모두 반영하지는 않았다(특정 주제에 대해 더 많은 것을 추가해줄 것을 원하는 사람들과 축소해줄 것을 원하는 사람들 모두를 만족시킨다는 것은 불가능한 일이기 때문이다). 그러나 나는 그들 모두, 특히 특정 주제가 분명하지 않다거나 이해하는 데 더 도움이 되는 것을 발견했다는 것 등을 말해준 학생들에게 고마움을 표한다. 소중한 제안을 해준 동료 교수들 중에 내 아내 캐서린을 빠뜨릴 수 없다. 아내는 인내심을 가지고 원고를 여러 번 읽고 현명하게 조언해 주었다. 샌디에고에 소재한 베델신학교의 제임스 스미스 교수에게도 감사를 표한다. 그의 상세한 제안들은 개정판 출판에 큰 도움이 되었다.

　이 개정판을 출판하면서 장차 이것도 개정되어야 할 것임을 의식한다. 즉 세대가 바뀜에 따라 역사서는 거듭 재서술 되어야 할 것이다. 장차 역사의 핵심인 과거와 현재 사이의 매력적인 대화—현재의 질문들에 관해 과거가 말해주는 대화—를 시작하는 사람들에게 이 개정판이 자극이 되기를 바란다.

차례

정통주의, 합리주의, 그리고 경건주의

도그마와
회의(懷疑)의 시대

> 우리의 가장 거룩한 종교는 이성이 아닌
> 신앙 위에 기초하고 있다. 따라서 종교는 이성에
> 의한 시험을 견디어 내기에 적당하지 못하다.
> ―데이비드 흄―

16세기는 지위 고하를 막론하고 프로테스탄트와 가톨릭, 신학자들과 통치자들 모두가 거대한 종교적 열정에 휩쓸렸던 시대이다. 당시의 종교적 투쟁에 개입된 양측의 인물들은 자기들이 종교적 이유로 이러한 전쟁에 임한다는 확신을 가지고 있었다. 가톨릭 측의 <u>카를 5세</u>와 프로테스탄트 측의 현명한 <u>프레드릭(Fredrick the Wise)</u>은 자기들이 이해하는 대로의 하나님의 진리보다 더 중요한 것은 없다고 생각했으며, 따라서 자기들의 정치적·개인적 야망을 그 아래 귀속시켰다. 루터와 로욜라는 격렬한 고민과 번민의 시기를 통과한 후에 비로소 자기들을 유명하게 만든 결론과 태도에 도달했다. 그들 및 그들의 직계 추종자들의 생애에서는 이처럼 심오한 종교적 경험의 흔적을 곳곳에서 발견할 수 있다. 그리 존경받지 못한 성품의 소유자였던 헨리 8세도 종교적 문제에 관한 한 자신의 행동이 하나님을 섬기려는 성실한 태도에서 우러나온 것이라고 확신하고 있었다. 따라서 한쪽 진영에 속하는 기독교인들이 다른 파의 신자들을 공격하는 데 사용한 격렬한 용어와 난폭한 행동들은 부분적으로는 그들의 확신에 기인한 것이었으며, 또한 그들의 신앙고백의 기초를 형성한 종교적 경험을 반영하는 것이었다.

그러나 세월이 흐름에 따라 이러한 확신을 경험하지 못한 인물들이 증가했다. 결국 종교전쟁에 개입한 인물들 중에서 정치적, 개인적 야심을 앞세우는 자들도 나타났다. 그 전형적인 인물은 자기의 생명을 구하고 정치적 목적을 달성하기 위해 수차례에 걸쳐 종교를 바꾼 프랑스의 앙리 4세이다. 그는 마침내 왕위를 차지한 후에는 제한적 종교의 자유라는 정책을 기반으로 하여 현대의 프랑스를 건설하기 시작했다.

17세기와 18세기에는 많은 이들이 앙리의 발자취를 따랐다. 다음 장에서 살펴볼 30년 전쟁은 이전의 종교전쟁들이 프랑스에서 낳은 결과와 비슷한 영향을 독일에 주었다. 독일의 제후들과 고관들은 정치적 목적을 위해 종교를 이용하기 시작했다. 이러한 현상이 때마침 민족주의 의식이 고양되고 있던 시기에 독일의 정치적 통일을 방해했으므로 많은 독일인들은 교리적 불일치로 전쟁을 일으켜서는 안 되며, 종교적 관용이 지혜로운 정책이라는 결론에 도달했다.

그것 및 새로운 과학적 발견들의 결과로서 합리주의가 유럽을 장악하게 되었다. 인간이 공통적으로 소유하고 있는 기능인 천부적인 이성이 하나님과 인간의 본성에 관한 근본 질문들에 해답을 줄 수 있는데, 왜 분쟁과 편견만을 낳기 마련인 기독교 교리의 세부 사항들에 관심을 가져야 하는가? 이러한 기초 위에 "자연 종교"를 건설하고, 계시된 권위에 관한 주장은 광신자와 어리석은 자들에게 맡기는 편이 유익하지 않은가? 이런 까닭에 17세기와 18세기는 프로테스탄트와 가톨릭을 막론하고 전통적인 도그마들에 관한 회의(懷疑)로 점철된 시대였다.

한편 루터와 칼빈, 또는 로욜라에 못지않게 진정한 교리를 향한 열정을 지닌 인물들도 존재했다. 그러나 이제 이 시대는 미지의 세계를 탐구해야 할 위대한 신학적 발견의 시대가 아니었다. 17, 18세기의 신학자들은 16세기의 위대한 인물들의 가르침을 강력히 옹호했으나, 이전 세대와 같은 새로운 창조성을 찾아볼 수 없었다. 이들의 스타일은 엄격하고 냉정하고 학구적으로 변했다. 이들의 목표는 더 이상 하나님의 말씀을 전적으로 받아들이는 것이 아니었고, 오히려 이전 세대의 인물들이 이미 표현한 것들을 지지하고 설명하려는 데 있었다. 종종 도그마가 신앙을, 그리고 정통주의가 사랑을 대체했다. 개혁파, 루터파, 가톨릭 등은 모두 신자들이 고수하지 않을 경우 신자들의 무리에서 이탈하는 것으로 간주될 정설들을 발전시켰다.

그러나 모든 이들이 그러한 정설들에 만족한 것은 아니었다. 합리주의자들의 선택에 대해서는 이미 언급한 바 있다. 고국에서 자기의 신앙을 펼 수 없었던 인물들은 새로운 세계로 이주했다. 어떤 이들은 복음의 영적 차원을 강조하는 길을 택했는데, 이들은 주위의 정치적·물리적 현실을 무시하거나 부인했다. 그러나 잉글랜드의 감리교도들(methodists)과 유럽대륙의 경건주의자들(pietists)들은 기존 교회와의 관계를 끊지 않은 채 보다 열정적이고 개인적인 신앙과 경건을 배양하려 했다.

Of Enuie.

Where Gods word preached is in place : vnto the people willingly :
Woe be to them that would deface : for if such cease,the Stones will crie.

¶The signification.

HE which preacheth in the pulpit, signifieth godly zeale, &
a furtherer of the gospel : and the two which are plucking
him out of his place, are the enemies of Gods word, threat-
ning by fire to cosume the professors of the same : and that
company which sitteth still, are Nullisidians, such as are of no
religion, not regarding any doctrine, so they may bee quiet
to liue after their owne willes and mindes.

청교도 시대를 묘사한 이 그림에서
"하나님의 말씀을 대적하는" 두 명의
적들이 설교자를 강단에서 끌어내리고
있다.

이러한 모습들이 당시 역사의 근본을 이루고 있다. 이 책에서는 먼저 독일(제2장), 프랑스(제3장) 그리고 영국(제4장) 등지에서 발생한 종교전쟁들을 취급할 것이다. 그 후에는 로마 가톨릭교회 내의 정설의 발달(제5장), 루터주의(제6장) 그리고 개혁파 혹은 칼빈주의 전통(제7장)의 변모하는 모습을 살펴볼 것이다. 제8장에서는 합리주의를 취급한다. 제9장에서는 복음의 신비적 해석에서 위안을 찾았던 인물들을 살펴본다. 제10장에서는 독일 경건주의와 영국 감리교의 모습을 취급한다. 마지막으로 제11장에서는 대서양을 건너 새로운 식민지에서 신앙을 추구했던 인물들을 살펴볼 것이다.

우리들은 과연 어느 곳에서 생명을 위협받지 않고
주님의 집에서 주님을 경배할 자유를 찾을 수 있을 것인가?
－1638년, 어느 프로테스탄트 설교가－

16세기에 독일 내의 종교 전쟁들을 종식시킨 아우크스부르크
평화조약(Peace of Augsburg)은 오래 지속될 수 없었다. 이 조약에 따르면,
가톨릭과 프로테스탄트를 막론하고 통치자들과 제후들은 자기 영토 내
의 종교를 자유로이 결정할 수 있었는데, 이에 동의하지 않는 주민들은
자기들이 원하는 종교를 찾아 이주할 수 있었다. 그러나 이 합의는 아우
크스부르크 신앙고백을 추종하는 프로테스탄트만을 대상으로 하고 있
었다. 따라서 칼빈주의자들을 비롯한 다른 신자들은 여전히 이단으로
간주되었으며 박해를 면할 수 없었다. 종교 선택의 자유가 통치자들에
게만 주어졌으므로 그들의 다스림을 받는 신민들 중 다수가 만족하지
못했다. 마지막으로 아우크스부르크 평화조약에는 "종교적 유보 조항"

이 포함되어 있었는데, 그 내용은 일정 지역을 다스리는 주교들이 프로테스탄트로 개종한다 할지라도 해당 지역은 가톨릭으로 남는다는 것이었다. 이러한 여러 가지 이유 때문에 아우크스부르크에서 성취된 평화는 양측이 무력으로 상대방을 이길 승산이 없을 때에만 유지될 수 있는 휴전에 불과했다.

폭풍의 예고

1576년 황제가 된 루돌프 2세는 프로테스탄트들의 신임을 받지 못했다. 왜냐하면 그는 스페인에서 예수회 수도사들에게서 교육을 받았으며 그의 예수회 스승들이 계속 그의 정책들을 결정하고 있다는 소문이 있었기 때문이다. 그러나 그는 30년 동안 비교적 평화롭게 통치할 수 있었다. 왜냐하면 그의 나약한 성품 때문에 그의 친 가톨릭 정책들이 제대로 수행되지 못했기 때문이었다. 1606년 도나우뵈르트(Donauwörth) 제국 직할시에서 폭동이 발생했다. 강력한 가톨릭 진영이었던 바바리아(Bavaria) 지방에 접해 있던 이 도시는 프로테스탄트주의를 택했고, 1606년에 이 도시에 남아 있는 유일한 가톨릭 중심지는 수도원 하나에 불과했고, 이곳의 수도사들은 수도원 안에서만 신앙 활동이 허락되어 있었다. 그런데 이 수도사들은 황제의 친 가톨릭 경향에 힘을 얻었음인지 수도원 밖으로 나와 행진했고, 시민들은 곤봉과 투석으로 이들을 수도원에 몰아넣었다. 당시 이러한 사건이 흔히 발생했는데, 일반적으로 양측을 훈계하는 것으로 해결되곤 했다. 그러나 이 경우에는 보다 극단적인 조처가 취해졌다. 이 사건이 발생한 지 일 년 후 프로테스탄트주의를 근절시켜야 한다는 소명을 느낀 바바리아의 막시밀리안(Maximilian of Bavaria) 공작은 강력한 군대를 거느리고 도나우뵈르트에 나타나 서민들을 가톨릭으로 개종하도록 강요했다.

즉각 이에 대한 반발이 나타났다. 1608년 초 프로테스탄트들은 한데 모여 복음동맹(Evangelical Union)을 결성했다. 일 년 후 이들의 적수들은 가톨릭동맹을 결성했다. 그러나 복음동맹이 모든 프로테스탄트들을 포함시키지는 못했으므로, 만약 전쟁이 발생하면 가톨릭동맹 측에서 어려움 없이 복음동맹을 격퇴시킬 것이 명백했다.

한편 인근의 보헤미아에서도 양측의 대결을 촉발시키는 사건들이 발생했다. 이곳은 원래 후스파(Hussites) 지역으로서 개혁파 프로테스탄트들과 동맹을 맺었었다. 이제 많은 독일 칼빈파 이민들이 이에 참가하여 가톨릭 측이 볼 때에는 주민들의 과반수가 이단의 경향을 띠고 있었다. 반란이 발생할 우려가 있었고, 루돌프는 정책의 실패 때문에 퇴위했다. 그의 동생이자 계승자인 마티아스(Matthias)도 그와 다르지 않았다. 그가 보헤미아 국왕에 임명한 사촌 페르디난트는 열렬한 가톨릭 신자로서 곧 주민들의 불신을 자아냈다. 프라하의 추밀원이 국왕의 정책에 대항한 주민들의 반대에 귀 기울이기를 거부하자 보헤미아의 프로테스탄트들은 반란을 일으켜 왕의 고문 두 명을 창밖으로 내던졌다. 만약 이들이 쓰레기더미 위에 떨어지지 않았으면 중상을 면치 못했을 것이었다. "프라하의 인간 투척 사건"(Defenestration of Prague)으로 알려진 이 사건은 20세기 이전 가장 처참하고 처절한 유럽 전쟁인 30년 전쟁의 시발점이었다.

전쟁의 진행

보헤미아인들은 팔라티네이트(Palatinate)의 선거후 프레드릭을 왕으로 옹립했다. 가톨릭 진영인 바바리아 및 다른 영토에 의해 보헤미아로부터 분리되어 있던 팔라티네이트 주민들의 대부분은 개혁파였으므로 당연히 보헤미아인들의 동맹인 듯했다. 반란은 곧 보헤미아 동부로 퍼져 인근의 실레지아(Silesia)와 모라비아(Moravia) 지방에까지 미쳤다. 이때 마티아스가 사망했고, 새로운 황제가 된 그의 사촌 페르디난트는 바바리아의 막시밀리안과 가톨릭동맹에게 보헤미아를 침입하도록 요청했다. 이들이 그 명령대로 행하여 반란군에게 치명타를 가했으므로 반란군들은 항복할 수밖에 없었다. 프레드릭은 보헤미아 왕위뿐만 아니라 유산으로 받았던 팔라티네이트 영토까지 포기했다. 보헤미아는 다시 페르디난트 국왕에게 귀속되었고, 막시밀리안은 충성의 대가로 팔라티네이트 지방을 얻었다. 양 지역에서 프로테스탄트들은 박해를 받았다. 이들의 지도자들 일부가 처형되었고, 사람들의 재산이 몰수되었다. 1626년의 부활절에 보헤미아에서는 가톨릭 신자가 되기를 거부하는 자들은 그곳을 떠나라는 칙령이 반포되었다. 거듭된 이러한 조처로 말미암아 30년 전쟁이 계속되는 동안 보헤미아의 인구가 5분의 1로 감소되었다고 추정된다.

막시밀리안의 승리는 프로테스탄트 지도자들에게 큰 충격을 주었다. 또 유럽을 다스린 여러 가문들은 카를 5세 이후 황제위를 독점했을 뿐만 아니라 스페인을 통치했던 합스부르크가를 두려워했다. 그리하여 1625년 말 잉글랜드와 네덜란드와 덴마크가 프로테스탄트동맹을 결성하고 독일을 침공하여 프레드릭-그는 잉글랜드의 제임스 1세의 사위였다-

프라하의 인간 투척 사건은 30년 전쟁의 도화선이 되었다.

을 팔라티네이트 국왕으로 복위시키기로 결정했다. 이들은 몇몇 독일 내 프로테스탄트 제후들뿐만 아니라 합스부르크가의 세력 증가를 두려워했던 일부 가톨릭 제후들의 지원도 약속받고 있었다. 한편 제국의 국방을 막시밀리안과 가톨릭동맹에만 의지하는 데 만족하지 못한 페르디난트 2세는 자신의 군대를 소집하기로 결정했고, 이를 발렌슈타인의 알브레히트(Albert of Wallenstein)의 지휘 아래 두었다. 따라서 독일을 침공한 덴마크의 크리스티안 4세는 막시밀리안과 발렌슈타인의 두 군대를 대적해야 했다. 그리하여 페르디난트 2세와 크리스티안 4세가 뤼벡 조약(Treaty of Lübeck)을 맺기까지 독일은 전화(戰禍)에 시달렸다. 덴마크군은 이미 전쟁으로 황폐한 이곳의 주민들에게 더 큰 고통을 안겨 준 것 외에 별다른 성과를 거두지 못한 채 독일로 철수했다. 수천 명의 주민들에게 가톨릭으로의 개종이 강요되었다.

그런데 다른 곳에서 도움이 주어졌다. 1611년 구스타부스 아돌푸스(Gustavus Adolphus)는 17세의 나이로 스웨덴 왕위를 계승했다. 그의 왕좌는 보잘 것 없는 것이었다. 왜냐하면 당시 데인족(Danes)이 스웨덴의 대부분을 점거하고 있었고 국토가 여러 파벌들에 의해 분할되어 있었는데, 이 세력가들 중에는 왕실을 존중하는 이가 없었기 때문이다. 그러나 유능한 젊은 왕은 현명한 통치를 통하여 국민들을 점차 통일하고 덴마크 침입자들을 몰아냈다. 그는 세력이 강성해짐에 따라 점차 발트해 연안의 스웨덴 국토를 넘보는 합스부르크가의 위협에 주목했다. 그는 열렬한 루터파 신자였으므로 당시의 보헤미아와 독일에서 발생한 사태를 우려하여 프로테스탄트 신자들을 보호하고 합스부르크가의 야망을 쳐부수려는 두 가지 목적으로 이러한 상황에 개입했다.

페르디난트 2세는 발렌슈타인의 세력을 두려워하여 그의 군대를 해산시키고 가톨릭동맹의 지원에 의지했다. 1630년 구스타부스 아돌푸스가 독일을 침공해 들어왔을 때 황제의 이름으로 그를 대적한 군대는 가톨릭동맹에 속해 있었다. 처음에 독일 프로테스탄트들은 황제의 분노를 두려워했을 뿐만 아니라 스웨덴의 침략자를 불신했으므로 스웨덴인들을 지지하지 않았다. 그러나 구스타부스 아돌푸스는 유능한 장군으로서 거듭되는 승리를 통해 거의 전설적인 인물이 되었다. 그의 군사들은 그전에 독일을 침공했던 다른 군대들과는 달리 현지인에게 친절과 존경을 베풀었다. 스웨덴인들은 자기들이 프로테스탄트였음에도 불구하고 정복된 지역의 가톨릭 신자들에게 개종을 강요하지 않았다. 구스타부스 아돌푸스는 스웨덴의 이익을 위해 독일을 분할하지 않을 것을 천명했다. 프랑스가 합스부르크가에 대한 그의 원정을 재정적으로 지지하겠다고 제안했을 때 그는 독일 영역 내에 있는 단 하나의 마을도 프랑스가 차지하지 않는다는 조건으로 제안을 받아들였다.

마침내 몇몇 유력한 독일 프로테스탄트 제후들이 그를 지원했다. 가톨릭동맹은 마그데부르크를 포위했다. 스웨덴인들이 구조하러 오는 것을 매복했다가 기습하려는 전략이었다. 그러나 그들의 전술을 알아차린 구스타부스 아돌푸스는 계획대로 계속 진군했다. 동맹군은 마그데부르크를 점령하고 시민들을 학살한 후 스웨덴군과 대결하기 위해 계속 진격했다. 라이프치히 근처의 전장에서 동맹군은 패배했다. 구스타부스 아돌푸스는 독일 동맹군의 일부를 보내어 보헤미아를 침입하게 하고, 자기 자신은 남부 독일로 진입하여 가톨릭동맹의 심장부인 바바리아를 위협했다. 그리하여 일부 가톨릭 지도자들이 평화조약을 간청했고, 이들은 스웨덴 국왕이 내세운 조건을 받아들일 준비가 되어 있었다. 그 조건은 다음과 같았다. 가톨릭과 프로테스탄트들에게 종교적 관용을 베풀 것, 보헤미아 왕국의 권리 회복, 팔라티네이트 지방을 프레드릭에게 돌려줄 것, 그리고 제국에서 예수회를 축출할 것 등이었다.

가톨릭동맹이 패배했으므로 페르디난트 2세는 또다시 발렌슈타인의 지원을 요청했다. 발렌슈타인은 막대한 보상금을 약속받은 후 참전을 결정했다. 발렌슈타인은 프라하를 점령한 프로테스탄트를 공격하여 후퇴시켰다. 그 후 가톨릭동맹의 잔여 병력을 합류시킨 후 스웨덴군과 접전하기 위해 진격했다. 이들은 결국 뤼첸(Lützen) 평야에서 조우(遭遇)하게 되었는데, 이곳에서 발렌슈타인의 군대가 참패하고 구스타부스 아돌푸스는 전사했다.

그 후 전쟁은 소규모 접전과 강도질, 그리고 오랜 협상의 무대로 화했

발렌슈타인은 지나치게 야심적이라는 비난을 받았지만 그 시대의 가장 유능한 장군들 중 한 사람이었다.

다. 스웨덴 정부는 평화 협정에 응하려 했다. 그러나 전장에서 여러 해를 보낸 장교들과 병사들은 전쟁을 생활방식으로 여기게 되었다. 발렌슈타인은 당시 스웨덴, 프랑스, 그리고 독일의 프로테스탄트들과 비밀 협정을 진행 중이었다. 이 소식을 들은 황제는 발렌슈타인과 그의 장교들 몇을 살해했다. 이것이 페르디난트의 직접적인 명령에 의한 것이었는지는 아직도 확실치 않다. 스페인의 합스부르크가는 독일의 친척들을 지원하기 위해 군대를 파견했다. 프랑스 정부는 당시 가톨릭 추기경에 의해 통치되고 있었음에도 불구하고 강력하게 프로테스탄트들을 지원하기 시작했다. 어쨌든 이 전쟁을 통해 가장 큰 고통을 겪은 것은 현지 주민들이었다. 전쟁의 원래 종교적 동기는 망각되고 권력 투쟁의 핑계 거리로 전락했다.

베스트팔렌 평화조약

결국 가장 피에 굶주렸던 자들까지도 전쟁과 파괴에 질리게 되었다. 페르디난트 2세가 1637년에 사망했다. 그의 아들이자 후계자였던 페르디난트 3세는 신실한 가톨릭 신자였으나 부친처럼 편협한 인물은 아니었다. 독일인들은 양측을 지원하는 외국 군대들에 의해 자기들의 땅이 짓밟히는 것을 보고 탄식했다. 스웨덴군은 철군할 준비가 되어 있었다. 프랑스도 가장 유리한 조건으로 휴전할 시기가 되었음을 알아차렸다. 그리하여 장기간의 복잡한 협상 과정을 거쳐 1648년에 베스트팔렌 평화조약(Peace of Westphalia)이 조인되었다. 그리하여 30년 전쟁이라고 알려진 다툼이 종식되었다.

프랑스와 스웨덴이 이 전쟁에서 가장 큰 유익을 획득했다. 왜냐하면 프랑스는 국경을 라인 강까지 넓혔으며, 스웨덴은 발트 해와 북해 연안의 방대한 영토를 획득했기 때문이다. 프랑스와 스웨덴의 요청에 따라 독일 영주들에게 황실의 권위를 견제할 수 있는 권력이 주어졌다. 종교 문제에 있어서는 영주들뿐만 아니라 일반인들까지도 가톨릭, 루터파, 혹은 개혁파 중 한 가지 신앙을 선택할 수 있게 되었다. (이번에도 체제를 전복할 위협이 있다고 간주된 재세례파는 제외되었다.) 건물들과 각종 종교기관들은 1624년에 소유하고 있던 교파에게 돌려주었다. 또한

CATHOLIC
LUTHERAN
REFORMED
○ BATTLE SITE

30년 전쟁

합스부르크가의 세습 영지에서만 제외하고는 전쟁 중 주인들에게 저항했던 모든 사람들에 대한 전반적인 사면이 행해졌다.

이것들은 지루하고 잔인했던 전쟁의 직접적 결과였다. 그러나 평화조약에서 언급되지 않은 중요한 결과들이 있었다. 베스트팔렌 조약에 언급된 종교적 관용 원리들은 기독교의 사랑에 대한 심오한 이해에서 비롯된 것이 아니라 종교에 대한 무관심의 증가의 결과였다. 종교적으로 깊이 헌신한 사람들 사이에서도 그러한 헌신이 세속생활과 정치생활로 이어지지 않고 개인적인 것으로 머물러야 한다는 느낌이 수반되었다. 전쟁은 종교문제를 무력에 의해 해결하고자 할 때 발생하는 잔학한 결과를 보여주었다. 결국 무력으로는 아무것도 해결하지 못했던 것이다.

종교적이고 신앙고백적인 측면에서가 아닌 자신의 이익 혹은 백성들의 이해관계에 따라 정책을 결정해야 할 것이라고 느끼기 시작했다. 그리하여 현대 세속 국가가 발전하기 시작했다. 이와 함께 이전 세대들이 당연히 여겼던 문제들에 관한 회의적 태도가 출현하기 시작했다. 신학자들은 어떠한 근거로 자기들만이 옳고 다른 이들은 오류를 범했다고 주장하는가? 30년 전쟁이라는 참혹상을 발생케 한 교리가 옳을 수 있단 말인가? 가톨릭이나 프로테스탄트를 막론하고 단순히 전통 교리를 맹목적으로 추종하는 것보다는 보다 너그럽고 심오하며 보다 기독교적으로 하나님을 섬길 수 있는 길은 없는가? 30년 전쟁의 결과 및 유사한 다른 사건들의 결과로 17세기와 18세기에 이러한 질문들이 제기되었다.

제3장
광야 교회

성화의 영, 능력의 영…그리고 무엇보다도 순교의 영은 우리의
속사람 안에서 날마다 죽을 것을 가르치시고…만약 하나님의
섭리가 요구하시는 것이라면 고문실과 교수대에서 용감하게
우리의 목숨을 바칠 수 있도록 준비시키시고 단련시키신다.
　　　　　　　　　　　　　　　　　　　　　　－앙뜨완 꾸르－

1610년 5월 14일에 라바이약(Ravaillac)이라는 광신자가 자행한
앙리 4세의 암살은 프랑스 프로테스탄트들에게 커다란 불안을 자아냈
다. 비록 앙리는 정치적 편의에 따라 자신이 가톨릭 신자라고 선포했지
만, 이전의 종교적 · 군사적 동료들에게는 끝까지 충실한 친구였고, 낭
트 칙령에 의해 프로테스탄트 신자들의 자유와 생명을 보호했다. 그러
나 프로테스탄트 신자들은 사망한 국왕에 의해 실현된 평화와 종교의
자유를 이전의 적수들이 혐오하고 있으며 고인이 된 왕의 정책들을 무
효화하리라는 것을 예상하고 있었다. 새로운 국왕 루이 13세는 8세에
불과했으므로 앙리 4세의 둘째 아내였던 왕의 어머니 마리에 드 메디치
(Marie de Medici)가 실권을 장악했다. 마리는 낭트 칙령을 확인함으로써 불

신을 완화시키려 했다. 그 조처를 근거로 프랑스의 위그노들의 총회는 새로운 국왕에 대한 충성을 맹세했다.

그러나 마리에의 주위에는 이탈리아인 고문들이 모여들었다. 이들은 당시 프랑스의 실정 혹은 당시의 평화 상태가 얼마나 큰 고통과 피의 대가로 이루어진 것인지 이해하지 못했다. 이들은 합스부르크가, 특히 이 가문의 스페인 일족과 긴밀한 협력 관계를 유지했는데, 합스부르크가의 스페인 일족은 타협을 모르는 가톨릭 신도들로서 프로테스탄트를 증오했다. 어린 국왕은 스페인의 공주 오스트리아의 앤(Anne of Austria)과 결혼했으며, 그의 누이 이사벨라는 후일의 스페인 국왕 필립 4세와 결혼했다. 이에 자극받은 일부 위그노들이 반란을 일으켰으나 지도자들이 죽고 몇몇 프로테스탄트의 요새를 빼앗기는 결과를 초래했다.

1622년경 마리에 드 메디치의 세력이 약화되면서 리슐리외(Armand de Richelieu) 추기경이 프랑스의 궁정에서 새로운 권력가로 등장했다. 2년 후 그는 왕이 가장 신뢰하는 고문이 되었다. 그는 교활한 정치가로서 프랑스의 왕실과 자기의 권력 강화만이 유일한 목적이었다. 그는 로마교회의 추기경이었으나, 그의 종교 정책은 신학적 · 신앙적 측면에서가 아니라 이해관계의 계산에 근거했다. 그는 프랑스 부르봉 왕가의 중요 적수는 합스부르크가라고 확신했으므로 30년 전쟁 때에 가톨릭 황제에 대항한 프로테스탄트 측에 막대한 자금을 비밀리에 제공했다. 그러나 리슐리외는 동일한 정치적 이해관계 때문에 프랑스 내에서는 전혀 다른 종교 정책을 시행했다. 그는 황제를 대적하는 프로테스탄트 측을 지원함으로써 독일을 분열시키는 일을 조금도 꺼림칙하게 여기지 않았다. 그러나 프랑스 내에서는 위그노파가 국가의 통일을 저해하는 암적 존재

리슐리외는 가톨릭교회의 주교였으나 자신의 정책에 영향을 주는 종교적 조처를 용납하지 않았고, 적들을 당황하게 하기 위해 그들의 영토에 있는 프로테스탄트들을 지원했다.

라 생각했으므로 이를 탄압했던 것이다. 리슐리외가 염려한 것은 위그노가 프로테스탄트 이단이었기 때문이 아니었다. 앙리 4세가 위그노들의 안전을 보장하기 위해 몇 개의 요새화된 도시들을 허락했으므로 위그노들은 자기들의 권리가 피해를 받을 때에는 반항을 일으키고 저항할 능력을 보유하는 동시에 왕실에 대한 충실한 신민임을 선언한 바 있었다. 그러나 리슐리외의 중앙집권화 정책은 프랑스 국내에 이처럼 독립된 세력의 존재를 용납할 수 없었다.

리슐리외는 프로테스탄트의 세력을 와해시키기 위해 위그노 측의 주요 요새인 라로셸(La Rochelle)을 포위했다. 포위는 1년 동안 계속되었으며, 수비자들은 프랑스군의 정예를 맞아 용감하게 항전했다. 마침내 도시가 항복했을 때에 2만5천 명의 주민들 중 겨우 1천5백 명만 생존해 있었다. 도시의 성벽은 파괴되었으며 성 안의 모든 교회당에서는 가톨릭

미사가 거행되었다. 이 소식을 들은 다른 프로테스탄트 도시들이 왕에 대항한 무력 항전을 시작했다. 그러나 이들 중 누구도 라로셀에서처럼 강력하게 항전하지 못했으며, 이곳들을 점령한 왕의 군대들은 주민들을 완전 학살하는 정책을 실시했다.

그러나 리슐리외의 가장 큰 걱정은 프랑스 내의 프로테스탄트들의 존재 자체 혹은 이들의 예배가 아니라 단지 그들이 향유하고 있던 정치적 세력이었다. 따라서 1629년 이들의 강력한 요새들이 점령되자, 그는 종교적·세속적 문제에 관한 프로테스탄트들의 자유를 인정하는 칙령을 반포했다. 군사적으로 강력한 요새들을 상실한 위그노들은 더 이상 왕실에 대한 위협이 될 수 없었으며, 리슐리외는 지루하고 처절한 내란을 계속함으로써 국력을 약화시킬 의도를 가지고 있지 않았다. 프로테스탄트 신자들의 정치적·군사적 세력을 꺾는 데 성공한 추기경은 이제 합스부르크가를 약화시키는 데 관심을 집중했다. 그리하여 그의 통치 말기에 위그노들은 비교적 평화를 누렸다.

1642년에 리슐리외가 사망했고, 다음 해에 왕이 사망했다. 국왕이 된 루이 14세는 5세였으므로 그의 어머니이자 섭정이었던 오스트리아의 앤은 국정을 마자랭(Jules Mazarin) 추기경에게 맡겼다. 리슐리외의 추종자였던 마자랭은 리슐리외의 정책을 계속 추진했다. 라로셀 및 다른 프로테스탄트 도시들의 함락 후 수십 년 동안 프랑스 내의 프로테스탄트들은 비교적 종교의 자유를 누렸다. 마자랭 정부는 계속되는 반란과 음모에 시달렸으나, 프로테스탄트들은 이에 개입하지 않았으므로 이들의 숫자는 모든 사회 계층에서 증가했다. 농촌에서는 농민들과 지방 귀족들 사이에서 프로테스탄트들이 증가했다. 도시의 위그노 지식인들은 가장 훌륭한 살롱에 출입할 수 있었다.

마자랭이 사망했을 때 23세였던 루이 14세는 추기경의 후임자를 선출하기를 거부했다. 왜냐하면 후일 "태양왕"이라 불린 왕은 아무도 자기의 광채를 가리는 것을 원하지 않았기 때문이었다. 이러한 이유 때문에 프랑스 내정에 개입하려 했던 교황과도 충돌했다. 당시 중앙집권을 꾀했던 교황청에 대항하여 루이는 "갈리아 교회의 자유"를 선언하고 후원했다. 그러나 이와 동일한 이유 때문에 그는 이단자들이나 반체제 인사들을 인정하려 하지 않았고, 그렇기 때문에 프랑스 프로테스탄트 세력을 근절하기 위해 강력한 조처를 취했다.

가톨릭으로의 개종을 의미하는 바 프로테스탄트들의 "재결합"을 이루기 위해 왕이 사용한 조처들은 다양했고, 세월이 흐르면서 더욱 엄격

리슐리외의 후계자인 마자랭은 전임자의 정책을 거의 그대로 답습했다.

해졌다. 처음에는 온건한 압력과 회유를 사용했다. 그 후 왕은 개종하는 자에게 현금을 지불했다. 여기에 동원된 이유는 다음과 같다. 가톨릭으로 개종한 프로테스탄트 목회자들은 생계를 상실했고, 평신도들 중 개종하는 이들은 자기들의 고객을 비롯하여 수입의 원천을 상실하는 것이었으므로 이러한 피해를 보상하기 위해 그 대가를 현금으로 지급한다는 것이었다. 그러나 이 정책이 성공하지 못하자 왕은 보다 가혹한 조처를 동원했다. 1684년 태양왕은 계속된 전쟁들로부터 숨을 돌리게 되자 프랑스 내의 프로테스탄트 신자들의 "재결합"을 위해 무력을 동원했다. 이 무력 탄압 정책은 크게 성공했다. 왜냐하면 일부 지역에서 수천 명이 강제로 가톨릭으로 개종할 수밖에 없었기 때문이다.

1685년 국왕은 폰탠블루 칙령(Edict of Fontainebleau)을 반포하여 낭트 칙령의 조항들을 폐지하고, 프랑스 내에서 프로테스탄트가 되는 것을 불법으로 간주했다. 그 결과 거대한 탈출이 발생했다. 왜냐하면 많은 프랑스인 위그노들이 스위스, 독일, 잉글랜드, 북아메리카 등지로 이주했기 때문이다. 이 난민들 중 다수가 전문 기술인들과 상인들이었으므로, 이들의 이주는 프랑스에 큰 경제적 손실을 초래했다. 학자들은 폰탠블루 칙령에 의해 야기된 경제적 혼란이 프랑스 혁명(French Revolution)을 발생시킨 이유들 중 하나라고 주장했다.

공식적으로 폰탠블루 칙령 이후 프랑스 내에 프로테스탄트 신자들이 존재하지 않았다. 그러나 표면적으로 개종한 많은 사람들이 원래 신앙을 지켰고, 프로테스탄트 예배를 위해 비밀리에 모이곤 했다. 자신의 신앙을 부인함으로써 가책을 느끼는 사람들이 많았으므로 이러한 모임이 더욱 필요했다. 교회 건물을 사용할 수 없었으므로, 이들은 공터나 야산에서 모였다. 이러한 장소에서 밤의 어둠을 이용하여 전국적으로 수십 명, 혹은 수백 명의 신자들이 정기적으로 모여 말씀을 듣고 죄를 고백하고 성찬식을 행했다. 이러한 모임의 비밀이 철저하게 지켜졌으므로 정부의 정보원들은 정해진 시간과 장소를 거의 알아 내지 못했다. 혹시 집회 정보가 누설되면 정부에서는 모든 신자들이 도착하기까지 기다렸다가 모두 체포했다. 남자들은 갤리선(galley)의 노예로 보내졌으며, 여자들은 평생 감옥에 갇혔다. 목사들은 처형되었고, 어린아이들은 양부모에게 맡겨져 가톨릭 신앙으로 양육되었다. 그럼에도 불구하고 프로테스탄트 신도들은 집회를 계속했다. 왕의 정보원들도 위그노들이 스스로를 칭하는 "광야의 기독교인"(Christian of the desert)들을 근절하지 못했다.

그러한 경우에 흔히 볼 수 있듯이 이 운동은 곧 극단적이고 환상적인 경향을 띠게 되어 세상의 종말이 임박했다고 주장하는 자들이 나타났다. 피에르 유리우(Pierre Jurieu) 목사는 망명지인 로테르담에서 출판한 요한계시록 연구서에서 계시록의 예언들이 성취되고 있으며 최후의 승리는 1689년에 이루어질 것이라고 주장했다. 이러한 가르침에 힘을 얻은 프랑스의 일부 프로테스탄트 신자들은 더 대담해졌고, 그 결과 많은 이들이 처형당하거나 갤리선으로 보내졌다. 그러나 신비 체험과 예언적 환상이 속출했고, 하나님에 의해 입증된 신조를 위해 죽음을 불사하는 사람들이 증가했다. 어떤 이들은 하나님의 음성을 들었고, 어떤 이들은 입신하여 예언했다. 그 때문에 정부 당국은 저항하는 프로테스탄트 신자들을 쉽게 적발했다. 사로잡힌 신자들은 잔인한 고문을 받았다. 그러나 "나는 재결합한다"—나는 가톨릭교회로 돌아간다—라고 말한 이들은 거의 없었다.

이윽고 이 예언적 정신이 무장 반란으로 변했다. 이것은 과거의 종교 전쟁에서처럼 프로테스탄트 귀족들이 이끄는 것이 아니었다. 이 새로운 "광야의 군대"는 주로 농노들로 구성되었다. 그들은 여전히 밭을 갈고 씨를 뿌리고 곡식을 거두지만, 나머지 시간에는 무장을 하고 모여 왕의 군대를 공격했다. 그들은 전쟁터에 나가기 전에 성경을 읽었고 전투에 임해서는 시편을 노래했다. 수백 명에 불과한 이 반란군이 2만5천 명의 정규군을 점령했다. 확실치 않은 이유로 이 반란군들은 곧 "카미자르"(camisards)라고 알려졌다. 재래식 전투로 반란군들을 진압할 수 없었으므로, 정부에서는 카미자르들이 출몰하는 지역 일대를 초토화하는 정책을 택했다. 이에 따라 5백 개의 크고 작은 마을들이 파괴되었다. 그러나 이 때문에 집을 잃은 난민들이 이들에 합류했기 때문에 반란군의 세력이 오히려 증가했다. 이들의 투쟁은 여러 해 동안 계속되었다. 왕실에서는 이들에게 허위 약속을 한 후 지키지 않는 수단을 동원하여 일부 지역에서 반란을 평정할 수 있었다. 그러나 이들의 저항은 1709년에 마지막 카미자르 지도자들이 잡혀 처형될 때까지 계속되었다. 이때 여러 프로테스탄트 국가에서 이들의 영웅적 저항은 전설적인 것이 되었다. 그러나 아무도 이들에게 원조를 제공하지 않았다. 1710년 영국에서 마침내 이들을 지원하기로 결정했지만 그 시기가 너무 늦은 감이 있었다. 왜냐하면 반란의 마지막 불꽃이 이미 꺼졌기 때문이다.

한편 이들과는 다른 집단이 프랑스의 프로테스탄트들 가운데 부각되기 시작했다. 이들 지도자들은 출현하지 않은 종말론적 환상을 신뢰하지 않았으므로, 명백하고 신중한 성경 해석에 중심을 둔 예배를 포함하는 개혁파 전통으로 돌아갈 것을 주창했다. 이 집단의 뛰어난 지도자는 1715년 최초의 프랑스 개혁교회 회의를 조직한 앙뜨완 꾸르(Antoine Court)였다. 그는 칼빈과 베자의 가르침을 따라 세속 정부가 하나님의 말씀에 대치되는 요구를 할 때 외에는 모든 일에 있어서 정부에 복종해야 한다고 추종자들에게 권고했으며, 이것은 새로 조직된 교회의 공식 정책이 되었다. 이 제1차 총회가 열린 지 열흘 후 루이 14세가 사망했고 당시 5세였던 그의 손자 루이 15세가 왕위를 계승했다.

태양왕의 죽음으로 위그노들에 대한 탄압이 약화된 것은 아니었다. 새 정부가 오를레앙 공작(Philippe d'Orleans)의 섭정 아래 이전의 종교정책을 답습했기 때문이다. 그럼에도 불구하고 꾸르와 그의 추종자들은 자기들의 정책을 고수했다. 동료들 중 한 목사가 투옥되었을 때, 꾸르는 그를 구해 내기 위해 추종자들이 폭력을 사용하는 것을 금했다. 1726년에 망명지인 스위스 로잔에 신학교가 설립되었다. 프랑스인 목회 후보생들은 고국으로 귀국하기 전에 이곳에서 훈련을 받았으므로, 프랑스의 개혁교회는 성경과 신학에 정통한 설교자들을 보유할 수 있게 되었다. 1729년에는 꾸르 자신이 로잔으로 이주하여 비밀리에 활동하는 설교자들의 정신적 지주가 되었다. 꾸르는 망명지에 거주하면서도 계속 프랑스를 방문하여 개혁교회의 각종 문제들을 지시하고 목회자들을 격려했다. 1767년 그가 83세로 사망했을 때 프랑스 내에는 개혁파 프로테스탄트주의가 깊이 뿌리박고 있었다.

그러나 1787년 루이 15세의 손자요 후계자인 루이 16세가 종교의 자유를 반포할 때까지 탄압은 계속되었다. 오랜 박해 기간 동안 수천 명의 남자들이 갤리선으로 보내졌으며, 비슷한 수의 여성들이 종신 징역을 살았다. 가톨릭교회에 "재결합"한 자들은 얼마 되지 않았다. 두 명의 목사들이 신앙을 저버렸으나, 많은 이들은 신앙을 버리기보다 죽음을 택했다. 결국 "광야 교회"는 생존했다.

이 투쟁은 독일의 30년 전쟁과 마찬가지로 많은 사람들로 하여금 도그마와 교조주의를 불신하게 했다. 그들을 대표하는 인물이 볼테르(Voltaire)였다. 그는 프로테스탄트주의를 지원했는데, 이는 그가 그 신조에 동조했기 때문이 아니라 종교의 자유를 억압하는 것은 불합리하고 부도덕적이라고 생각했기 때문이다. 박해와 저항, 공포와 영광이 뒤섞인 기간에 후일 프랑스의 혁명의 이상들을 옹호하게 된 지성인들이 출현했다.

위정자는 말씀과 성례의 집행, 또는 천국 열쇠의 권세를 스스로
자기 것으로 심아서는 안 된다. 그러나 교회 안에서 연합과 화평을
보존하고, 하나님의 진리를 순결하고 완전하게 지키고, 모든
신성모독과 이단을 억제하고, 예배와 수양의 모든 부패와 악습을
금지하고 개혁하며, 하나님의 모든 성직이 정식으로 자리 잡고 실시
되고 집행되도록 적당한 수단을 취하는 것은 그들의 권한이며 의무이다.
－웨스트민스터 신앙고백－

영국의 종교개혁을 논하면서 엘리자베스 여왕이 가능한 한 옛
신앙과 관습을 보전하려 하는 보수주의자들과 성경의 규범에 따라 교회
생활과 구조를 개혁해야 한다고 확신한 칼빈파 프로테스탄트들 사이에
서 중도 정책을 시행했음을 살펴보았다. 여왕이 생존한 동안에는 이 미
묘한 균형이 유지되었다. 그러나 이러한 상황 속에 내재하는 긴장 상태
가 거듭 표면화되었으며, 여왕과 대신들의 강력하고 확고한 개입에 의
해서만 그것들을 억제할 수 있었다.

제임스 1세

1603년 사망한 엘리자베스는 직계 후계자를 남기지 못했지만 이미 스

코틀랜드 국왕이었던 메리 스튜어트의 아들 제임스를 합법적 후계자로 지명했다. 왕위의 승계가 큰 어려움 없이 진행되었으므로 스튜어트가가 잉글랜드를 지배하게 되었다. 새로운 국왕-잉글랜드의 제임스 1세이자 스코틀랜드의 제임스 6세-은 잉글랜드를 다스리는 것이 쉬운 일이 아님을 깨달았다. 잉글랜드인들은 항상 그를 외국인으로 취급했다. 결국 실현되기는 했지만, 그가 계획한 두 왕국의 연합은 스코틀랜드와 잉글랜드 양국에서 반대자들을 낳았다. 엘리자베스의 중상정책(重商政策)이 결실을 맺고 있었으며, 귀족들과 총신들을 지원하는 제임스의 정책에 분개하는 상인들의 세력이 강해지고 있었다. 그러나 제임스가 가장 큰 곤란을 겪은 상대는 잉글랜드에서 종교개혁이 충분히 이루어지지 못한 원인이 왕실과 그 고문들의 정책 때문이라고 믿는 프로테스탄트들이었다. 그런데 새 국왕이 이끄는 스코틀랜드는 종교개혁의 진전이 이루어졌으므로, 잉글랜드의 칼빈주의자들은 자기들의 고국에서도 비슷한 변화를 이룰 시기가 되었다고 생각했다.

이 급진적인 프로테스탄트들은 하나의 집단으로 조직되어 있지 않았으며, 이들이 또한 모든 문제에 관해 의견이 일치된 것이 아니었으므로 일반적인 용어로 이들을 묘사하기는 어렵다. 그들에게 "청교도"(Puritans)라는 명칭이 주어진 것은 성경적 종교로 복귀함으로써 교회를 "정화"해야 할 필요가 있다고 주장했기 때문이다. 그들은 십자가의 사용, 특정한 사제들의 예복, 제단에서 행하는 성찬식 등 잉글랜드 교회에 남아 있는 전통적인 예배 요소에 반대했다. 여러 가지 서로 다른 의미로 해석될 수 있는 각종 의식의 모습, 즉 성찬식 때 제단을 사용할 것인지 아니면 단순히 식탁을 사용할 것인지, 혹은 그것을 어디에 둘 것인지 등에 관해서 오랫동안 격렬한 논쟁을 벌였다. 그들은 또한 성경의 명령에 따른 경건 생활의 필요성을 역설했으므로 사치와 허례허식에 반대했다. 그들은 당시 잉글랜드 교회의 예배를 필요이상으로 정교하다고 여겼으므로 이러한 예배에도 반대했다. 많은 이들은 주일을 성수하여 종교 의식과 자선 행위만 실행할 것을 고집했다. 그들은 『공동기도서』(Book of Common Prayer)와 성문화된 기도들이 위선으로 연결된다고 주장하여 거부하고 주님의 기도를 기도의 모범으로 사용해야 한다고 주장했다. 그들 대부분은 적당하게 술을 마셨으므로 음주에 절대적으로 반대하지는 않았지만, 특히 잉글랜드 교회 성직자들 사이에 만연했던 술 취함에 대해서는 비판적이었다. 이밖에도 이들은 방탕에 대해 비판적이었는데, 여기에는 연극도 포함되어 있었다. 이는 단지 극중에 표현된 부도덕 때문만이 아니라 연극 자체에 잠재해 있는 "이중성" 때문이었다.

많은 청교도들은 주교들을 대적했다. 그들은 적어도 그 시대의 감독 제도는 성경에서 찾아볼 수 없는 것으로서 후대에 만들어진 것이며 교회는 교리에 관한 문제에 있어서만 아니라 조직과 체제에 있어서도 성경만 의지해야 한다고 주장했다. 청교도들 중에도 온건한 사람들은 성경 속에서 여러 가지 형태의 교회 조직을 찾아볼 수 있으므로 비록 감독 제도가 유익한 것이라 할지라도 "신적 권위"에 속한 것이 아니라고 선언했다. 또 다른 인사들은 신약 시대의 교회가 "장로들"에 의해 통치되었으므로 참 성경적 교회는 이러한 제도를 채택해야 한다고 주장했다. 또 어떤 이들은 개 교회가 모든 다른 개 교회들로부터 독립해야 한다고 주장했으므로 "독립파"라 불렸다.

이 독립파에서 침례파가 생겨났다. 이들의 초기 지도자들 중 하나인 존 스미스(John Smyth, 1554-1612)는 국교회 사제로서 국교회의 개혁이 충분히 이루어지지 못했다고 여겨 독립 회중, 즉 불법적 회중을 세웠다. 이 회중이 성장함에 따라 스미스와 그의 추종자들은 암스테르담으로 망명하기로 결정했다. 그곳에서도 그는 성경공부를 계속했으며, 원래의 성경 본문만이 절대적인 권위를 지닌다고 여겨 예배 때에 성경 번역본을 사용하는 것을 거부하기에 이르렀다. 그는 교회에서 히브리어나 헬라어로 성경을 봉독한 후 설교하면서 본문을 번역하곤 했다. 성경공부를 통해서, 그리고 평화주의요 맹세를 거부하는 메노파와의 접촉으로 말미암아 그는 결국 유아세례가 타당하지 못하다고 확신하게 되었다. 그리하여 스스로 양동이와 국자로 자기의 머리에 물을 부음으로써 자신에게 세례를 베푼 후 추종자들에게도 세례를 주었다. 그리하여 비판하는 사람들은 그를 "스스로 세례받은 자"라고 불렀다.

스미스와 그의 회중이 암스테르담으로 망명할 때 경제적으로 지원한 부유한 변호사 토머스 헬위즈(Thomas Helwys)는 절대적인 평화주의와 맹세— 변호사인 헬위즈는 이것이 사회질서의 기본이라고 여겼다—등의 문제 때문에 스미스와 결별했다. 그리하여 헬위즈와 그의 추종자들은 영국으로 돌아갔고 1611년에 최초의 침례파 교회를 세웠다.

결국 엄수 칼빈파와 아르미니우스파를 분열하게 만들었던 것과 비슷한 문제로 인해 침례파 내에 불화가 발생했다. 아르미니우스의 입장을 취하는 사람들은 만인구원론을 믿었기 때문에 일반침례교(General Baptists)라고 알려졌고, 예정된 사람들만 구원받을 수 있다고 주장하는 사람들은 특수침례교(Particular Baptists)라고 불렸다.

한편 공식 교회는 이들과 평행선을 그으면서도 정반대 노선을 따르고 있었다. 엘리자베스 시대의 균형은 온건파 칼빈주의 신학을 따르면서도 이 새로운 신학에 정면으로 대치되지 않는 예배 의식과 교회 조직을 유지하는 교회를 세움으로써 이루어진 것이었다. 그러나 엘리자베스 시대에 이루어진 교회를 유지하기 어렵게 되었다. 일부에서는 예배의 전통적인 요소들을 옹호하기 위해서 칼빈주의 신학을 포기하기 시작했다. 국교회(Church of England)의 지도적 신학자들은 당시 시행된 예배 의식의 아름다움에 도취하여 신학이나 성경 주해 등 외적 요건들에 의거한 의식의 변화를 바라지 않았다. 이윽고 청교도들은 "가톨릭주의"로 복귀하려는 운동이 진행될까 염려하기 시작했다.

제임스가 엘리자베스의 뒤를 이어 왕이 되었을 때 이미 이러한 요소들은 잠재적으로 존재하고 있었다. 제임스의 즉위를 계기로 오랫동안 잠재해 있던 길등이 점증하는 폭력을 동반하여 표면화되기 시작했다. 청교도들은 메리 스튜어트의 아들인 국왕을 신뢰하지 않았다. 실제로 제임스는 가톨릭 신자들을 좋아하지 않았다. 가톨릭 측에서는 제임스에게서 혜택을 얻으려 했으나 거듭 거절당하곤 했다. 그의 이상은 프랑스에 존재하는 것과 같은 절대 군주제였다. 그러나 장로교 신자들인 스코틀랜드 국민은 그가 원하는 대로 자유로이 통치하는 것을 허락하지 않았다. 따라서 그는 잉글랜드에서 자신의 권력을 증가시키는 수단으로 감독제도를 강화하고자 했다. 그는 "감독들 없이 왕도 없다"라고 선언했는데, 이것은 국가의 군주정체는 교회의 군주 정체의 지원을 받아야 한다는 의미이다.

제임스의 성품은 존경을 자아내기에 부족했다. 당시 동성애에 대한 편견이 심했는데, 그는 동성연애자로서 그의 애인들이 궁중과 정부에서 특권을 향유하고 있었다. 또한 그는 절대 군주임을 주장하면서도 정책에 일관성이 없었다. 그는 정직하게 재정 문제를 처리했으나, 쓸데없는 일에 막대한 자금을 투입했으므로 정작 중요한 정책들은 자금 고갈로 시행되지 못하곤 했다. 또한 그가 친구들에게 함부로 작위와 명예를 하사한 행위는 아무런 보상을 받지 못한 채 평생 왕실을 섬겨온 중신들을 불쾌하게 했다.

제임스는 엘리자베스와 유사한 종교 정책을 추구하려 했다. 그는 평등주의를 주장한 재세례파만 조직적으로 박해했다. 가톨릭 신자들은 교황에게 충성하고 있으므로 잠재적인 반역자들이었다. 그러나 만약 교황이 제임스의 왕권을 인정하고 영국의 종교적 분란의 해결책으로 일부 가톨릭 신자들이 제안한 국왕 살해를 정죄한다면, 왕은 자신이 통치하는 두 왕국 내에서 가톨릭 신자들까지도 용인할 준비가 되어 있었다. 스

영국의 제임스 1세는 스코틀랜드의 제임스 6세이기도 했다. 그는 왕권과 감독제도와 결속이 중요하다고 확신했으므로 많은 청교도들이 옹호하는 장로제 통치 형태를 혐오했다.

코틀랜드에서 그가 증오했던 장로교 신자들도 영국에서는 자유를 누렸다. 제임스는 이들에게 약간의 권리를 부여하기도 했다. 그러나 그가 절대로 포기할 수 없었던 것은 감독제도였다. 왜냐하면 그는 주교들이 가장 헌신적이고 유익한 왕실 지지 세력이라고 확신했기 때문이었다. 이것은 옳은 생각이었다.

제임스의 재위 기간에 공식 교회의 성직자들과 청교도들 사이의 불화가 증가했다. 1604년 당시 캔터베리 대주교 리처드 밴크로프트(Richard Bancroft)는 감독제도가 하나님이 세우신 것이므로 이러한 제도가 없는 것은 진정한 교회가 아니라는 일련의 교회법을 제정했다. 이것은 감독제도를 채택하지 않은 대륙의 많은 프로테스탄트 교회들을 부인하는 것을 의미했으므로 청교도들은 이 조처를 잉글랜드에 가톨릭을 다시 도입하기 위한 준비 작업으로 간주했다. 이것뿐만 아니라 대주교가 말한 다른 교회법들 역시 청교도들을 대적하기 위한 것임이 분명했다.

이때 제임스는 새로운 과세(課稅)를 인정받기 위해 의회를 소집해야 했다. 하원에는 많은 청교도들이 있었는데, 이들은 밴크로프트의 교회법에 반대하여 국왕에게 항소했다. 제임스는 햄프턴 코트(Hampton Court)에 회의를 소집하고 주재했다. 이곳에 모인 청교도들 중 하나가 "장로회"를 언급하자 국왕은 왕국과 장로회의 사이는 하나님과 사탄 사이만큼 멀다고 선언했다. 양측의 화해를 위한 시도들이 모두 수포로 돌아갔으며, 이 의회의 유일한 결과는 1611년에 출판된 새로운 성경의 번역이었다. 이 성경은 흠정역(King James Version)이라 알려져 있다. 이것은 영어의 절정기에 출판되었으므로, 공동기도서와 함께 후대의 영국 문학에 심오한 영향을 미친 고전이 되었다.

이를 계기로 하원과 보수적인 감독들 사이에 적의가 증가하기 시작했다. 후자들은 국왕뿐만 아니라 감독들도 신적 권리에 의해 다스린다는 왕의 주장에 동조했다. 1606년에는 노골적으로 반청교도적인 새로운 교회법들이 교회 당국에 의해 승인되었다. 의회는 왕이나 대주교가 아닌 이들의 대변자들을 비난함으로써 반격했다. 결국 이러한 양측의 적의는 다음 국왕 때에 내란으로 발전하게 된다.

한편 1605년 말에 "화약음모사건"(Gunpowder plots)이 적발되었다. 그 전해에 국왕보다 교황에게 더 충성한다는 구실로 가톨릭 신자들을 억압하는 법이 통과되었었다. 그러나 이 법의 실질적인 목적은 자금 마련인 것으로 보였다. 왜냐하면 당국은 단지 과도한 벌금을 부과하고 재산을 몰수하는 데에만 이것을 사용했기 때문이었다. 어쨌든 일부 가톨릭 신자들은 국왕을 제거해야 한다고 결정했다. 그들 중 하나가 의회의 회의장 아래까지 뻗어있는 지하창고가 달린 건물을 빌렸다. 원래의 계획은 포도주 대신 화약을 채운 술통들을 회의장 밑에 두었다가 왕이 다음 회의를 진행할 때에 폭발시키려는 것이었다. 이렇게 하면 의회에 참석한 국왕과 청교도들을 한꺼번에 제거할 수 있다는 계산이었다. 그러나 이 음모가 사전에 발각되었으므로 주모자들과 참여 여부가 명백히 밝혀지지 않는 몇 사람이 처형되었다. 어떤 지역에서는 가톨릭 신자들을 끝까지 추적하여 찾아냈다. 제임스는 실질적인 범인과 평범한 가톨릭 신자들을 구별해 보려고 노력했던 것 같다. 그러나 어쨌든 그는 이 기회를 이용하여 보다 많은 벌금을 부과하고 재산들을 압류했다. 곧 수천 명의 가톨릭 신자들이 투옥되었다.

왕위에 오르고 몇 년 후 제임스는 의회를 소집하지 않고 통치하려 했다. 그러나 새로운 세금을 부과하기 위해서는 의회의 승인이 필요했으므로 1614년 재정 상태가 극도로 악화되자 제임스는 의회를 소집하기로 결정했다. 그러나 새로 구성된 하원이 이전 하원보다 오히려 통솔하기 힘들다는 사실을 깨달은 제임스는 곧 이를 해산하고 자기의 권한으로 부과한 세금만으로 국정을 운영하려 했다. 그는 주교들과 귀족들에게 막대한 금액을 빌려 써야 했다. 때마침 30년 전쟁이 발발했다. 국토와 왕위를 빼앗긴 팔라틴의 선거후이자 보헤미아의 국왕 프레드릭은 그의 사위였다. 그러나 제임스는 그를 지원해주지 않았다. 그는 자금 부족을 구실로 들었으나, 잉글랜드의 많은 프로테스탄트들은 제임스를 비겁한 배반자라고 선언했다.

1621년 국왕은 다시 의회를 소집했다. 독일의 프로테스탄트들을 돕겠다는 조건으로 하원의 청교도들에게 새로운 과세를 허락받기 위함이었다. 그러나 마침 이때 왕이 자신의 후계자인 맏아들을 스페인 공주와 결혼시키려는 계획이 드러났다. 의회에 출석한 청교도들의 눈으로 볼 때 이러한 합스부르크가와의 동맹은 상상할 수 없는 가증한 일이었다. 이들은 사소한 세금 문제를 승인해 준 후 왕에게 이 문제를 심각하게 항의했다. 왕은 의회를 해산하고 청교도 지도자들을 체포했다. 어쨌든 여러 가지 이유 때문에 결혼은 이루어지지 못했다. 1624년 제임스는 다시 의회를 소집했으나, 원래 의도했던 자금을 얻지 못한 채 해산했다. 얼마후 국왕이 사망하고 그의 아들 찰스가 왕위에 올랐다.

찰스 1세

새 국왕 찰스는 그의 부친과 마찬가지로 강력한 중앙집권 군주제의 필요성을 확신하고 있었으며, 이 때문에 의회와 충돌했다. 찰스가 스페인과의 협상에 실패한 후 프랑스의 루이 13세의 누이와 결혼했기 때문에 청교도들은 왕의 의도를 의심했다. 찰스는 결혼을 위한 협상을 하면서 영국의 가톨릭 신자들에게 상당한 양보를 해야 했으며, 또 왕비와 수행원들은 계속 자기들의 종교 의식을 거행할 자유를 얻었다. 많은 청교도들은 이를 우상숭배의 회복으로 간주했고 왕실에 배교자가 생겼다고 불평했다. 어떤 이들은 사석에서 왕비를 이세벨에 비교했다.

찰스는 부친으로부터 의회와의 대결을 이어받았는데, 이것은 청교도주의와 의회주의에 반대했던 왕권신수설의 주창자 리처드 몬태규(Richard Montague)의 재판에서 절정에 달했다. 그는 이러한 주제들에 관해 여러 권의 책을 출판했는데, 특히 의회를 공격한 책이 출판된 후 하원은 그를 재판하여 벌금형과 금고형을 판결했다. 국왕 찰스는 자신의 지지자인 그를 개인 사제로 임명하여 의회의 권한이 미치지 못하게 했다. 그러자 국왕의 중신인 버킹엄 공작을 반역죄로 기소하여 찰스에게 보복해야 한다는 주장이 시작되었다. 결국 국왕은 의회를 해산하고 의회 없이 통치하기로 결정했다. 그러나 이것은 불가능한 일이었다. 왜냐하면 국왕은 막대한 자금이 필요했으며, 의회의 승인 없이 이를 조달할 수 없었기 때문이었다. 그러나 의회와 신경전에 지친 국왕은 한층 더 강경한 조처를 취했다.

캔터베리 대주교가 중재하려 하자 왕은 실질적으로 그의 권한을 박탈하고 당시의 청교도주의에 대항한 가장 열렬한 반대자였던 윌리엄 로드(William Laud)가 주재하는 위원회에 회부했다. 찰스는 거듭 의회를 소집했으나, 하원에서 세금 문제를 다루기 전에 다른 고충 문제들을 다루어야 한다고 주장했으므로 의회를 해산했다. 찰스는 하원 의원들 중 자기를 지지하는 사람들에게 작위를 주어 보상했는데, 결과적으로 그는 하원의 미약한 지지마저 상실하게 되었다. 겨우 의회의 논쟁에서 왕을 지지했다는 것만으로 평민들에게 작위를 하사한 사실에 불만을 품은 귀족들도 왕에게서 등을 돌렸기 때문이다. 1629년 찰스는 즉위 기간 중 세 번째로 의회를 해산하고 의회의 도움 없이 독력으로 통치하기로 결심했지만 11년 후 다시 의회를 소집할 수밖에 없었다.

그가 직접 독단적으로 통치한 11년 동안 상류층은 번영했다. 그러나 임금 상승이 물가 상승을 따라가지 못했으므로 권력층은 점점 더 부유해지는 데 반해 국민의 대부분은 경제적으로 압박을 받았다. 찰스는 필요한 자금을 얻기 위해 귀족들에게 점점 더 많은 혜택을 부여했고, 귀족들은 가난한 사람들을 더욱더 탄압했다. 국왕은 가난한 자들의 상황을 개선하기 위해 몇 가지 조처를 취했으나, 왕의 취약한 조처로는 당시의 사회적·정치적 질서가 초래한 고난을 완화할 수 없었다. 특히 산업 영역에서 왕과 주교들은 국민의 적으로 여겨졌다. 왕과 감독들의 지나친 월권 및 "새 이세벨"의 사치와 우상숭배를 공격한 청교도들은 급속히 대중의 지지를 얻었다.

1633년 윌리엄 로드가 캔터베리 대주교에 임명되었다. 그는 국교회 예배 의식의 장엄함과 아름다움에 도취되어 있었을 뿐만 아니라 국가의 안위를 위해 종교의 통일이 필요하다고 확신했다. 그는 청교도들에 대해 사형집행 명령과 신체 절단 명령을 비롯한 모질고 잔인한 조처를 취했다. 이러한 열렬한 지지에 만족한 찰스는 로드에게 스코틀랜드까지도 감독하도록 했다. 대주교는 이곳의 장로교회에게 국교회 예배 의식을 강요했다. 이 때문에 발생한 폭동은 반란으로 이어졌다. 스코틀랜드 교회의 총회가 감독들의 권한을 제한하려 하자 왕의 대리인들이 총회의 폐회를 선언했다. 그러나 총회는 왕의 명령을 거부하고 감독제도를 폐지한 후 스코틀랜드교회를 장로교 원칙에 입각하여 재조직했다.

이 때문에 전쟁이 불가피하게 되었다. 충분한 병력도 군자금도 없었던 국왕은 열렬한 가톨릭 신자들인 아일랜드인들에게 지원을 요청했다. 왕비가 가톨릭 신자임을 의식한 조처였다. 그러나 그것은 오히려 스코틀랜드의 칼빈주의자들과 잉글랜드의 청교도인들이 더욱 가깝게 되는 결과를 초래했다. 1640년 찰스는 스코틀랜드 반란 진압을 위한 자금을 얻기 위해 의회를 소집했다. 그러나 곧 하원의 의원들 다수가 왕에 대항하는 반란군들과 동조하고 있음이 분명해졌으므로 찰스는 의회를 해산했다. 그 후 이 의회는 "단기의회"(Short Parliament)라 불렸다. 이러한 형세에 용기를 얻은 스코틀랜드인들이 영국에 침입했고, 왕의 군대는 패주했다. 또다시 찰스는 의회를 소집할 수밖에 없었다. 그리하여 잉글랜드의 역사상 중요한 의미를 가지는 "장기의회"(Long Parliament)가 시작되었다.

장기의회

장기의회의 첫 회의 직전 수년 동안 경제적인 어려움들이 발생했다. 그때까지만 해도 가난한 사람들과 프롤레타리아 계급에게만 영향을 미쳤던 사회적·경제적 격변들이 부르주아들에게도 부정적인 영향을 미치기 시작했다. 따라서 새 의회의 하원에 선출된 사람들의 대부분은 종교적 이유에서가 아니라도 경제적인 이유에서 왕의 정책에 불만을 품고 있었다. 많은 귀족들이 상업에 투자함으로써 부르주아 계급에 합류했으므로, 다수의 상원 의원들은 왕의 권력을 제한하려는 하원에 합류했다. 따라서 새 의회는 이전의 의회보다 더 상대하기 힘든 존재였다. 왕은 단지 영국에서 스코틀랜드 반란군을 몰아내는 데 필요한 군대를 일으키

찰스 1세는 부친의 정책을 계속 추진했으며, 결국 왕위와 목숨을 잃었다.

기 위한 자금을 얻으려고 의회를 소집했었다. 그러나 반란군의 위협 때문에 의회가 힘을 얻고 있음을 알고 있었던 의원들은 그 문제를 해결하려 하지 않았다. 우선 이들은 당시 청교도주의를 파괴하려 했던 사람들을 처벌하기 시작했다. 로드 대주교로부터 피해를 입은 사람들 중 생존해 있는 사람들이 석방되었으며, 이들의 고통에 대한 보상금이 지급되었다. 왕의 보좌역인 스트래포드(Strafford) 경은 의회의 재판을 받고 사형에 처해졌다. 왕은 그를 구조하기 위한 조처를 취하지 않았다.

의회는 영향력을 영속화하기 위한 조처를 취했다. 1641년 5월 의회는 자기들의 동의 없이 왕이 의회를 해산할 수 없다는 법을 통과시켰다. 왕은 이 때문에 중요한 특권을 상실했으나, 이에 정면으로 반대하지 않고 복잡한 음모들을 통해 문제들을 해결하려 했다. 마침내 의회에서 스코틀랜드의 반란군을 다루기 위한 군자금 문제를 논의하기 시작했을 때, 국왕이 의회의 세력을 무효화하기 위해 침략자들과 협상하고 있었다는 사실이 드러났다. 아일랜드에서 발생한 가톨릭 반란도 왕비가 선동한 것으로서 이를 통해 의회에 창피를 주어 국왕에게 군대를 동원할 자금을 허락할 수밖에 없도록 하기 위한 것이라는 소문이 나돌았다. 사실 여부를 막론하고 국왕의 이중성은 극단적인 프로테스탄트들로 하여금 왕실의 권한 제한을 목표로 하는 사람들과 더욱 긴밀하게 연합하게 했다.

상원 의원인 감독들은 의회에서 찰스의 중요한 지지 세력이었다. 그런데 하원에서 일부 감독들에 대한 소송 절차를 시작했다. 피의자가 의회에 참석하려 했을 때 런던 시민들이 폭동을 일으켜 그들을 회의장에 들어가지 못하게 했다. 이러한 사건들에 용기를 얻은 극단적인 하원 의원들은 아일랜드의 반란에 이르게 한 사건들에 연루되었다는 죄목으로 왕비를 재판에 회부할 계획을 발표했다. 이처럼 극단적인 조처들로 말미암아 청교도들에 대한 반발이 발생했다. 많은 상원 의원들은 질서를 회복할 때가 되었다고 확신했다. 사태는 왕에게 유리하게 되어가고 있었다. 그러나 결정적 승리의 순간을 기다릴 인내심이 없었던 그는 성급하게도 하원 지도자들을 상원에 고발했다. 언젠가 자기들도 동일한 신세가 될지도 모른다는 불안에 시달렸던 귀족들은 고발을 기각했다. 그러자 국왕은 피의자들의 체포를 명령했는데, 의회는 이를 거부했다. 다음날 찰스는 피의자들을 체포하기 위해 병사들을 파견했다. 그러나 런던 시민들은 의회를 지지했으며 피의자들을 체포하는 것을 허락하지 않았다. 수도를 빼앗긴 국왕은 햄프턴코트와 윈저 궁으로 퇴각했다.

한편 런던에서는 국왕에 대항하는 의회의 지도자 존 핌(John Pym)이 "왕관 없는 제왕"처럼 지배하고 있었다. 하원에서는 감독들을 상원에서 축출하자는 법안을 제안했다. 상원이 이에 동의하고 국왕도 반대하지 않았으므로, 고위 성직자들은 축출되었다. 그리하여 청교도주의에 반대하는 인사들을 의회에서 점진적으로 축출하는 과정이 시작되었으며, 의회는 더욱 극단적인 경향으로 흐르게 되었다. 그리하여 의회는 자체의 명령 하에 움직일 민병대 모집을 명했다. 왕은 드디어 결정적 행동을 취할 때가 왔다고 결심했다. 그는 자기에게 충성하는 군대를 소집하고 의회 소속 민병대에 대항할 전투를 준비했다. 왕실과 의회의 분쟁이 결국 내란을 불러온 것이다.

내란

양측 모두 군사력을 강화하기 시작했다. 찰스는 귀족들의 지지를 받앗고, 의회를 지원한 것은 찰스의 통치 아래 고통을 겪은 계층이었다. 병사들의 대부분은 하류층 출신이었으며 상인들과 소수의 귀족들이 섞여 있었다. 따라서 왕의 군대는 전통적으로 귀족들의 전유물이었던 기병(騎兵)이 강했다. 이에 반해 의회군의 중추는 보병과 해군이었는데, 이를 위해서는 교역이 중요한 역할을 했다. 처음에는 양측 모두 외부의 지원을 확보하는 데 주력했으므로 본격적 전투는 없었다. 의회는 스코틀랜드인, 찰스는 아일랜드의 가톨릭들에게 지원을 청했다. 또한 내란의 위협에 처한 다양한 청교도 분파들이 단결하기 시작했다.

의회는 스코틀랜드의 원조를 끌어내기 위해 장로교적 경향을 띤 조처들을 취했다. 잉글랜드의 청교도들 모두가 장로교 제도를 이상적인 교회 통치 형태로 인정하지는 않았으나, 국왕의 중요한 종교적 지원 세력인 감독제도에 반대하는 데에는 일치했다. 결국 감독제도는 폐지되었다. 그것은 감독들이 국왕을 지원했다는 것과 신학적인 이유들 때문이었으며, 뿐만 아니라 감독들의 재산을 몰수함으로써 의회는 새로운 세금을 부과함이 없이 군자금을 마련할 수 있었기 때문이다.

한편 의회는 종교 문제에 관한 자문을 담당할 신학자들을 소집했다. 이것이 유명한 웨스트민스터 회의(Westminster Assembly)이다. 여기에는 의회가 임명한 121명의 목회자들과 30명의 평신도들뿐만 아니라 8명의 스코틀랜드 대표들이 참석했다. 당시 스코틀랜드인들이 대영제국에서 가장 강력한 군대를 소유하고 있었으므로 그들은 회의에 결정적인 영향을 미쳤다. 이 회의의 신앙고백이 칼빈주의 정통신학의 기초 문서들 중 하나가 되었다. 어쨌든 참석자들 일부가 "독립파"―즉 회중파 형태의 조직 지지자들―이었으며, 감독주의 경향을 띤 인물들이 있었음에도 불구하고, 웨스트민스터 회의는 장로교 형태의 교회 조직을 선택했고, 의회에게 영국 국교회를 위해 이를 채택하도록 권고했다. 의회 내에는 다른 형태의 조직을 선호하는 많은 독립파들이 있었다. 그러나 당시 전쟁의 진행 상황 때문에 이들은 스코틀랜드인들과 함께 "엄숙 동맹"(Solemn League and Covenant)에 가입하여 장로교를 받아들였다. 이것은 1644년 실행에 옮겨졌으며, 이듬해에 의회의 명령에 의해 윌리엄 로드-당시 캔터베리 대주교-가 처형되었다.

이처럼 의회가 군대를 강화하고 있을 때 올리버 크롬웰(Oliver Cromwell)이 세상의 주목을 받았다. 그는 헨리 8세의 대신의 후손으로서 비교적 부유했다. 그는 몇 년 전 청교도가 되어 성경을 열심히 읽고 있었다. 그는 개인적인 결정이나 정치적인 결정들이 하나님의 뜻에 기초해야 한다고 확신했다. 이것은 그가 어떠한 결정에 도달하기까지 많은 시간이 걸렸으나, 일단 결정을 내리면 끝까지 그것을 따라 결론에 도달했음을 의미했다. 그는 동료 청교도들의 존경을 받았으나 내란이 일어나기 전에는 하원 의원에 불과했다. 그런데 일단 무력 대결이 불가피하다고 생각하게 되자 크롬웰은 소규모 기병대를 조직했다. 그는 기병대가 국왕의 주 무기임을 알았으므로 의회에서도 이에 대항할 병력이 필요함을 깨닫고 있었다. 곧 그의 열정이 추종자들에게 전염되어 그가 거느린 군대는 비록 숫자는 작았으나 강력한 기병대가 되었다. 그들은 거룩한 전쟁에 임한다고 확신했으므로 시편을 노래하며 전쟁터로 달려가곤 했다. 곧 의회의 군대 전체가 비슷한 확신을 갖고 막강한 군대가 되어 네이즈비(Naseby) 전투에서 왕의 군대를 궤멸시켰다.

이 전투는 국왕의 종말을 재촉하는 계기가 되었다. 반란군은 왕의 진영을 점거했는데, 이곳에서 국왕이 외국의 가톨릭 군대에게 잉글랜드를 침입하도록 종용하고 있다는 증거를 발견했다. 찰스는 스코틀랜드인들과 협상을 벌여 자기편으로 끌어들이려 했다. 그러나 스코틀랜드인들은 그를 사로잡아 결국 의회에 넘겼다. 전쟁에 승리한 의회는 주일성수와 방탕한 오락 금지를 비롯한 일련의 청교도적 조처를 취했다.

그러나 국왕과 감독들을 대적하기 위해 단결했던 청교도들이 심하게 분열되었다. 의회의 다수는 장로교 조직에 따른 통치 형태를 지지했는데, 그것은 감독들 없는 국교를 허락하는 것이었다. 그러나 군부에서는 독립파가 득세했다. 이 독립파는 자체 내에서도 많은 점들에 관해 의견이 일치하지 못했다. 그러나 이들은 장로교 형태의 국교가 성립될 경우 자기들이 이해하는 방식대로 성경에 순종할 자유를 빼앗긴다는 데 동의했다. 그리하여 의회와 군부 사이에 갈등이 심화되었다. 1646년 의회는 군대를 해산하려 했으나 성공하지 못했다. "제5왕국파"(Fifth Monarchy)와 "평등파"(Levellers) 등 보다 과격한 집단들이 군부의 주도권을 잡았다. 이들 중 일부는 주님이 곧 재림하실 것이므로 정의와 평등을 확립하여 사회질서를 개조해야 한다고 주장했다. 상인들이 여전히 세력을 차지하고 있던 의회는 군부에 대항하여 엄격한 조처를 취했다. 그러나 군부에서는 자기들이 국민들의 광범위한 계층을 포함하고 있으므로 의회가 아닌 군대가 국가를 대변할 권리를 지닌다고 응답했다.

이때 왕이 도주하여 스코틀랜드인들, 군부, 의회 등을 상대로 협상을 벌여 이들에게 각기 서로 상반되는 조건들을 약속했다. 그는 스코틀랜드인들에게는 스코틀랜드와 잉글랜드에서 장로교를 국교화하겠다고 약속하여 지지를 얻었다. 동시에 그는 의회와 계속 비밀 협상을 계속했다. 그러나 청교도 군이 스코틀랜드인을 물리치고 왕을 사로잡은 후 의회를 숙청하기 시작했다. 의회 지도자 45명이 체포되었으며, 그보다 많은 지도자들에게 회의에 참석하는 것이 금지되었고, 또 다른 인사들은 스스로 회의에 참석하기를 거부했다. 반대자들은 나머지 의원들로 구성된 의회를 가리켜 "잔부의회"(Rump Parliament)라고 조롱했다.

이 잔부의회가 반역과 내란죄로 기소된 찰스에 대한 소송을 주도했다. 용감히 상원에 출두한 14명의 귀족들은 이러한 의회의 소송을 만장일치로 거부했다. 그러나 하원은 재판을 계속했으며, 자신에 대한 의회의 재판권을 부인하고 스스로를 변호하기를 거부한 찰스는 1649년 1월 30일 참수형을 당했다.

호국경 제도

잉글랜드로부터의 독립을 상실할 것을 두려워한 스코틀랜드는 신속하게 찰스 1세의 아들인 찰스 2세를 자기들의 통치자로 인정했다. 아일랜드인들은 이 기회를 이용하여 반란을 일으켰다. 잉글랜드에서도 독립파 청교도들 사이에 분열이 발생했다. 보다 급진적인 집단들 중에서 "디거스"(Diggers, 개간파)의 세력이 강해졌다. 이것은 재산의 공동 소유를 주장하는 새로운 사회질서 운동이었다. 그들의 주장은 왕에 대항하여 의회를 지지했던 상인 계급을 위협했다. 한편 장로교는 국교의 수립을 주장했으며, 독립파는 이를 폭정으로 규정했다. 간단히 말해서 나라가 혼란에 빠졌다.

이때 크롬웰이 권력을 잡았다. 그는 의회 숙청에 참여하지 않았으나 그 결과를 인정했다. 그는 우선 잔부의회의 이름으로 아일랜드 반란을 평정하고, 그 후에는 스코틀랜드에서 발생한 왕당파의 폭동을 진압했다. 찰스 2세는 대륙으로 도주했다. 그 후 크롬웰은 왕이 행하지 못했던 일을 행하기로 결심했다. 잔부의회가 소집되어 자기들의 권력을 영속화시킬 방안을 의논하고 있을 때, 크롬웰은 회의장에 나타나 남아 있는 소수의 의원들을 쫓아내고 의사당의 문을 봉쇄했다. 그리하여 자신의 뜻과는 달리 그는 국가의 영도자가 되었다. 그는 한동안 대의 정체(representative government)로 복귀할 방도를 강구했으나 결국 "호민관"(Lord Protector) 칭호를 취했다. 이론상으로 그는 잉글랜드, 스코틀랜드, 아일랜드 등지의 대표자들이 포함된 의회와 함께 통치하도록 되어 있었다. 그러나 실제로 의회는 주로 잉글랜드인들로 구성되어 있었으며, 크롬웰이 실권을 가진 정부였다.

크롬웰은 교회와 국가의 개혁에 착수했다. 당시의 상황을 감안한다면 그의 종교정책은 상당히 관용적이었다. 크롬웰 자신은 독립파였으나, 그는 장로교, 침례교, 그리고 온건한 감독파 지지자들도 공존할 수 있는 종교 체제의 발달을 추구했다. 또한 청교도답게 주일, 경마, 투계, 극장 등에 관한 일련의 입법 조처를 통해 국가의 풍속을 개혁하려 했다. 그의 경제 정책은 중산층의 권익을 옹호한 것으로서 귀족들뿐만 아니라 빈곤층에게도 손해를 초래했다. 그리하여 부유층과 극빈자들 사이에 호국경에 대한 반대가 증가했다.

크롬웰은 살아있는 동안에 국가를 지배할 수 있었다. 그러나 안정된 공화국을 꿈꾸었던 그의 계획은 결국 실패했다. 그의 추종자들이 반대파의 의회 진출을 막아 새로운 "잔부의회"를 만들어 냈음에도 불구하고, 그는 이전의 왕들과 마찬가지로 의회와 우호적 관계를 유지할 수 없었다. 호국경 제도는 일시적인 것에 불과했으므로 사람들은 그에게 왕좌를 권했다. 그러나 그는 공화국의 수립을 바랐기 때문에 이를 거절했다. 그는 1658년 임종 직전에 아들 리처드를 후계자로 지명했다. 그러나 아버지만큼 능력을 구비하지 못했던 젊은 크롬웰은 그 자리를 사임했다.

왕정복고

호민관제도가 실패함에 따라 왕정이 복고될 수밖에 없었다. 몽크(Monck) 장군의 영도 아래 의회는 찰스 2세를 왕으로 맞았고, 청교도들에 대항한 반동이 발생했다. 찰스는 처음에 국교 안에서 장로교를 용인하려 했으나, 새 의회는 이러한 계획에 반대했고 전통적 감독제도를 선호했다. 그리하여 새 정부는 감독제도와 『공동기도서』(Book of Common Prayer)를 회복시켰으며, 비국교 교도를 처벌하기 위한 법률을 반포했다. 비국교도는 공식 교회 안에 발을 붙일 수 없었다. 그러나 이러한 법률로는 이전의 혼란한 시기에 나타난 각종 움직임들을 말소시킬 수 없었다. 이들은 계속 법률 밖에 존재했으며, 결국 17세기 말에 이들에 대한 자유가 선포되었다.

스코틀랜드에서는 왕정복고의 결과가 보다 큰 변화를 가져왔다. 이곳은 철저한 장로교 국가였는데, 왕의 칙령에 의해 감독제도가 다시 채택되자 감독들에 반대하는 가르침과 설교를 행한 장로교 목사들은 해임되고 감독제도와 『공동기도서』(Book of Common Prayer)를 지지하는 사람들이 그 자리에 임명되었다. 그리하여 반란과 폭동이 발생했다. 스코틀랜드의 최고위 성직자였던 제임스 샤프(James Sharp) 대주교가 살해당했다. 그로 인해 스코틀랜드의 왕당파를 지원하기 위해 잉글랜드인들이 개입했으며, 장로교인들의 반란은 살육전 끝에 종식되었다.

찰스 2세는 임종 시에 가톨릭 신자였음을 고백함으로써 박해받던 많은 청교도들과 스코틀랜드 장로교인들의 의심이 사실이었음을 증명했다. 그의 왕위를 계승한 동생 제임스 2세는 로마 가톨릭교회를 왕국의 공식 종교로 회복시켰다. 그는 잉글랜드에서 종교의 자유를 반포함으로써 비국교 교도들의 지지를 얻으려 했다. 그러나 비국교파의 반가톨릭 감정이 격렬하여 이들은 가톨릭 신앙의 재생을 허락하느니 차라리 종교의 자유를 박탈당하기를 원할 정도였다. 스코틀랜드의 상황은 더욱 심각했다. 제임스 2세-스코틀랜드의 제임스 7세-는 공인되지 않은 예배에 참석하는 자들을 사형에 처하는 칙령을 반포했으며, 가톨릭 신자들을 고위직에 임명했다.

제임스 2세의 통치 3년 만에 영국인들은 반란을 일으키고, 오렌지의 윌리엄과 제임스의 딸인 그의 아내 메리를 공동 국왕으로 삼았다. 윌리엄은 1688년 잉글랜드에 도착했으며, 제임스는 프랑스로 도주했다. 제임스의 지지자들은 수개월 동안 스코틀랜드에서 버텼으나, 다음해에는 윌리엄과 메리가 스코틀랜드까지도 장악했다. 이들의 종교정책은 매우 관대했다. 잉글랜드에서는 1520년의 39개 신조(Thirty-nine Articles)에 서명하고 왕에 대한 충성을 맹세하는 사람은 종교의 자유를 누릴 수 있었다. 선서 거부자들(nonjurors)도 왕실을 해하려는 음모를 꾸미지 않는다면 종교의 자유를 누릴 수 있었다. 스코틀랜드에서는 장로교가 국가의 공식 종교가 되었으며, 웨스트민스터 신앙고백이 교리적 기준으로 채택되었다.

그러나 왕정복고 후에도 청교도들의 이상은 살아남았으며 영국의 사회적 기풍에 깊은 영향을 주었다. 이들 중 뛰어난 문학가들이었던 존 번연과 존 밀튼의 저술은 지금까지도 널리 읽히고 있다. 흔히 『천로역정』이라는 약칭으로 널리 알려진 번연의 가장 유명한 작품은 대중의 경건 서적이 되었으며, 많은 세대를 두고 묵상과 토론의 주제가 되었다. 그리고 밀튼의 『실락원』은 그 후 영어권에서 성경을 읽고 해석하는 방법에 큰 영향을 미쳤다.

제5장
가톨릭 정통주의

보고자 하는 자들을 위해서는 충분한 빛이, 보기를 원치 않는 자들을
위해서는 충분한 암흑이 존재한다. 선택된 자의 마음을 조명하기에
충분한 명료함이, 동시에 이들을 겸손케 만들기에 충분한 암흑이 있다.
하나님으로부터 버림받은 자를 눈멀게 하기에 충분한 암흑이,
그리고 이들을 정죄하고 핑계할 거리를 없도록 할 명료성이 있다.
―블레즈 파스칼―

트렌트 공의회에서는 그 후 4세기 동안의 가톨릭 정통주의
(Catholic orthodoxy)를 결정지었고, 또한 교회 개혁의 전체 프로그램을 제
시했다. 그러나 가톨릭 진영 내에서도 이러한 정통주의와 개혁의 움직
임을 반대하는 사람들이 있었다. 우선 트렌트 공의회가 주장한 개혁 프
로그램은 교황청의 권력 집중에 기초한 것이었으므로 여러 정부들과의
갈등을 내포하고 있었다. 두 번째로 이 개혁 운동이 계획대로 진행될 경
우 개인적으로 손해를 감수해야 하는 고위 성직자들이 존재하고 있었
다. 마지막으로 트렌트 공의회가 프로테스탄트주의를 배척하기 위해 지
나치게 극단적인 입장을 취했다고 여기는 인물들이 있었다. 특히 이들
은 인간의 구원에 있어서 은혜의 우위성을 분명히 한 어거스틴의 교리

가 유린되었다고 여겼다.

갈리아주의와 교황권 반대

비록 교황청이 종교개혁의 도전에 대응할 의지와 능력을 결여하고 있었기 때문에 트렌트 공의회가 개최되었지만, 회의가 끝날 즈음에는 교황청이 신뢰를 얻고 전체 가톨릭교회를 통솔할 권한을 갖게 되었다. 그러나 공의회의 이러한 결정은 많은 유럽 왕실의 환영을 받지 못했다. 그 당시에는 국가주의와 절대 군주들이 성장하고 있었다. 따라서 국왕과 국가주의자들은 교황의 권위 아래 중앙집권화된 교회라는 개념에 반대했다. 이러한 태도는 "갈리아주의"(Gaulicanism)-이것은 갈리아 혹은 고대 프랑스라는 단어에서 유래되었다-라 불렸다. 왜냐하면 프랑스에서 이러한 사상이 가장 만연하고 있었기 때문이었다. 교황의 권위를 옹호한 자들은 "교황권지상주의자"(Ultramontane)라고 불렸다. 왜냐하면 이들은 "산 너머," 즉 알프스 산맥 너머의 권위를 바랐기 때문이다.

중세 시대 말, 즉 교황이 프랑스의 그늘 아래 있을 때, 프랑스 왕실은 주로 프랑스 교회에 자율성을 부여하는 많은 권한을 교황들로부터 받아냈다. 이제 프랑스는 "갈리아교회의 자유"를 주장하며 트렌트의 중앙집권화적 칙령들을 거부했다. 일부 갈리아주의자들은 정치적 동기에서 교황청에 의한 권력 집중을 반대했으나, 또 다른 이들은 교회의 권위가 교황이 아닌 주교들에게 있다고 확신했으므로 반대했다. 어쨌든 프랑스의 왕이 반포하지 않는 한 트렌트의 칙령들이 효력을 발휘할 수 없었다. 오랜 협상 끝에 앙리 4세는 회의 칙령들을 반포하는 데 동의했으나, 프랑스 의회가 이를 거부했다. 앙리 4세가 암살당한 지 5년 후인 1615년까지도 칙령들은 프랑스 정부에 의해 공포되지 않았으므로, 당시 교황권지상주의자가 주류를 이루고 있었던 프랑스 성직자들은 단독으로 그 일을 행하기로 결정했다. 프랑스 성직자들이 공의회를 인정했다는 사실은 그후 "갈리아의 자유"를 주장하는 자들에게 좋은 구실을 주었다.

유럽의 다른 지역들에서도 유사한 움직임들이 있었다. 그 중 하나가 "페브로니우스주의"(Febronianism)이다. 이 명칭은 1763년 출판된 『교회의 현상과 로마 교황의 합법적 권력』(*The State of the Church and the Legitimate Power of the Roman Pontiff*)이라는 서적의 가명의 저자 저스틴 페브로니우스(Justin Fevronius)의 이름을 딴 것이었다. 그 책에서는 교회란 신자들의 공동체이므로 그들의 대표인 주교들이 교회를 통치해야 한다고 주장했다. 따라서 교회의 최종 권위는 교황이 아니라 주교들의 회의에 있다는 것이었다. 교황 클레멘트 13세는 페브로니우스의 저서를 이단으로 정죄했다. 그러나 그의 사상들은 계속 유포되었으며 인기를 얻었다. 어떤 사람들은 그 사상들 안에서 공의회에 의한 가톨릭과 프로테스탄트의 재결합 가능성을 발견했다. 또 다른 이들은 자기들이 주장하는 국가주의와 양립할 수 있기에 그것들을 지지했다. 방대한 영지와 교구를 소유하고 있었던 부유한 주교들은 로마가 지시한 개혁을 회피하기 위한 방법으로 그것들을 지지했다.

비엔나의 황궁에서 페브로니우스주의는 다른 모습을 띠게 되었다. 당시의 황제 요제프 2세(Joseph II)는 영토 내에서 많은 개혁을 추진하려 한 박식하고 진보적인 통치자였다. 그는 개혁을 수행하기 위해 교회의 도움을 필요로 했지만 트렌트 공의회의 가르침을 따르는 교회가 몽매하고 편협하다고 생각했으므로 그 교회의 지지를 기대하지 않았다. 그러므로 그는 지나치게 전통적이라 생각했던 수도원들을 폐쇄하고 새로운 교회들을 세웠으며, 성직자들의 교육을 정부에서 담당하는 등 그가 가장 최선이라 생각했던 방향으로 교회개혁을 수행하기 시작했다. 다른 통치자들도 황제의 모범을 따르고자 하는 경향을 보였다. 1764년 페브로니우스주의를 정죄했던 교황청은 1764년에 "요셉주의"(Josephism)를 정죄했다. 그러나 정작 이 운동들을 종식시킨 것은 교황청의 정죄가 아니라 프랑스 혁명이었다. 프랑스 혁명에 관해서는 후에 더 상술하기로 한다.

한편 예수회의 해산으로 교황의 세력은 크게 약화되었다. 교황청을 섬기는 군대로서 이 수도회는 18세기의 절대 군주들의 환영을 받지 못했다. 또한 예수회가 30년 전쟁을 초래한 편협한 정책들을 지원한 것도 그들의 인기에 도움이 되지 못했다. 특히 부르봉가는 자기들의 경쟁세력인 합스부르크가를 계속 지원하는 예수회를 증오했다. 따라서 부르봉가의 세력이 강해지고 합스부르크가가 약화됨에 따라 예수회는 어려움에 처했다. 1758년 포르투갈의 요셉 1세(Joseph 1)를 암살하려 한 것이 예수회 수도사라는 소문이 나돌았다. 그로부터 1년 후 예수회는 포르투갈 및 그 식민지들에서 축출되었으며, 왕실은 이들의 재산을 몰수했다. 프랑스에서도 부르봉가의 지배 아래 1764년 예수회가 박해를 받았다. 3년 후 카를 3세는 스페인 및 그 식민지들에서 예수회를 축출했다. 나폴리의 페르디난트 4세도 부친인 스페인의 카를 3세의 본을 따랐다. 부르봉가는 자기들의 지배 영역에서 뿐만 아니라 전 세계에서 예수회 수도사들을 제거하려 했다. 1769년 초 로마 주재 부르봉가의 사절들은 교황에게 예수회의 해산을 요구했다. 마침내 1773년 교황 클레멘트 14세는 예

부르봉가와의 불화로 예수회는 프랑스를 비롯한 부르봉가의 영토에서 축출되었다.

수회의 해산을 명령했고, 그리하여 교황 정책의 가장 강력한 실행 수단을 상실하게 되었다.

갈리아주의, 페브로니우스주의, 요셉주의, 그리고 예수회에 대한 박해 등을 살펴보면 교황들이 비록 전 세계를 자기들의 통치 영역으로 주장했지만 실제로는 세력과 권위를 상실해가고 있었음을 알 수 있다.

얀센주의(Jansenism)

트렌트 공의회는 은혜와 예정론에 관한 루터와 칼빈의 견해들을 단정적으로 정죄했다. 그러나 프로테스탄트주의에 대해 극단적으로 반응하면서 어거스틴의 가르침을 부인하게 될 것을 두려워하는 이들이 많았다. 그리하여 가톨릭 신자들 사이에서 은혜와 예정론에 관한 일련의 논쟁들이 발생했다.

16세기 말 살라망카 대학의 예수회 수도사들은 루이스 데 몰리나(Luis de Molina)의 지도 아래 예정(豫定)이 하나님의 예지(豫知)에 기초한 것이라고 주장했다. 당시 가장 뛰어난 가톨릭 신학자들 중 하나인 도미니크회의 도밍고 바녜즈(Domingo Banez)는 이러한 주장은 어거스틴의 가르침에 위배되는 것이므로 정죄되어야 한다고 응답했다. 양측은 서로 상대방을 스페인 종교재판에 고발했는데, 예수회에서는 도미니크회를 칼빈주의자들이라고 주장했고, 도미니크회에서는 예수회를 펠라기우스주의자들(Pelagians)이라고 주장했다. 종교재판소는 이 문제를 로마로 인계했다. 교황들은 오랜 동안의 주저 끝에 양측의 비난이 거짓이라고 결정하고 이들 모두에게 상대방을 비난하는 것을 삼가도록 명령했다.

루뱅 대학에서 발생한 비슷한 논쟁들은 더 심각한 결과를 가져왔다. 이곳에서 마이클 바이우스(Michael Baius)는 어거스틴의 가르침과 비슷한 논제들을 주장하면서 악한 의지는 선한 것을 생산할 수 없으므로 인간의 의지가 아닌 은혜만이 회개와 회심을 산출할 수 있다고 주장했다. 1567년 교황 피우스 5세는 바이우스의 저술들로부터 선별한 79개 명제를 정죄했다. 바이우스는 자기의 입장을 공식적으로 철회했으나, 계속 비슷한 교리를 가르쳤다. 어느 예수회 신학자가 바이우스를 공격했을 때, 루뱅의 교수들은 문제의 예수회 신학자가 펠라기우스주의자라고 선포했다. 또다시 이 문제들을 조정하기 위해 교황들이 개입했다. 그러나 바이우스의 신학은 루뱅 대학교에서 계속 유포되었으며, 60년 후인 1640년 코넬리우스 얀세니우스(Cornelius Jansenius)의 저서를 통해 다시 표면에 나타났다. 그의 사후에 출판된 저서 『어거스틴』(Augustine)은 은혜와 예정이라는 주제에 관한 이 위대한 신학자의 가르침들을 연구하고 해석한 것에 불과하다고 주장된다. 그러나 얀세니우스가 발견한 어거스틴의 가르침은 칼빈의 교리들과 매우 비슷했으므로, 1643년 그의 주장은 교황 우르반 8세에 의해 정죄되었다.

그러나 논쟁이 종식된 것은 아니었다. 프랑스에서 "생 시랑"(Saint Cyran)이라고 알려진 뒤베르지에(Jean Duvergier)와 포르루아얄(Port Royal) 수도원의 수녀들이 얀센주의의 기치를 들었다. 성녀로서 존경받던 안젤리크(Mother Angelique) 수녀원장이 지도한 포르루아얄(Port Royal) 수도원은 경건과 교회개혁 운동의 중심지가 되었으며, 생 시랑은 이 운동의 지도자로 알려져 있었다. 그는 이 개혁가들의 종교적 열정이 자신의 정치에 방해가 될 것을 두려워했던 리슐리외에 의해 투옥되었었다. 생 시랑은 이미 작고한 동료 얀세니우스의 주장들이 정죄당한 1643년에 석방되어 포르루아얄 수도원을 중심으로 얀센주의 지도자가 되었다. 이제 얀센주의는 단지 은혜와 예정에 관한 교리가 아니라 보다 열정적인 종교개혁 운동의 색채를 띠었다. 당시 예수회 수도사들은 "개연론"(probabilism)을 주장했는데, 이것은 확실한 것처럼 보이는 것, 즉 개연성이 있는 행동은 도덕적으로 용납될 수 있다는 것이었다. 프랑스 얀센주의자들이 볼 때, 이것은 도덕적 무관심주의에 불과했다. 그리하여 이들은 그 대신 엄격한 생활을 강조했으므로 포르루아얄의 수녀들은 천사처럼 순결하고 악마처럼 교만하다는 말을 듣게 되었다.

생 시랑은 석방되고 나서 얼마 후 죽었으나, 그의 사상은 안젤리크 수녀의 남동생 앙투안 아르노와 철학자 블레즈 파스칼에 의해 계승되었다. 파스칼은 어릴 때부터 물리학과 수학에서 천재성을 드러냈다. 그는 죽기 8년 전인 31세 때에 얀센주의자가 되었다. 이것은 그에게 있어서 심오한 종교적 경험으로서 남은 생애에 지대한 영향을 미쳤다. 소르본 대학 교수들이 아르노를 정죄하자, 그는 20개로 이루어진 『시골 친구의 편지』(*Provincial Letters*) 중 첫째 서신을 출판했다. 그것은 시골 주민이 파리의 예수회 수도사들에게 보내는 편지를 가장한 것이었다. 유머와 위트 때문에 서신은 널리 유포되었으며 금서 목록에 추가되었다. 한동안 파리의 귀족들과 지식인들이 얀센주의자를 자처하는 것이 유행이 되었다.

그러나 곧 반동이 일어났다. 루이 14세는 분파주의로 흐를 경향이 있는 이러한 종교적 열정을 용납하지 않았다. 성직자회는 얀센주의 운동을 정죄했다. 포르루아얄의 수녀들은 해산되었다. 루이 14세는 자신이 주창한 갈리아주의에도 불구하고 교황 알렉산더 3세의 지원을 요청했으며, 교황은 모든 성직자들에게 얀센주의를 배척하도록 명령했다. 그런데 이때 시계추가 다시 방향을 바꾸었다. 교황 알렉산더가 사망했으며, 그의 후계자는 관용을 베풀어 수녀들이 포르루아얄로 귀환하는 것을 허락했다. 심지어 아르노를 추기경에 임명한다는 소문까지 나돌았다. 그러나 이는 짧은 휴식에 지나지 않았다. 결국 아르노는 유배지에서 사망했다. 루이 14세는 한층 더 편협해졌으며, 교황 클레멘트 11세는 얀센주의에 대한 정죄를 재확인했다. 1709년 경찰이 포르루아얄을 점거하고 늙은 수녀들을 쫓아냈다. 일반 신자들이 여전히 수녀원의 묘지에 순례하러 온다는 것을 안 당국은 무덤들을 파버리도록 명령했다. 당시의 기록에 의하면 개들이 시체들을 두고 싸움을 벌였다고 한다. 1713년 클레멘트 11세는 우니게니투스 대칙서(Unigenitus)를 발하여 얀센주의를 단정적으로 정죄했다.

얀센주의는 계속 존재했을 뿐만 아니라 보다 강성해졌다. 그러나 이때는 이미 얀센니우스의 가르침들, 생 시랑과 안젤리크의 개혁 열정, 혹은 파스칼의 심오한 종교성과는 거의 관계가 없었다. 오히려 갈리아주

얀센주의의 수호자였던 블레즈 파스칼. 그는 『시골 친구의 편지』에서 파리의 예수회 수도사들을 조롱했다.

의와 유사한 정치적·지적 움직임으로 변모해 있었다. 일부 하위 성직자들은 고위 성직자들의 교만과 향락에 대한 반항으로 이 운동에 참여했다. 또 어떤 이들은 이를 프랑스 내정에 관한 로마의 지나친 간섭에

저항하는 수단으로 이용했다. 또 일부 합리주의자들은 독단적인 권위에 대항하여 이 운동에 참여했다. 결국 얀센주의는 정죄와 핍박 때문이 아니라, 그 자체의 특징과 형태를 상실했기 때문에 사라졌다.

정적주의(Quietism)

가톨릭교회 내에서 "정적주의" 문제로 또 하나의 주요 논쟁이 벌어졌다. 정적주의는 1675년 스페인 사람 미구엘 데 몰리노스(Miguel de Molinos)가 저술한 『영성교훈』(*Spiritual Guide*)의 출판과 함께 시작되었다. 그는 논란이 많은 인물로서 어떠한 이들에 의해서는 성인이라고 불리고, 또 다른 이들에 의해서는 사기꾼이라 불렸다. 그의 『영성교훈』과 후에 출판된 『매일의 성찬에 관한 논문』(*Treatise on Daily Communion*)은 대단한 반향을 일으켰다. 어떤 사람들은 그를 이단이라고 비난하는 반면, 또 다른 이들은 그를 기독교 경건의 가장 고상한 형태라고 찬양했다.

몰리노스는 하나님 앞에서의 완전한 피동성을 주창했다. 신자는 하나님 속에서 사라지고 죽고 상실되어야 한다는 것이었다. 육체에 속한 것이든 영혼에 속한 것이든 일체의 행동주의는 포기되어야 했다. 기독교의 관상은 그리스도의 인성을 포함하여 일체의 육체적, 혹은 가시적 수단들을 배제한 순수하고 영적인 것이어야 한다는 주장이었다. 이것은 또 다른 형태의 행동주의라 할 수 있는 금욕주의에도 적용되었다. 영혼이 하나님에 관한 관상 속에 몰입되었을 때에는 아무것도, 심지어 이웃조차도 생각해서는 안 된다.

이러한 가르침은 강력한 반발을 자아냈다. 어떤 이들은 이 가르침이 위대한 기독교 교사들의 교리보다는 이슬람 신비주의에 가깝다고 주장했다. 또 다른 이들은 몰리노스의 주장은 개인주의로 이어지는데, 이렇게 되면 교회는 중요성과 권리를 상실하게 되고, 신자들은 정치적·사회적 생활과는 무관하게 된다는 점을 지적했다. 이 문제에 관한 판결을 의뢰받은 종교 재판소는 처음에는 몰리노스를 지지했다. 그러나 많은 고해신부들이 이러한 가르침은 신자들을 도덕적으로 방종하게 만든다고 항의했다. 그때 몰리노스가 이러한 방종을 그의 추종자들에게 권장하고 있으며 여자들과의 관계가 수상하다는 소문이 나돌았다.

1685년 몰리노스와 몇 명의 추종자들이 교황의 명령에 의해 체포되었다. 종교 재판소에 출두한 그는 스스로를 변호하기를 거부했다. 그를 찬양하는 사람들은 그가 자신이 전파해온 정적주의를 실천하고 있다고 해석했고, 비난하는 사람들은 그의 침묵이 유죄를 인정한다고 주장했다. 그가 자신의 사상을 철회하라는 명령에 겸손하게 순종했으므로 그의 철회 자체가 그가 아직도 자기의 주장에 충실하고 있다는 것으로 해석될 정도였다. 많은 사람들이 그를 사형에 처할 것을 주장했으나, 정적주의를 위한 순교자를 내고 싶지 않았던 교황 인노센트 11세는 그를 죽을 때까지 11년 동안 감옥에서 지내게 했다. 그는 감옥에서도 그가 주장했던 바대로 조용한 관상의 생활을 계속한 듯하다.

프랑스로 침투해 들어간 정적주의는 과부인 기욘 부인과 그녀의 고해신부 라콤(Lacombe)에 의해 명맥을 잇게 되었다. 이 둘은 모두 환상 등 신비 경험에 친숙한 투철한 종교적 심성을 가진 인물들이었다. 이들의 주위에는 가르침을 받는 신자들이 모여들었다. 기욘 부인이 『짧고 단순한 기도방법』(*A Short and Simple Means of Prayer*)이라는 논문을 출판하면서 그녀의 명성은 전국에 퍼졌다. 그 후 그녀와 그녀의 고해 신부는 파리로 이주하여 최상류 귀족층의 몇몇 여성들을 비롯한 많은 사람들의 존경을 받게 되었다.

그러나 기욘 부인의 교리들은 의심을 받기에 충분했다. 왜냐하면 그녀는 몰리노스의 교훈들을 보다 극단적인 방향으로 이끌었기 때문이다. 그녀는 신자들이 하나님께 진정한 희생을 드리기 위해서는 진정 혐오하는 죄도 지어야 할 때가 있다고 가르쳤다. 이러한 주장 및 라콤 신부와의 친밀한 관계는 좋지 않은 소문들을 낳았고, 이 때문에 파리 대주교는 신부를 투옥하고 기욘 부인을 수녀원에 유폐했다. 라콤은 여기저기로 감옥을 옮겨 다니다가 미쳐 죽었다. 기욘 부인은 왕의 총신들 중 하나의 중재로 석방되었다.

이때 기욘 부인은 젊은 프랑소와 페네론(Francois Fenelon) 주교를 만났다. 그는 기욘만큼 극단적이지는 않으나 그녀의 교훈에 동감하고 있었다. 결국 정적주의의 문제로 페네론과 당시 가장 뛰어난 프랑스 신학자들 중 하나인 자크 베닌 보쉬에(Jacques Benigne Bossuet) 사이에 격렬한 논쟁이 발생했다. 비록 보쉬에가 국왕의 지원을 받고 있었으나, 페네론은 매우 경건한 인물이었으므로 논쟁은 지속되었다. 결국 루이 14세의 압력 아래 교황 인노센트 12세는 페네론의 주장들 중 일부를 부인하는 데 동의했다. 그러나 그는 신중하게도 이러한 가르침들 자체가 옳지 않기 때문이 아니라, 일부 신자들을 오류로 이끌 가능성이 있기 때문이라고 설명했다. 교황의 결정을 듣고 페네론은 매우 겸손하게 반응했으므로 대중들은 보쉬에야말로 오만한 인물로서 이유 없이 경건한 페네론에게 괴로움을 끼친 존재로 기억하게 되었다. 그 후 페네론은 콩브레(Combray)

대주교로서의 목회 임무에 전념하면서 자기의 전 재산을 가난한 자들에게 나누어 주고 존경받을 만한 생활을 영위했다. 그는 빅토르 위고(Victor Hugo)의 『레미제라블』에 등장하는 밀리엘 신부의 모델이라고 추정된다.

이 모든 사건들과 논쟁들은 로마 가톨릭교회가 종교개혁의 위기를 겪은 후 17세기와 18세기에 스스로를 재정비하고 있었음을 보여 준다. 트렌트 공의회는 가톨릭 정통교리를 엄격하게 정의했으며, 이론상 교황이 교회 권력의 중심이었다. 교리 문제에 관한 한 트렌트의 결정 사항은 침해할 수 없는 것이었으므로 모든 신학 논쟁들은 트렌트 정통교리의 기본 구조 안에서 발생했다. 그러나 동시에 교회 권력의 중앙집중화에 반대하는 강력한 정치 세력들이 존재했으므로 갈리아주의, 페브로니우스주의, 요셉주의 등이 출현했다. 교황의 권위에 대한 이러한 반대들은 결국 가톨릭교회를 약화시켰으며, 이 때문에 프랑스 혁명의 도전에 대응하는 것이 더욱 힘들게 되었다.

제6장

루터교 정통주의

나는 기독교 신자로서 부모들이 나를 양육한 아우크스부르크
신앙고백을 믿는다. 나는 또한 계속적인 명상의 결과와 모든 종류의
유혹에 대항한 일상의 경험을 통하여 이 신앙고백을 확신하고 있다.
—파울 게르하르트—

루터가 주창하고 시작한 개혁은 단순히 실천적인 것이 아니고
교리적인 것이었다. 비록 그가 당시 교회생활에 만연해 있던 부패를 비
판했지만, 그것이 주요 쟁점이 아니었다. 루터의 개혁은 신학적 발견과
더불어 시작되었으며, 그는 언제나 교회에 결정적으로 중요한 것은 바
른 믿음이라고 확신했다. 이것은 신자들이 모든 교리에 관해 일치해야
한다는 의미는 아니었다. 여러 해 동안 가까운 동역자요 친구였던 필립
멜란히톤(Philip Melanchthon)은 루터와 의견을 달리하는 점들이 많이 있었
다. 루터는 말하기를 자신의 임무는 들판에서 나무들을 베고 큰 바위들
을 제거하는 것이며, 참을성이 많은 멜란히톤의 임무는 땅을 갈고 씨를
뿌리는 것이라고 했다. 마찬가지로 후일 칼빈과 루터의 차이가 강조되

었으나, 루터는 칼빈의『기독교 강요』초판에 대해 호의적인 논평을 했다. 그러나 모든 인물들이 이처럼 넓은 도량을 소유하고 있는 것은 아니었다. 루터파의 다음 세대를 분열시킨 논쟁들을 보면 그 사실을 확실히 알 수 있다.

필립파와 엄수 루터파

루터가 죽은 후 멜란히톤이 루터파 신학의 가장 중요한 해석가로서 그 자리를 계승했다. 흔히『로키 테올로기키』(*Loci theologici*, 신학적 논제들)라고 알려진 그의 책은 루터교도들의 신학 연구를 위한 표준 교과서가 되었으며, 저자는 그 책을 개정했다. 그러나 루터교도들 중에는 멜란히톤이 루터의 신학의 충실한 주창자가 아니라고 생각한 이들이 있었다. 여러 가지 차이점 중에서 특히 대조가 된 것은 멜란히톤의 인문주의적 경향이었다. 루터가 에라스무스와 그의 인문주의와 결별한 후에도 멜란히톤은 에라스무스와 친밀한 관계를 유지했다. 부분적으로 그 이유는 멜란히톤이 평화를 사랑했기 때문이었다. 그러나 동시에 그가 인간 이성을 "더러운 이성"이라 부르면서 경멸했던 루터의 극단적인 견해에 동의하지 않기 때문이기도 하다. 이와 비슷한 이유 때문에 멜란히톤은 이신칭의의 교리를 인정하는 동시에 선행의 필요성을 강조했다. 물론 선행이 구원의 수단은 아니지만 그 결과요 증거로서 중요하다는 입장이었다.

특히 루터가 죽은 후에 과장되었던 루터와 멜란히톤의 이러한 차이점들은 곧 "필립파"와 "엄수 루터파"(Strict Lutherans) 사이의 논쟁을 발생시

멜란히톤의 가르침을 중심으로 루터파에서 최초의 논쟁이 벌어졌다. 일부 루터교도들은
멜란히톤이 루터의 가르침에서 벗어났다고 비난했다.

컸다. 갈등의 직접적인 원인은 루터파로 하여금 가톨릭과 타협하도록
강요한 아우크스부르크 가신조 협정(Augsburg Interim)이었다. 루터파 지
도자들 중 이 협정을 지지한 사람은 아무도 없었으며, 대부분이 이에 서
명하기를 거부했다. 그러나 황제의 압력이 컸으므로 마침내 멜란히톤
이 이끄는 비텐베르크의 신학자들은 "라이프치히 잠정안"(Leipzig Interim)

이라는 명칭의 수정판에 동의했다. 황제의 압력에도 불구하고 이 조약에 서명하기를 거부한 엄수 루터 파는 비텐베르크 필립파가 루터의 가르침 중 일부 요소를 저버렸다고 비난했다. 멜란히톤은 이에 대한 반응으로 복음의 중심 요소들과 부수적 요소들을 구분하고, 후자에게 "아디아포라"(adiaphora, '상관없는[아무래도 좋은] 것들')라는 헬라어 명칭을 부여했다. 그의 주장에 의하면 복음의 진수는 무슨 일이 있어도 버려서는 안 된다. 아디아포라는 중요하기는 하지만 본질적인 것들과 혼동되어서는 안 된다. 그러므로 당시 교회가 처한 상황에서 이처럼 중요한 본질적인 것을 계속 설교하고 가르치기 위해서는 일부 부수적인 요소들을 제쳐놓는 것을 정당화할 수 있었다.

마티아스 플라치우스(Mattias Flacius)가 이끈 엄수 루터파는 비록 복음에 중심 요소들과 부수적 요소들이 존재하는 것이 사실이라 할지라도 어떤 경우에는 명백한 신앙고백이 요구된다고 주장했다. 이러한 경우에는 부수적인 것으로 분류될 수 있는 요소들이 신앙의 상징이 된다는 것이었다. 따라서 이것들을 부인하는 것은 신앙을 부인하는 것이다. 명백하게 신앙을 증언하려는 이들은 부수적인 것이라도 포기할 수 없다. 왜냐하면 그러한 포기가 항복으로 해석될 수 있기 때문이다. 비록 필립파가 라이프치히 잠정 협정을 받아들이면서 부수적인 문제들만 양보했어도 결국은 신앙을 고백하기를 거부한 것이라고 플라치우스는 주장했다.

논쟁에 다른 문제들이 추가되었다. 엄수 루터파는 필립파가 구원에 있어서 인간의 역할을 지나치게 중시한다고 비난했다. "노예화된 의지"(enslaved will)라는 루터의 주장에 동의한 적이 없는 멜란히톤은 죄악된 인간 의지에 보다 큰 자유를 허용하는 입장으로 옮겨갔으며, 결국은 성령과 말씀과 인간 의지의 협력을 주장하게 되었다. 이에 대항하여 엄수 루터파는 죄의 결과로서의 인간 본성의 부패를 강조했으며, 플라치우스는 타락한 인간의 본성 자체가 부패라고 주장했다. 엄수 루터파는 당시 성찬에 주님이 어떻게 임재하시는가에 관한 루터와 칼빈의 해석의 차이를 강조했는데, 멜란히톤의 견해가 칼빈의 견해와 흡사하므로 필립파를 칼빈주의라고 주장했다.

이러한 논쟁들 및 비슷한 또 다른 논쟁들로 말미암아 1577년 일치신조(Formula of Concord)가 성립되었다. 논쟁의 대상이 되었던 대부분의 문제들과 관련하여 그 신조는 중간 입장을 취했다. 그러나 그 신조는 비록 복음에 필수적인 요소가 못되는 것들이 있지만 박해 시대에는 부수적인 요소들조차도 포기해서는 안 된다고 선언했다. 그러나 성찬 문제에 관하여는 일치신조가 엄격한 루터주의를 지지하여, 마르부르크 의회에서 루터가 거부한 츠빙글리의 입장과 칼빈의 입장 사이에 차이가 없다고 정의했다. 그 결과 이때부터 칼빈주의와 대조적인 용어로 표현된 성찬의 이해가 루터주의의 특징들 중 하나가 되었다.

정통 신앙의 승리

일치신조가 작성되기 전 필립파와 엄수 루터파 사이에 논쟁이 그치지 않았으나, 다음 세대들은 루터의 가르침과 멜란히톤의 가르침을 종합하려 했다. 이러한 정신은 일치신조의 내용 및 동 신조의 주된 작성자인 마르틴 캠니츠(Martin Cemnitz)의 주장에서 명백하게 드러났다. 캠니츠의 신학은 엄수 루터파의 많은 주장들을 수용하면서도 멜란히톤의 것과 유사한 방법을 따랐다. 캠니츠가 당면한 문제는 루터주의가 가톨릭 및 다른 프로테스탄트주의와 다른 점을 강조하는 동시에 루터교 내의 다양한 견해들의 타협을 모색하는 것이었다.

이러한 계획에서 생겨난 신학은 "루터교 정통주의"(Lutheran orthodoxy), 또는 "루터교 스콜라주의"(Lutheran scholasticism)라고 불렸다. 이 신학은 개혁주의 전통 안에 상응하는 것을 소유하고 있었으므로, 칼빈주의 정통주의 혹은 개혁주의 정통주의도 존재한다. 양자의 특징은 신학적인 세부 내용에 주의를 기울이며 아리스토텔레스-루터는 이것을 단정적으로 배격했었다-를 신학의 도구로 복귀시킴으로써, 그리고 방대한 신학 체계 건설에 성경말씀들을 일종의 벽돌로 사용함으로써 가능한 모든 주제를 논하고 명확하게 한다는 점이다. 후자의 관점에 관해서 프로테스탄트 스콜라 신학자들-루터파와 개혁파-은 합리주의를 거부하면서도 그것의 몇 가지 방법을 모방했다.

이러한 형태의 스콜라주의가 17세기와 18세기에 루터파 진영을 주도했다. 그것의 주된 특징은 조직적 사고(思考)의 강조에 있었다. 루터는 신학 체계를 발달시키려 한 적이 없었다. 멜란히톤은 짧은 조직신학을 저술하여 널리 인정을 받았다. 그러나 프로테스탄트 스콜라 학파에 속하는 신학자들은 규모에 있어서나 신중한 구분과 분석에 있어서 중세 스콜라 학파의 방대한 전집들(summa)에 비견될 수 있는 방대한 조직신학 저서들을 저술했다. 예를 들어 요한 게르하르트(Johann Gerhardt)의 대작은 원래 9권으로 출판되었는데, 제2판은 23권으로 증가했다. 또한 아브라함 칼로비우스(Abraham Calovius)는 1655년부터 1677년까지 12권으로 조직신학을 출판했다.

프로테스탄트 스콜라주의와 중세 신학의 두 번째 유사한 점은 아리스토텔레스의 채용이다. 루터는 신학자가 되기 위해서는 아리스토텔레스적 사고를 제거해야 한다고 주장한 바 있었다. 그러나 16세기 말 아리스토텔레스의 철학에 관한 관심이 다시 등장했고, 곧 대부분의 루터파 신학자들은 자기들의 체계를 아리스토텔레스의 논리학과 형이상학의 기초 위에 두려 했다. 어떤 이들은 아리스토텔레스를 기초로 신학을 연구한 예수회 신학자들의 작품들도 사용했다. 따라서 프로테스탄트 스콜라주의는 가톨릭주의와 근본적으로 달랐지만, 방법론과 논조에 있어서는 당시의 가톨릭 신학과 매우 유사한 모습을 보이게 되었다.

17세기의 루터교 신학이 "스콜라적"이라고 불릴 수 있었던 셋째 이유는 그것이 대체로 학교들을 통해 산출되었기 때문이다. 이 신학은 전 세기에서와는 달리 교회생활 속에서 산출되어 설교 및 영혼 돌봄을 지향한 것이 아니라 대학교들 안에서 발달되어 다른 학자들과 교수들을 대상으로 했다.

프로테스탄트 스콜라주의는 18세기 말경에 점차 쇠퇴했지만 성경 영감설과 엄격한 신조주의 정신이라는 두 가지 중요한 유산을 남겼다. 루터는 구체적으로 성경 영감의 문제를 다룬 적이 없었다. 물론 그가 성경은 하나님의 영감으로 된 것이며 그런 까닭에 그것이 모든 신학적 진술의 기초가 되어야 한다고 확신했음은 의심할 나위 없다. 그러나 그는 영감의 본질을 논하지는 않았다. 그에게 있어서 중요했던 것은 성경의 본문 자체가 아니라, 그 본문이 증언하는 신적 행위였다. 하나님의 말씀은 예수 그리스도이시며, 성경은 독자들을 그분에게 이끌기 때문에 하나님의 말씀이다. 그러나 스콜라주의 루터교도들은 성경이 영감된 방식에 대한 질문을 제기했다. 대부분은 성령께서 기록할 것을 저자들에게 말해주고 기록하라고 명령하셨다고 대답했다. 이것은 사도들이 제자들에게 어떤 것들은 서면으로, 그리고 다른 사항들은 구두로 지시했다는 일부 가톨릭 신자들의 주장을 반박하기 위해 필요했던 것으로 보인다. 루터파 스콜라 학자들에 따르면 사도들이 성경에 기록되어 있지 않은 것들을 제자들에게 구두로 가르쳐 주었는지의 여부는 중요하지 않았다. 왜냐하면 이러한 가르침들은-혹시 이것들이 존재한다 하더라도-성경처럼 하나님에 의해 영감되지 않았을 것이기 때문이다. 성령께서 사도들과 선지자들에게 기록하도록 명령하신 것만이 교회를 위한 권위를 지닌다.

　루터파 스콜라 학자들이 제기한 또 다른 중요한 질문은 성경을 기록한 저자들의 개성이 기록의 내용에 얼마나 영향을 미쳤느냐는 것이었다. 가장 일반적인 해답은 성경의 저자들은 성령의 서기들, 혹은 필사자들에 불과했다는 것이었다. 그들은 성령이 말씀하시는 것을 한 자 한 자 기록했다. 그러나 성령은 각 저자들의 개성을 알고 계셨고 이를 참작하셨다. 이 때문에 예를 들어 바울의 서신들은 요한의 서신들과 다르다. 이로 인해 특히 성경의 문자적 영감, 심지어 수세기 동안 전해져온 본문의 신적 영감이 강조되었다. 이 점에 관해서 가톨릭 신학자들은 불가타-고대 라틴어 성경-가 신적으로 영감된 것이라고 주장하지만 루터교 신학자들은 그러한 영감을 부인하며 성령이 중세 시대에 히브리어 성경 본문에 모음을 추가한 유대인 학자들을 감화하셨다고 진술한다는 점에 주목할 필요가 있다.

게오르그 칼릭스투스와 종교혼합주의

　루터파 스콜라주의가 점차 엄격해지고 있었음은 게오르그 칼릭스투스의 주장을 둘러싼 논쟁에서 드러난다. 독실한 루터교도인 칼릭스투스는 비록 루터교의 교리가 가장 훌륭한 성경 해석이기는 하지만 그 때문에 다른 모든 사람들을 이단 혹은 거짓 신자들이라고 규정해서는 안 된다고 확신했다. 그는 당시의 논쟁들, 특히 기독교 신자들 간의 치열한 상호 비난 속에서 기독교 정신 자체가 부인되는 것을 발견했다. 그러므로 그는 자신의 루터주의 신념들을 부인하지 않으면서 다른 신앙고백을 신봉하는 신자들 사이의 화해를 추구했다. 이를 위해 그는 멜란히톤과 비슷하게 중추적인 것과 부수적인 것들을 구분했다. 성경에 기록되어 있는 것들은 모두 하나님에 의해 계시되었으므로 신봉되어야 하지만 그

칼릭스투스는 생전에 혼합주의자라는 비난을 받았지만 후일 현대 에큐메니컬 운동의 선구자로 칭송을 받았다.

것들 모두가 동등하게 중요한 것은 아니다. 구원에 관련된 것들만이 근본적이며 절대적으로 필요하다. 나머지도 동일하게 중요하며 참된 것이다. 그렇지 않다면 하나님께서 이를 계시하지 않으셨을 것이다. 그러나 이것들이 기독교 신자가 되는 데 필수적인 것은 아니다. 이단과 오류 사이에는 차이가 있다. 이단은 구원에 필수적인 것을 부인하는 것이다. 오류는 계시의 다른 요소를 부인하는 것이다. 이단과 오류는 모두 악한 것이므로 피해야 한다. 그러나 이단만이 기독교인들 사이의 교제를 단절시킬 수 있을 만큼 중요한 것이다.

그렇다면 근본적인 것과 부수적인 것들을 어떻게 구분할 것인가? 칼릭스투스가 "처음 5세기 동안의 합의"라고 부르는 것에 근거하여 구분해야 한다. 칼릭스투스의 주장에 의하면, 처음 5세기 동안 기독교인들 사이에 합의가 존재했다. 그때 이단으로 정죄된 주장들을 우리도 정죄해야 한다. 그러나 초기 5세기 동안 기독교 신학에서 발견되지 않는 것들을 구원에 필수적인 것이라고 주장하는 것은 어리석은 짓이다. 그러한 주장이 초대 교회에서는 아무도 구원받지 못했다는 결론을 유도하기 때문이다.

이것은 처음 5세기 동안의 저술에서 발견할 수 있는 것들만 믿어야 한다는 의미가 아니다. 우리는 성경이 말해주는 모든 것들을 믿어야 한다. 성경 안에서 발견할 수 있더라도 처음 5세기 동안의 기독교 신학에 나타나지 않는 사항을 믿지 못하는 것은 오류이지 이단은 아니다. 이신득의의 교리가 이에 해당한다. 이 교리는 분명히 성경에서 발견되지만 처음 5세기 동안의 공통된 믿음의 요소는 아니었다. 따라서 이 교리가 중요하기는 하지만 모든 이에게 강요할 수 있는 것은 아니며, 이를 부인하는 자들을 이단으로 규정할 수는 없다. 루터가 이 교리를 주장한 것은 옳은 일이었으며, 루터교도들이 이 교리의 진리성을 주장하는 것도 옳다. 그러나 이것은 가톨릭 신자들이 이단이라는 의미가 아니다. 성찬에 그리스도께서 임재하시는 방법에 관한 루터교도들과 칼빈주의자들의 차이에 대하여도 같은 말을 할 수 있다. 칼빈주의자들은 오류를 범했으나 이단은 아니라는 것이었다.

칼릭스투스는 이러한 논거들을 사용함으로써 상이한 신앙고백을 추종하는 기독교인들 사이의 상호 이해를 추진하고자 했다. 이러한 이유 때문에 그는 에큐메니컬 운동의 선구자라고 불린다. 그러나 루터교 정통교리의 수호자들은 이에 귀를 기울이지 않았다. 아브라함 칼로비우스는 하나님께서 성경 속에 계시하신 모든 것들이 절대적으로 필요하다고 선언했다. 사소하고 무의미하게 생각되는 것이라도 성경적 교리의 어떤 부분을 부인하거나 부정하는 자는 곧 하나님을 부인하고 부정하는 자라는 것이었다. 다른 신학자들은 이처럼 극단적인 입장을 취하지 않았으나, 칼릭스투스가 "처음 5세기 동안의 합의"라는 이론을 도입함으로써 루터가 부인했던 전통의 권위를 회복시켰다는 점을 지적했다. 얼마 후 칼릭스투스의 주장은 "종교혼합주의"(syncretism)라 알려졌고, 그가 마치 상이한 신앙고백의 요소들을 혼합하고자 한 것처럼, 혹은 모든 신앙고백들을 동등하게 유효하다고 여긴 것처럼 알려지게 되었다. 칼릭스투스의 주장이 실천에 옮겨진 것은 폴란드에서였다. 이곳에서 국왕 블라디슬라프(Wladyslaw) 4세는 가톨릭과 프로테스탄트들 사이의 대화를 열어 이 원칙을 적용해 보고자 했다. 그러나 그의 노력은 결실을 맺지 못했고, 결국 게오르그 칼릭스투스는 망각되었다.

그 당시 각 교파의 정통 신학자들은 점차 자기들의 입장을 견고하게 강화해 갔다. 마치 교리들의 모든 점에 있어서 자기들과 동의하는 사람들만을 기독교인이라고 불릴 자격이 있다고 여기는 듯했다. 이러한 도그마주의는 일부 인사들의 확신을 고양시켰지만, 동시에 기독교의 진리, 혹은 최소한 신학과 교리의 가치에 관한 의심을 증가시켰다.

제7장

개혁파 정통주의

선택은 이 세계가 만들어지기 전에 그리스도 안에서 구속함을
받을 자의 일정한 수를 뽑으시는 하나님의 불변의 목적이다.
—도르트 종교회의—

17세기에 개혁주의 전통은 자체의 정설로 받아들여질 신학을
정립했다. 이것은 칼빈주의의 가장 충실한 표현으로 간주되는 도르트
회의와 웨스트민스터 회의를 통해 이루어졌다.

아르미니우스주의와 도르트 종교회의

야코부스 아르미니우스(Jacobus Arminius)는 네델란드인으로서 철저히
칼빈주의적 신학 교육을 받은 유명한 목회자요 교수였다. 그는 제네바
에서 칼빈의 후계자인 테오도르 베자(Theodore Beza)에게서도 교육을 받았
다. 그는 네델란드로 돌아온 후 암스테르담의 중요한 강단에서 행한 설

교를 통해 널리 인정을 받았다. 이러한 좋은 평판, 그리고 성경과 신학을 연구하는 학생으로서의 명성 덕분에 암스테르담의 교회 지도자들은 그에게 칼빈의 교리의 몇 가지 측면, 특히 예정론을 부인한 쿠른헤르트(Dirck Koornhert)의 견해를 논박해달라고 부탁했다. 아르미니우스는 쿠른헤르트를 논박하기 위해 그의 저술들을 연구하고 그것들을 성경, 초대 기독교 신학, 그리고 몇 명의 중요한 개혁가들의 가르침과 비교했다. 결국 아르미니우스는 양심의 갈등을 겪은 끝에 쿠른헤르트가 옳다는 결론에 도달했다. 아르미니우스는 1603년 라이덴 대학 교수가 되었고, 그의 견해는 공개 논쟁의 대상이 되었다. 그의 동료 프란시스 고마루스(Francis Gomarus)는 엄격한 의미에서의 예정론을 굳게 신봉했으므로, 두 사람은 곧 충돌했다. 그리하여 스스로 칼빈의 충실한 추종자라고 생각한 야코부스 아르미니우스의 사상인 아르미니우스주의(Arminianism)가 칼빈주의의 정반대 입장으로 간주되었다.

고마루르스와 아르미니우스의 논쟁의 초점은 예정(predestination)의 존재 여부가 아니었다. 이 문제에 관해서는 양자가 동의했다. 왜냐하면 이 두 사람은 예정에 관한 성경의 언급을 충분히 찾을 수 있었기 때문이었다. 그러나 이들은 예정의 기초에 관해서 의견을 달리했다. 아르미니우스에 의하면 예정은 후일 예수 그리스도를 믿게 될 사람들에 대한 하나님의 예지(豫知)에 기초를 두는 데 반해, 고마루스는 믿음 자체가 예정(豫定)의 결과로서 세계의 기초가 놓이기 이전부터 하나님의 주권적 의지가 신앙을 가질 사람과 갖지 않을 사람을 결정했다고 주장했다. 아르미니우스는 이에 대해 예정이 하나님이 예수 그리스도를 인류 중보자요 구속자로서 결정하는 데 사용된다고 응답했다. 그것은 인간의 반응에 의존하지 않는 주권적 명령이다. 그러나 개인의 궁극적 운명에 관련된 하나님의 결정은 하나님의 주권적 의지가 아니라 신적 예지(豫知)에 기초하는데, 그것에 의해서 하나님은 예수 그리스도 안에 있는 구원에 대해 각 개인들이 어떻게 반응할 것인가를 미리 아셨다는 의미이다. 그 외의 모든 문제에 있어서 아르미니우스는 엄격한 칼빈주의자로 남았다. 예를 들어 그의 교회론과 성례론은 전반적인 칼빈의 가르침을 따랐다. 따라서 비록 그를 대적한 사람들이 "칼빈주의자들"이라고 알려졌지만, 사실은 전체 논쟁이 칼빈의 추종자들 사이에서 발생했다. 아르미니우스는 1609년에 사망했지만, 논쟁은 계속되었다. 라이덴에서 그의 교수직을 계승한 사람이 그의 이론을 지지하며 고마루스와의 논쟁을 계속 이어갔기 때문이다.

곧 위태로운 신학적 문제에 정치적·경제적 사항들이 추가되었다. 비록 스페인으로부터의 독립 투쟁이 처절하고 장기적인 것이었으며 아직 독립이 보장되지 않았으나, 네덜란드에는 이전의 압제자와의 관계를 개선하기를 원하는 사람들이 있었다. 이들은 주로 일부 도시에서 실권을 잡고 있었던 상인들로서 스페인과의 교역 개선을 통해 이익을 얻고자 했다. 그러나 다수의 성직자들은 이에 정면으로 반대했다. 왜냐하면 스페인과의 접촉으로 말미암아 네덜란드교회의 교리적 순수성이 오염될 것을 두려워했기 때문이었다. 또 교역을 통해 아무런 유익을 기대할 수 없었던 하층 계급-이들은 애국심과 칼빈주의, 그리고 상인들에 대한 분노심을 품고 있었다-도 상인들에게 반대했다. 곧 상인들의 과두정부는 아르미니우스를 지지하고, 그들의 반대자들은 고마루스를 지지했다.

1610년 아르미니우스파는 "항변서"(*Remonstrance*)를 발표했고, 그 후 이들은 흔히 "항변파"(Remonstrants)라고 알려졌다. 이 문서에는 당시 논쟁의 대상이 되고 있었던 문제들을 다룬 5개 조항이 포함되어 있었다. 제1조항은 예정론을 모호하게 정의한다. 그 내용은 하나님께서 이 세상의 기초를 놓으시기 전에 예수님을 믿는 자들을 구원하기로 결정하셨다는 것이었다. 그 내용이 아르미니우스가 주장했던 대로 하나님께서는 누가 믿을지 아시고 그 특별한 사람들을 예정하셨다는 의미인지, 아니면 단지 하나님이 후에 믿게 될 자들을 누구나 구원하시기로 결정하셨다는 것인지 알 수 없다. 후자는 "개방 예정론"(open decree of predestination)이라 불리게 되었다. 어쨌든 이 모호성은 항변서의 마지막 단락과 일치한다. 마지막 단락은 단지 이것만이 구원을 위해 필요하며, "그 이상, 혹은 그보다 깊이 추구하는 것은 필요하지도 유익하지도 않다"고 끝맺는다. 요컨대 하나님의 예정의 이유에 관한 불필요한 추론을 부정한다.

둘째 조항은 비록 신자들만이 실제로 예수님의 수난의 유익을 받을 수 있지만, 예수님은 모든 인류를 위해 돌아가셨다고 주장한다. 셋째 조항은 고마루스와 그의 지지자들이 제기한 바 아르미니우스의 추종자들을 펠라기우스주의(Pelagianism)라고 한 비난에 응답하기 위한 것이었다(펠라기우스주의란 인간들이 자력으로 선행을 행할 수 있다고 주장한 교리로서, 어거스틴은 이에 반대했다). 항변파는 자기들이 펠라기우스주의자가 아님을 분명히 하기 위해 인간들은 자력으로 선을 행할 수 없으며, 선을 행하기 위해서는 하나님의 은혜가 필요하다고 선언했다. 그러나 이들은 제4조항에서 은혜는 불가항력적이라는 어거스틴과 고마루스의 결론을 부정하며 "은혜의 작용은 저항 불가능한 것이 아니다. 왜냐하면 많은 이들이 성령에 저항한다고 기록되어 있기 때문이다"라고 말한다. 제5조항은 예수 그리스도를 믿는 자들이 은혜로부터 떨어져나갈 수 있는지에 대해 다룬다. 고마루스 측에서는 믿기로 예정된 자들은 받은 은혜를 상실할 수 없다고 주장했다. 그러나 항변파는 이 점에 관한 성경의 가르침이 명백하지 않으며 자기들이 어느 쪽을 받아들이려면 보다 분명한 성경적 증거가 필요하다고 주장했다.

몇 년 후 항변파에게 불리하도록 정치적 상황이 변화했다. 이제까지 논쟁에 개입하는 것을 삼가해왔던 오랑주공 윌리엄의 아들이자 상속자인 나사우의 마우리츠 공(Prince Maurice of Nassau)은 스페인과의 접촉에 반대한 고마루스 파의 편을 들었다. 스페인과의 협상을 주도한 올덴바르네벨트(Johann van Oldenbarnevelt, 바나벨트라는 약칭으로 불림)는 투옥되었다. 국제법에 관한 저술로 유명한 그의 친구 휴고 그로티우스(Hugo Grotius)도 체포되었다. 네덜란드 삼부회(Dutch Estates General)는 아르미니우스주의자들과 상인층에 대한 반발의 하나로 고마루스파와 항변파의 논쟁을 종식시키기 위한 대규모 종교회의를 소집했다.

도르트 종교회의(Synod of Dort)라 알려진 이 회의는 1618년 11월부터 1619년 5월까지 개최되었다. 이 회의를 소집한 삼부회는 네덜란드뿐만 아니라 유럽 다른 지역의 칼빈주의자들의 지원을 받으려 했다. 그리하여 다른 개혁파 교회들에게도 초청장이 보내졌으며, 영국, 스위스, 독일 등으로부터 모두 27명의 대표들이 찾아왔다(프랑스의 위그노들은 루이 13세에 의해 참석이 금지되었다). 네덜란드 출신 대표들은 거의 70명이었는데, 이들 중 절반 가량이 목회자들과 신학 교수들, 4분의 1이 평신도 지도자들, 그리고 나머지는 삼부회 의원들이었다. 제1차 회기에는 주로 행정 문제를 다루고, 성경을 새로 네덜란드어로 번역하도록 의결했다. 그러나 회의의 주요 목적은 물론 네덜란드를 분열시키고 있는 갈등을 종식시키고 개혁교회들의 지원을 확보하기 위해 아르미니우스주의를 정죄하기 위한 것이었다. 그리하여 회의는 고마루스의 가장 극단적인 주장들은 승인하지 않았으나 아르미니우스주의를 정죄해야 할 필요성에는 동의했다.

도르트 종교회의는 항변파가 받아들일 수 없는 다섯 가지 교리들을 승인했으며, 이때부터 이 다섯 교리가 정통 칼빈주의의 특징이 되었다. 첫째 조항은 무조건적 선택(unconditional election) 교리이다. 이것은 예정된 자들의 선택이 구원 제공에 대한 개인의 반응에 대한 하나님의 예지가 아닌 이해할 수 없는 하나님의 깊으신 의지에 기초를 두고 있음을 의미한다. 둘째는 제한적 속죄론(limited atonement)이다. 항변자들은 이미 그리스도께서 전체 인류를 위해 돌아가셨다고 주장했다. 이에 대항하여 도르트 종교회의는 그분이 선택된 자들만을 위해 돌아가셨다고 선포했다. 셋째로 종교회의는 인간의 전적 타락(total depravity)을 규정했다. 비록 타락한 인간 안에도 본성적 빛의 흔적이 남아 있지만, 인간의 본성이 매우 타락했으므로 그 빛이 적절히 사용될 수 없다. 이것은 단지 하나님을 아는 지식과 회심뿐만 아니라 "세속적이고 자연적인" 사물에게도 적용된다. 도르트 신조의 넷째 조항은 저항할 수 없는 은혜(irresistable grace)이다. 마지막으로 회의는 성도들의 견인(persistence), 즉 택함을 받은 자는 은혜 속에서 견인하며 이로부터 떨어질 수 없다고 주장했다. 이러한 견인이 신자의 행위가 아니라 하나님의 사역이며, 또한 우리 안에서 여전히 활동하는 죄의 세력을 볼 수 있지, 우리는 이러한 견인의 교리를 통해 자신의 구원을 확신하며 견고히 선을 행할 수 있다.(그 후 영어권의 신학생들은 이 다섯 가지 교리를 "튤립"(TULIP)이라는 단어로 기억하기 시작했다. "T"는 전적 타락, "U"는 무조건적 선택, "L"은 제한적 속죄, "I"는 저항할 수 없는 은혜, 그리고 "P"는 성도들의 견인을 의미한다.)

도르트 종교회의 직후 항변자들에게 가혹한 조처가 취해졌다. 올덴바나벨트는 사형선고를 받았고, 휴고 그로티우스는 종신형을 받았으나 그 직후 아내의 도움으로 책을 담은 것처럼 가장한 가방 속에 숨어 탈출했다. 거의 100명의 아르미니우스파 목회자들이 고국을 떠나라는 명령을 받았으며, 그밖에도 많은 이들이 강단을 빼앗겼다. 계속 아르미니우스주의 설교를 고집한 자들은 종신형에 처해졌다. 아르미니우스파 예배에 참석하는 평신도들에게는 무거운 벌금이 부과되었다. 교사들은 도르트 종교회의 결정에 동의하는 의미로 서명해야 했다. 어떤 지역에서는 교회의 오르간 연주자들에게도 비슷한 조처가 취해졌다. 어느 오르간 연주자는 어떻게 하는 것이 도르트 신조에 따라 연주하는 것인지 알 수 없다고 평했다.

1625년 나사우의 마우리츠가 사망한 후 항변파에 대한 조처가 다소 완화되었다. 1631년에 마침내 공식적으로 자유를 인정받았다. 이때 조직된 아르미니우스파 교회들 중 다수가 오늘날까지 존속하고 있다. 그러나 아르미니우스주의는 그러한 교회들을 통해 영향을 발휘한 것이 아니라 그것을 옹호한 다른 교파들과 집단들-특히 감리교-을 통해 발휘되었다.

웨스트민스터 신앙고백

웨스트민스터 신앙고백(Westminster Confession)은 칼빈파 정통 교리의 정신을 보여주는 가장 명백하고 중요한 문서이다. 웨스트민스터 신앙고백은 매우 다양한 주제들을 다루므로 도르트신조보다 상세하고 광범위하다. 따라서 그 내용을 이 책에서 요약하는 것이 불가능하다. 그러므로 잉글랜드의 칼빈파 정통주의와 도르트 종교회의의 그것이 일치하는 주요 항목들을 지적하는 데 만족해야 한다.

제1장은 모든 종교 논쟁에 있어서 "최고의 재판관"(Supreme Judge)인 성경의 권위를 다룬다. 성경의 모든 내용이 동등하게 분명한 것이 아니므로 "성경 해석상 오류를 범하지 않는 방법은 성경으로 성경을 해석하는 것이다. 그러므로 어떤 성경 구절의 참되고 온전한 뜻(여럿이 아니고 하나뿐임)을 찾는 데 있어서 어려움이 있으면 그 뜻을 더 명백히 나타내는 다른 성구로써 밝혀야 한다"(1.9). 이것은 모호한 본문은 그 뜻을 보다 명백히 나타내주는 본문에 의해 해석되어야 한다는 의미이다. 이 신앙고백은 전통적인 용어를 사용하여 삼위일체론을 논한 후 "하나님의 영원한 작정"이라는 주제로 옮겨간다. 하나님께서는 영원 전부터 "장차 될 모든 일들을 작정하셨는데 이는 그의 뜻에 가장 지혜롭고 거룩한 계획대로 하신 것이며, 자유로이 또는 변동 없이 하신 것이다"(3.1)라고 주장한다. 이 작정의 일부는 곧 어떤 사람들과 천사들은 영생으로, 다른 인간들과 천사들은 영원한 죽음으로 예정되었다는 것이다. 게다가 이것은 장래의 개인의 행동이나 반응에 관한 하나님의 예지에 의거하지 않는다.

웨스트민스터 신앙고백은 도르트 종교회의와 마찬가지로 아담의 죄의 결과인 "이 원부패로 말미암아 우리는 결코 선을 행하고자 하는 마음을 가질 수 없고 행할 능력도 없고 선한 것이 그 속에 없으며 전적으

웨스트민스터 신앙고백은
특히 영어권 국가에서 정통 칼빈주의의
중요한 문서들 중 하나가 되었다.

로 악을 행하는 성향이 그 속에 있다"(6.4)고 인정한다. 또한 그리스도께
서는 값을 치르고 구속하신 모든 사람들을 구원하신다고 선언함으로써
제한적 속죄를 주장한다. 원죄 이후 인간들은 구원으로 이르게 하는 자
유를 상실했다. 구원은 택함을 받은 사람들의 의지 안에서 작용하시며
그들로 하여금 선한 것을 행하도록 결정하시는 하나님의 "유효한 부르
심"의 결과이다(10.1). 택함을 받은 사람들은 성령께서 가장 적당한 시
기에 그리스도의 사역을 이들에게 적용하실 때에 의롭다 함을 받는다.
그 후 비록 현세에서는 불완전하지만 분명히 성화가 따른다. 이러한 사
람들은 "은혜의 상태로부터 전적으로 혹은 최종적으로 타락할 수 없고,
그 상태에 확실하게 끝까지 보존되어, 영원히 구원을 받게 된다"(17.1).
  그 후에는 청교도 혁명 당시 잉글랜드에서 논의된 여러 가지 문제들,

즉 어떻게 주일을 지킬 것인가, 맹세하는 것이 불법인가, 교회의 조직 등을 취급하고 있다. 그러나 웨스트민스터 신앙고백은 그 내용이나 엄격한 정통신학에 충실하고자 했던 점 등에서 도르트 신조와 비슷하다. 따라서 도르트 신조와 웨스트민스터 신앙고백을 연구하면 17세기와 18세기 칼빈주의 정통 신학의 본질을 알 수 있다. 웨스트민스터 신앙고백은 칼빈의 충실한 해석자라고 주장하면서 제네바의 개혁자인 칼빈의 신학에서부터 칼빈이 인정하는 데 있어 어려움을 느꼈을 엄격한 체제로 방향을 돌리는 경향을 취했다. 칼빈은 생전에 공로 없이 주어지는 하나님의 은혜에 의한 칭의의 기쁨을 발견했었다. 그에게 있어서 예정론은 그 기쁨과 공로 없이 주어지는 구원의 본질을 표현하는 방법이었다. 그러나 그의 추종자들에 의해 그것은 정설과 하나님의 은총을 알아보기 위한 테스트가 되었다. 종종 그들은 예정론에 관한 의심과 실질적인 유기 및 그에 따른 저주를 혼동한 듯하다. 예술로서의 문학을 사랑하고 인문주의자로서의 세련됨과 세심함을 지니고 저술했던 칼빈의 인문주의적 정신은 거의 남아 있지 않았다.

제8장
합리주의자들의 선택

기하학자들이 어려운 증명에 도달하기 위해 사용하는 단순하고도
이해하기 쉬운 추론은 나로 하여금 인간 지식이 포함하는 모든 것이
이와 동일한 방식으로 연결되어 있다고 생각하게 만들었다.
―르네 데카르트―

18, 19세기에 절정에 달한 합리주의의 특징은 세상에 대한 관심과 이성(理性)의 힘에 관한 확신이었다. 13세기부터 서유럽에서는 자연계에 관한 관심이 고조되고 있었다. 이때가 대 알버트(Albert the Great)와 토마스 아퀴나스(Thomas Aquinas)가 신학의 기본 도구로서 아리스토텔레스의 철학을 재도입한 시기이다. 그때까지 신학적 사고를 주도하고 있었던 플라톤주의에 반해 아리스토텔레스주의는 감관지각(sense perception)의 중요성을 강조했다. 이것은 자연계를 관찰하는 것이 참되고 중요한 지식으로 이어질 수 있음을 의미하는 것이었으니, 이에 따라 대 알버트-그는 신과 철학뿐만 아니라 동물들에 관해서도 저술했다-의 시대부터 자연계에 대한 관심이 증가했다. 추상적 사고를 불신했던 중세 후기에도 동

일한 경향이 지속되었다. 어떤 의미에서 볼 때 인간의 육체와 자연계의 아름다움을 깊이 감상하고 표현한 르네상스의 예술도 이러한 관심의 표현이었다. 17세기에 많은 사람들이 이성의 목표는 자연계를 이해하는 것이라고 생각했다.

그런데 주로 르네상스의 시대에 자연계에 대한 관심과 함께 이성의 능력에 관한 신뢰가 증가했다. 이 두 요소는 자연의 질서와 이성의 질서가 얼마나 일치하는지 나타내려는 시도로 나타났다. 이것은 전체 자연계가 일련의 수학적 관계를 맺고 있으며, 지식의 이상은 모든 현상들을 양적인 표현으로 축소하는 것이라고 생각한 갈릴레오의 이론에서 살펴볼 수 있다. 또한 이러한 노력들의 성공은 이성의 힘에 대한 낙관적 기대를 확인해주는 듯했다.

데카르트와 합리주의

이러한 다양한 경향들이 17세기 전반에 살았던 르네 데카르트(René Descartes, 1596-1650)의 철학을 낳았다. 그의 철학 체계는 수학적 추리에 대한 신뢰에 기초한 것으로서, 절대적으로 확실하지 않은 모든 것에 대한 깊은 불신과 결합되어 있었다. 따라서 그는 자신의 철학 방법을 기하학에 비유했으니, 기하학은 부인할 수 없는 공리 혹은 합리적으로 증명된 사실만 인정하는 학문이다.

이 방법을 적용함에 있어서 데카르트는 보편적 의심의 태도로 시작하되 의심할 수 없는 것이 발견된다면 그것의 진실성을 절대적으로 확신할 수 있다고 생각했다. 그리하여 그는 자신의 존재 속에서 부인할 수 없는 최초의 진리를 발견했다. 그는 모든 것을 의심할 수 있었으나, 의심하고 있는 주체가 존재함을 의심할 수는 없었다. 그리하여 "나는 생각한다. 그러므로 나는 존재한다"(cogito ergo sum)가 그의 철학의 출발점이 되었다. 그러나 의심할 수 없는 존재를 소유한 "나"는 "사유하는 실체"(res cogitans)로서의 유일한 철학자이다. 왜냐하면 그의 몸, 즉 확대되는 실체(res extensa)는 증명된 적이 없으며 여전히 의심의 대상이기 때문이다.

그러나 데카르트는 자신의 육체로서의 존재를 증명하기 전에 하나님의 존재를 증명할 수 있다고 생각했다. 그는 자신의 정신 안에서 "보다 더 완전한 존재"의 개념을 발견했는데, 그의 정신은 그러한 개념 자체를 초월하는 개념을 만들어낼 수 없으므로 그 개념은 하나님에 의해 그곳에 놓여진 것이 분명했다. 따라서 데카르트의 두 번째 결론은 하나님이 존재한다는 것이었다. 그리하여 하나님의 존재와 신적 완전에 대한 신뢰라는 기초 위에서 데카르트는 세계 및 자신의 실체의 존재를 증명해 나가기 시작했다.

데카르트는 깊은 신앙심을 간직한 인물로서 그의 철학이 신학자들에 의해 유용하게 사용되기를 원했다. 그러나 모든 사람들이 이 문제에 관해 그에게 동의한 것은 아니었다. 당시는 엄격한 정통신학의 시대였으므로 많은 신학자들은 데카르트주의(Cartesianism)라고 불린 그의 신학의 도전을 두려워했다. 그가 출발점으로서 제시한 보편적 의심은 무신경한 회의주의와 다를 바가 없는 듯했다. 일부 대학의 신학 교수들은 아리스토텔레스주의가 기독교 신학에 가장 적합한 철학 체계라고 선언했으며, 심지어 어떤 이들은 데카르트주의가 이단으로 발전할 것이라고 선언했다. 이러한 비난에 실망한 데카르트는 스웨덴 여왕의 초청을 받아들여

조국 프랑스를 떠나 스웨덴에서 여생을 보냈다.

그러나 데카르트주의에 심취하여 그 속에서 신학적 부흥의 가능성을 발견한 사람들이 있었다. 프랑스에서는 얀센주의에 빠져 있던 지식층이 데카르트주의를 자기들의 철학적 상대로 생각했다. 또한 보다 정통적 입장을 취한 사람들 중에서 그의 철학 체계를 채택하는 사람들이 나타났고, 데카르트주의의 가치에 관한 논쟁은 오랫동안 계속되었다.

데카르트주의는 정신과 물질의 관계에 대한 질문과 관련하여 보다 큰 철학적·신학적 발전을 초래했다. 데카르트는 인간이 두 부분으로 구성되어 있다고 주장했다. 즉 생각하는 존재(res cogitans)와 공간을 점유하는 존재(res extensa), 보다 전통적인 용어로 표현하면 영혼과 육체였다. 그것은 당시의 정통신학이 완벽하게 받아들일 수 있는 명제였다. 문제는 데카르트가 이 두 개의 존재가 관련된 방식에 대해 만족한 설명을 제공하지 못한 데 있었다. 정신이 생각할 때에 그것의 결정들은 어떻게 육체에게 전달되는가? 무엇인가가 육체에 영향을 줄 때, 그 영향이 어떻게 영혼에게 전달되는가? 이 어려운 질문에 관해 세 가지 해답이 제시되었으니, 곧 기회원인론(機會原因論), 일원론(一元論), 그리고 예정조화론이었다. 기회원인론은 특히 네덜란드의 철학자 아르놀트 횔링크스(Arnold Geulincx)와 프랑스의 말브랑쉬(Nicholas Malebranche) 신부에 의해 주장되었다. 이들은 육체와 영혼이 직접 교통하는 것이 아니라 하나님의 중재를 통해서만 교통한다고 주장했다. 영혼이 결정하는 경우에 하나님이 육체를 움직이시며, 육체의 감각과 요구에 따라 하나님이 영혼을 움직이신다는 것이다. 기회원인론자들은 이 견해가 하나님의 위대성을 고양한다고 주장했으나, 그들의 주장은 일반적으로 받아들여지지 못했다. 왜냐하면 모든 사건들과 생각들의 원인(原因)인 하나님을 비난하는 듯 여겨졌기 때문이었다.

헬라어로서 "하나"를 의미하는 모노스(monos)에서 연유한 일원론을 주장한 것은 유태계 네덜란드인 스피노자(Baruch de Spinoza)였다. 그는 데카르트가 제시한 수학의 방법론과 비슷한 방법에 의해 실체를 설명하려 했다. 그는 하나 이상의 실체(substance)가 존재한다는 사실을 부인함으로써 영혼과 육체의 교통에 관한 문제를 해결했다. 마치 "빨강"과 "둥근 것"이 한 사과의 속성이듯이, 생각과 육체는 서로 다른 두 개의 실체가 아니라 한 실체의 두 가지 속성이라 했다. "하나님"과 "세계"에 대해서도 같은 설명을 할 수 있다. 이들은 우주라는 한 실체의 상이한 속성들에 불과하다. 정통주의 신자들은 이러한 교리들을 지지하지 않았다. 왜냐하면 그들은 이 세상과는 별개로 존재하시는 하나님에 대한 신앙이 중요했기 때문이다.

마지막으로 독일의 철학자요 수학자이었던 라이프니츠(Gottfried Wilhelm Leibniz)는 "예정조화론"(像定調和論)을 제안했다. 스피노자와는 반대로 라이프니츠는 서로 완전히 독립된 실체-그는 이것들을 가리켜 "단자"(monad)라 불렀다-들이 무한히 존재한다고 전제했다. 그의 표현에 의하면 이 단자들에게는 "창(窓)이 없다." 다시 말해 서로 교통할 수 없다. 또 하나님은 이것들이 교통하도록 하시지 않는다. 하나님은 태초부터 이 단자들이 외관상 상호 의존적으로 활동하도록 창조하셨다. 영혼과 육체는 시계방에 있는 다양한 시계들이 서로 "교통하듯이" 교통한다. 그것들은 시계를 만든 사람이 정해놓은 예정된 질서에 따라서 작용한다. 만약 시계 만드는 이의 기술이 뛰어났다면, 동일한 시간을 지키기 위해 모든 시계들이 서로 교통하는 것처럼 보일 것이다. 그러나 이 해답도 많은 반대에 부딪혔다. 왜냐하면 원래 라이프니츠의 의도는 아니었으나, 그의 이론은 마치 하나님께서 선한 것과 악한 것을 막론하고 만물을 미리 정해놓으셨고 인간의 자유라는 것이 존재하지 않는다고 암시하는 듯이 여겨졌기 때문이다.

경험론

유럽대륙에서 이러한 철학적 현상들이 발생하고 있는 동안, 영국의 철학은 경험론이라는 다른 노선을 따르고 있었다. 경험론(empiricism)이라는 명칭은 "경험"을 의미하는 헬라어 단어에서 유래된 것이다. 그 지도적 인물은 1690년 『인간 오성론』(Essay on Human Understanding)을 출판한 옥스퍼드 교수 존 로크(John Locke)였다. 그는 데카르트의 저서들을 읽었으며, 세상의 질서가 정신의 질서와 일치한다는 데 동의했다. 그러나 그는 우리 자신의 내면을 들여다봄으로써 발견할 수 있는 본유관념(本有觀念)들이 있다고 믿지 않았다. 반대로 그는 모든 지식이 경험—감각의 "외적 경험"과 우리 자신 및 정신의 기능을 아는 데 사용되는 "내면 경험"—으로부터 나온다고 주장했다. 이것은 유일한 참 지식은 세 가지 차원의 경험에 기초한 것들임을 의미한다. 즉 끊임없이 경험하는 존재를 소유한 우리 자신, 지금 우리 앞에 있는 외부의 실체들, 그리고 매순간 그 존재가 자신 및 자신의 경험에 의해 증명되는 하나님이다. 이 세 차원을 떠나서는 확실한 지식이 있을 수 없다.

그런데 또 다른 지식의 차원, 즉 개연성의 차원이 존재하는데, 그것은 인간 생활에서 중요한 역할을 한다. 이 차원에서 우리는 엄격한 이성의 증거들이 아닌 "판단"의 증거들을 적용한다. 예를 들어 우리는 존이라는 사람의 존재를 거듭 경험했으므로 비록 그가 우리 앞에 없어도 어딘가에 존재하고 있을 가능성이 있다고 짐작하게 만들어 주는 것은 곧 판단에 의한 것이다. 판단은 절대적으로 확실한 것은 아니지만 필요하다. 왜냐하면 이 기초 위에서 우리는 일상생활의 대부분을 영위하기 때문이다.

신앙이란 이성이 아닌 계시로부터 파생된 지식을 승인하는 것이다. 따라서 이 지식은 매우 개연성이 높지만 절대로 확실하지는 않다. 신앙에 의해 믿도록 요청된 것의 개연성을 측정하기 위해서는 이성과 판단이 사용되어야 한다. 이러한 이유 때문에 로크는 스스로 신적 계시에 기초를 두고서 말한다고 여긴 사람들의 "광신적 열정"을 반대했다. 동일한 이유로 그는 종교의 자유를 주장했다. 종교의 자유를 부인하는 것은 신앙의 개연적 판단을 경험적 이성의 확실성과 혼동한 혼란스러운 생각에서 발생한다고 보았기 때문이다. 게다가 종교의 자유를 인정하는 것은 사회의 본질 자체에 기초하고 있다. 종교처럼 개인적인 문제에 있어서 국가가 시민들의 자유를 제한할 권위가 없다.

1695년 로크는 『기독교의 합리성』(The Reasonableness of Christianity)이라는 논문을 발표하여 기독교야말로 합리적인 종교라고 주장했다. 그에 의하면 기독교의 핵심은 하나님의 존재와 메시야이신 그리스도에 대한 신앙이다. 로크는 기독교가 이성과 판단을 바르게 사용함으로써 알 수 있는 것에 중요한 것을 추가했다고 여기지 않았다. 최종적으로 분석해 볼 때 기독교는 인간이 자연적 능력에 의해서 알 수 있었을 진리와 법칙들의 분명한 표현에 불과했다.

이신론(理神論)

종교에 관한 로크의 견해는 그가 자기의 저서들을 출판하기 전에 널리 퍼져 있었던 사고방식을 반영한다. 17세기에 영국에 등장한 많은 분파들 사이의 끝없는 논쟁들과 갈등에 지친 많은 사람들은 편협한 정통주의를 초월하는 방향으로 종교를 이해하고자 했다. 이리하여 이들은 흔히 이신론자, 혹은 "자유사상가"의 길을 택했다. 이들은 무신론자들의 일탈행위라고 여긴 것들을 거부했기 때문에 이신론자라 불렸고, 정통주의의 편협함을 고집하는 자들과 구별되어 자유사상가라고 불렸다.

이신론의 선구자는 체베리의 허버트(Herbert of Chebury)이다. 그는 참된 종교는 보편적이어야 한다고 주장했는데, 보편적이라는 것은 모든 이들의 충성을 요구한다는 것뿐만 아니라 인류 전체에게 자연스러운 종교여야 한다는 의미였다. 그러한 종교는 특별 계시들과 역사적 사건들에 기초한 것이 아니라 인간의 자연 본능에 기초한다. 이신론의 기본 교리는 다음과 같은 다섯 가지이다: 하나님의 존재, 하나님을 예배할 의무, 이러한 예배의 도덕적 필요요건들, 회개의 필요성, 현세와 내세에서의 상과 벌 등이었다. 비록 신적 계시가 존재할 가능성이 있으나 그로부터 파생되었음을 주장하는 교리는 이 다섯 가지 기본적 조건에 대치되어서는 안 되며, 그러한 계시는 일부 사람들에게만 주어지는 것이므로 모든 이들이 그것을 기대해야 할 이유가 없다.

로크가 『인간오성론』을 발표한 직후 존 톨런드(John Toland)가 출판한

『신비적이지 않은 기독교』(*Christianity not Mysterious*, 또는 *Treatise Showing that There is Nothing in the Gospel Contrary to Reason, nor Above It, and that No Christian Doctrine Can Be Properly Called a Mystery*)는 이신론의 고전이 되었다. 1730년에는 매튜 틴달 (Matthew Tindal)이 『천지창조 이래의 기독교』(*Christianity as Old as the World*, 또는 *The Gospel a Republication of the Religion of Nature*)를 출판했다. 이 저술들의 제목은 이신론의 본질, 그리고 기독교에서 가치 있는 모든 것이 "자연 종교"와 일치함을 증명하려는 노력을 보여준다.

이신론은 두 개의 전선에서 싸움을 벌였다. 한편으로 당시 대부분의 기독교 교파를 장악하고 있던 편협한 교조주의를 반대했다. 또한 신학자들의 논쟁에 지쳐 종교를 완전히 포기한 사람들의 안일한 회의론(懷疑論)을 반박하려 했다. 그러나 실제로 편협한 교조주의자가 아니었던 많은 기독교인들은 특별한 역사적 사건들과 계시의 중요성을 간과하려는 경향을 지닌 이신론의 방식을 염려했다. 왜냐하면 그것이 예수 그리스도의 중요성을 무시하기 때문이었다. 그러나 이신론에 대한 가장 신랄한 비판은 신학자들이 아니라, "이성"이 이신론자들과 합리주의자들이 생각하는 것처럼 "합리적"이 아님을 증명한 스코틀랜드 출신의 철학자로부터 왔다. 그의 이름은 데이비드 흄(David Hume)이었다.

데이비드 흄과 그의 경험론 비판

데이비드 흄(David Hume, 1711-1776)은 한없이 낙관적이었으나 이성의 능력에 관해선 비관적인 견해를 가졌다. 그는 낙관론 때문에 철학가들이 발표한 사상에 관해 의문을 제기할 수 있었다. 왜냐하면 그는 철학

데이비드 흄. 칸트는 흄이 자신을 "교조주의적 잠"에서 깨워주었다고 말했다.

체계 전체가 무너져도 동요하지 않을 사람이었기 때문이다. 그는 지적 호기심이 이끄는 대로 따라갈 인물이었다. 따라서 로크의 경험론을 출발점으로 택한 그는 참 지식의 범위가 합리주의자들이 주장하는 것보다 크게 제한되어 있다는 결론에 도달했다. 실제로 이 철학자들이 관찰과 이성에 기초를 두고 주장할 수 있다고 생각한 것들의 많은 부분이 이러한 기초를 가지지 못했으며, 단지 비이성적인 정신적 습관의 결과에 불과했다. 인간의 지성이 당연한 것으로 받아들인 것들 중에는 실체

(substance) 혹은 원인과 결과(cause and effect)와 같은 근본적 관념들이 포함되어 있었다.

경험주의자들은 경험에 기초한 지식만이 참이라고 주장했다. 그러나 흄은 원인과 결과라는 것을 보거나 경험한 사람이 없음을 지적했다. 물론 우리는 예를 들어 하나의 당구공이 다른 당구공이 있는 곳에 도달하는 것을 본 적이 있다. 그 때 우리는 공이 부딪치는 소리를 들으며, 첫째 공은 정지하고 둘째 공이 움직이는 것을 본다. 우리가 이러한 실험을 여러 차례 반복해 보아도 비슷한 결과들을 얻을 것이다. 그리하여 우리는 첫째 공의 운동이 다른 공의 운동을 "야기했다"라고 말한다. 그러나 우리가 그러한 현상을 본 것이 아니다. 우리가 본 것은 일련의 현상들이며, 우리의 정신이 원인과 견과라는 관념에 의해 그것들을 연결한 것이다. 외관상 연결되어 있는 듯한 일련의 현상들을 보는 사람이 취하는 이 마지막 단계는 경험적 관찰에 기초를 둔 것이 아니다. 그것은 우리들의 정신적 습관들의 결과이다. 따라서 경험주의자들의 정의에 의하면 그것은 합리적 지식이 아니다.

실체(본체)의 관념에 관해서도 같은 말을 할 수 있다. 예를 들어 우리는 사과를 본다고 말한다. 그러나 실제로 우리의 감각이 감지하는 것은 형태, 색깔, 무게, 맛, 냄새 등의 속성들이다. 우리는 또한 이 속성들이 한 장소에 동시에 존재한다는 것, 그리고 마치 이것들이 무엇인가에 의해 결합된 듯이 서로 달라붙어 있다는 것을 감지한다. 그 때 우리의 정신은 진정한 의미에서 합리적이라 할 수 없는 습관들 중 하나에 의해서 이 모든 속성들이 사과라고 부르는 실체 속에 존재한다고 선언한다. 그러나 우리는 실체 자체를 경험한 것이 아니다. 순전히 경험적인 이성은 우리가 감지하는 각종 속성들을 포함하는 실체들이 존재한다고 주장하는 것을 허락하지 않는다.

이러한 경험론적 합리주의에 대한 비판은 이신론에 대한 심각한 질문들을 제기했다. 만약 원인과 결과 사이의 관계가 합리적이지 않다면, 이신론자들이 하나님의 존재를 증명하기 위해 사용한 방법, 즉 이 세상을 존재하게 한 원인이 분명히 존재한다는 이론은 더 이상 성립되지 못한다. 마찬가지로 우리가 속성들에 관해서만 합리적으로 논할 수 있고 이것들을 초월한 실체에 관해 논할 수 없다면, "영혼," "하나님" 등의 개념은 별 의미가 없어진다. 그렇다 해도 많은 사람들은 흄의 논거에 결점이 있다고 느꼈다. 스코틀랜드인 제임스 리드(James Reid, 1710-1796)가 그들 중 하나이다. 그는 1764년에 『상식의 원리에 입각한 인간 지성 연구』(*An Inquiry in to the Human Mind on the Principles of Common Sense*)를 출판했다. 그는 이 책에서 자명한 지식 혹은 상식의 가치를 옹호했는데, 그렇기 때문에 그의 주장은 상식철학(common sense philosophy)이라고 알려졌다. 따라서 흄의 비판에도 불구하고 반세기 전에 존 톨런드가 제안한 것과 같은 이신론적 견해들이 사라지지 않았다.

프랑스의 새로운 사조들

한편 유럽대륙의 프랑스 및 다른 지역에서는 새로운 사조들이 발달하고 있었다. 이 새로운 철학을 주장한 위대한 인물은 프랑스와 마리 아루에(Francois Marie Arouet)였는데, 그는 볼테르(Voltaire)라는 필명으로 널리 알려져 있다. 그는 정치적 견해 때문에 한때 바스티유에 투옥되었으며, 런던에서 망명생활을 했고, 여러 해 동안 스위스에서 지내기도 했다. 그러나 프랑스 위정자들이 그의 가르침을 억압할수록 국민들은 더욱 그를 존경했다. 그는 광신주의를 적으로 간주했다. 그는 루이 14세 통치 말기에 프랑스 프로테스탄트들에 대한 박해를 목격했는데, 그러한 박해가 잘못된 것이며 태양왕의 이름에 영원히 오점을 남길 것이라고 생각했다. 그는 정치 및 종교의 자유를 주장한 로크의 저서들을 읽고 이에 동조하여 재치와 문학적 자질을 이를 위해 동원했다. 그러나 그는 당시 유행하던 낙관적 합리주의(optimistic rationalism)를 확신하지 않았다. 그는 데카르트주의가 마치 뛰어난 소설과 같아서 모든 주장들이 그럴 듯하지만 진리는 하나도 없다고 평했다. 그는 또한 영국의 이신론자들은 인간 이성이 알 수 있는 한계 이상으로 하나님과 영혼에 대해 안다고 주장하고 있다고 조롱했다.

따라서 볼테르와 그의 추종자들은 자기들 특유의 방식으로 합리주의자들이었다. 그는 자기 자신에게도 적용하기를 주저하지 않았던 신랄한 풍자적 재치를 동원하여 당시 유행하고 있었던 모든 거대한 철학 사조들을 조롱했다. 그러나 그는 상식으로서의 이성의 사용이 필요하며 상식의 명령을 따라 삶이 이루어져야 한다고 생각했다. 뿐만 아니라 그는 인류의 역사는 우리 자신과 우리들의 체제들에 관한 발전적 이해 및 이러한 이해에 적용하기 위한 노력의 역사라고 주장했다. 이것은 특히 인권 수호와 이해의 발전을 의미했다. 비록 통치에 필요한 것이기는 하지만 군주제(monarchy)는 원래 군주가 아닌 백성들의 이익을 위해 성립된 것이며, 백성들의 권리가 존중되고 수호되어야 한다고 주장했다. 이러한 사상들을 진술하고 전파함으로써 볼테르는 프랑스 혁명의 선구자들 중 하나가 되었다.

볼테르와 동시대인인 몽테스키외(Charles Louis de Secondat, Baron de Montesquieu)는 이성의 원리들을 통치의 이론에 적용하려 했다. 그리하여 그는 공화정치가 공포에 기초한 전제정치나 "명예"라고 불리는 편견을 기초로 하는 군주제보다 우월하다는 결론에 도달했다. 몽테스키외는 권력은 부패하기 마련이므로 삼권분립론을 주장했는데, 삼권은 입법부, 행정부, 그리고 사법부이다. 이처럼 미국과 프랑스에서 혁명이 발생하기 수십 년 전인 1748년 몽테스키외는 이미 그러한 운동들의 기본 정책들 중 일부를 제안하고 있었다.

거의 비슷한 시기에 장 자크 루소(Jean Jacques Rousseau)가 그에 못지않게 혁명적인 이론들을 주장했다. 그의 주장에 의하면 우리가 "진보"라고 부르는 것은 진정한 진보가 아니다. 왜냐하면 인류는 점진적으로 자연적 상태를 떠나 인위적 상태로 전락했기 때문이다. 정치 분야에서 본다면, 이것은 정의와 자유를 수호함으로써 피지배자들을 섬기려는 목적을 지닌 원래의 질서로 돌아가야 함을 의미한다. 통치자들은 실상 국민들의 고용인이며 그 의무는 자유와 정의를 수호하는 것이다. 루소는 이를 종교 분야에 적용하여 도그마와 제도들은 소위 인간의 진보의 특징인 부패의 일부라고, 그리고 우리는 하나님과 영혼의 불멸과 도덕적 질서를 믿는 신앙으로 이루어진 자연종교로 돌아가야 한다고 주장했다.

이 여러 철학자들은 모든 문제들에 관해 의견이 일치하지는 않았지만 다양한 방식으로 프랑스의 합리주의에 특징을 부여했다. 그들은 다른 합리주의자들의 사변적 경향을 피하고, 상식으로 이해된 이성이 사회적 · 정치적으로 시사하는 것에 관심을 집중했다. 그렇게 행함으로써 이들은 프랑스 혁명의 길을 예비하고 있었다.

임마누엘 칸트

17세기와 18세기의 철학의 흐름은 역사상 가장 위대한 철학자들 중 하나인 임마누엘 칸트의 비판을 낳았다. 스스로 말했듯이 칸트는 흄 (Hume)의 저서들을 읽기 전까지는 "독단의 잠"(dogmatic slumber)에 빠져 있었던 합리주의의 철저한 신봉자였다. 데카르트주의는 실체들의 교류라는 문제에 의해 제기된 난제들을 극복하지 못했다. 결국 본유관념에 관한 데카르트의 이론은 라이프니츠에게 이어졌다. 라이프니츠는 모든 개념들은 본유적인 것이며 정신과 다른 실체들 사이에는 교류가 없다고 주장했다. 반면 경험론은 경험을 통해 획득된 지식만이 참된 것이라면, 원인과 결과의 관념이나 실체라는 사상 등 근본적인 것들에 관한 유효한 지식이 있을 수 없다는 흄의 비판을 받게 되었다.

칸트는 1781년에 출판한 『순수이성 비판』(Critique of Pure Reason)에서 이 두 가지 철학 체계를 근본적으로 대신할 대안을 제안했다. 그의 주장에 의하면 본유관념은 존재하지 않으며 단지 정신의 근본 구조들이 존재하며, 우리는 감각이 제공하는 자료들을 이러한 구조 속에 배치해야 한다. 이 구조들은 무엇보다도 시간과 공간; 원인과 결과, 존재, 실체 등 12가지 "범주"가 이에 속한다. 시간, 공간, 그리고 12가지 범주들은 우리가 감각을 통해 인식하는 것이 아니다. 오히려 그것들은 감각에 의해 전달되는 느낌들을 조직하기 위해 정신이 사용해야 하는 구조들이다. 무엇인가를 사고의 대상이 되게 하려면 그것을 우리의 정신적 구조 안에 두어야 한다. 감각들은 무수한 느낌들을 제공한다. 정신이 그것들을 시간, 공간, 그리고 범주들 안에 배치한 후에야 그것들은 이해할 수 있는 "경험들"이 된다.

따라서 이전 세대들의 지나치게 단순화한 합리주의는 더 이상 존재할 수 없게 된다. 우리가 지닌 지식이란 본질적으로 존재하는 것이 아니라 우리의 정신이 파악할 수 있는 것으로서 존재한다. 따라서 순수히 객관적인 지식은 존재하지 않으며, 데카르트주의자들과 경험주의자들과 이신론자들의 순수 합리성이란 환상에 불과하다.

칸트는 전통적으로 기독교 교리들을 지원하기 위해 사용된 많은 논거들이 유효하지 않음을 밝히고자 했다. 예를 들어 존재란 실체로부터 파생된 자료가 아니라 정신의 범주들 중 하나이므로 하나님이나 영혼의 존재를 증명할 길이 없다. 또한 시간의 부재인 "영원"(eternity)에 관해서도 말할 수 없다. 왜냐하면 우리의 정신은 그러한 것을 상상할 수 없기 때문이다. 반면 이것이 곧 하나님, 영혼, 혹은 영원에 대한 절대적 부정을 의미하는 것이 아니다. 칸트의 설명에 따르면 눈이 들을 수 없고 귀가 볼 수 없는 것처럼, 이런 것들이 참이라 해도 이성이 그것들을 알 수 없기 때문이다.

그렇다면 종교에 대해서는 무슨 말을 할 것인가? 칸트는 몇 가지 저술에서 이 문제를 다루었다. 특히 1788년 출판된 『실천이성비판』(Critique of Practical Reason)에서 순수이성이 하나님과 영혼의 존재를 증명할 수 없으나 도덕적 생활과 관련이 있는 "실천이성"이 존재하며, 실천이성이 취하는 방식은 순수이성의 것과는 다르다고 했다. "당신의 행동을 위한 규칙이 보편적 규칙이 될 수 있는 방식으로 행동하라"는 근본 원칙을 지닌 실천이성은 하나님의 존재를 모든 행동의 재판관으로서, 영혼과 그 자유의 도덕적 행동을 위한 조건으로서, 그리고 사후의 삶을 선행에 대한 상급과 악행에 대한 형벌의 방도로서 알고 있다는 것이었다. 이것들은 모두 이신론자들의 주장과 유사하다. 따라서 종교 문제를 논함에 있어서 칸트가 이들보다 훨씬 더 발전했다고는 볼 수 없다.

그러나 종교와 신학에 있어서 칸트의 중요성은 종교의 기초를 도덕 안에 두려 한 그의 무기력한 시도들을 크게 초월한다. 그의 철학적 작업은 전임자들의 안일한 합리주의에 치명상을 입혔으며, 하나님의 존재나 내세 등 문제들에 관하여 순수하게 합리적이고 객관적인 용어로서 논하는 것이 가능하다고 생각했던 관념을 철저하게 파괴했다. 그 이후 신학자들은 신앙과 이성의 관계를 논할 때에 그의 작품을 참작해야 했다. 결국 사람들은 그의 견해를 더욱 확대하여 정신의 범주들의 보편성과 불변성에 대해 의심을 제기하고 심리학, 문화, 언어 등의 요인이 그러한 범주들의 형성에 도움을 준다고 주장하게 되었다. 따라서 어떤 면에서 현대철학의 정점이라고 볼 수 있는 칸트의 업적이 참 지식의 표식으로서의 객관성과 보편성을 강조하는 데 대한 포스트모던 비판을 위한 단계를 제공했다.

나는 사람들을 그 내면의 빛, 영, 은혜-이것들을 통해 사람들은
자신의 구원, 그리고 하나님에게 이르는 길을 알 수 있을 것이다-에게로,
그리고 그들을 모든 진리로 인도하실 거룩한 영에게로 인도하라는 명령을
받고 기뻤다. 내가 분명히 알거니와 성령은 아무도 속이지 않으신다.
―조지 폭스―

끝없이 계속되는 것처럼 보인 도그마에 관한 논쟁들, 그리고
기독교인들의 편협함으로 말미암아 많은 이들이 순수한 신비적 종교로
도피하려 했다. 또한 바른 교리를 지나치게 강조한 것은 보다 많은 교육
을 받을 기회를 가지고 있었던 상류층에게 유리하게 작용했다. 그러한
교육 기회가 없었으므로 신학의 복잡한 문제들을 논할 능력이 없는 자
들은 마치 오류에 빠지지 않기 위해 복잡한 도그마들을 통과하도록 이
끌어주어야 할 어린아이처럼 간주되었다. 그러므로 17, 18세기의 신비
주의 운동은 편협한 교조주의를 좋아하지 않는 지식인들, 그리고 공식
적인 교육을 받지 못했으나 이 신비주의 운동 안에서 자기 자신을 표현
할 수 있는 기회를 발견한 사람들을 끌어들였다. 따라서 신비주의 집단

이나 운동의 초기 지도자들은 비교적 교육 수준이 낮았으나, 곧 보다 많은 교육을 받고 사회적 지위가 높은 사람들이 그들 속에 섞이게 되었다.

신비주의 운동의 본질 때문에 그 역사를 추적하기가 어렵다. 이 운동은 무수히 많은 사조들과 지도자들을 배출했는데, 그들의 추종자들과 교리들은 서로 뒤얽혀 있어서 구분하기 어렵거나 특별한 사상의 창시자를 알아내기 어렵다. 따라서 이 운동의 본질을 파악하는 가장 간단한 방법은 그 운동의 주요 지도자들 중 서로 다른 특징을 지닌 세 사람-뵈메(Boehme), 폭스(Fox), 그리고 스베덴보리(Swedendorg)-을 살펴보는 것이다.

야콥 뵈메

야콥 뵈메(Jakob Boehme,1575-1624)는 독일의 실레지아(Silesia)에서 출생했다. 그의 부모는 가난한 루터교도였다. 야콥은 경건한 가정에서 깊은 신앙심을 가지게 되었다. 그러나 신학 논쟁에 관한 지루한 해석에 불과했던 당시의 설교는 그로 하여금 흥미를 잃게 만들었다. 그는 14세 때 아버지의 뜻에 따라 구두수선공의 도제가 되었는데, 그것이 그의 평생 직업이 되었다. 그런데 그는 도제 생활을 시작한 직후 환상을 보기 시작했고, 주인은 자신이 선지자가 아니라 도제를 원한다고 선언하고 그를 쫓아냈다.

그리하여 뵈메는 이곳저곳을 여행하면서 구두를 수선하는 방랑자가 되었다. 이렇게 여행하면서 그는 당시 교회의 지도층이 끝없이 계속되는 시끄러운 논쟁들로 진정한 바벨탑을 세웠다는 결론에 도달했다. 그리하여 그는 자기의 내면생활을 계발하고 그 주제에 관한 서적을 읽기로 결심했다. 이를 통해 그는 세상과 인간생활의 본질에 관한 일련의 결론들에 도달했으며, 그 결론들은 환상과 영적 경험들을 통해 확인되었다. 그는 한동안 이러한 확신들과 경험들을 아무에게도 말하지 않은 채 제화공으로서의 생활에 만족했다. 그는 대략 25세 때 방랑생활을 청산하고 괴를리츠(Goerlitz)시에 가게를 열었고, 비교적 안락한 생활을 영위할 수 있었다.

그는 설교의 소명을 느끼지 않았지만, 하나님께서 자기의 환상들을 기록하라고 명령하신다고 확신했다. 그리하여 등장한 책이 『찬란한 여명』(Brilliant Dawn)이다. 그는 이 책에서 자신은 하나님의 손에 잡힌 펜에 불과하여 하나님이 구술하신 것을 한 자 한 자 적었다고 주장했다. 뵈메는 이 책을 출판하지 않았으나, 그 사본 하나를 입수한 그 지방 목사가 그를 고발했다. 추방하겠다는 위협을 받은 뵈메는 종교 문제에 관해서 가르치거나 글을 쓰지 않겠다고 약속했으며, 5년간 약속을 지켰다. 그러나 1618년 새로 받은 환상들, 그리고 일부 추종자들의 강권에 따라 다시 펜을 들었다. 추종자들 중 한 사람이 뵈메의 허락 없이 그의 작품들 중 세 권을 출판했는데 그것들이 목사의 수중에 들어갔다. 목사는 또다시 그를 이단으로 고발했다. 그 결과 뵈메는 괴를리츠를 떠날 수밖에 없었다.

그는 삭소니 선거후의 궁정을 찾아갔다. 그곳에서 몇 명의 신학자들이 그의 가르침을 검토했으나 결론에 도달하지 못했다. 왜냐하면 그들은 뵈메의 의도가 무엇인지 알 수 없었기 때문이었다. 그들은 뵈메에게 생각들을 명확하게 정리할 수 있도록 더 많은 시간을 주라고 권했다. 그러나 그에게 이러한 시간이 주어지지 못했다. 왜냐하면 그는 곧 병에 걸렸고, 자기 친구와 추종자들 사이에서 죽기 위해 괴를리츠로 돌아갔기 때문이다. 그는 50세 때에 생을 마쳤다.

뵈메가 의도하는 바를 이해하지 못하겠다는 신학자들의 반응은 판결을 회피하기 위한 핑계가 아니었다. 실제로 뵈메의 저술은 다양하게 해석된다. 어떤 사람은 그의 저술에 전통적인 기독교의 주제들이 마술, 점성술, 신비학(occultism), 연금술 등에서 비롯된 주제들과 이상하게 혼합되어 있음을 발견한다. 이것들이 어떻게 연결되는지는 확실치 않으며, 또한 뵈메가 아무런 설명 없이 은유를 사용했으므로 더욱더 모호해진다. 예를 들어 "영원한 자궁", 혹은 "모든 탄생들의 어머니"는 무엇을 의미하는가? 이것들은 하나님을 가리키는 이름인가, 아니면 다른 것을 의미하는가?

어쨌든 여기서 중요한 것은 뵈메의 가르침의 정확한 내용이 아니라 그것들이 지향하는 기본 방향이다. 이 점에 있어서만은 분명하다. 그의 가르침은 신학자들의 냉정한 교조주의, 그리고 교회의 공허한 전례에 대한 반작용이었다. 이것들에 대응하여 뵈메는 영의 자유, 내면생활, 그리고 직접적이고 개인적인 계시들을 찬양했다. 그는 예를 들어 "문자는 죽이는 것이므로" 신자들은 성경이 아니라 성경 저자들을 감화하셨으며 지금도 신자들을 감화하시는 성령의 인도를 받아야 한다고 선언했다. 그는 "나는 이미 그 책을 충분히 읽었다. 만약 그리스도의 영이 내 안에 거하신다면 성경 전체가 내 속에 있는 것이다. 왜 더 많은 책들을 원해야 하는가? 내 안에 있는 것도 다 배우지 못했는데 왜 내 밖에 있는 것을 토론해야 하는가?"[1] 라고 말했다.

---

1) *Apology to Tilken*, 2:298.

뵈메는 생전에 추종자들이 많지 않았으나 후일 그가 남긴 서적들은 많은 사람들로 하여금 그를 흠모하게 했다. 영국에서는 이들이 한데 모여 소위 "뵈메주의"(Boehmenist) 운동을 일으켰으며, 이들 중 어떤 이들은 조지 폭스의 퀘이커파와 충돌했다. 그리하여 원래는 전통적인 신학을 둘러싼 교리적 논쟁에 대한 반동으로 나타난 신비주의 운동도 결국 비슷한 논쟁에 휘말리게 되었다.

조지 폭스와 퀘이커파

조지 폭스(1624-1691)는 뵈메가 죽던 해에 영국의 작은 마을에서 태어났다. 폭스도 미천한 출신이었으며 제화공의 도제였다. 그러나 그는 19세 때에 동료 도제들의 방탕한 생활에 혐오감을 느끼고 또한 성령의 강권하심을 느꼈기 때문에 직업을 버리고 방랑생활을 하면서 위로부터의 조명을 얻기 위해 각종 종교 집회에 참석했다. 그는 또한 성경공부에 몰두하여 성경을 거의 암송했다고 전해진다. 폭스는 어떤 때는 진리의 탐구에 절망했고, 어떤 때는 종교적 경험들을 통해 힘을 얻는 등 많은 내면의 갈등을 경험했다. 그는 서서히 잉글랜드의 다양한 교파들이 모두 잘못된 것이며, 그들의 예배가 하나님 앞에서 가증한 것이라는 확신에 도달했다.

폭스는 전통적 기독교에 도전했다. 만약 하나님이 인간의 손으로 만들어진 건물 속에 거하지 않으신다면, 어떻게 이들이 모이는 건물을 가리켜 "교회"라고 부를 수 있는가? 그것은 종탑을 지닌 건물에 불과하다. 봉급을 받기 위해 일하는 목사들은 참 목자들이 아니라 "제사장들"

퀘이커파의 창시자인 조지 폭스는 다른 영적 지도자들과는 달리 신자들의 공동체와 사회적 의무에 관심을 기울였다.

이요 "삯꾼"들이다. 찬송, 예배 순서, 설교, 성례, 신앙고백, 목회자 등은 모두 성령의 자유를 훼방하는 인간들의 발명품에 불과했다. 폭스는 이 모든 것들에 대항하여 "내적 빛"(inner light)을 주장했다. 이것은 모든 인간들 안에 존재하는 씨앗이며, 우리가 하나님을 발견하기 위해서 따라가야 하는 참 길이다. 인류의 전적 타락을 주장하는 칼빈주의 교리는 하나님의 사랑뿐만 아니라 하나님을 사랑하는 이들의 경험을 부인한다. 그와는 반대로 비록 희미할지라도 모든 사람들 안에는 내적 빛이 존재한다. 이 빛의 덕분에 기독교 신자들뿐만 아니라 이교도들도 구원받을 수 있다. 그러나 이 빛이 지성 혹은 양심과 혼동되어서는 안 된다. 그것은 이신론자들이 주장하는 "자연 이성"이 아니며, 하나님을 가리키는 일련의 도덕적 원리들도 아니다. 그것은 하나님의 임재를 인식하고 받아들이기 위해 우리 모두가 지니고 있는 능력이다. 그것에 의해 우리는 성경을 믿고 이해할 수 있다. 따라서 내적 빛을 통한 하나님과의 교제는 외적 수단에 의한 어느 교제보다 우선한다.

폭스와 친한 사람들은 그의 내면에서 불같은 것이 타오르고 있음을 알았지만, 폭스는 여러 해 동안 신앙과 기독교의 진정한 의미에 관해 자신이 발견했다고 확신한 것을 발설하지 않았다. 당시 영국에는 많은 종교적 분파들이 있었는데, 폭스는 이 분파들 모두에 참여해 보았지만 어디에서도 만족을 얻지 못했다. 마침내 그는 어떤 침례파의 집회에서 자신이 믿고 있는 내적 진리를 발표하라는 성령의 부르심을 느꼈다. 그 이후 이러한 성령의 강권하심이 빈번해졌다. 폭스는 다양한 종교집회에서 자신이 본 기독교에 대한 영적 환상을 발표하라는 성령의 명령을 받았다고 주장했다. 사람들은 그의 말을 경멸하거나 적대했고, 그는 거듭 집회에서 쫓겨나고 매 맞고 돌에 맞기도 했다. 그러나 그런 일들이 그를 멈추게 하지 못했으며, 그 후 그는 "종탑이 있는" 건물에서 예배를 방해하고 자기의 메시지를 전하곤 했다. 그를 추종하는 자들이 급증했다. 처음에 그들은 스스로를 가리켜 "빛의 자녀들"이라 불렀지만, 폭스는 "친구들"(friends)이라는 명칭을 선호했는데 그것이 후일 그들의 공식명칭이 되었다. 그러나 폭스의 추종자들이 종교적 감정을 이기지 못하여 떠는 것을 목격한 사람들이 그들을 "부들부들 떠는 자들"(Quakers)이라 부르기 시작했는데, 이 이름이 더 널리 알려졌다.

1652년부터 폭스는 마가렛 펠(Margaret Fell)이라는 상류층 여성의 지원을 받았다. 그녀는 1658년에 과부가 되었고 1669년에 폭스와 결혼하게 된다. 그 무렵 그녀는 신생 운동의 지도자로 알려졌었고, 그 운동을 옹호하기 위해서 상류층 여인으로서의 영향력을 이용하곤 했다. 그러나 퀘이커주의에 대한 정치적 반대가 심했으므로 그녀는 1664년에 그 운동을 지원했다는 혐의로 체포되었고 재산을 몰수당했으며, 종신징역형을 선고받았다. 국왕의 명령에 의해 석방된 후 그녀는 폭스와 결혼했다. 그 후 그녀는 가르치는 일과 선교활동을 하며 지냈으며, 거듭 징역형을 받았다. 조지 폭스는 1691년에 사망했고, 마가렛은 1702년에 사망했다.

폭스와 그의 추종자들은 예배에서 모든 형식이 성령의 사역에 방해가 된다고 믿었으므로 퀘이커파의 예배는 침묵 속에 개최된다. 누구든 부르심을 받았다고 느끼는 사람은 자유로이 소리를 내어 말하거나 기도할 수 있다. 성령께서 감동하시면 여성들도 남성들과 똑같이 말할 권리를 갖는다. 폭스도 이러한 모임을 위해 미리 말할 것을 준비하지 않은 채 성령이 자기를 감동하시기를 기다렸다. 이따금 집회에 참석한 많은 사람들이 그의 말을 듣고 싶어 했으나, 그는 성령의 감동을 느끼지 못했으므로 이를 거부했다. 또 퀘이커들은 자기들의 예배에 전통적인 세례와 성례를 포함시키지 않았다. 왜냐하면 유형적인 물, 빵과 포도주 등이 영적인 요소들로부터 주의를 분산시킬 것으로 우려했기 때문이었다. 이것이 성례를 고수한 뵈메주의자들과 충돌한 주된 이유였다.

폭스는 성령의 자유를 강조하는 것이 과도한 개인주의로 이어질 위험이 있음을 의식하고 있었다. 개인의 자유 행사가 집단의 와해를 초래했기 때문에 비슷한 강조점을 가진 다른 운동들이 오래 지속되지 못하고 있었다. 폭스는 공동체와 사랑의 중요성을 강조함으로써 이러한 위험을 피했다. 퀘이커파 모임에서는 다수결에 의해 결의하지 않았다. 만장일치에 이르지 못하면 의결은 연기되었고, 성령께서 해결책을 주실 때까지 회의는 침묵 속에 계속되었다. 회의에서 받아들여지지 못한 문제는 적절한 기회가 될 때까지 미결 상태로 남겨 두었다.

폭스와 퀘이커들의 가르침과 생활을 싫어하는 이들이 많았다. 종교 지도자들은 이 "광신자"들이 성경을 읽거나 전파하기 위해 기존 교회의 예배를 방해하는 데 대해 분개했다. 권력자들은 십일조세금과 맹세를 거부하고 상급자들에게 경례하지 않고 하나님 앞에서만 모자 벗기를 주장하는 이들을 혼내주어야 한다고 생각했다. 하급자들의 복종에 익숙해 있던 많은 사람들은 이것을 무례하고 용납할 수 없는 불복종으로 여겼다.

그 결과 폭스는 여러 차례 두들겨 맞았고, 마가렛 펠 폭스와 마찬가지로 여러 해 동안 감옥에서 지냈다. 처음에 그는 어느 설교자가 궁극적인 진리는 성경에서만 발견할 수 있다고 가르칠 때에 궁극적인 진리는 성경을 감화하신 성령 안에 있으므로 그것이 참이 아니라고 주장하면서 설교를 중단시켰기 때문에 투옥되었다. 어떤 때는 신성모독죄로 잡혀 갔고, 어떤 때는 국가에 대한 반란죄로 기소되었다. 정부가 그를 사면해 주겠다고 제안했을 때, 그는 자기에게는 죄가 없으며 범하지도 않은 일에 대한 사면을 받아들이는 것은 거짓말을 하는 것이라고 선언하며 거부했다. 한번은 신성모독죄로 6개월간 투옥된 일이 있었다. 그는 공화국 군대에서 복무하면 석방해 주겠다는 제안을 받았으나 기독교인들은 성령의 무기 외에 다른 무기를 일체 사용할 수 없다고 주장하면서 그 제안을 거부했다. 이 때문에 그의 복역 기간이 6개월 연장되었다. 그때부터 퀘이커파의 흔들림이 없는 철저한 신념이 유명해졌다.

폭스는 감옥에 있지 않을 때에는 대부분의 시간을 마가렛의 집인 스와스모어 홀(Swarthmore Hall)에서 보냈는데, 이 집이 퀘이커파의 본부가

이 그림에 묘사된 것처럼 퀘이커파의 모임에서는 남자들뿐만 아니라 여자들도 성령의 감동하심을 느낄 때마다 발언할 수 있었고, 그 때문에 그들은 조롱을 받았다.

되었다. 나머지 시간에는 영국 방방곡곡과 해외를 여행하며 퀘이커의 집회에 참여하고 그의 메시지를 새로운 지역에 전했다. 처음에 그는 스코틀랜드에 갔는데 그곳에서 반란죄로 기소되었다. 그 후 아일랜드로 갔고, 그 다음에는 카리브해 지역과 북아메리카에서 2년을 보냈다. 그는 두 차례에 걸쳐 유럽대륙을 방문했다. 그는 이 모든 지역에서 추종자들을 얻었으며, 1691년에 사망할 때에는 추종자가 수만 명에 달했다.

그들도 박해를 받았다. 그들은 부랑죄, 신성모독, 폭동 선동, 십일조 세금 거부 등의 혐의로 투옥되었다. 1664년 찰스 2세는 당국의 허가 없는 종교 집회를 금하는 칙령을 발표했다. 많은 집단들이 비밀리에 계속 회집했다. 그러나 퀘이커들은 비밀리에 모이는 것은 거짓말에 해당된다고 주장하고 왕의 칙령에 정면으로 불복했다. 그리하여 수천 명이 투옥되었고, 1689년 종교의 자유가 허락되었을 때에는 이미 수백 명이 감옥에서 사망한 후였다.

폭스의 추종자들 중 가장 유명한 인물은 윌리엄 펜(William Penn)이다. 펜실베이니아 주의 명칭은 그의 이름을 따른 것이다. 해군 제독이었던 그의 부친은 그에게 최고의 교육을 베풀려고 노력했다. 펜은 학생 시절 청교도가 되었다. 그 후 프랑스에서 공부하면서 위그노의 영향을 받았다. 1667년 영국으로 돌아가 퀘이커 신도가 되었다. 부친은 "광신자" 같은 아들을 집에서 쫓아냈다. 펜은 고집을 꺾지 않았으며, 결국 런던탑에 7개월간 투옥되었다. 그는 이때 왕에게 편지를 보내어 런던탑이 자기를 납득시키기 위한 최악의 논거라고 주장했다고 한다. 왜냐하면 실제로 누가 옳은지를 불구하고 종교적 신념을 강요하기 위해 폭력을 사용하는 것은 그릇된 일이라는 주장이었다. 결국 그는 부친 및 요직을 차지하고 있던 친구들의 중재로 석방되었다. 그 후 여러 해 동안 그는 가족을 돌보고, 유럽을 여행하며 퀘이커파를 변호하는 글을 썼다.

그러나 종교의 자유를 주장하는 그의 논거들은 잘 받아들여지지 않았다. 어떤 사람들은 그가 예수회 사람이며 가톨릭 신자들의 잃어버린 특권 회복을 목적으로 삼고 있다고 중상했다. 이때 펜은 "거룩한 실험" (holy experiment)이라는 것을 생각하게 되었다. 친구들이 그에게 북아메리카의 뉴저지에 관해 이야기해준 바 있었다. 당시 국왕 찰스 2세는 그에게 큰 빚을 지고 있었는데 이를 현금으로 갚을 생각이 없었으므로, 현재의 펜실베이니아 지방을 펜에게 하사했다. 펜은 이곳에 완전한 종교의 자유를 실시하는 새로운 식민지를 설립하고자 했다. 이때쯤 북아메리카에는 이미 영국 식민주들이 설립되어 있었다. 그러나 로드아일랜드

(Rothe Island)를 제외하고는 모든 식민지들이 종교의 자유를 시행하지 않았다. 특히 종교적 속박이 심했던 매사추세츠에서 퀘이커 교도들은 박해를 받아 추방되고 신체를 절단당하고 사형에 처해지기까지 했다.

펜이 제안한 것은 모든 이들이 자신들의 신념에 따라 자유롭게 예배드릴 수 있는 새로운 식민지였다. 당시 편협한 사람들이 볼 때 이것은 매우 불온한 생각이었다. 그러나 더 충격적인 것은 이미 국왕에게서 양도받은 토지를 다시 인디언들에게 대금을 지불하고 구입하려는 펜의 계획이었다. 펜은 왕이 아니라 인디언들이 토지의 합법적 소유자라고 확신했다. 그는 원주민들과 정착민들 사이에 화해 관계를 수립함으로써 서로 무력에 의해 자신을 방어할 필요가 없도록 만들려 했다. 이처럼 거룩한 실험의 중심지는 "필라델피아"(Philadelphia), 즉 "형제애의 도시"라고 불릴 것이었다.

당시 영국 국민들에게 펜의 실험이 얼마나 잘못된 것으로 보였을지 알 수 없으나, 곧 영국뿐만 아니라 유럽 여러 지역에서 이에 참여하려는 많은 사람들이 나타났다. 이들은 대부분 퀘이커 교도였으므로, 한동안 퀘이커파가 펜실베이니아의 정치생활을 주도했다. 그러나 이들과 다른 신앙을 가진 정착민들도 많았다. 이곳의 초대 총독이었던 펜의 지도 하에 인디언들과의 관계는 매우 우호적이었으며, 그의 평화로운 정착의 꿈이 실현되었다. 오랜 세월이 지난 후인 1756년 당시의 총독이 인디언들에게 선전 포고했고, 이 때문에 퀘이커들은 공직을 사임했다. 그러나 펜의 "거룩한 실험"의 일부였던 종교의 자유는 마침내 미국뿐만 아니라 다른 많은 국가의 헌법에 확고히 자리 잡았다.

에마누엘 스베덴보리

조지 폭스는 뵈메가 사망한 해에 태어났고, 스베덴보리(Emanuel Swe-denborg, 1688-1772)는 폭스가 죽기 3년 전에 탄생했다. 따라서 우리가 이 장에서 다루는 세 명의 지도자의 생애는 17세기와 18세기 거의 전체에 걸쳐 이어진다.

스베덴보리의 가르침의 일부는 뵈메와 폭스의 가르침과 매우 유사하지만, 어떤 점에서 그는 이들과 매우 다르다. 뵈메와 폭스가 태생이 비천했던 데 반해 스베덴보리는 스웨덴의 귀족 가문에서 태어났다. 또 그는 이 두 사람과는 달리 최고의 교육을 받았다. 그는 웁살라대학교에서 수학했고, 견문을 넓히기 위해 잉글랜드, 네덜란드, 프랑스, 독일 등지를 5년 동안 여행했다. 또한 폭스와 뵈메는 일찍부터 종교적 성향을 보인 데 반해 스베덴보리는 청년 시절 과학에 몰두했으며 이를 통한 탐구에 의해 종교적 확신에 도달했다.

여러 해 동안 과학적 탐구에 몰두한 후 스베덴보리는 자신이 영계로 옮겨지는 환상을 보았는데, 그곳에서 영원한 진리들을 목격할 수 있었다. 이 환상을 본 후 그는 현실과 성경의 진정한 의미에 관해 많은 글을 저술했다. 그에 의하면 존재하는 모든 것은 하나님의 속성들의 반영이며, 따라서 눈에 보이는 세계는 눈에 보이지 않는 세계와 "상응"한다. 성경에 대해서도 같은 말을 할 수 있다. 성경은 영계에 들어가 본 사람만이 알 수 있는 진리들을 반영한다.

스베덴보리는 자기의 저술이 세계의 역사, 혹은 종교의 역사에 있어서 새로운 시대를 열 것이라고 확신했다. 심지어 그는 자신이 계시를 받을 때에 발생한 것들이 성경에서 말하는 그리스도의 재림을 의미한다고 주장했다. 우리가 능히 짐작할 수 있듯이 그 시대 사람들의 대부분은 이러한 생각을 받아들이려 하지 않았다. 따라서 그의 추종자들은 매우 적었다. 스베덴보리가 느낀 소명은 새로운 교회를 세우라는 것이 아니라 이미 존재하고 있는 교회들에게 그것의 본질과 메시지를 새로이 이해시키라는 것이었다. 그러나 그의 사후 12년이 지난 1784년에 그의 제자들은 새 예루살렘 교회(Church of New Jerusalem)를 창립했는데, 이 교회는 교인들이 많은 적이 없었으나 21세기까지 존속해오고 있다. 또 19세기 초에 "스베덴보리 협회"가 조직되었는데, 그 목적은 그의 저술들을 출판하고 보급하는 것이었다.

이 장에서 다룬 세 명의 종교 지도자들 중 폭스만이 방대한 종교 운동을 조직하고 지도할 수 있었다. 그 부분적인 이유는 그가 종교생활을 위해서는 신자들의 공동체가 필요하다는 확신을 가지고 있었기 때문이었다. 또 폭스와 그의 추종자들은 사회 문제에 깊은 관심을 가지고 있었고 사회적 병폐를 해결할 수 있는 방안들을 적극적으로 강구했다는 점에서 다른 신비주의자들과 구별된다. 그러나 퀘이커파를 제외한 다른 신비주의 운동들은 전체 교회와 사회에 별로 영향을 미칠 수 없었다. 왜냐하면 이들의 관심은 내세 지향적이요 개인주의적이었기 때문이다. 합리주의와 교조주의를 대항한 또 다른 운동인 경건주의가 훨씬 더 심각한 영향을 미치게 된다.

감리교도들 중 얼마나 많은 부자들(처음 우리 가운데는 부자들이
없었음을 생각해보라)이 실제로 "자기를 부인하고 날마다
자기들의 십자가를 질 것인가?" 이제 부자가 된 당신들 중에
누가 가난했을 때처럼 자신을 부인할 것인가?
―존 웨슬리―

경건주의는 신학자들의 교조주의와 철학자들의 합리주의에 대
한 반동이었다. 경건주의는 기독교의 진수인 살아있는 믿음이라는 점에
서 교조주의와 합리주의와 대조되었다. 또 사람들로 하여금 개인적인
신앙과 종교체험에 가치를 두게 만든 30년 전쟁에 대한 반응이기도 했
다. 엄밀한 의미에서 "경건주의"(pietism)란 독일에서 스페너와 프랑케가
이끈 운동을 의미하지만, 이 장에서는 친첸도르프(Zinzendorf)와 웨슬리
(Wesley)가 이끈 비슷한 운동들도 살펴볼 것이다.

독일 경건주의: 스페너와 프랑케

후세인들에 의해 "경건주의"(Pietism)라고 불린 운동의 많은 요소들이

이전부터 독일에 유포되어 있었으나, 필립 야콥 스페너(Philip Jacob Spener, 1635-1705)를 "경건주의의 아버지"라 부르는 것은 합당한 일이다. 그는 알자스에서 루터교인 귀족 가문에 출생했다. 그는 당시 최고의 프로테스탄트 대학에서 신학을 공부했고, 박사 학위를 받은 후에는 프랑크푸르트에서 목회했다. 목사들은 국가의 지원을 받았으며 공무원으로 간주되었으므로, 많은 목회자들이 설교와 성례 집례에 만족했다. 그러나 스페너는 자신의 임무가 그것들을 크게 능가하며 교구민들의 개인적인 신앙 육성도 포함된다고 확신했다. 그는 이곳에서 그가 "경건의 모임" (colleges of piety)이라 부른 성경공부 및 경건 모임을 설립했다. 이 사역을 시작한 지 5년 후인 1675년 그는 『경건한 소원』(Pia desideria)을 출판했는데, 거기에는 경건 육성을 위한 프로그램이 요약되어 서술되고 있다. 그 책은 경건주의의 기본 헌장이 되었다.

스페너는 그 책에서 루터파의 만인제사장설을 의존했고, 평신도와 성직자의 차이점들을 지나치게 강조하지 말고 모든 기독교인들의 공동 책임을 강조할 것을 제안했다. 이것은 곧 평신도들의 열정적인 경건생활과 성경공부를 의미하는 것이었다. 스페너는 이 목표를 달성하기 위해서 그의 "경건의 모임"과 같은 소그룹 운동을 제안했다. 또 목회자와 신학자가 되기를 원하는 후보자들이 깊은 개인적 신앙을 갖춘 "참 기독교인"인지 확인해 보아야 한다고 주장했다. 그는 또한 설교란 설교자의 지식을 과시하는 것이 아니라 신자들로 하여금 하나님의 말씀에 순종하도록 촉구하기 위한 것이므로 설교자들은 학구적이고 논쟁적인 어투를 버려야 한다고 주장했다. 그러나 스페너는 이 모든 점에 있어서 교회의 교리들을 비판하지 않았다. 왜냐하면 그는 교회의 교리들에게 전적으로 동의하고 있었기 때문이다. 그러나 그는 교리가 개인적 신앙의 대용물이 될 수는 없음을 주장했다. 왜냐하면 비록 신학적 오류가 기독교인의 생활에 불행한 결과들을 초래할 수 있지만, 동시에 도그마를 초월하지 못하는 자들은 기독교의 풍요함을 이해했다고 볼 수 없기 때문이었다. 그리하여 그는 새로운 개혁, 혹은 최소한 16세기에 시작되었다가 교리적 논쟁들에 의해 중단된 개혁 운동의 완성을 제안했다. 곧 많은 사람들은 그에게서 새로운 루터를 발견했으며, 독일 각처에서 그의 감화에 감사하고 조언을 구하는 편지들이 쇄도했다.

그러나 루터파 정통주의의 지도자들은 이것을 달갑게 여기지 않았다. 비록 스페너가 루터파 교리에서 벗어난 것은 아니지만, 그가 루터파의 정설에 의해 명시된 교리의 세부 사항을 무시하는 것처럼 보였기 때문이었다. 또 이전의 루터가 그러했듯이 그는 끊임없이 성경으로 돌아가 경건한 마음으로 읽어야 한다고 주장했다. 게다가 그가 루터파 전통에서 벗어난 것처럼 보인 부분도 한 가지 있었다. 이신득의의 교리에 압도되었던 루터는 성화에 그다지 관심을 기울이지 않았다. 루터는 논쟁하면서 신앙인들의 생활 태도가 아니라 하나님의 은혜가 중요하다고 주장했다. 왜냐하면 인간은 개인적인 성화에 의해서가 아니라 은혜로 말미암아 의롭다함을 얻기 때문이었다. 칼빈과 개혁주의 전통은 칭의에 관한 한 루터에게 동의하면서도, 우리를 의롭다 하시는 하나님은 또한 거룩하게 하시는 분이시며, 신자들에게 성결한 생활을 할 능력을 주신다고 주장했다. 이 점에 있어 스페너와 그의 추종자들은 루터보다는 칼빈에 가까웠다. 스페너는 개혁주의 교사들의 영향을 받았으며, 루터주의가 성화의 필요성을 더욱 강조해야 한다고 확신했다. 이러한 이유 때문에 많은 정통 루터파 신학자들이 스페너를 칼빈주의자라고 선언했다.

또한 스페너는 그의 계시적 묵시주의 때문에 공격을 받았다. 대체로 어려운 시기에 그러하듯이, 그는 계시록의 예언들이 성취되고 있으며 종말이 가깝다고 확신했다. 그러나 스페너의 예측들이 이루어지지 않았으므로 그의 적들은 스페너가 이 점에서 실수한 것으로 미루어 볼 때 다른 주장들도 진실성이 없으리라고 주장할 수 있었다.

어떤 점에서 보면 경건주의에 관한 논쟁의 핵심은 기독교 신앙이 단지 상식적 도덕을 인정하는 데 그칠 것인지, 아니면 신자들에게 완전히 다른 종류의 생활을 요구해야 할 것인지에 관한 문제였다. 정통적 설교가들은 하나님께서 신자들에게 단지 바른 교리와 바른 생활만을 요구하신다고 생각했다. 그러나 경건주의자들은 사회가 그 구성원들에게 요구하는 것과 하나님께서 신자들에게 요구하시는 것의 차이를 강조했다. 이러한 주장은 안정을 누리고 있던 교회들에게는 불편한 도전이었다.

스페너의 가장 뛰어난 추종자는 유복한 루터파 가문 출신인 아우구스트 헤르만 프랑케(August Hermann Francke)였다. 그는 당시의 사건들을 요한 계시록에 기록된 사건들로 해석하는 데 있어서 스페너와 견해를 달리했으나, 그 밖의 것들에서는 스페너의 가르침을 따르고 있었다. 그는 스페너보다도 훨씬 기독교인의 삶의 기쁨을 강조했다. 이러한 기쁨이 하나님께 드리는 찬양이라고 주장했다. 또한 그는 할레 대학 교수로서 경건주의와 전통적 루터교 신학의 관계에 보다 깊은 주의를 기울였다. 그는 자신의 종교 체험을 다음과 같이 묘사했다.

갑자기 하나님께서 나의 간구를 들으셨다. 손바닥을 뒤집는 것처럼 쉽게 나의 의심은 사라졌다. 나는 가슴속에 예수 그리스도 안에 있는 하나님의 은혜를 확신할 수 있었다. 그때부터 나는 하나님을 단지 "하나님"이라고 뿐만 아니라 "아버지"라 부를 수 있었다. 즉시 내 마음에서 슬픔과 걱정이 사라졌다. 또한 내 마음은 기쁨의 물결로 가득 찼다. 그리하여 나는 이러한 평화를 허락하신 하나님을 소리 내어 찬양했다.[1]

이러한 종교적 경험의 묘사는 그 후 웨슬리를 비롯한 여러 사람들의 비슷한 경험들과 결합되어, 경건주의자들이 이러한 종류의 개인의 경험의 필요성을 주장한다는 오해를 낳았다. 그러나 초기 단계의 경건주의 운동은 생동하는 개인적 신앙을 옹호했을 뿐이며, 언제 어떻게 이러한 경험을 하는가는 중요한 문제가 아니었다.

일부 신학자들이 그 운동이 감정적이고 주관적이며 이단적이라고까지 비난했지만, 수천 명의 기독교인들이 경건주의 운동을 받아들였으며, "경건의 모임" 등의 소그룹에 가입했다. 결국 이러한 반대에도 불구하고 경건주의는 루터파 전통에 지울 수 없는 흔적을 남겼다. 또 비록 스페너와 프랑케가 루터파였음에도 불구하고 독일 개혁파(German Reformed)에서도 많은 사람들이 경건주의를 지지했다. 개혁파 경건주의(Reformed pietism)의 뛰어난 인물인 람페(F. A. Lampe, 1638-1729)의 찬송과 설교와 저서들은 경건주의 정신의 전파에 크게 기여했다. 람페는 정통주의의 전형적인 전문용어들을 피함으로써 평신도 계층에서 많은 추종자들을 얻었으며, 학구적인 신학자들의 큰 반대에 부딪혔다. 그러나 독일의 개혁파 정통주의는 루터파 정통주의와 같은 정치적 영향력을 소유하

---

1) Selbstzeugnisse("Testimonies"), p. 25.

지 못하고 있었으므로, 개혁파 경건주의는 적어도 개혁파 정통주의가 주도하고 있는 네덜란드로 이동하기 전까지는 루터파 경건주의자들처럼 큰 압박을 받지는 않았다. 후에 북아메리카에서 일어난 대각성 운동(Great Awakening)은 경건주의가 개혁주의 전통에 얼마나 큰 영향을 미쳤는가를 보여준다.

경건주의가 기독교 역사에 가장 크게 기여한 점은 프로테스탄트 선교의 시작이라 할 수 있다. 프로테스탄트주의의 생존을 위한 투쟁에 개입했던 16세기의 개혁가들은 비기독교 세계에 관심을 기울이지 못했다. 복음 전파의 명령은 사도들에게만 주어진 것이므로, 어떤 이들은 현대의 기독교인들은 다른 민족들에게 복음을 전할 소명을 받지 않았다고 선언했다. 초기 경건주의자들은 고아들과 가난한 사람들을 위한 학교와 고아원 등을 세우며 동료 신자들의 궁핍함을 위해 적극적으로 활동했지만 세계 선교에는 관심을 갖지 않았다. 그러나 1707년 경건주의자들을 존경했던 덴마크 왕이 인도에 있는 그의 식민지에 선교사들을 파송하기로 결정했다. 적임자를 찾을 수 없었던 그는 할레 대학의 프랑케에게 가장 뛰어난 두 명의 제자를 그곳에 보내달라고 요청했다. 그리하여 바톨로메우스 지덴바르크(Bartholomaeus Ziegnbalg)와 하인리히 플루트차우(Heinrich Plutschau)가 인도에 트란케바르(Tranquebar) 선교소를 세웠다. 독일에서 유포된 이들의 편지들과 보고서들은 경건주의자들의 큰 관심을 자아냈다. 곧 프랑케의 지도 아래 할레 대학교는 선교사들의 훈련 중심지가 되었다. 덴마크에서도 왕의 지원과 경건주의 지도자들의 인도 아래 라플란드(Lapland)와 그린란드(Greenland)에 파송될 선교사들을 훈련하기 위한 선교학교들이 설립되었다.

친첸도르프와 모라비아 형제단

한편 경건주의는 스페너의 제자인 젊은 니콜라우스 루트비히 폰 친첸도르프(Nikolaus Ludwig von Zinzendorf)에게 영향을 미쳤다. 친첸도르프는 어려서부터 신앙심이 깊었으며, 후일 자신이 평생 하나님에게서 분리감을 느끼지 못했다고 선언했고, 회심의 경험에 대해 말할 수 없었다. 독실한 경건주의자였던 부모는 그를 할레 대학교에 보내어 프랑케 밑에서 수학하도록 했다. 후일 그는 루터파 정통주의의 중심지였던 비텐베르크에서도 공부했는데, 이곳에서는 여러 차례 교수들과 논쟁을 벌였다. 그 후 여러 나라를 여행하고 법률을 공부한 후 결혼하여 드레스덴(Dresden) 궁정에서 근무했다.

친첸도르프는 드레스덴에서 장차 그의 인생행로를 바꾸어 놓을 모라비아 교도들을 처음으로 만났다. 그들은 박해를 피해 고향 모라비아를 떠난 후스파였는데, 친첸도르프는 자기 소유의 땅에 그들의 피난처를 제공했다. 그들이 이곳에 헤른후트(Herrnhut) 공동체를 세웠는데, 이곳에 매력을 느낀 친첸도르프는 드레스덴 궁정에서의 직위를 사임하고 이들과 합류했다. 그의 지도 아래 모라비아 교도들은 현지의 루터교 교구에 가입했다. 그러나 그곳의 루터교인들은 경건주의에 물든 외국인들을 불신했으므로 갈등이 생겼다.

1731년 덴마크에 머무는 동안 친첸도르프는 루터파 선교사 한스 에게드(Hans Egede)가 개종시킨 에스키모인들을 만났는데, 이로 인해 그의 내면에 여생을 지배할 선교열이 타오르게 되었다. 곧 헤른후트 공동체도 동일한 열정에 사로잡혔으며, 1732년에는 카리브(Caribbean) 지역에 최초의 선교사들을 파송했다. 몇 년 후에는 아프리카, 인도, 남아메리카, 그리고 북아메리카에서 모라비안 선교사들을 찾아볼 수 있었다. 그들은 펜실베이니아의 베들레헴(Bethlehem)과 나사렛(Nazareth), 그리고 노스캐롤라이나의 살렘(Salem)에 공동체를 세웠다. 그리하여 겨우 200명의 피난민들로 시작된 이 운동은 20년이 못되어 해외에 100명 이상의 선교사들을 파송했는데, 그것은 2세기 전 종교개혁 이래 모든 프로테스탄트 교회가 파송한 선교사들보다 더 많은 숫자였다.

한편 독일 내의 루터파 관계자들과의 갈등은 완화되지 않았다. 친첸도르프 자신도 작센주를 떠나 북아메리카로 갔고, 1741년 베들레헴 공동체의 설립에 참여했다. 친첸도르프가 귀국한 직후 루터파와 모라비아파 간의 평화가 이루어졌고, 모라비아파는 루터파로 인정되었다. 그러나 이것은 일시적인 것에 불과했다. 친첸도르프는 모라비아파의 감독으로 임명되는 데 동의했었는데, 당시의 모라비아 교도들은 후스파의 감독직 승계를 주장했기 때문에 루터파와의 갈등이 깊어졌다. 친첸도르프는 1760년에 헤른후트에서 사망했고, 그 직후에 추종자들이 루터파와 결별했다. 비록 모라비아 교회가 교인들이 많은 적이 없었고 많은 선교사들을 파송하고 지원하지 못했지만, 이들의 모범은 19세기의 선교적 각성에 크게 기여했다. 모라비아파의 중요성은 이들이 존 웨슬리에게 미친 영향, 그리고 그를 통해 전체 감리교 전통에 미친 영향일 것이다.

존 웨슬리와 감리교회

1735년 말부터 1736년 초까지 모라비아파의 제2진이 조지아 주의 인디언들에게 복음을 전파하기 위해 신세계로 항해하고 있었다. 그 배에는 존 웨슬리라는 영국 국교회 사제가 타고 있었다. 그는 조지아 주의 지사 오글소프(Oglethorpe)에게서 서배너(Savannah)의 목회자로 청빙을 받았는데, 젊은 그는 인디언들에게 복음을 전할 목적으로 청빙을 수락했다. 그러나 그는 인디언들에 관해 비현실적인 기대를 하고 있었다. 항해는 순조롭게 계속되었으며, 젊은 웨슬리는 독일어로 모라비아 교도들과 의사를 소통할 수 있었다. 그런데 일기가 악화되어 배가 난파될 상황이 되었다. 큰 돛대가 부러졌다. 만약 폭풍 속에서도 평온을 잃지 않고 계속 찬송을 부른 모라비아 교인들의 침착성이 아니었다면 선원들은 공포에 질렸을 것이다. 당시 그 배에 소속된 사제였던 웨슬리는 자신이 동료 여행자들의 안전보다 자기의 안전을 더 염려했음을 뼈저리게 깨달았다. 폭풍이 지나간 후 모라비아 교인들은 웨슬리에게 자기들은 죽음을 두려워하지 않기 때문에 용감하게 행동할 수 있었다고 말했다. 그리하여 젊은 웨슬리는 자기의 신앙의 깊이를 의심하기 시작했다.

서배너에 도착한 후 웨슬리는 모라비아 교인인 고틀리프 스판겐베르크(Gottlieb Spangenberg)에게 인디언들을 위한 목회자요 선교사로서의 자기의 사역에 관한 조언을 구했다. 웨슬리는 당시의 대화를 일기에 기록했다:

그는 "형제여, 먼저 당신에게 한두 가지 질문을 하겠습니다. 당신의 내면에 확신이 있습니까? 당신이 하나님의 자녀임을 하나님의 성령께서 당신의 영에게 증언하십니까?" 라고 물었다. 나는 놀랐고, 무엇이라고 대답해야 할지 몰랐다. 이를 알아차린 그는 다시 "당신은 예수 그리스도를 아십니까?"라고 물었다. 나는 멈칫하다가 "그분이 세상의 구세주이심을 압니다"라고 대답했다. 그는 "그렇습니다. 그러나 그분이 당신을 구원하셨음을 아십니까?"라고 되물었고, 나는 "그분이 나를 구원하기 위해 죽으셨기를 바랍니다"라고 대답했다. 그는 "당신은 자신을 알고 계십니까?"라고 물었고, 나는 "그렇습니다"라고 대답했다.

젊은 웨슬리는 이 대화가 "공허한 말장난에 불과했는지도 모른다"라고 덧붙였다.[2]

그는 이러한 경험들에 감동을 받았고 또 혼란을 느꼈다. 그는 항상 스스로를 모범적 기독교인이라고 자부했었다. 그의 부친 사무엘 웨슬리는 영국 국교회 사제였으며, 모친 수잔나는 사제의 딸이었다. 그녀는 19명의 자녀에게 종교교육과 도덕교육을 철저하게 시켰다. 존이 5세 때 목사관에 불이 났다. 그는 기적적으로 구조되었는데, 그때부터 그의 어머니는 그를 하나님이 특별한 계획 때문에 "불에서 꺼낸 그슬린 나무"라고 생각했다. 그는 옥스퍼드에서 학자요 경건한 청년으로 유명했다. 그는 한동안 교구에서 아버지를 도운 후에 옥스퍼드로 돌아가 동생 찰스와 친구들이 조직한 신앙 단체에 가입했다. 그 회원들은 거룩하고 진지한 생활을 하며, 최소한 한 주에 한 번씩 성찬을 갖고, 개인적인 경건의 시간을 가지며, 정기적으로 감옥을 방문하고, 매일 오후에 모여 3시간씩 성경 및 경건 서적들을 공부하기로 약속했다. 존 웨슬리는 이들중 유일하게 서품된 신부였으며 뛰어난 재능을 가지고 있었으므로 곧 그 클럽의 지도자가 되었다. 다른 학생들은 조롱하는 의미로 그 클럽을

---

2) *Journal, February 7, 1736.*

감리교의 창시자인 존 웨슬리는 모라비아 교도들의 종교적 열정과 개혁주의 전통의 특징인 사회적 행동주의를 결합했다.

"신성클럽"(Holy Club), 혹은 그들의 질서정연하고 체계적인 생활방식 때문에 "메소디스트"(methodist)라고 불렸다.

이것이 조지아 주에서 자기의 신앙의 깊이를 의심하고 있는 젊은 사제의 이력이었다. 그는 목사로서 참담한 실패를 겪었다. 이는 그가 교인들이 마치 "신성 클럽" 회원들처럼 행동할 것을 기대한 데 반해 교인들은 자기들이 예배에 참석하는 것에 그가 만족하기를 바랐기 때문이었다. 조지아에서 제임스 오글소프(James Oglethorpe)를 도와 사역하고 있었던 동생 찰스도 자신의 사역에 실망한 나머지 영국으로 돌아가기로 결정했다. 그러나 존은 성공했기 때문이 아니라 포기하기 싫었기 때문에 남아 있었다. 그러나 그는 의심을 받아 그곳을 떠나야 했다. 그가 청혼했던 젊은 여성이 다른 남자와 결혼했었다. 웨슬리는 이 젊은 신부가 경솔하다고 간주하여 그녀에게 성찬을 베풀 것을 거부했는데, 이 때문에 그는 명예훼손죄로 고소당했다. 그는 혼란과 좌절 속에서 고국으로 돌아가기로 결정했다. 교인들은 그의 이러한 결정을 찬성했다.

영국에 돌아온 후 무엇을 해야 할지 알지 못하던 그는 모라비아 교도들과 접촉했다. 그들 중 피터 뵐러(Peter Boehler)는 그의 조언자가 되었다. 웨슬리가 자기에게 구원받을 만한 믿음이 부족하므로 설교를 그만두어야 한다는 결론에 도달했을 때, 뵐러는 웨슬리가 그러한 믿음을 갖게 되기까지 계속 설교해야 하며 또 그러한 신앙을 소유한 후에는 그 신앙 때문에 계속 설교해야 한다고 충고했다. 결국 1738년 5월 24일 웨슬리는 인생을 변화시키는 경험을 했다:

내키지 않았지만 저녁에는 올더스게이트 거리에서 열리는 집회에 갔다. 그곳에서 한 사람이 루터의 로마서 서문을 낭독하고 있었다. 9시 15분 전쯤 그리스도에 대한 믿음으로 말미암아 하나님께서 마음의 변화를 일으키신다는 설명을 하고 있을 때, 나는 이상하게도 내 마음이 뜨거워지는 것을 느꼈다. 구원을 위해서 그리스도를, 오직 그리스도만을 신뢰하였다고 느꼈다. 그리고 그가 내 죄들을, 심지어 나 자신까지 모두 거두어 가셨고 죄와 사망의 법에서 나를 구원하셨다는 확신이 생겼다.[3]

---

3) *Journal*, May 24, 1738.

옥스퍼드 대학 시절 신성클럽 회원들은 질서정연한 생활 때문에 "메소디스트"라는 이름을 얻었다.

그 후 웨슬리는 자기의 구원을 의심하지 않았고, 더 이상 구원 문제에 집착하지도 않았다. 구원을 확신하게 되었으므로 그는 다른 이들의 구원에 관심을 쏟을 수 있었다. 그는 우선 헤른후트의 모라비아 공동체를 방문했다. 이 방문을 통해 웨슬리는 많은 감동을 받았으나 모라비아파의 신비주의가 자기의 성격과 사회적 관심에 적합하지 않다고 확신했다. 따라서 그는 그들에게 감사하면서도 모라비아 교인이 되지 않기로 결정했다.

웨슬리의 삶에서 이러한 일들이 벌어지고 있는 동안 "신성 클럽"의 또 다른 회원이었던 조지 횟필드(Whitefield)가 유명한 설교가가 되었다. 그는 몇 년 전에 웨슬리의 올더스게이트의 경험과 비슷한 경험을 했으며, 이제 조지아와 잉글랜드에서 성공적으로 사역하고 있었다. 특히 그는 공업도시인 브리스톨(Bristol)에서 큰 성공을 거두었다. 그의 설교는 감정적이었는데, 일부 비판자들은 그가 옥외에서 설교할 때 강단에서의 행동거지를 비난했다. 그는 브리스톨에서 도움이 필요했고 곧 신세계로 돌아가야 했으므로, 웨슬리에게 자신이 없는 동안 책임을 맡아 달라고 부탁했다.

웨슬리는 횟필드의 청빙을 수락했지만 횟필드의 열정적인 방법을 좋아하지 않았다. 그는 옥외에서 설교하는 것을 반대했다. 그가 후에 회고한 바에 의하면, 당시 그는 하나님께서 모든 일을 적법하게 수행하기를 원하신다고 생각했으므로 교회 건물 밖에서 영혼을 구원하는 것마저 죄라고 여겼다. 그러나 사역의 결과를 보면서 서서히 그러한 형태의 설교들을 용인하지 않을 수 없었다. 그러나 그처럼 감정적인 설교가 필요하다는 사실을 혐오했다. 그는 또한 자신의 설교에 대한 반응에 관해서도 걱정했다. 어떤 이들은 자기의 죄를 생각하며 울고 통곡하는가 하면, 어떤 이들은 극심한 고민 속에 기절했다. 그 후에 그들은 자기들의 죄가 깨끗이 제거되었다고 느낀다고 선언하면서 크게 기뻐했다. 웨슬리는 보다 엄숙한 예배를 원했다. 마침내 그는 이러한 경우에 사탄과 성령의 대결이 발생하며 하나님의 사역을 방해하지 말아야 한다고 느꼈다. 어쨌든 웨슬리의 사역이 진행됨에 따라 그러한 극단적인 일의 발생 빈도가 줄어들었다.

웨슬리와 횟필드는 한동안 함께 사역했다. 그러나 서서히 웨슬리가 이 운동의 지도자가 되었다. 결국 이들은 신학적 차이 때문에 갈라졌다. 두 사람 모두 대부분의 문제에 있어서 칼빈주의자였지만 예정과 자유의지에 있어서는 의견을 달리했다. 웨슬리는 정통 칼빈주의에서 벗어나 아르미니우스주의 입장을 취했다. 이들은 몇 차례의 논쟁 끝에 각기 자기의 길을 걷고 논쟁을 피하기로 결정했다. 그러나 그들의 추종자들은 이 약속을 지키지 않았다. 횟필드가 헌팅던(Huntingdon) 백작부인의 도움을 받아 칼빈주의 감리교회(Calvinist Methodist Church)를 조직했는데, 그 중심지는 웨일즈였다.

웨슬리는 새로운 교파를 시작할 의도가 없었다. 그는 영국 국교회 목사였으며 평생 그 자리를 지켰다. 그는 경건주의 운동이 독일 루터교회에 행하고 있는 것처럼 영국 국교회 내에서 신자들의 신앙을 일깨우고 육성하는 것을 목적으로 삼았다. 그런 까닭에 그는 자기 설교시간이 국교회의 예배시간과 상충되지 않도록 계획했다. 또 그는 감리파의 집회가 국교회 예배의 준비 단계이며 성찬을 국교회에서 받는 것을 당연하게 생각했다. 수세기 동안 대부분의 교회가 그러했듯이 그는 예배의 중심을 성찬이라고 여겼다. 그는 자기의 추종자들이 국교회의 공식 예배에 되도록 자주 참석하기를 기대했다.

비록 그가 주도한 운동을 독립된 교회로 발전시킬 의도는 없었으나, 조직이 필요했다. 이 운동의 탄생지라 할 수 있는 브리스톨에서 웨슬리 추종자들은 "신도회"(society)들을 조직하여 처음에는 개인 집에서, 후에는 자체 건물에서 모였다. 감리파 신도회들이 크게 성장하여 회원들을 효과적으로 돌보지 못하게 되자, 웨슬리는 한 친구의 제안을 받아들여 이들을 11명의 회원과 지도자 1명으로 구성된 "속회들"(classes)로 조직했다. 이들은 매주 모여 성경을 읽고 기도하며 신앙 문제를 논하고 헌금을 거두었다. 부유하거나 학식이 많지 않아도 지도자가 될 수 있었으므로, 당시 영국 국교회의 체제에서 소외감을 느낀 많은 이들이 참여하게 되

부분적으로 수잔나 웨슬리가 자녀들에게 미친 영향 때문에 초기 감리교 지도자들 중 다수가 여성들이었다.

었다. 또한 여성 지도자가 이끄는 여자 속회들이 있었으므로 감리교 내의 여성들의 지위가 확립되었다.

그 운동이 급성장했으므로 웨슬리는 추종자들에게 말씀을 전하고 조직하기 위해 영국 제도 전역을 여행해야 했다. 언젠가 브리스톨의 감독이 그의 활동을 제한하기 위해 웨슬리의 순회 전도가 교구의 질서를 방해하고 있다고 나무라자 웨슬리는 "전 세계가 나의 교구입니다"라고 응답했다. 원래 융통성 없는 교회 조직에 대한 저항으로 내뱉은 이 말이 후일 감리교 선교운동의 구호가 되었다. 어쨌든 웨슬리와 그가 일으킨

존과 찰스에게 지울 수 없는 인상을 남긴 수잔나 웨슬리는 감리교 운동의 초기에 계속 그들을 현명하게 지도해 주었다.

운동에는 설교 임무에 동참할 사람들이 많이 필요했다. 소수의 영국 국교회 사제들이 그 운동에 합류했는데, 그들 중 주목할 만한 인물은 찬송가 작가로 유명한 존 웨슬리의 동생 찰스이다. 그가 작곡한 찬송에는 "만 입이 내게 있으면", "천사 찬송하기를", "예수 부활했으니", "하나님의 크신 사랑" 등이 있다. 이들 중 가장 큰 짐을 진 사람은 존 웨슬리였다. 그는 하루에도 몇 번씩 설교했으며, 70세까지 매년 말을 타고 수천 마일을 여행했다.

이러한 상황 때문에 평신도 설교자들을 활용하게 되었다. 웨슬리는 토마스 맥스필드(Thomas Maxfield)라는 평신도가 런던의 신도회에서 설교하고 있다는 말을 듣고서 이를 중지시키려 했다. 그런데 웨슬리의 모친 수잔나가 결정을 내리기 전에 직접 설교를 들어보라고 요청했다. 맥스필드의 설교에 큰 감동을 받은 웨슬리는 평신도 설교자들을 활용하는 것이 감리교 운동에 시급하게 필요한 설교자들에 대한 하나님의 응답이라 생각했다. 그러나 그들이 성직자들을 대체하는 것은 아니었다. 왜냐하면 그들은 가장 고귀한 형태의 예배인 성찬식을 집례하지 못하기 때문이었다. 그들의 기능은 마치 신도회의 기능과 마찬가지로 영국 국교와 서품 받은 사람들의 신성한 기능과 병존하면서 보완하는 것이었다. 곧 이러한 감리파의 평신도 설교가들 중에 여성들이 많아졌는데, 당시에는 서품된 성직자들 가운데서 여성들을 찾아볼 수 없었다.

이러한 상황에서 웨슬리는 추종자들을 하나의 "연관"(Connection)으로 조직했다. 일단의 신도회들이 모여 하나의 "구역"(circuit)을 형성하는데, 이들은 "감리사"(superintendent)의 지도 아래 있다. 이 전체 조직의 행정을 원활히 하기 위해 웨슬리는 이 운동에 속한 영국 국교회 성직자들과 평신도 설교자들을 포함하는 정기 회의를 소집했다. 이 모임은 "연회"로 발전했다. 연회에서는 보통 3년을 임기로 하는 각 구역의 책임자들이 임명되었다.

그러나 이러한 과정에 난관들이 없지 않았다. 초기에는 감리교도들에 대한 폭력 행위가 잦았다. 일부 성직자와 귀족들은 이 신흥 운동이 하류층 사람들에게 권한을 부여하는 것에 분개했다. 이들의 집회는 매수된 깡패들에 의해 훼방받는 일이 많았으며, 웨슬리도 생명의 위협을 느끼곤 했다. 후일 반대가 점차 감소하여 마침내 종식되었다. 또한 신학적 갈등도 있었다. 웨슬리는 모라비아파의 정적주의로 흐르는 경향을 두려워하여 그들과 결별했다.

그러나 가장 중요한 것은 국교회 와의 갈등이었다. 웨슬리는 국교회에 속해 있었고 그 안에 머물기를 원했었다. 그는 말년까지 국교회로부터의 독립을 원하는 감리파 추종자들을 질책했다. 그러나 양자 간의 관계단절을 피할 수 없었다. 국교회의 일부 지도자들은 감리교 운동을 자기들의 결점을 지적하는 것으로 여겨 분개했다. 어떤 이들은 교구의 경계를 무시하고 어디서나 설교하는 감리파의 질서 교란을 용서할 수 없다고 생각했다. 웨슬리 자신은 국교회에 만족하고 있었으므로 이렇게 해야 한다는 사실을 안타까워했지만, 어쨌든 교회의 손길이 닿지 못하는 사람들에게 전파해야 한다는 강력한 충동을 느끼고 있었다.

미묘한 법적 문제가 사태를 복잡하게 만들었다. 당시의 영국 법에 의하면 비국교의 예배와 교회 건물이 허용되었지만 공식적으로 등록을 해야 했다. 이 때문에 감리파는 곤경에 처했다. 왜냐하면 국교회가 이들의 집회들과 건물들을 인정하지 않았기 때문이었다. 감리파가 등록하는 것은 결과적으로 그들이 국교회에 속하지 않음을 선언하는 것이었다. 반면에 등록하지 않으면 법을 범하는 것이었다. 1787년 많은 주저 끝에 웨슬리는 감리교 설교자들에게 등록하도록 지시함으로써 독립 교회 형성을 향한 첫걸음을 내딛었다. 그런데 3년 전에 웨슬리는 보다 더 극단적인 신학적 의미를 갖는 결정을 내린 바 있었다. 그는 오랫동안 교부학을 공부하면서 초대교회에서의 "감독"이 "장로"와 동일하다고 확신했다. 따라서 그는 자기 자신을 비롯하여 모든 안수받은 장로들에게는 성직자들을 안수할 권한이 있다는 확신을 가지고 있었다. 그러나 그는 국교회 지도층을 소원하게 만드는 것을 피하기 위해 그것을 실행에 옮기지 않았다. 그런데 미합중국의 독립 때문에 새로운 문제들이 발생했다. 독립 전쟁이 발생했을 때 대부분의 영국 국교회 성직자들은 왕당파(Loyalists)였으며, 미합중국 독립 후 이들 대부분은 영국으로 귀환했다. 이 때문에 이 신생국가에 거주하는 사람들은 성찬을 받기 어렵거나 불가능하게 되었다. 형식적으로 여전히 이전의 식민지에 대한 관할권을 가지고 있었던 런던의 주교는 미합중국에서 일할 성직자들의 임명을 거부했다. 웨슬리는 왕의 권위를 강력하게 지지했으며, 또 노예를 소유하고 있는 사람들이 어떻게 자유를 위해 싸운다고 주장할 수 있는지 이해할 수 없었기 때문에 영국의 식민지였던 지역의 부당한 반란이라고 여겨지는 사태를 한탄했다. 또 성찬이 기독교 예배의 핵심이라고 확신했던 웨슬리로서는 식민지 백성들의 정치적 입장과는 상관없이 성례를 박탈당해서는 안 된다고 느꼈다. 마침내 1784년 이 신생국가를 위해 두 명의 평신도 설교자를 장로로 임명하고 영국 국교회 사제인 토마스 코크(Thomas Coke)를 감리사(superintendent)로 임명했다. 그는 "superintendent"라는 단어가 "감독" 혹은 "주교"라고 번역되는 헬라어와 동일한 의미를 지님을 잘 알고 있었다. 그 후에 그는 다시 스코틀랜드 및 다른 지방에서 사역할 자들을 임명했다. 웨슬리는 이러한 조처들을 행한 후에도 국교회와의 결별을 피해야 할 필요성을 강조했다. 그의 동생 찰스는 신세계를 위한 목회자들의 임명 자체가 이미 국교회와의 결별을 의미하는 것이라고 말해 주었다. 1786년 연회는 국교회 소속 교회들이 모든 주민들을 수용할 능력이 없거나 사제들이 무능력한 지역에서는 감리파 집회를 국교회 예배와 상충하도록 계획할 수 있다고 결정했다. 웨슬리는 그것을 인정하기를 거부했으나, 그가 세상을 떠날 즈음에는 이미 감리교가 독립교회가 되어가고 있었다.

영국에서 감리교가 성공한 것은 부분적으로 산업혁명 때문에 야기되었던 새로운 욕구들에 적절하게 대응했기 때문이었다. 18세기 후반 영국은 급속히 산업화 과정을 겪고 있었다. 그로 말미암아 산업 중심지로 의 인구 이동이 발생했다. 경제 사정으로 고향을 떠나야 했던 이들은 당 시의 교구 체제로서는 급격히 증가한 도시 주민들의 욕구를 충족시키지 못하는 교회와의 관계를 상실했다. 이러한 대중들 속에서 감리교는 필 요한 것을 채우고 구성원들을 확보했다.

북아메리카에서는 완전히 다른 과정-정착민들의 서부를 향한 이동- 으로 말미암아 주민들은 전통적인 교회와의 관계를 상실했고, 이전의 교회들은 그들에게 영향을 미치지 못했다. 감리교는 이 정착민들 가운 데서 큰 성공을 거두었다. 북아메리카 감리교는 영국의 감리교보다 먼 저 공식적으로 독립교회가 되었다. 1771년 웨슬리는 평신도 설교자 프 랜시스 애즈베리(Francis Asbury)를 식민지에 파송했다. 애즈베리는 감리교 가 미국 서부 개척지의 변경을 따라 서쪽으로 이동하게 만든 추진력이 되었다. 13개 식민지가 독립을 선언했을 때, 웨슬리는 이들의 반란에 반 대하는 글을 썼다. 그러나 식민지의 감리교 설교자들은 대부분 독립운 동을 지지하거나 중립 입장을 취했다. 그 결과 미합중국 내의 감리교 신 자들은 계속 웨슬리를 존경하면서도 더 이상 그의 뜻대로 움직이지 않 았다. 미합중국 내의 목회자가 부족했기 때문에 감리파는 웨슬리의 뜻 을 거슬러 감리주의 감독교회(Methodist Episcopal Church)라는 조직을 갖추 었다. "episcopal"이라는 단어는 자기 자신과 코크를 감리사라고 부른 웨 슬리와의 갈등의 직접적인 결과이다. 웨슬리는 코크와 애즈베리가 스 스로를 "감독"(bishop)이라고 부른다는 것을 알고 크게 노했다. 이때부터 영국의 감리교와는 달리 아메리카의 감리교는 감독을 두었다.

웨슬리는 1791년에 사망했다. 그의 사후 감리교는 주로 국교회와의 관계 문제를 둘러싼 내부 갈등을 겪었다. 결국 다른 나라에서와 마찬가지로 영국에서도 감리교가 성장하여 세력을 얻었고, 국교회로부터 완전히 독립한 감리교회가 형성되었다.

제11장

13개 식민지

하나님은 어느 국가에서든 종교의 통일을 법으로 제정할 것을 요구하지 않으신다. 강요된 통일은 조만간 내란의 원인이 되며 양심을 짓밟고, 그리스도와 그의 종들을 박해하고, 수백만 영혼들의 위선과 파괴를 불러온다.
—로저 윌리엄스—

16세기에 스페인과 포르투갈은 1494년에 조인되고 1506년에 수정된 토르데시야스 조약(Treaty of Tordesillas)에 따라 제국을 이루어갔다. 북아메리카의 스페인 제국에는 뉴스페인(멕시코)이 포함되었는데, 이곳은 당시 오늘날 미합중국의 서부의 절반을 차지했다. 그러나 17세기에 다른 강대국들이 자기의 제국들을 건설하기 시작했다. 1609년 프랑스는 북아메리카의 퀘벡에 정착했다. 신흥 식민지 강대국들 중에서 가장 성공한 국가인 대영제국의 해외 진출은 17세기에 시작되어 19세기에 절정에 달했다. 대영제국의 최초의 해외 식민지는 북아메리카의 13개 식민지들이었으며, 이 식민지들은 후일 미합중국을 이루게 된다.

흔히 사람들은 이 식민지들과 스페인 식민지들의 기원을 비교하며 상이한 기원에 의해 초래된 다양한 결과들을 설명한다. 예를 들어 스페인인들은 황금을 찾아 나선 데 반해 영국인들은 종교적인 이유로 식민지에 도착했으며, 스페인인들이 원주민들을 잔인하게 다룬 데 반해 영국인들은 이들과 평화스럽게 공존하려 했고, 스페인인들이 종교재판을 초래한 데 반해 영국인들은 종교의 자유를 주었으며, 스페인인들은 귀족 행세를 하며 인디언의 노동력을 착취하여 부자가 되었지만 영국인들은 스스로 노동했다고 한다. 이러한 주장들에는 일말의 진리가 포함되어 있지만 역사적 사실들은 훨씬 더 복합적이다.

영국 식민지 사업의 경제적 동기는 스페인의 것에 못지않게 강력했다. 그러나 스페인인들이 이미 가장 부유한 제국들을 정복했으므로 아즈텍(Aztects)과 잉카(Incas)의 것만큼 많은 보화가 남아 있지 않았다. 또 식민지 개척자들을 위해 노역할 주민들도 많지 않았다. 13개 식민지의 원주민들은 대부분 유목민이거나 반유목민이었으므로 정착민들의 노예나 종이 되지 않으려면 내륙으로 도망칠 수 있었다. 따라서 영국의 투자가들은 코르테즈(Cortez)나 피자로(Pizarro)처럼 단순한 정복에 의해서, 원주민 노동력을 착취함으로써 부자가 될 수 없었으므로 상업을 중시해야 했다. 원주민들과의 교역이 큰 이익을 내지 못했으므로 식민지들은 농산물을 유럽으로 수출하여 이익을 얻으려는 목적으로 농업에 눈을 돌렸다. 이러한 농업은 영국인들의 노동에 의해 이루어졌다. 일반적으로 이 영국인들은 자기 땅을 경작하는 자영 개척자들이 아니었고, 식민회사 소유의 토지에서 노동하는 연한(年限) 계약 노동자들이었다.

처음 식민지 주민들에게는 토지 소유가 허락되지 않았다. 종교의 자유에 있어서 로드아일랜드와 펜실베이니아는 긍정적인 태도를 취했지만, 뉴잉글랜드의 필그림들은 스페인 종교재판관들만큼이나 편협했다.

마지막으로 원주민 학대 문제에 있어서 후일의 미합중국에서의 원주민 학살은 카리브 해 일대를 제외하고는 스페인이 자기의 식민지에서 저지른 것보다도 더 혹심했다. 이것은 이 두 국가 중 한 국가가 다른 나라보다 더 인도주의적인가 하는 문제와는 거의 관계가 없다. 그것은 단지 상이한 경제적 상황에 딸린 문제이다. 스페인인들은 인디언들의 노동력을 원했으므로 이들을 멸종시키고자 하지 않았다. 그러나 영국인들이 원한 것은 토지였으므로 식민지 시대와 독립 후를 막론하고 인디언들을 멸종시키거나 주거 지역에 제한하는 정책을 취했다. 그러나 스페인과 포르투갈도 토지 획득을 목표로 삼는 지역에서는 동일한 정책을 취했다.

유럽-특히 대영제국-의 새로운 상황들로 말미암아 많은 사람들이 종교적 이유로 신세계로 이주했다. 앞서 영국의 청교도 혁명에 대해 다루면서 매우 다양한 종교적 신념들이 등장했음을 살펴보았다. 종교의 통일을 정치적 안정의 수단으로 삼으려 했던 정부들은 이러한 다양성을 인정할 수 없었다. 그런데 해외에서는 종교적 일치를 요구하는 법을 적용하기가 더 어려웠다. 따라서 많은 비국교 교도들은 식민지로 이주하거나 새로운 식민지를 설립함으로써 압박에서 벗어나려 했다. 그러나 종교의 자유를 찾아 나섰던 이주민들 중 일부는 자기들을 박해했던 정부들만큼이나 종교적으로 편협했다. 그러나 또 다른 인사들은 단지 편리해서 뿐만 아니라 하나님의 뜻이기 때문에 종교의 자유를 인정하는 것이 최선이라는 결론에 도달했다.

버지니아

북아메리카에 진출한 최초의 영국 식민지 개척은 실패했다. 1584년 엘리자베스 여왕의 총신인 월터 롤리(Walter Raleigh) 경은 북아메리카의 식민 허가장을 받았다. 그는 처녀 여왕(Virgin Queen)이라 불린 엘리자베스를 기념하여 자기가 식민지로 삼으려는 지역을 버지니아라고 명명했다. 그러나 1585년과 1587년 두 차례에 걸친 그의 시도는 실패했다. 제1차 정착민들은 잉글랜드로 귀환했고, 제2차 정착민들은 종적을 감추었다.

1607년 봄 버지니아의 영속적인 식민지화가 시작되었다. 그 해 5월 어느 강 어귀에 도착한 105명의 정착민은 그 강을 영국의 새로운 국왕—엘리자베스는 4년 전에 사망했다—의 이름을 따서 "제임스"라고 명명하고 제임스타운을 세웠다. 정착민들 중에 목사가 있었다. 이는 식민지 개척을 감독한 버지니아 회사는 신대륙에 영국 국교회를 정착시켜 정착민들과 원주민들에게 종교적 감화를 주려 했기 때문이다. 또한 새로운 식민지를 발판으로 당시 북쪽으로 진출하고 있던 스페인 세력의 확장을 저지하고자 했다. 여기에는 국가주의적인 이유가 있었으며, 또 가톨릭 세력에 대한 두려움이 작용했다. 그러나 식민지의 주목적은 종교적인 것이 아니라 경제적인 것이었다. 그리하여 국교회는 버지니아를 비롯하여 13개 식민지들 중 어느 곳에든 감독을 두지 않았다. 버지니아 회사의 주주들은 인디언들과의 교역을 통해, 그리고 농업을 통하여 경제적 이익을 얻는 데에만 관심이 있었다.

영국 국교회 내에서 청교도들의 영향력이 강력했을 때 버지니아 식민지가 창설되었으므로 많은 주주들과 정착민들은 이 식민지를 청교도적 원칙에 의해 통치하고자 했다. 따라서 처음 이곳에서 시행된 법률들은 하루에 두 차례의 예배와 주일성수, 그리고 비속한 말과 야한 옷차림에 대한 엄격한 처벌 등을 포함하고 있었다. 그러나 정치적 현실 앞에서 거룩한 식민지 건설의 꿈은 무산되었다. 국왕 제임스는 청교도주의를 혐오했으므로 자신의 식민지인 버지니아에서 이러한 일이 발생하도록 내버려두지 않았다. 그는 1622년에 발생한 인디언들과의 전쟁을 구실로 1624년에는 이곳을 자기의 직접 통치 아래 두었다. 그 후 청교도들의 영향력이 쇠퇴했다. 후에 찰스 1세도 버지니아의 청교도들을 배격했던 제임스 정책을 답습하여 버지니아의 방대한 지역을 떼어 메릴랜드 (Maryland) 식민지를 건설하고 이를 가톨릭 신자에게 하사했다. 한편 처음에는 수익을 내지 못하던 식민지가 담배를 경작하여 수출함으로써 경제적으로 큰 성공을 거두었다. 담배 경작에는 막대한 노동력이 필요했으므로 1619년부터 이 식민지에서는 아프리카로부터 노예들을 수입하기 시작했다. 이리하여 버지니아 및 다른 식민지들의 특징이 된 노예 소유 경제가 시작되었다.

영국에서의 청교도 혁명은 버지니아에 거의 영향을 미치지 못했다. 왜냐하면 정착민들이 영국 내의 종교분쟁보다는 담배 재배와 농지 개간에 더 큰 관심을 가지고 있었기 때문이었다. 경제적 번영 속에 청교도주의는 그 힘을 상실했다. 특히 노예제도에 기초를 두고 있는 사회에서 청교도들의 노동 중시는 의미가 없었다. 따라서 영국에서 혁명이 일어난 것, 그리고 후에 스튜어트 왕조가 회복된 사건이 식민지에 큰 영향을 주지는 못했다. 정착민들 대부분이 여전히 국교회에 속해 있었다. 그런데 그것은 더 이상 과거의 청교도적 성공회(Puritan Anglicanism)가 아니라 점잖고 귀족적인 성공회로서 플랜테이션 소유주들에게는 적당한 것이었지만, 노예들이나 대부분 빈곤층에게는 영향력을 미치지 못했다.

성공회는 노예들의 개종에 관심을 두지 않았다. 그 이유들 중 하나는 원래 기독교인들은 동료 신자들을 노예로 삼는 것을 금하는 옛 원칙들이 있었는데 어떤 이들은 이 원칙들이 여전히 유효하다고 주장했기 때문이다. 그리하여 골치 아픈 문제들을 피하기 위해 노예 소유주들은 노예들이 세례 받지 않기를 원했다. 1667년에는 세례 때문에 노예의 신분이 변화하지는 않는다는 법이 통과되었다. 이것은 기성 종교가 권력층의 이해관계에 따라 얼마나 기꺼이 타협하는지를 보여준다. 그러나 이 법이 통과된 후에도 노예들의 개종을 위한 조처는 이루어지지 않았다. 왜냐하면 많은 노예 소유주들이 노예들을 무지하게 버려두는 것이 이들의 봉사와 복종을 보장하는 가장 확실한 방법이라 생각했기 때문이었다.

교회가 권력자들의 이익 추구에 영합한 것은 백인들 사이에서 여러 가지 결과를 초래했다. 초기의 귀족들은 성공회에 충성했으나, 하층 계급에 속한 사람들의 대다수는 반체제운동에 합류했다. 이들에 대한 엄중한 조처가 시행되었으므로, 수백 명이 보다 큰 종교의 자유를 누릴 수 있는 인근의 가톨릭 식민지 메릴랜드로 이주해 갔다. 퀘이커 교도들도 법망을 피해 버지니아로 침투해 왔다. 1762년 이곳을 방문한 조지 폭스는 많은 퀘이커 교도들을 발견하고 기뻐했는데, 추종자들의 대부분은 하층 계급 출신이었으나 일부 귀족들이 그 운동에 호의적인 태도를 나타냈다. 그 후 애즈베리 및 그가 이끈 설교자들의 노력을 통해 감리교가 장족의 진보를 보였다. 그런데 당시 감리교는 성공회의 일부로 간주되고 있었다.

버지니아 남부에 다른 식민지들이 건설되었다. 1663년 왕실이 일단의 귀족들과 주주들에게 하사한 캐롤라이나는 발달이 더뎠다. 이주를 촉진하기 위해 지주들은 종교의 자유를 선포했으며, 이에 따라 많은 비국교도들이 버지니아로부터 옮겨왔다. 캐롤라이나—특히 사우스캐롤라이나—에서 발전한 사회는 버지니아와 비슷한 계층구조를 이루고 있었다. 상류층은 성공회에 속했고, 하류층의 대부분은 퀘이커파나 침례파에 속했다. 그러나 백인들 사이에서도 대부분 주민들은 교회와 실질적 접촉이 거의 없었던 듯하다.

조지아 주는 두 가지 기본 목적을 위해서 설립되었다. 첫째는 세인트 어거스틴 기지에서 북진하고 있는 스페인의 세력을 저지하려는 것이었다. 둘째는 빚을 갚지 못한 채무자들이 감옥 대신 이곳에서 봉사하게 하려는 것이었다. 18세기 초 잉글랜드의 신앙인들은 상속권을 박탈당한 사람들의 처지 개선을 추구했다. 이 운동은 특히 비인간적인 환경으로 의회에서 거듭 공격을 받은 감옥에 관심을 두었다. 이 운동의 지도자들 중 하나는 전쟁 영웅 제임스 오글소프(James Oglethorpe)로서 채무자들의 투옥을 대신할 수 있도록 북아메리카에 식민지를 건설해야 한다고 주장했다. 1732년 왕실의 허가가 났고, 그 이듬해에 최초의 죄수들이 도착했다. 그 후 다른 죄수들 및 다른 지역으로부터 많은 종교적 망명자들이 도착했다. 비록 성공회가 공식 종교였지만, 식민지에서는 별로 영향을 미치지 못했다. 성공회 목회자였던 웨슬리 형제의 실패가 전형적인 예이다. 모라비아 교인들은 어느 정도 성공을 거두었으나, 그 규모는 그리 크지 않았다. 초기의 식민지 조지아에서 가장 중요한 종교적 운동은 조지 휫필드의 설교에 대한 대중의 반응일 것이다. 그것은 당시 잉글랜드에서의 상태와 비슷한 것이었다. 1770년에 사망한 그는 조지아의 종교생활에 큰 영향을 남겼다. 후에 감리교와 침례교 등이 그가 뿌린 것들을 수확했다.

북부의 청교도 식민지

청교도주의가 가장 큰 영향을 미친 곳은 훨씬 북쪽 지방이었다. 후일 뉴잉글랜드라고 불린 이 지역에 뚜렷한 종교적 동기를 가진 몇 개의 식민지가 건설되었다. 그것들 중 첫 번째로 설립된 것은 플리머스 플랜테이션(Plymouth Plantation)이다. 이것은 잉글랜드를 떠나 네덜란드로 갔으나 신세계에 자기들의 종교적 원칙에 기초를 둔 공동체를 세우려는 이상을 품게 된 비국교 교도들에 의해 세워졌다. 그들은 당시 정착민들을 절실히 필요로 하고 있었던 버지니아 회사와 협정을 맺었다. 그중에는 청교도 운동의 강력한 영향을 받은 사람들이 있었다. 마침내 101명의 정착민이 "메이플라워"(Mayflower) 호를 타고 신세계를 향해 떠났다. 그들은 버지니아 경계를 벗어나 원래 의도했던 곳보다 훨씬 북쪽에 도착했다. 그들은 상륙하기 전에 영국 국왕 아래 있으나 자치권을 가진 정부를 조직하기로 결정했다. 그들은 메이플라워 맹약(Mayflower Compact)에서 자기들의 정부가 통과시킨 "정의롭고 평등한 법률"에 복종할 것을 서약했다. 그들은 케이프 코드(Cape Cod)에 상륙했다가 플리머스에 정착했다. 이 새 식민지에서의 처음 몇 달은 비극적이었다. 전염병이 창궐하여 겨우 50명이 살아남았다. 봄이 오자 인디언들이 그들에게 옥수수 경작법을 가르쳐 주었다. 그리하여 얻은 곡식, 물고기, 사냥한 짐승들을 저장하여 겨울을 날 수 있었다. 그들이 후에 짐승 가죽을 팔아 필요한 물자들을 유럽으로부터 조달할 수 있었으므로 식민지는 간신히 존속했다.

첫 정착 직후 일단의 영국 청교도들은 자기들의 양심을 닮은 공동체를 신세계에 설립하기 위해 매사추세츠만 회사(Massachussets Bay Company)를 조직했다. 그들은 자기들이 조직한 회사를 신세계로 옮겨 식민지에 본사를 둠으로써 영국 정부의 부당한 간섭을 피하려 했다. 모든 준비를 갖춘 후 1,000명 이상의 정착민이 새 식민지를 시작했다. 이들은 플리머스의 필그림들과는 달리 분리파가 아니라 영국 국교회에 속해 있으면서 단지 신약성경에 기록된 것을 보다 가까이 따르려 한 청교도들이었다. 그들은 잉글랜드에서 이러한 소망이 이루어질 가망이 없음을 알았으므로, 이러한 이상을 실현하기 위해 아메리카로 이주했다. 특히 청교도들에 대한 로드(Laud) 대주교의 박해가 심해지면서 이 계획의 수행은 더욱 시급해졌다. 그의 박해 기간 동안 약 10,000명의 청교도들이 뉴잉글랜드로 도주하여 매사추세츠만 식민지를 강화했고, 코네티컷(Connecticut)과 뉴헤이븐(New Haven)에 새로운 식민지들을 건설하게 되었다.

찰스 1세는 이처럼 강성해 가던 청교도주의의 중심지들을 파괴할 계획을 하던 중 내란에 말려들어 왕위와 목숨을 잃었다. 그러나 전쟁 자체와 청교도들의 승리가 이주의 물결을 멈추게 했다. 왜냐하면 이제 미탐험 대륙의 외딴 해안이 아니라 잉글랜드 내에 거룩한 연방을 건설할 수 있는 희망이 있었기 때문이다. 식민지들은 청교도 반란군에게 내심 동조하면서도 중립을 지켰으며, 자기들의 영토를 넓히고 사회 조직을 강화하기 위해 노력했다. 따라서 스튜어트가의 왕정복고가 이곳 정착민들에게는 잉글랜드의 청교도주의에게 가해졌던 것처럼 극심한 박해를 의미하지는 않았다. 얼마 후 제임스 2세는 몇 개의 북부 식민지들을 뉴잉글랜드령(Dominion of New England)으로 통합하려 했다. 그러나 그의 몰락과 함께 이 계획이 취소되었으며, 새 정부 아래서 식민지들은 많은 옛 특권들을 회복했다. 이때 정착민들의 요청에 의해서가 아닌 왕실의 결정으로 종교의 자유가 주어졌다.

이때 매사추세츠와 코네티컷이라는 이름 아래 통합된 뉴잉글랜드의 청교도 식민지에서는 몇 가지 신학적 논쟁들이 이루어졌다. 가장 큰 난제는 청교도들 중 다수가 유아세례의 전통을 보존하는 동시에 진정한 기독교 신자가 되기 위해서는 회심을 경험해야 한다고 주장했던 데 기인했다. 그렇다면 세례의 의미는 무엇인가? 침례교에서 주장하는 바처

메이플라워 호를 타고 신세계로 간 필그림들은 종교적, 정치적 박해를 피해 약속의 땅으로 들어간 도피의 상징이 되었다.

럼 개인이 회심을 경험하기까지 기다렸다가 그 후에 세례를 베푸는 것이 낫지 않은가? 어떤 이들은 그것을 최선의 해결책이라고 생각했다. 그러나 이러한 이론은 성경적 원칙에 의해 이끌림을 받는 사회를 건설하려는 청교도들의 목표와 충돌했다. 옛날 이스라엘에서처럼 태어나면서 그 구성원이 됨으로써 세속 공동체와 종교 공동체가 공존하게 될 때에만 기독교 연방이 가능하다. 이러한 이유 때문에 옛날 이스라엘에서 유아들에게 할례를 했듯이 "언약의 자녀들"에게 세례를 줄 필요가 있었다. 반면에 만약 세례 받은 이들 모두가 언약의 구성원이라면, 어떻게 생활과 교리의 순수성을 보존할 수 있겠는가? 뿐만 아니라 만약 유아들에게 "언약의 자녀들"로서 세례를 준다면, 회심의 경험을 하지 못한 채 세례를 받은 부모들에게서 난 유아들은 어떻게 해야 하는가?

그리하여 많은 사람들은 세례를 받았으나 회심하지 않은 사람들을 포용하는 "반길 성약"(half-way covenant)이 존재한다는 결론에 도달했다. 그러한 사람의 자녀들은 세례를 받아야 했다. 이는 그들이 여전히 언약의 구성원들이기 때문이었다. 그러나 회심을 경험한 자들만 교회의 완전한 구성원이 되어 각종 결정 과정에 참여할 수 있었다. 어쨌든 이 논쟁은 격렬한 반감을 불러일으켰고, 그 결과 정착민들의 원래의 낙관론은 시들해졌다. 교회들의 관계와 이들의 통치 방식에 관한 논쟁도 있었다. 결국 대다수는 회중교회식 통치로 결정했다. 그러나 모든 회중들은 웨스트민스터 신앙고백의 개정판이라 할 수 있는 "신앙고백"(Confession of Faith)에 동의해야 한다고 규정했다.

식민지 시대 초기에 발생한 사건들 중 유명한 것이 매사추세츠 살렘(Salem)의 "마녀"의 재판이다. 이 사건들이 있기 선에도 배사추세츠에서 마술사들에 대한 재판이 벌어져 세 명이 교수형에 처해졌었다. 그런데 1692년에 살렘에서 어린 소녀들이 마술을 행한다는 소문이 돌기 시작하여 광분 상태로 이어졌다. 결국 20명–14명의 여자와 6명의 남자–이 교수형에 처해졌고, 몇 명은 감옥에서 죽었다. 그들 중 몇 명은 마술을 행했다고 고백하면서 다른 사람들에게서 마술을 배웠다고 주장함으로써 목숨을 구하려 했다. 결국 존경받는 성직자들, 부유한 상인들, 심지어 총독의 아내까지 고발되었다. 당국자들은 수사를 종결하기로 결정했다. 20년 후 매사추세츠 법원은 그것이 부당한 판결이었다고 결정했고, 희생자들의 가족들에게 피해 보상을 지급하도록 결정했다. 그 사건이 진행되는 동안 뉴잉글랜드에서 가장 유력한 종교 지도자는 인크리스 매더(Increase Mather)와 그의 아들 코튼(Cotton)이었다. 하버드 대학 총장이었던 인크리스(1639-1723)는 마술의 존재와 힘을 믿었으며 살렘 사건에 대한 책임을 져야 한다고 여겨졌다. 그는 마녀들의 정죄로 이어진 재판 과정과 증거를 비판했다. 그의 아들 코튼도 비슷한 입장을 취하여 재판 진행 방식을 개탄했다. 많은 사람들은 여성과 성에 대한 매더 부자의 엄격한 견해와 마술에 대한 그들의 태도 사이에 연관이 있다고 여겼다. 그러나 이 두 신학자의 저작은 마술 문제를 초월했으므로 그들–특히 사백 권 이상의 서적과 소논문을 저술한 코튼–이 청교도 식민지인 뉴잉글랜드의 정서적 분위기를 결정했다. 특히 여성에 대한 매더 부자의 말은 여성의 역할을 제한하고 있던 사회에 영향을 주었다. 그럼에도 불구하고 식민지에서는 초기부터 여성들이 새로운 역할과 표현 수단을 발견하기 시작했는데, 이것은 아메리카 최초의 여류 시인 앤 브래드스트리트(Anne Bradstreet, 1612-1672)의 저작에서 찾아볼 수 있을 것이다.

정착민들 중 일부는 자기들의 이웃인 인디언들의 복음화에 관심을 가졌다. 그 점에 있어서 메이휴(Mayhew) 가정이 탁월했다. 이 가정은 마서즈 빈야드(Martha's Vineyard)에 정착하여 1642년부터 1806년 자카리아스 메이휴(Zacharias)가 사망할 때까지 5세대에 걸쳐 인디언들의 개종과 교육을 위해 일했다. 그런데 이보다 더 큰 결실을 맺은 것은 1646년 모히칸 (Mohicans)족 사회에서 시작한 존 엘리엇(John Eliot)의 사역이었다. 그는 인디언들이 이스라엘의 사라진 열 지파이며 이들을 회심시키면 성경의 예언들이 성취될 것이라고 믿었다. 따라서 그는 개종자들을 모세의 율법에 따라 통치하는 마을에 수용했다. 그는 이곳에서 그들에게 유럽식 농업 방식과 공학을 가르쳐 공동체들의 생계를 유지하도록 했다. 성경을 읽고 공부하는 것을 강조했는데, 엘리엇은 모히칸어를 배우고 그것을 기록하는 방법을 고안한 후 성경을 모히칸어로 번역했다. 엘리엇은 이러한 마을을 14개나 설립했고, 그의 감화를 받은 추종자들이 더 많은 마을을 세웠다.

1675년 일부 인디언들이 킹 필립(King Philip)이라 불리는 추장의 영도 아래 백인들의 영토 침범과 잔학행위를 종식시키기로 결정했다. "킹 필립 전쟁"이라고 알려진 전쟁에서 개종한 많은 인디언들은 정착민들의 편을 들거나 중립을 지켰다. 그럼에도 불구하고 그들 중 수백 명이 납치되거나 마을에서 추방되어 보스턴만(Boston Bay)의 붐비는 섬에 거주하게 되었다. 또 모든 인디언들을 적으로 간주한 백인들은 많은 인디언들을 살해했다. 정착민들이 승리한 후 항복하거나 포로로 잡힌 인디언들이 백인들에게 배급되었다. 여자들과 아이들은 하인들이 되었으며, 남자들은 노예로서 가능한 한 먼 곳으로 팔려갔다. 그 후 엘리엇의 사역은 자취를 찾아볼 수 없게 되었다.

로드아일랜드와 침례교

종교적 편협함 때문에 청교도 식민지를 떠나는 사람들이 나타났다. 그 중 유명한 사람은 1631년에 매사추세츠에 도착했던 로저 윌리엄스 (Roger Williams)이다. 그는 보스턴에서 목회자로 사역하기를 거부한 후에 그곳의 청교도들이 하나님과의 개인적 관계와 관련된 계명들을 강요할 권한을 행정당국에게 허락하는 실수를 저질렀다고 선언했다. 그는 치안 판사들에게는 사회 질서와 관련된 것들만 시행할 권한을 주어야 한다고 확신했다. 그는 또한 식민지들이 점유한 땅은 인디언들의 것이며 식민 정책 전체가 비합리적이요 불의한 것이라고 선언했다. 당시 극단적으로 비친 이러한 수장들 때문에 보스턴에서 인기가 없었던 그는 플리머스로 옮겨갔다. 그는 살렘에서 목회했다. 그런데 그가 맡은 교회를 독립시키 려 했기 때문에 매사추세츠 당국은 그를 축출했다. 그는 일단의 친구들 과 함께 인디언들에게서 토지를 구입하여 처음에는 플리머스에 정착했 고, 그 후 나라간세트(Narragansett)에 정착했다. 그는 이곳에 종교 자유의 원칙 위에 프로비던스(Providence) 식민지를 건설했다.

윌리엄스의 이론에 의하면, 종교의 자유는 하나님을 예배해야 할 의 무의 일부로서 요구된다. 예배는 진심에서 우러나야 하므로, 예배를 강 요하는 시도는 실질적으로 예배를 약화시킨다. 따라서 새 식민지에서는 시민들의 종교적 견해와 관습에 기초를 두고 시민의 권리를 제한하지 않을 것이며, 정치와 종교가 분명히 구분될 것이다. 그는 1644년 『논의된 양심의 명분을 위한 잔혹한 박해 교리』(*The Bloody Tenent of Persecution for the cause of Conscience Discussed*)라는 논문을 출판했다. 이를 반박하기 위해 매사추세츠의 어느 목사는『어린양의 피로 씻겨 희게 된 잔혹한 교리』(*The Bloody Tenent Washed and Made White in the Blood of the Lamb*)라는 논문을 출판했다.

한편 비슷한 이유로 사람들이 인근 지역에 옮겨왔었다. 1637년 말 앤 허친슨(Anne Hutchinson)은 개인적 계시를 받았다고 주장했다는 등 여러 가지 이유로 매사추세츠에서 추방되었다. 그녀를 비롯한 열여덟 명이 종교의 자유를 근거로 하여 포로비던스 근처의 섬에 포츠머스(Portsmouth)를 세웠다. 얼마 후 포츠머스 출신의 한 집단이 같은 섬의 반대편에 뉴포트(Newport) 공동체를 세웠다. 청교도 식민지들로부터 침례교도들, 퀘이커 신자들이 유입되면서 이 공동체들은 급격히 성장했다. 그러나 이 새 정착지들의 합법성을 뒷받침할 유일한 법적 근거는 인디언들에게서 토지를 구입했다는 것뿐이었고, 인근의 여러 식민지들은 뉴잉글랜드의 하수구라고 여기는 이 새 정착지들을 파괴할 것에 대해 언급했다. 이에 따라 로저 윌리엄스는 잉글랜드로 가서 1644년 장기의회로부터 로드아일랜드 식민주와 프로비던스 플랜테이션의 존재를 법적으로 인정받고, 민주국가로서 다스릴 것을 허락받았다. 스튜어트 왕조의 복고 후에 찰스 2세는 이들 식민지의 법적 권리를 공인했다.

프로비던스에 세워진 윌리엄스의 교회는 침례교가 되었다. 교인들 중 한 사람이 윌리엄스에게 침례를 주었고, 윌리엄스가 다른 이들에게 침례를 주었다. 그러나 윌리엄스는 그 교회에 오래 머물지 않았다. 왜냐하면 그의 사상들이 크게 극단적인 경향을 띠게 되었기 때문이었다. 그는 인디언들과 접촉을 통해 그들을 깊이 존경하게 되었고, 인디언들의 종교도 기독교와 마찬가지로 하나님이 받으실 수 있는 것인지도 모른다고 했을 뿐만 아니라 구원받기 위해 반드시 기독교인이 될 필요는 없다고 주장하게 되었다. 이 때문에 매사추세츠의 청교도들뿐만 아니라 프로비던스의 침례교도들로부터도 공격을 받았다. 그러나 그는 더욱더 극단적인 신비주의로 나아가 결국 모든 교회들이 허위이며 성경은 순전히 영적으로 이해되어야 한다는 결론에 도달했다.

한편 프로비던스의 침례교도들은 나름의 논쟁에 휘말리고 있었다. 잉글랜드의 청교도 혁명을 살펴보면서 침례교도들이 그 당시 등장한 많은 집단들 중 일파라고 설명한 바 있다. 이들의 가르침들 중 일부는 유럽대륙의 재세례파의 가르침과 일치했으나, 대부분의 침례교도들은 제세례파가 아니라 자기들 나름대로의 신약 연구를 통해 교리를 추출했다. 많은 침례교도들은 네덜란드에서 유배 생활을 하는 동안 아르미니우스주의의 영향을 받았고, 그것을 가지고 영국으로 돌아갔다. 영국에 남아 있었던 이들은 청교도 운동의 기간(基幹)이라고 할 수 있는 엄격한 칼빈주의를 계속 신봉했다. 그리하여 침례교도들 사이에 일반 침례교(General Baptist)와 특수 침례교(Particular Baptist)라는 상이한 집단들이 나타났다. 일반 침례교는 아르미니우스파처럼 예수님이 인류 전체를 위해 돌아가셨다고 주장했다. 반면에 특수 침례교는 정통 칼빈주의를 고수하여 예수님이 구원받기로 예정된 자들만을 위해 돌아가셨다고 주장했다. 프로비던스에서도 일부는 일반 침례교의 아르미니우스주의를 좇았고, 어떤 이들은 특수 침례교의 칼빈주의를 따랐다.

비록 여러 식민지에서 박해를 받았으나, 침례교 운동은 식민지들 전체로 퍼졌다. 매사추세츠에서는 침례파 회중들 전체가 축출되었다. 그러나 침례교는 계속 전파되어 하버드 대학 학장을 비롯하여 사회의 저명인사들에게 전파되었다. 종교의 자유가 일반화됨에 따라 서서히 모든 식민지에서 침례파 집단들이 모습을 드러냈다. 처음에는 이들의 대부분이 일반 침례파였다. 그러나 다음에 살펴볼 대각성(Great Awakening) 시대에는 칼빈주의가 급성장했고, 많은 지역에서 특수 침례파가 주류를 차지했다.

메릴랜드의 가톨릭

영국의 북아메리카 식민지들 내에서 가톨릭교회의 중심지는 메릴랜드였다. 1632년 찰스 2세는 볼티모어 경(Lord Baltimore) 세실 캘버트(Cecil Calvert)에게 이전에 버지니아에 속해 있었던 지역 일부의 재산권과 식민권을 하사했다. 볼티모어 경은 가톨릭 신자였으며, 그에게 이러한 권리를 하사한 것은 가톨릭 신자들의 지지를 얻기 위한 찰스의 정책 때문이었다. 영국의 많은 가톨릭 신자들은 제한과 어려움이 없이 살 수 있는 식민지를 원했다. 당시 순전히 가톨릭 식민지를 세우는 것이 정치적으로 지혜롭지 못한 일이었으므로, 메릴랜드에서는 종교의 자유를 주기로 했다. 볼티모어 경은 이 정책에 따라 메릴랜드에 파견한 그의 대리인들에게 그곳에서는 가톨릭 신자들에 대한 개신교인들의 공격을 용서하지 말라고 지시했다.

1634년에 도착한 제1진 정착민들의 사회적 구성은 그 식민지의 사회체제를 예고해준다. 정착민들의 10분의 1 가량이 가톨릭 귀족들이었고 나머지는 대부분 이들의 프로테스탄트 하인들이었다. 곧 담배 경작이 경제의 중심이 되어 대규모 농장들을 발전시켰다. 이 식민지는 가톨릭 지주들이 통치했지만 주민의 대부분은 프로테스탄트였다. 영국에서의 정치적 상황이 유리하게 돌아갈 때마다 프로테스탄트들은 지주인 가톨릭 귀족들로부터 세력을 빼앗았다. 결국 제임스 2세가 폐위되었을 때 그들은 최종 승리를 거두었다. 그리하여 성공회가 이곳 식민주의 공식 종교가 되었고 가톨릭 신자들의 권리는 제한받게 되었다.

윌리엄 펜이 주창한 종교 자유의 정책 덕분에 펜실베이니아에도 상당히 많은 가톨릭 신자들이 거주했다. 이곳에서도 다른 식민지에서와 마찬가지로 스튜어트가의 왕조 복고 이후 가톨릭교회가 상당한 이익을 얻었다. 그러나 1688년 제임스 2세의 몰락 이후 그 성장이 제한되었다. 가톨릭 신자들은 식민지 시대 내내 13개 식민지에서 소수집단으로 머물렀다.

미국 동부 대서양 연안의 식민지들

뉴잉글랜드와 메릴랜드 사이에 세워진 뉴욕, 뉴저지, 펜실베이니아, 델라웨어 등의 식민지들은 원래 특정 종교 집단을 위한 피신처가 아니었다. 윌리엄 펜의 펜실베이니아에서의 "거룩한 실험"에 관해서는 이미 살펴본 바 있다. 이 식민지를 세운 인물들의 주류는 퀘이커 신자들이었으나, 처음부터 다양한 교파의 교인들이 이곳의 주민을 이루고 있었다. 펜이 요크의 공작(duke of York)에게서 매입했고 1701년 이전에는 펜실베이니아의 일부였던 델라웨어에 대해서도 같은 말을 할 수 있다.

뉴저지의 정치적 · 종교적 역사는 복잡하다. 그러나 일반적으로 동부

뉴저지는 엄격한 뉴잉글랜드 청교도들의 방식을 따랐고, 서부 뉴저지에서는 퀘이커 신자들이 종교의 자유를 허용한 사회를 건설했다. 그러나 뉴저지의 퀘이커 신자들의 대부분은 노예를 소유하는 귀족층이 됨으로써 다른 퀘이커 신자들과의 관계가 불편해졌다.

후일 뉴욕으로 알려진 지방은 네덜란드인들에 의해 식민지가 되었다. 네덜란드인들은 맨해튼에 동인도회사의 지부를 두었고 개혁교회를 들여왔다. 이들은 1655년에 스웨덴인들이 델라웨어 강변에 세운 경쟁 관계에 있었던 식민지를 정복했는데, 1664년에는 자기들이 영국인들에게 정복되었다. 그리하여 뉴네덜란드(New Netherland)였던 곳이 뉴욕이 되었고, 원래부터 이곳의 현지 정권에 만족하지 못했던 네덜란드인 주민들은 영국 정부에 귀속되었다. 영국인들은 이곳에 국교회(Church of England)를 도입했는데, 국교회 교인들은 총독과 그의 가족과 군인들에 불과했다. 그러나 영국인들의 이주가 증가함에 따라 이 식민지의 종교적 구성은 대영제국 본토와 비슷해졌다.

요컨대 17, 18세기에 대영제국은 북아메리카에 일련의 식민지들을 세우고 확장했다.(1759년 영국인들은 또한 세인트로렌스 강 북부의 프랑스령 토지들을 점령했지만 그곳 식민지의 역사는 다른 양상을 보였다.) 이 식민지들 중 일부를 세울 때에 종교적인 동기들이 중요한 역할을 했다. 일부 식민지들은 처음부터 그곳에 존재했으며, 과거 유럽을 피로 물들였던 종교적 긴장의 대안으로 간주된 종교의 자유를 실시한 로드아일랜드와 펜실베이니아의 모범을 따랐다. 동시에 노예제도의 도입, 방대한 대규모 농장의 존재에 기초한 사회적 불평등, 인디언들과 그들 소유의 토지의 착취를 비롯하여 유사한 많은 요인들로 말미암아 초기 정착민들을 자극하고 고무했던 종교적 열정과 거룩한 연방 건설의 소망은 희미해졌다.

대각성운동(The Great Awakening)

독일과 영국에서와 마찬가지로 18세기 북아메리카에도 경건주의 물결이 밀어닥쳤다. 예를 들어 장로교는 웨스트민스터 신앙고백의 가르침들을 엄격하게 신봉할 것을 주장하는 이들—구파(Old Side)—과 대속하는 은혜의 경험을 강조하는 신파 사이에 발생한 논쟁으로 양분되었다. 결국 이 두 파는 다시 연합하게 되지만, 한동안 이 논쟁은 분열주의를 낳았다. "대각성운동"이라고 알려진 엄청난 경건주의 물결 때문에 이 분열주의는 한층 더 극심해졌다.

개척 초기부터 북아메리카 식민지 주민들 중 많은 사람들이 개인적인 종교적 경험이 신자의 생활에 매우 중요하다고 생각하고 있었다. 그런데 이러한 생각은 1734년 매사추세츠 주 노샘프턴(Northampton)에서 대각성 운동의 초기 징조들이 나타났을 때 시작된 일련의 사건들에 의해 일반화되었다. 당시 그곳의 목회자는 예일(Yale)에서 교육받은 철저한 칼빈주의자 조나단 에드워즈(Jonathan Edwards)로서 개인적인 회심 경험의 필요성을 확신하고 있었다. 그는 노샘프턴에서 여러 해 동안 평범하게 설교해 왔다. 그런데 갑자기 설교자 자신을 놀라게 하는 반응들이 나타나기 시작했다. 그의 설교들은 죄의 확신과 하나님의 용서의 경험의 필요성을 강조했지만 특별하게 감정적인 것은 아니었다. 1734년 신도들이 그의 설교에 반응하기 시작하여 일부는 감정적 폭발로, 그리고 많은 이들은 생활의 놀라운 변화와 경건한 신앙에 대한 관심의 증가로 반응했다.

몇 달 후 그 운동은 그 지역을 휩쓸고 코네티컷에 도달했다. 그 운동은 곧 가라앉았고, 3년 후에는 특별한 현상들이 거의 사라졌다. 그러나 이러한 불길이 다시 일어나기를 바라는 소망과 함께 그 기억은 남았다.

얼마 후 조지 횟필드(George Whitefield)가 뉴잉글랜드를 방문했다. 그의 설교는 많은 회심의 경험들과 아울러 회개와 기쁨의 외적 표현들을 낳았다. 에드워즈는 회중파였으나 성공회 신자인 횟필드를 자기 교회에서 설교하도록 초청했고, 횟필드가 설교하는 동안 에드워즈가 눈물을 흘렸다고 한다. 이것은 당시의 각성에 새로운 자극을 주었다. 신파에 속한 장로교 목사들과 비슷한 성향을 지닌 사람들이 여기에 합류했다. 일부 설교가들은 횟필드의 본보기를 따라 방방곡곡을 찾아 다녔으며, 성공회, 장로교, 회중파 등의 여러 교파 목사들이 자기들의 교회에서 새로운 정열로 설교했는데, 이 교회들에서도 특별한 반응들이 나타났다. 사람들은 자기의 죄를 회개하며 울었고, 어떤 사람은 용서받은 기쁨 때문에 소리쳤고, 감격을 이기지 못해 기절하는 사람들도 있었다.

설교에 대한 이러한 반응들 때문에 반대자들은 대각성운동의 지도자들이 예배의 엄숙성을 훼손시키며, 진정한 경건과 학문 대신에 감정을 부채질한다고 비난했다. 그러나 이 운동의 지도자들 중 다수는 지나치게 감정적인 인물들이 아니었고 학자들이 많았으며, 또 이 운동의 목표가 감정을 폭발케 하는 대중집회가 아니라 신자들 개인을 보다 깊은 경건과 철저한 성경 연구로 인도하는 데 치중하고 있었다. 이것은 조나단 에드워즈의 설교에서 찾아볼 수 있다. 그의 설교는 격하고 감정적인 장광설이 아니라 심오한 신학적 문제들을 세심하게 강해한 것들이었다. 에드워즈는 감정이 중요하다고 믿었다. 그러나 회심의 고귀한 경험을 포함하여 이러한 감정 때문에 바른 교리와 합리적인 예배의 필요성이 가려져서는 안 된다고 믿었다. 대각성운동의 지도자들은 정통 칼빈주의자들이었다. 칼빈주의에 대한 확신 때문에 휫필드는 웨슬리와 결별했다. 또 에드워즈는 예정론을 수호하기 위해 빈틈없고 심오한 논문들을 저술했다. 초기 이 운동의 지도자들은 회중파와 장로교 교인들이었지만, 결국 이를 통해 큰 이익을 거둔 것은 침례교와 감리교였다.

처음에 침례교에서는 이 운동을 경박하고 피상적이라고 말하며 반대했다. 그러나 대각성운동은 많은 이들로 하여금 침례교에 유리한 결론에 도달하게 했다. 실제로 만약 회심의 경험이 기독교인의 생활에서 중요한 것이라면, 유아세례에 대한 의심이 제기된다. 따라서 대각성운동이 강조한 개인적 경험의 중요성에 치중했던 많은 회중파와 장로교 교인들이 유아세례를 부인하고 침례교 신자들이 되었다. 전체 회중들이 이 길을 택했다.

대각성운동은 또한 침례교도들과 감리교도들을 서부 개척지로 인도했다. 당시 백인들은 인디언들의 영토를 무단으로 사용하고 있었다. 그리하여 대각성운동의 정신에 자극을 받은 감리교도들과 침례교도들은 이 서부 개척 지대의 정착민들에게 설교하고 이들의 신앙생활을 조직하는 임무를 맡았다. 이러한 이유 때문에 새로운 정착지에서는 이 두 교파가 가장 많은 신자들을 확보했다. 또한 이 대각성운동 및 이와 유사한 운동들 때문에 "각성"의 소망이 북아메리카 기독교의 중요한 부문이 되었다.

마지막으로 대각성운동은 정치적 결과들을 초래했다. 대각성 운동은 후일 미합중국을 결성하게 된 13개 식민지 전체를 포용한 최초의 운동

조나단 에드워즈는 식민지에서 활동한
주도적 신학자였으며 대각성운동에 관여한
주요 인물이다.

이었다. 그 운동 덕분에 여러 식민지들 사이에 일체감이 발달하기 시작
했다. 동시에 인권과 정부의 본질에 관한 새로운 사상들이 유포되었다.
이러한 사상들이 식민지들 사이에 성장해가는 일체감과 결합하여 중요
한 사건들을 조성했다.

제2부

기독교세계를
넘어서

제12장
기독교세계를 넘어선 시대

이제 18세기가 끝난다. 사우스웨일즈에서 맑은 아침과 함께 19세기가
시작된다. 세계적으로 불가항력적인 인권의 증진. 그리고 지배층과
미신과 폭정이 사라짐에 따라 정치적인 전망이 밝다.
　　　　　　　　　　　　　－너데니엘 에임스의 일기, 1800년 12월 21일－

　　　　18세기의 마지막 몇 년과 19세기 초에 유럽과 서반구를 뒤흔
든 일련의 정치적 변화가 있었다. 일반적으로 그러한 변화들은 성장하
는 부르주아 계급의 경제적 이해관계와 새로운 정치적 사상들의 결합에
따른 결과였다. 18세기 후반에 유럽과 서반구에서는 신흥 계층의 경제
력이 증가했다. 프랑스의 신흥 계층인 부르주아 계급은 도시와 교역과
산업의 성장과 더불어 자립했다. 서반구에서 부는 농업 및 농산물 교역
에 기초를 두었다. 따라서 땅을 소유한 식민지 주민들은 새로운 경제귀
족이 되었다. 이 귀족층과 유럽 부르주아 계급의 이해관계가 이전의 혈
통 귀족들의 이해관계와 충돌했다. 프랑스에서는 하류 계층과 부르주아
계급이 연합하여 귀족들을 대적했으며, 그들이 자기들의 노동 생산물에

의존하여 사는 기생충이라고 여겼다. 신세계의 하류 계층도 신흥 경제 귀족들과 연합하여 혈통적 귀족들을 대적하며 그들이 자기들의 꿈과 문제점들을 이해하지 못한 채 식민지에서 유익을 취하는 이방인들이라고 여겼다. 이 모든 것의 결과가 미합중국의 독립, 프랑스 혁명, 그리고 라틴아메리카의 독립이었다. 이러한 혁명들은 역사적으로 새로운 시대의 시작을 알려주는 것들이며, 그 후 19세기 전체와 20세기에 이르기까지 여러 혁명들이 발생했다. 즉 1848년에 독일을 비롯한 유럽의 여러 지역에서, 1910년에 멕시코에서, 1917년에 러시아에서, 1959년에 쿠바에서 혁명이 발생했고, 1963년에 케냐에서의 혁명은 독립으로 이어졌다. 이러한 혁명들의 성공 및 그에 따른 장기적인 결과들은 각기 다르지만, 그것들 모두 19세기와 20세기가 기독교 전체에 심각한 영향을 초래할 정치적·사회적 대격변의 시대였음을 보여준다.

또 19세기의 특징은 기독교가 16세기의 확장에 비견할 만한 지리적 확장을 이루었다는 점이다. 16세기는 가톨릭 확장의 시대였지만, 19세기는 개신교 확장의 시대였다. 그 방대한 운동의 결과들은 지금도 분명하지 않지만 19세기의 가장 중요한 사건은 모든 인종과 국가들이 참여하는 보편교회의 설립이었다. 반면에 이 일이 교회생활에 흔적을 남긴 식민지주의와 경제적 제국주의라는 틀 안에서 발생했음을 지적해야 한다.

19세기가 시작되면서 특히 그 이전 몇 세기 동안 유럽이 괄목할 만큼 확장한 서반구에서 유럽의 식민지주의가 그 정점을 지났다고 생각할 수 있을 것이다. 미합중국의 독립으로 말미암아 아메리카의 영국령 식민지는 캐나다, 카리브 지역의 몇 개의 섬, 그리고 중남미의 비교적 작은 식민지들만 남았다. 프랑스는 그때까지 프랑스의 가장 생산적인 식민지였던 아이티를 잃었다. 스페인은 쿠바와 푸에르토리코를 제외하고 아메리카의 땅을 모두 포기해야 했으며, 다음 세기에 쿠바와 푸에르토리코도 상실하게 되었다. 게다가 나폴레옹 전쟁으로 말미암아 유럽은 세계에서 주도권을 상실한 듯했다.

그러나 실제로는 반대의 현상이 발생했다. 나폴레옹 전쟁은 영국으로 하여금 적들이 장악하고 있는 식민지들에게 주목하게 했다. 나폴레옹이 유럽 대륙의 주인이 되었을 때 영국은 우월한 해군력 덕분에 생존할 수 있었다. 영국의 함대들이 나폴레옹이 장악한 유럽-프랑스, 스페인, 포르투갈, 네덜란드-과 그 식민지들의 교역을 막는 동안, 영국의 강력한 함대들은 침입을 막았다. 영국인들은 육지에서 나폴레옹을 대적한 군대로부터 좋지 않은 소식을 듣고 해군으로부터 좋은 소식을 듣는 데 익숙해져 있었다. 전쟁이 끝난 후 영국은 과거 프랑스와 네덜란드의 소유였던 식민지들을 소유하게 되었다.

이 사건들은 19세기 식민지 확장의 주요 이유인 산업혁명과 동시에 발생했다. 과학기술의 발전이 산업생산에 적용됨에 따라 자본시장의 확대가 필요하게 되었다. 한동안 유럽에서 산업화되지 않는 지역들이 필요한 시장들을 공급했지만 곧 다른 발산 수단들을 찾기 시작한 산업 강대국들은 라틴아메리카와 아시아에서 그것을 발견했다.

라틴아메리카에서 민족해방과 독립선언과 민족정부의 설립 이후에도 이러한 상황들은 신식민지주의-강대국들이 식민지를 직접 통치하지 않고 경제적으로 식민지를 착취하며 영속적으로 의존하게 만들면서도 어느 정도 정치적 독립을 허락하는 체계-를 낳았다. 영국과 프랑스와 미합중국이 신흥 시장들을 통제하기 위해 경쟁하기 시작했을 때 이전의 스페인의 식민지들은 거의 독립을 쟁취하지 못했다. 처음에 외국인 투자자들은 주로 도시 시장에 관심을 두었지만, 1870년쯤에는 내륙의 농산물 장악을 위해 경쟁했다. 산업과 과학기술이 발달함에 따라 신흥 시장들보다는 산업을 위한 원자재가 필요하게 되었다. 그리하여 이전에 주목받지 못했던 지역에 관심을 기울이게 되었으며, 많은 외국 자본이 철도, 항구, 가공처리 공장 등에 투자되었다. 이러한 투자는 통치계급인 크리오요(criollo)들의 동의와 지원을 받아 이루어졌다. 크리오요들이 소유한 토지는 그 규모와 가치 면에서 엄청나게 증가했다. 그리하여 외국 자본과 민족 자본의 제휴가 이루어졌는데, 이들이 지원하는 과두정부는 이들의 이익에 크게 기여했다. 이와 같은 제휴의 힘을 고려해 볼 때, 사회적·정치적 구조의 급격한 변화는 드물었다.

유럽의 산업혁명은 아시아에서도 비슷한 결과를 낳았다. 물론 식민지주의는 군사 정복과 공공연한 정치적 지배라는 전통적인 형태를 취했다. 처음에 서구 경제적 강대국들은 신흥시장들을 개척하는 데 만족했다. 그러나 그 지역에서의 정치적 현상, 지방정부의 약화, 혹은 또 다른 산업 강대국 등으로 말미암아 위협을 느낀 서구의 경제적 이해관계로 말미암아 그 국가들은 군사적으로 개입하여 그 지역 정부들을 인수했다. 그러나 20세기 중엽부터 21세기에는 이것들에 대한 반작용이 발생했고 태평양전쟁과 중국의 혁명 이후에 일본, 중국, 인도, 한국 등이 정치적·경제적 강대국으로 등장하게 된다.

19세기의 마지막 수십 년 동안에 이제까지 비교적 더디게 진행되었던 블랙아프리카의 식민지화가 가속화되었다. 당시 유럽은 제국주의적 열정으로 불탔으며 이제는 신흥시장이 아니라 원자재 확보를 추구했다. 많은 유럽인들은 일류 강대국이 되려면 해외제국을 다스려야 한다고 확신했다. 그 무렵 영국과 프랑스와 네덜란드는 그러한 제국들을 가지고 있었으며, 벨기에와 이탈리아와 독일은 세계 구석구석을 자기 것으로 삼기 위한 광적인 경쟁에 합류했다. 또다시 20세기와 21세기에 이에 대한 국가적 반작용들로 말미암아 일련의 독립 국가들이 등장하게 되었다.

19세기 식민지 확장은 현대의 산업발달의 또 다른 결과인 군사력 덕분에 가능했다. 서구 강대국들은 매우 강한 군대들까지 무찌를 수 있는 무기를 소유하고 있었다. 무력이 없었다면 이류 강대국에 불과했을 이 국가들에게 중국과 일본 같이 교만하고 인구가 많은 국가들도 굴복하지 않을 수 없었다. 아프리카와 아시아에서 소수의 국가들만 독립을 유지할 수 있었는데, 이 국가들도 경제적 독립을 포기해야 했다. 예를 들어 중국과 일본은 서구 강대국들에게 완전히 정복된 적이 없지만 실질적으로 서구와의 교역을 개방해야 했다. 역사상 최초로 세계가 하나의 방대한 경제 네트워크가 되었다.

이 새 질서의 배후에는 한층 더 깊은 지적 혁명-르네상스와 함께 시작되어 19, 20세기에 결실을 거둔 혁명-이 자리하고 있었다. 서구문명은 지식 획득의 주요 수단으로서 관찰과 실험을 의지했고, 그러한 지식을 세계를 변화시키는 데 적용하기 시작했다. 이 새로운 지식 형태의 최초의 적용은 산업혁명 및 거기에 필요한 에너지와 밀접하게 연결되었다. 수세기 동안 에너지의 주요 원천은 물과 바람이었다. 그것들이 공장 가동과 선박 운행을 위한 동력을 공급했다. 이제 새로운 형태의 에너지들이 개발되었다. 16세기 말과 17세기에 최초로 개발된 현대식 피스톤 증기엔진이 산업생산과 육지와 해상에서의 운송에 적용되었다. 최초의 상업용 증기선이 1802년에 제조되었다. 과거에는 몇 달씩 소요되던 여행 기간이 몇 주, 심지어 며칠로 줄어들었다. 그 때 내연기관이 발명되어 운송에 적용됨으로써 자동차와 운송업, 도로 건설, 새로운 패턴의 가정생활, 중동의 부유한 산유국들의 식민지화, 산업생산과 시장화 과정에서의 무수한 변화 등이 발생했다.

항공기술에 적용된 내연기관은 증기기관과 철도보다 한층 더 세계를 좁게 만들었다. 과거에 며칠이 소요되던 여행을 몇 시간에 마칠 수 있게 되었다. 20세기 후반에는 새로운 에너지의 형태와 원천을 발견하고 개발해야 했다. 산업화된 지역뿐만 아니라 서유럽과 미합중국과 비슷한 수준으로의 발전을 추구하는 많은 빈곤 국가들에 대규모 수력발전 시설들이 건설되었다. 세계가 최대한으로 좁아진 듯했다. 심지어 인류가 달에 도착했고, 우주에 도시를 건설하는 일이 언급되었다. 원자력발전의 등장은 그것의 효율을 찬양하는 진영과 위험성을 두려워하는 진영의 토론을 낳았다. 석유는 여전히 가장 일반적으로 사용되는 에너지원이었지만, 대체에너지원―바람, 태양, 지열, 조수―을 개발하려는 실험과 시범 사업이 행해졌다.

20세기 초에 운송 분야에서의 급속한 발달을 보고 놀랐던 사람들을 한층 더 크게 놀라게 할 일들이 발생했다. 새로운 운송방법으로 말미암아 작아진 것처럼 보였던 세계는 이제 새로운 커뮤니케이션 방법으로 말미암아 한층 더 빨라졌다. 1837년 새뮤얼 모스(Samuel Morse)가 전신부호를 발명했는데 1844년에는 그것이 실행 가능한 통신 방식이 되었다.

1877년에 최초의 전화가 등장했다. 1950년대에 대부분의 산업화된 세계의 가정에 텔레비전이 등장했다. 1950년 신세계 주민들은 교환원을 통해 카이로와 통화할 수 있었다. 그러나 2010년에는 카이로와 통화할 뿐만 아니라 몇 초 안에 서적과 사진을 전송할 수 있었다. 1975년에는 전문직에 종사하는 소수의 사람들만 컴퓨터를 사용할 수 있었지만, 2010년에는 취학 전 아동들이 컴퓨터를 사용하고 있었고, 사람들은 전 세계 어느 곳에 있는 사람들과 몇 초 안에 접촉할 수 있으며, 인터넷을 통해서 도서관에서 얻는 것보다 많은 정보를 획득할 수 있게 되었다.

어떤 면에서 보면 이것은 19세기 이전에 발달되기 시작한 현상들의 정점이었다. 19세기 내내 서구문명은 스스로 세계를 행복하고 풍요로운 시대로 인도해야 할 운명을 지녔다고 여겨왔다. 산업혁명은 두 세기 전에는 불가능하다고 간주되었던 부와 안락함을 만들어냈다. 아시아와 아프리카, 그리고 라틴아메리카 등지의 원주민들은 산업 국가인 유럽과 미합중국의 방법과 지혜를 받아들이는 데 열심을 나타냈다. 중국의 의화단 사건과 같은 좌절에도 불구하고 선교 운동이 활발했고, 가까운 장래에 세계 인구의 대다수가 기독교인이 되리라는 희망이 있었다. 사소한 예외를 제외하고는 거의 1세기 동안 유럽 강대국들은 평화로이 살았다.

그러나 그 이면에는 파괴적인 흐름이 있었는데, 그것은 결국 세계를 전대미문의 파괴적인 전쟁으로 몰아넣었다. 그 전쟁에 이어 혁명, 경제적인 격변, 그리고 한층 더 파괴적인 국제 분쟁이 발생했다. 19세기 유럽이 비교적 평화로웠던 것은 강대국들이 식민지 확장을 위해 경쟁한 데 일부 원인이 있다. 유럽이 평화로울 때 해외의 대리전쟁이 국제 정책의 일반적인 특징이 되었다. 그러나 1914년에 아시아와 아프리카와 라틴아메리카의 대부분 지역은 정치적으로는 아니더라도 최소한 경제적으로 식민지가 되어 있었다. 그 때 유럽은 유럽대륙의 동남부 지역인 발칸반도에 시선을 두었는데, 그곳에서는 터키제국의 점진적인 분열로 말미암아 국경이 확정되지 않은 불안정한 정부를 가진 많은 국가들이 등장했다. 이 지역이 유럽 강대국들의 경쟁의 중심이 되었고, 그러한 경쟁에서 제1차 세계대전이 비롯되었다. 그리하여 서구세계가 자랑하는 기술과 산업 발달의 파괴력이 위력을 발휘하게 되었다. 왜냐하면 이 전쟁은 잠수함전과 공중전과 화학전에서 군사적으로 기술을 사용할 수 있는 기회를 제공했기 때문이다. 기술적으로 멀리 떨어진 지역을 통제할 수 있다는 것은 지구의 대부분이 직접적으로든 간접적으로든 갈등에 연루되어 있음을 의미했다. 수십 년 동안 계속된 전쟁에 30개 국가에서 6천 5백만 명의 군사력이 동원되었는데, 군인들 중 7분의 1이 전사했고 3분의 1 이상이 부상당했다. 그 전쟁에서 희생된 군인들만큼이나 그 이상의 민간인들이 희생되었다.

한편 러시아의 혼란 상태는 혁명을 초래했다. 유럽의 강대국들 중 하나인 러시아에서는 19세기의 진보적 사상이 발달하지 못했다. 러시아의 귀족 정부와 많은 땅을 소유한 귀족들은 수세기 전처럼 계속 국가를 통치했다. 칼 마르크스(Karl Marx)는 산업화가 더뎠던 러시아에서 자신이 말한 혁명이 최초로 성공을 거두리라고 예상하지 못했을 것이다. 그는 산업과 자본의 발달이 결국 산업노동자들의 혁명을 초래할 것이며 농민들이 그러한 혁명에 공감하지 않을 것이라고 예상했다. 그러나 전쟁이 그의 예상을 틀어지게 만들었다. 러시아에서는 전쟁에서 승리할 수 없게 된 정부에 대한 민족주의적 반감이 도시에서의 식량 부족과 농촌의 토지 부족에 대한 항의와 결합되었다. 1917년 3월 니콜라스 2세가 동생에게 양위했는데, 동생 역시 며칠 후에 양위했다. 잠시 정부는 진보적 자본주의 공화국을 희망하는 중도파의 수중에 놓였다. 그러나 이 정부의 경제정책과 전쟁에서의 실패, 레닌(V. I. Lenin)과 사회민주노동당원들(Bolsheviks)의 시위는 1917년의 11월 혁명으로 이어졌다. 레닌은 즉시 사회 재조직이라는 방대한 계획을 실천에 옮겨 토지와 은행을 국유화하고 공장들을 정부가 통제하는 노동조합의 수중에 두었다. 이 계획의 일부로서 교회의 재산이 몰수되었다. 그리하여 비잔틴의 몰락 이후 제3의 로마라고 자처하던 러시아 교회는 터키 침입 후의 비잔틴교회와 비슷한 상황에 놓였다. 새 정부는 전쟁에서 철수했지만, 곧 국제사회와 교회의 지지를 받는 반혁명세력과의 내란에 휩싸였다. 전쟁에서 적군(Red Army)이 승리했을 때 소비에트 정부는 교회를 치명적인 적으로 더욱 확신했다.

서반구에서는 제1차 세계대전의 결과를 절실하게 느끼지 못했다. 1917년 4월에 참전한 미합중국은 많은 사상자를 냈지만 곧 국가적 관심을 요하는 다른 문제들이 등장했다. 미합중국은 다른 국가들로부터 분리하여 국제연맹(League of Nations)에 가입하지 않고 국내의 문제 해결을 추구했다. 19세기에 뿌리를 둔 두 가지 문제, 즉 금주법과 여성의 참정권이 아메리카의 중심 문제로 대두되었다. 종전 후 1년이 못 되어 금주법이 제정되었다. 1920년 헌법 수정 제19조에 의해 여성에게 투표권이 주어졌다. 1920년대는 특히 소수의 부자들을 위한 경제적 번영의 시대였다(인구의 5퍼센트가 총 개인소득의 3분의 1을 차지했다). 이어 대공황이 시작되었고 루즈벨트(Franklin D. Roosevelt)가 대통령으로 선출되고 뉴딜 정책을 실시했다. 루즈벨트 대통령 시대의 경기 회복은 미합중국이 기본적으로 건전하며 불경기는 근면함과 조직에 의해 극복된 일시적 현상에 불과했다는 증거로 간주되었다. 따라서 20세기 전반에 유럽을 휩쓸기 시작한 의심과 염세론이 미합중국에서는 발견되지 않았다.

서반구의 다른 지역에서 가장 주목할 만한 사건은 멕시코 혁명이었다. 그것은 1910년에 시작되어 수십 년 동안 진행되면서 때로는 급진적이고 때로는 매우 온건하게 진행되었다. 이곳에서도 가톨릭교회와 혁명 사이에 끊임없는 충돌이 있었다. 과거 러시아에서처럼 1927년에 교회의 재산이 몰수되었다. 결국 국가는 몰수한 재산을 돌려주지 않은 채 교회에 대한 매우 엄한 정책에 동의했다.

유럽에서는 국제연맹이 제1차 세계대전과 같은 비극적 사건의 반복을 막을 수 있을 것이라고 기대되었지만 파시즘의 성장이 그러한 희망을 무익하게 만들었다. 이탈리아에서 베니토 무솔리니(Benito Mussolini)의 주도 하에 두각을 나타낸 파시즘은 상처 입은 국가적 자부심을 이용하여 전쟁을 찬양하고, 국가 전체를 전체주의적 군사조직으로 만들었다. 파시즘의 사회적 원리들은 혼란스러웠다. 파시즘은 처음에는 급진적 혁명가들의 편을 들었지만 결국은 공산주의에 대한 두려움을 이용하여 기업가들과 힘을 합하여 힘과 생산력을 가진 신흥 귀족들을 만들어냈다. 어쨌든 어느 단계에서든 파시즘의 특징은 위엄 있는 국가에 대한 이상, 여성적인 부르주아의 창작품인 민주주의와 정치적 진보주의에 대한 혐오감이었다. 무솔리니는 "여성과 모성의 관계는 남성과 전쟁의 관계와 같다"라고 표현했다.

독일의 나치당은 1933년에 정권을 장악하여 이탈리아의 파시즘을 무색하게 했다. 나치의 영향으로 말미암아 반셈족주의가 국제적인 파시즘의 확고한 도그마로 자리 잡았고, 독일을 비롯한 여러 지역에서 수백만 명의 유태인들의 학살을 초래했다. 1936년 파시즘은 이탈리아와 독일뿐만 아니라 일본, 폴란드, 오스트리아, 헝가리, 그리스, 루마니아, 불가리아 등지에서도 어느 정도 세력을 획득했다. 1939년 스페인의 독재자 프란시스코 프랑코(Francisco Franco)가 스페인 내란에서 승리하면서 파시즘은 스페인에 굳게 자리를 잡았다. 기독교에 대한 파시즘의 태도는 다양했다. 스페인의 프랑코는 가톨릭교회를 막역한 동맹으로 여겼고 자신이 신실한 가톨릭 신자임을 공언했다. 무솔리니는 상황에 따라 태도를 바꾸었다. 히틀러는 보편적인 사랑과 다른 뺨을 돌려대라고 가르치는 기독교를 정복과 지배라는 자신의 궁극적 목표의 적대자라고 여기면서도 이 목표에 대한 기독교의 지지를 얻으려 했다.

파시즘의 매력은 옛 영광을 회복하려는 꿈에 있었다. 무솔리니는 로마제국을 회복하겠다고 약속했다. 그리스의 파시스트들은 스파르타식 군국주의와 비잔틴제국의 권세의 부활을 이야기했다. 스페인의 팔랑헤주의자들(falangistas)은 스페인제국의 황금시대로의 복귀를 추구했다. 이 다양한 꿈들은 서로 상충되는 것들이었지만, 그 배후에 있는 것들-전쟁의 미화, 자유로운 사상 교환에 대한 두려움, 전체주의적 민족주의, 모든 형태의 평등주의에 대한 반대-은 민주주의, 자유주의, 또는 평화주의와 같은 모든 것들에 대적하여 파시스트 운동들을 결합시켰다. 이탈리아와 독일 군대가 연합했고, 후일 일본이 가세했다(추축국). 독소 불가침 조약의 체결로 러시아의 중립이 보장되었다. 한 달 후인 1939년 9월

유럽에서 전쟁이 발발했다.

삼십 년 동안 두 번째로 전 세계가 전쟁에 휩싸였다. 처음에 파시스트 국가들-추축국-은 러시아가 전쟁에 개입하지 않을 것이라고 장담했다. 러시아는 폴란드, 발트 3국(에스토니아 · 라트비아 · 리투아니아) 등을 확보하기 위해 추축국들과의 우호적인 관계를 이용했다. 곧 서유럽의 대부분이 파시스트들의 수중에 들어갔고, 동양에서는 일본이 세력을 확장했다. 1941년에 독일이 러시아를 공격하고 일본이 진주만을 공격함에 따라 강대국들 중에 어느 국가도 중립을 유지하지 않게 되었다. 추축국들이 유럽의 대부분을 정복했으므로 이제 태평양, 북아프리카, 러시아-독일 국경, 영국해협이 주요 전선이 되었다. 그러나 아프리카의 식민지들, 근동지방, 그리고 라플라타(오늘날의 우루과이와 아르헨티나)에서도 전쟁이 벌어지고 있었다. 그때까지 서방에 알려지지 않았던 태평양 제도의 이름이 흔히 사용되게 되었다. 세계의 다른 지역들로부터 비교적 고립되어 살아온 부족들의 영공 위로 군용기들이 날아다니고, 이제까지 그들이 알지 못했던 국가들이 그들의 영토 소유권을 두고 분쟁을 벌였다. 총 57개국이 전쟁에 참여했다.

전쟁이 끝난 후 계산해 본 전쟁 비용은 엄청났다. 대부분의 교전국의 전사자와 실종자의 수가 무척 많았다. 미합중국과 이탈리아에서는 450명당 1명, 프랑스와 중국에서는 200명당 1명, 소련연방에서는 22명당 1명, 독일에서는 25명당 1명, 일본에서는 46명당 1명이 희생되었다. 모두 합해서 1천5백만 명이 사망하거나 실종되었다. 여기에 무수히 많은 민간인 희생자들, 나치와 동맹군에게 살해된 수백만 명의 유태인, 그리고 전쟁의 직접적인 결과인 질병이나 기근으로 사망한 많은 사람들을 더해야 한다.

　전쟁으로 말미암아 19세기에 유행했던 바 서구문명의 장래에 관한 낙관적인 견해가 손상되었다. 그것은 기독교의 가치관과 기술 산업의 진보된 결합을 통해서 인류에게 새 시대를 가져다줄 것이라고 기대했던 문명이었다. 그것은 백인들이 자기들만큼 운이 좋지 않는 사람들의 짐을 나누어져야 한다고 주장한 문명이었다. 이제 두 차례의 끔찍한 전쟁으로 말미암아 세계는 이 문명이 전 세계에 죽음과 파괴를 퍼뜨렸음을 깨닫게 되었다. 그 문명의 과학적 기술은 이전 세대가 상상할 수 없었던 파괴적인 기계들을 발명하는 데 사용되었으며, 1945년 8월 6일 히로시마에 최초의 원자폭탄이 투하되는 데서 절정에 달했다. 유럽 문명의 본보기로서 서구세계에서의 지적 지도력을 자랑하던 독일은 이제까지 세계에서 가장 원시적인 부족들 사이에서도 알려지지 않았던 악한 광신주

핵시대의 탄생은 처음으로 인류 멸망의 가능성을 제기했다.

의에 빠졌다.

이러한 사태로 말미암아 세계적으로 모든 형태의 식민주의에 대한 반란이 일어났다. 첫째로 패전국들의 식민지들이 해체되었다. 그러나 곧 승전국들도 전쟁의 결과로서 권위와 영향력을 상실했음이 드러났다. 수십 년 전에 시작된 민족주의 운동이 갑자기 새롭게 활성되었고, 20년 안에 모든 식민지 제국들이 해체되었다. 정치적 독립이 항상 경제적 독립을 수반하지는 못했다. 왜냐하면 대부분의 경우 경제적 약탈이라는 새로운 형태의 경제 식민주의 체계가 과거의 식민지정책을 대신하여 등장했기 때문이다. 그러나 전쟁이 끝나고 20년 후 빈곤 국가들 내에서 경제적 제국주의를 대적하는 강력한 운동들이 발생했다. 어떤 경우에는 민족주의가 옛 비기독교적 종교들의 부활 형태로 나타났다. 어떤 운동들은 국제 경제 질서뿐만 아니라 국가의 사회질서까지 개조하여 사회주의적 모델을 추구했다.

이러한 풍조가 최초로 대규모로 나타난 곳은 중국이었다. 이곳에서는 전쟁의 결과 국민정부가 공산주의자들에 의해 전복되었다. 한동안 중국은 러시아 공산주의를 따랐지만, 결국은 유럽 국가들의 영향을 받고 있는 진영에서 이탈하고 나름의 자본주의 형태를 발전시켰다. 일본은 정반대의 길을 취하여 자본주의와 산업화에 전념하면서 유럽과 북아메리카의 선진 공업국들과 경쟁하려 했다. 아프리카와 이슬람 세계의 대부분이 서구의 정치적 통치로부터 독립했다. 해외의 영향으로 전통적인 방식이 위협받은 이슬람 세계에서는 급진적이고 폭력적인 형태의 이슬람이 두각을 나타내기 시작했고, 21세기에는 이들이 서방 국가들뿐만 아니라 이슬람 세계 자체 내에서도 심각한 우려를 자아내고 있다. 비서구권에 자리잡은 고립된 서구 국가들이라 할 수 있는 이스라엘은 이 신생국가가 자기들의 희생의 대가로 세워졌다고 생각하는 인근 국가들의 강력한 압박을 받았다. 남아프리카의 로디지아(Rhodesia)와 백인 정권들도 몰락했다. 라틴아메리카의 옛 국가들뿐만 아니라 전 세계의 많은 신생 국가들은 21세기 최대의 과제가 가난한 국가들에 유리한 경제 질서의 확립 및 이러한 기반에 의거한 외교 관계의 재정립, 그리고 각국 내에서의 부의 재분배라고 확신했다.

이러한 변화 속에서 미합중국뿐만 아니라 유럽의 공업국들은 갈피를 잡지 못했다. 이 국가들의 많은 이들은 식민사업과 신식민사업이 고귀한 이상들과 이타적 동기의 결과라는 가르침을 받았다. 이러한 관점에서 볼 때 식민지 사업에 대한 반발은 그들을 어리둥절하게 만들었다. 그것은 국가들로 하여금 최선의 이익을 얻지 못하게 하는 악한 음모라고 설명될 수밖에 없었다. 식민지 반대 운동에 대한 이러한 이해는 "냉전" -제2차 세계대전 직후에 시작되어 수십 년 동안 계속되어온 바 자본주의 국가와 공산주의 국가 간의 무혈 충돌-이라는 사고방식에 의해 심화되었다.

제2차 세계대전의 결과 소련은 동유럽 대부분을 통치하게 되었고, 독일은 연방공화국(서독)과 민주공화국(동독)으로 분단되었다. 이 지역에서는 냉전의 적나라한 모습을 목격할 수 있었다. 공산주의자들은 베를린을 봉쇄하고 동베를린 시민들이 서방으로 도주하는 것을 막기 위하여 장벽을 세웠다. 비록 상대방의 핵능력을 의식한 강대국들이 직접적인 무력 대결을 회피했으나, 한국과 베트남에서 냉전은 노골적인 적개심으로 표출되었다. 서방의 많은 사람들은 식민지주의 반대 운동 모두를 냉전으로 해석했다. 실제로 많은 혁명 운동에서 공산주의자들이 활약했으므로 반식민지 사상의 조류를 공산주의의 거대한 음모로 간주할 수 있었다. 유럽보다는 미합중국에서 인기를 끌었던 이 해석은 "백인들의 임무"라고 생각했던 이타주의가 20세기 말에 격렬한 반식민지 운동을 초래하게 된 경위를 설명하는 데 유익했다. 그러나 이 안일한 설명은 지나친 단순화에 의해 얻어진 것으로서 서방세계를 인류의 대부분으로부터 더욱 멀어지게 했다. 왜냐하면 그것은 정의와 자유를 위한 모든 투쟁에 공산주의의 음모가 잠재되어 있다고 보았기 때문이다. 냉전의 관점에서 가장 큰 갈등은 동·서 간의 갈등, 즉 자본주의와 공산주의의 갈등이었다.

20세기의 마지막 10년 동안 예기치 않게 동유럽에서 공산주의가 몰락하고 소비에트 연방이 해체되면서 갈등이 동·서 간의 갈등이 아니라 남·북 간의 갈등, 부유한 국가들과 빈곤 국가들 간의 갈등, 선진국과 개발도상국 간의 갈등임이 분명해졌다. 종종 억압 정권들의 붕괴는 그때까지 그러한 정권들의 지배를 받아온 국가들의 붕괴를 초래했다. 소비에트 제국뿐만 아니라 체코슬로바키아, 유고슬라비아 등의 국가들이 인종, 문화, 종교에 따라 분열되었으며, 때로는 전쟁과 집단학살로도 이어졌다.

서구 세계에서도 중요한 변화들이 발생하고 있었다. 빈곤 국가에서 산업생산과 통신기술이 싸게 공급되었으므로 많은 공장과 일자리가 그러한 국가로 옮겨감에 따라서 자신의 생계수단이 해외로 옮겨짐을 목격한 많은 공장노동자들은 배신감을 느꼈다. 그것은 동시에 공업국가들 내에서 보다 나은 삶을 추구하는 과정에서 부가 식민지 지역에서부터 대도시들로 이동하고 있다는 의식이 형성되었으며, 그 결과 아프리카, 아시아, 카리브 지역의 많은 주민들이 영국으로, 라틴아메리카인들이 미합중국으로, 아프리카인들과 아랍인들이 서유럽의 국가들로, 인도네시아인들이 네덜란드로 이주했다. 따라서 이전에 서구화된 사람들이 서구에 영향력을 발휘하며 언어에서부터 음식에 이르기까지, 그리고 가정생활에서 종교에 이르기까지 예상치 못한 방법으로 서구세계를 변화시키고 있는 현실 앞에서 전 세계가 서구화될 것이라던 과거의 기대를 수정해야 했다.

20세기 말부터 21세기 초에 또 다른 혁명적인 변화가 전 세계를 휩쓸었다. 최근까지 부차적인 역할에 만족하는 듯했던 계층—특히 흑인들, 백인들이 지배하는 지역의 소수집단들, 그리고 여성들—이 갑자기 정책 결정 과정에 참여할 권리를 주장했다. 라틴아메리카에서는 종종 정치적인 의미를 지닌 옛 아메리카 원주민 문화의 강력한 재확인이 있었다. 이것은 두 차례의 세계대전과 제3차 대전의 예측과 무관하지 않았다. 즉 기성 지도자들이 세계를 이런 참화 속에 몰아넣었다면, 이제 다른 사람들에게 지도자의 기능을 담당할 기회를 주어야 한다는 것이었다. 제2차 세계대전 중 미합중국의 흑인들과 여성들, 그리고 영국의 여성들은 조국을 위해 최선을 다했다. 종전 후 이들은 원래의 상태로 돌아가기를 거부했다. 민권 운동과 여권 신장 운동은 흑인들과 여성들의 권위를 확보하려는 시도인 동시에 세계를 이끌고 있는 백인들의 방식에 대한 비판이었다.

이 모든 상황 속에 교회가 존재했다. 교회는 어떤 국제기구나 회사나 정치 운동보다도 국경과 계층과 정치적 이념을 초월하고 있다. 실제로

19세기가 남긴 위대한 유산은 역사상 최초로 진정한 보편교회가 태어났다는 사실이었다. 비록 20세기의 일부 학자들이 이전 세대의 선교사들을 비현실적인 몽상가들로 간주했지만, 실제로 이 선교사들은 모든 문화와 인종과 민족을 초월하는 방대한 기독교인들의 네트워크를 남겨주었다. 이러한 국제적인 교회에게 있어서 21세기의 과제들은 단순한 것이 아니었다. 특히 세계의 빈곤 국가의 기독교인들은 경제적 · 사회적 압박으로부터 민중을 해방시켜야 한다는 의식을 가지고 있으며, 반면에 그것이 교회의 임무가 아니라고 주장하는 사람들도 많다. 이 시대의 어려움과 복합성의 위협 때문에 많은 사람들은 근본주의를 의지했다. 종종 특히 과거 식민지 시대의 중심지들 내에서 이러한 근본주의에 정치적 · 경제적 보수주의가 결합되었다. 그러나 주로 세계의 빈곤 지역에는 기독교를 개인과 공동체의 생존 수단으로 삼으며 식량 생산과 분배, 교육, 건강, 토지개혁 등을 과격하게 추진하는 사람들도 많았다. 이 모든 일이 전쟁과 인종과 계층 간의 분쟁으로 이전의 신학적 이견들과 상관없이 교회가 분열되어 있는 상황에서 발생했다. 때로 교회는 박해를 받았으며, 다른 목적을 가진 이들에게 이용당했다. 시대적 혼란 속에서 신자들은 분열되고 당황하고 두려워했다. 그러나 전쟁과 박해와 사회적 갈등 속에서도 그들은 영원한 평화와 정의의 통치를 행하실 분을 증언하려 했다.

　서구 교회는 이전에 누렸던 정치적 힘과 문화적 특권을 상실했다. 그것은 18세기 말부터 19세기 초의 특징인 일련의 혁명들, 즉 처음에는 장래의 미합중국에서, 그 다음에는 프랑스에서, 마지막으로 라틴아메리카에서 찾아볼 수 있었다. 이 혁명들 및 1917년의 러시아 혁명 덕분에 콘스탄틴 대제 이후 시대(post-Constantinian era), 교회가 국가 및 국가 기관들의 지지를 받지 못하는 시대를 말할 수 있게 되었다. 이러한 세력과 특권의 상실은 정치 분야뿐만 아니라 문화적·사회적인 분야에까지 확대되었다. 21세기 초에는 교회 및 교회의 가르침이 서유럽 사람들과 북아메리카인들의 일상생활에 미치는 영향이 감소되고 있었다. 예배에 참석하는 사람들이 감소할 뿐만 아니라 대부분의 사회생활과 가정생활과 매스미디어에서 기독교가 부재하거나 무시되었다. 비록 이렇게 쇠퇴하게 만든 주요 요인은 세속주의지만, 전 세계 특히 서방 세계에는 기성교회가 줄 수 없는 영적 위로를 고대 종교들과 관습들 안에서 찾으려 하는 사람들이 많았다. 교회가 먼 과거의 일로 생각해왔던 영지주의도 부활했다. 어떤 사람들은 점성술, 심령술, 마술 등을 의지했고, 많은 사람들은 다양한 원천에서 단편적인 것들을 모아 개인 소유의 종교를 만들려했다.

안데스 산맥 고지에서 21세기의 특징인 주술에 대한 관심을 보여주는 증거를 발견할 수 있다.

지적 도전들도 못지않게 위압적이었다. 현대성은 전통적 기독교권에 속한 많은 사람들의 세계관을 변화시켰다. 성경을 비롯한 옛 권위들에 대해 전례없이 의심이 제기되었다. 새로운 민주적 이상들이 일부 교회들, 특히 가톨릭교회의 계급구조와 충돌했다. 다윗과 진화론은 이 시대의 지적·교리적 도전의 상징이 되었다. 이러한 현대성의 도전에 대해 기독교인들은 어떻게 반응해야 했는가? 앞으로 살펴보겠지만, 그 점에 관한 한 가톨릭교회는 개신교 신학의 길과는 정반대의 길을 따랐으며, 그에 따른 직접적인 결과로 19세기에 서방 기독교의 이 두 지파의 틈이 그 어느 시대보다 더 넓어졌다. 그러나 20세기와 21세기에도 예상치 못한 현상들이 발생했다. 현대성의 실패로 사람들은 포스트모던 시대를 말하기 시작했다. 신학 분야에서 개신교 신학자들과 가톨릭 신학자들이 과거의 극단적인 주장에서 벗어나는 경향이 발생하여, 개신교인들은 현대성의 업적과 약속에 대해 보다 회의적으로 되었고 가톨릭 신자들은 그것의 가치와 공헌 중 일부를 인정했다. 그러나 양측 모두 현대성에 관한 격언들의 다수가 의심을 받는 새로운 지적 질서를 다루어야 했다.

대부분의 신학자들과 교회 지도자들이 이러한 일에 주목하고 있는 동안 교회 생활에 또 다른 중요한 변화들이 발생하고 있었다. 이 책 제2부의 제목 "기독교세계를 넘어서"에서 언급하는 것이 이 사건들이다. 이 맥락에서 "기독교세계"는 공간적이고 정치적으로 이해된다. 이제까지, 그리고 거의 모든 기독교 역사에서는 다른 지역들과는 달리 스스로를 기독교 지역이라고 여기는 지역들이 있었고, 그 지역에서는 다양하게 표현된 교회가 정치적으로나 사회적으로 중요한 힘을 발휘했다. (이것이 다양한 시대와 다양한 장소에서 발생해왔으므로 어떤 사람들은 복수형으로 기독교세계들이라고 언급하기도 한다.) "넘어서"라는 단어도 두 가지 의미를 지니는데, 우리가 21세기 초반 수십 년 동안의 기독교의 상태를 이해하는 데 있어서 이 두 가지 의미가 동등하게 중요하다. 우선 "넘어서"에는 공간적인 의미가 있다. 여기에서 그것은 19세기와 20세기에 발생한 가장 중요한 사건들이 전통적으로 관심을 두어온 서유럽의 신학적 논쟁이 아닐 가능성을 지적하기 위해 사용된다. 그것들은 현대의 폐해들을 대적하는 가톨릭교회의 칙령들도 아니다. 그것들은 유럽과 북아메리카에서 발생한 정치적 · 사회적 혁명들도 아니다. 이것들은 모두 고찰되어야 할 중요한 사건들이지만, 21세기의 관점에서 보면 19세기와 20세기에 기독교 역사에서 가장 중요한 사건은 기독교가 서구 문명의 전통적 한계를 넘어 이동했다는 것이다. 이것은 본래 서방세계의 식민지 확장과 관련되어 있었다. 그러나 식민지 확장의 물결이 쇠하기 시작하면서 이전에 식민지였던 많은 지역에서 기독교가 계속 성장하여 뿌리를 내리고 각 지역의 문화적 · 사회적 환경에 적합한 새로운 형태와 표현을 발견했다. 따라서 19세기와 20세기 초에 기독교는 공간적인 의미에서 기독교세계를 넘어 이동했다.

그러나 결과적으로 이제 우리는 기독교가 시간적인 의미에서도 기독교세계를 넘어서 이동하고 있다고 말할 수 있다. 21세기에 기독교세계의 시대가 지나갔음이 분명하다. 서방에서는 콘스탄틴 시대의 교회와 국가의 결합, 기독교 신앙과 문화적 · 사회적 관습들의 결합이 종식되면서 기독교세계의 시대가 지나갔다. 그러나 어떤 의미에서 북대서양 지역이 기독교의 활력과 창조성의 중심이 되지 못하는 새로운 역사의 시대에 들어섰다는 의미에서 기독교세계의 시대가 지나갔다.

이것은 통계에 의해 확인된다. 1900년에 유럽 인구의 94.5퍼센트와 북아메리카 인구의 96.6퍼센트가 기독교인이었는데, 2000년에는 그것이 각각 76.8퍼센트와 84.2퍼센트로 감소했다. 아프리카에서는 1900년에 인구의 9.2퍼센트가 기독교인이었는데 2000년에는 45.9퍼센트로 증가했다. 세계에서 가장 인구가 많은 지역이며 몇 개의 세계적인 종교의 발상지인 아시아에서는 1900년에 2.3퍼센트였던 기독교인이 2000년에는 8.5퍼센트로 증가했다. 따라서 과거 기독교세계의 중심지였던 곳의 기독교인들이 감소한 반면에 백 년 전에 교세가 미약했던 지역에서 기독교가 폭발적으로 성장했다.

이제 이처럼 놀라우면서도 매우 신나는 현상들에 대해서 살펴보려고 한다.

제13장

미합중국의
변화

하나님은 우리에게 생명을 주시고 동시에 자유를 주셨다.
무력으로 그것들을 파괴할 수 있을지 모르나 분리할 수는 없다.
―토마스 제퍼슨―

13개 식민지의 독립

북아메리카의 영국령 식민지들은 처음부터 어느 정도 자율성을 향유
하고 있었다. 이러한 현상은 17세기에 영국을 뒤흔들어 정부로 하여금
해외에서 권위를 행사하기 어렵게 만든 정치적·종교적 격변들 때문이
었다. 이러한 상황에서 많은 식민지들은 영국의 이해관계가 아니라 자
기들에게 가장 알맞은 교역과 정부를 조직했다. 그러나 영국 정부는 18
세기 후반부터 식민지에 대한 직접 통치를 강화하기 시작했으며, 식민
지 주민들은 이와 같은 영국 왕실의 침입에 대해 강력하게 반발했다. 양
측의 공개적 갈등을 촉발한 세 가지 중요한 요인이 있다. 첫째, 영국은

식민지에 17개 연대를 파견했는데, 식민지 보호에 그러한 병력이 필요하지 않았으므로 식민지 주민들은 군대를 탄압의 수단으로 간주했다. 둘째, 세금이 끊임없는 갈등의 초점이었다. 영국 왕실은 불만의 대상인 군대 유지 비용 및 통치 비용을 식민지들이 담당해야 한다고 결정했고 이를 위해 일련의 세금들을 신설했다. 영국에는 세금 징수에 의회의 승인이 필요하다는 오래된 원칙이 있었다. 식민지 주민들은 자기들이 소유하고 있는 이 권리가 침해되었다고 생각했다. 셋째, 인디언들의 토지를 둘러싼 갈등이 있었다. 영국 정부는 정치적·도덕적 이유 때문에 백인들이 애팔래치아 산맥 너머의 토지를 점유하는 것을 금했다. 이 법은 식민지에서 환영을 받지 못했다. 식민지의 가난한 백인들은 소유가 금지된 땅에 농가를 세우려 했고, 토지를 소유하고 있는 지주들과 투기자들은 인디언들의 토지를 식민화하기 위한 회사들을 조직한 바 있었기 때문이다.

이러한 이유들 때문에 식민지와 본국 정부 사이의 긴장이 고조되었다. 엄격한 법은 더 큰 반항을 불러일으켰다. 1770년 영국 군대가 보스턴에서 군중에게 발포하여 다섯 명이 사망했다. 이제 외국군으로 간주되는 군대의 위협에 직면한 식민지의 민병대는 더욱 적극적으로 활약하며 무기고들을 증설했다. 1775년 영국군이 무기고들 중 하나를 파괴하고자 했을 때 민병대가 저항함으로써 미국독립전쟁이 시작되었다. 일년쯤 후 1776년 7월 4일에 13개 식민주의 대표들이 영국으로부터의 독립을 선언하기 위해서 필라델피아에 대륙의회(Continental Congress)를 개최했다. 당시 프랑스와 스페인은 이 신생국을 지원했으며, 영국은 식민지들의 독립이 자기들의 멸망을 초래하리라고 생각한 많은 인디언 부족들의 지원을 받았다. 실제로 인디언들의 예측대로 되었다. 1782년 잠정협정이 이루어졌으며, 1년 후 파리조약(Treaty of Paris)에서 비준되었다.

이러한 사건들은 북아메리카의 종교에 심대한 영향을 미쳤다. 많은 사람들은 독립전쟁을 하나님의 섭리를 모든 진보의 원리보다 우위에 두는 합리주의적 이데올로기와 결합했다. 이 신생국 자체가 인간의 진보를 보여 주는 살아있는 증거였다. 이러한 진보의 일부로서 전통적 기독교의 교조주의적 가르침과 관습을 버리고 "자연 종교"(natural religion) 혹은 "본질적 기독교"(essential Christianity)만 옹호하게 되었다. 자연 이성 혹은 상식적 도덕에 의해 이해될 수 있는 것을 제외한 기독교의 전통적 교훈들과 관습은 진보라는 배에 실린 불필요한 화물, 과거의 유물로 간주되었다.

이러한 사상들은 그 후 하나로 결합하게 된 두 가지 운동으로 조직되었으니, 즉 유니테리언주의(Unitarianism)와 만인구원론(Universalism)이다. 전자는 실질적으로 독립과 함께 생겨났으며, 더 이상 전통적 정통신앙을 인정하기를 거부한 성공회와 회중파 교회들 속으로 파고 들어갔다. 이 운동에서 생겨난 교회들은 삼위일체의 교리를 거부했기 때문에 "유니테리언"이라고 불렸으나, 이들은 다른 많은 점에 있어서 정통교리와 일치하지 않았다. 이들은 신적 신비와 인간의 죄를 강조하는 정통교리와는 대조적으로 인간의 자유와 지적 능력을 강조하는 합리주의자들이었다. 이 운동은 뉴잉글랜드 지방의 상인 계층에 큰 영향을 미쳤다. 결국 모든 인간들이 구원받으리라는 교리인 만인구원론은 독립운동 직전에 영국 감리교인들에 의해 식민지에 소개되었다. 이 감리교인들은 영원한 형벌의 교리는 하나님의 사랑을 부인하는 것이라고 주장했다. 미국 독립 후에 뉴잉글랜드에 몇 개의 만인구원론파 교회가 설립되었다. 얼마 후 이 운동은 유니테리언파와 합병했다.

이들로부터 소위 "초월주의"(Transcendentalism)의 열렬한 지지자들이 나왔다. 가장 유명한 대표자로서 랠프 왈도 에머슨(Ralph Waldo Emerson, 1803-1882)을 들 수 있는 이 운동은 합리주의와 낭만주의를 결합한 것이었다. 이들은 우주 및 우주의 목적을 이해하기 위한 수단으로서 자기인식을 강조했고, 인간의 내면에는 신적인 것이 있다고 주장했는데 이것은 대령(大靈)이라고 불리기도 한다. 유니테리언주의와 마찬가지로 초월주의의 신봉자들도 주로 상류층에 속해 있었다. 이들의 많은 주장은 결국 국가 전체에 침투했다.

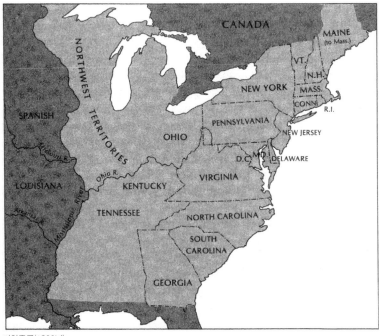

미합중국(1800년)

어쨌든 이 신생국의 교회들이 직면한 가장 큰 문제는 대영제국과의 관계였다. 예측할 수 있듯이 성공회로서는 이것이 심각한 문제였다. 미국이 독립하기 오래 전부터 많은 이들은 주교들을 왕실의 첩자라고 간주했으므로 식민지에 주교들이 임명되는 것에 반대해 왔었다. 독립전쟁 중에 국왕파의 다수가 국교회 교인들이었으며, 결국 이들 중 많은 이들이 영국, 카리브 지역, 혹은 캐나다로 이주해 갔다. 마침내 1783년 미합중국에 남아 있던 성공회 신자들이 미국 성공회(Protestant Episcopal Church)를 조직했는데, 대부분의 구성원은 귀족들이었다.

처음에는 감리교 역시 같은 이유로 비슷한 상황에 처했다. 웨슬리는 철저한 왕실 지지자였으므로 식민지 감리교 신자들에게 왕실의 명령에 복종할 것을 요구했다. 또한 그는 독립을 요구하면서도 노예들의 자유를 인정하지 않는 식민주의자들을 비난했다. 독립선언 후 애즈베리(Asbury)를 제외한 식민지의 모든 영국인 감리교 설교자들이 영국으로 돌아갔다. 이 때문에 미국의 애국자들은 감리교를 별로 좋아하지 않았다. 그러나 애즈베리의 꾸준한 노력 덕분에 미국 감리교는 독특한 형태를 취하기 시작했고, 새 설교자들을 모집했다. 1784년 "크리스마스 회의"(Christmas Conference)에서 미국 감리교는 영국 감리교 및 성공회와 결별한 새로운 교회로 탄생했다. 또 주교들이 미국 감리교를 이끌 것도 결정되었다.

다른 교회들은 상이한 경로들을 따랐다. 침례교는 특히 버지니아 및 남부 식민지들에서 급격히 성장했으며, 테네시와 켄터키까지 침투해 갔다. 회중파는 독립 전쟁을 지지함으로써 신망을 얻었음에도 불구하고 겨우 뉴잉글랜드와 그 일대에서만 신자들이 증가했다. 일반적으로 모든 교파들은 새로운 상황에 적응하기 위해 조직을 재정비했으며, 전쟁의 피해를 복구하는 데 심혈을 기울였다.

"교파"(denomination)라는 단어는 북아메리카의 특유한 상황이 빚은 기독교의 특징들 중 하나를 지적한다. 이 단어는 다양한 "교회들"(churches)을 "교파들"(denominations)로 간주한다는 것, 즉 기독교인들에게 붙여진 다양한 명칭으로 간주한다는 것을 가리킨다. 정치적 생존을 위해 종교의 자유가 필요한 종교 다원주의 사회에서, 그리고 교조주의가 야기한 유혈극을 고려하여 북아메리카의 프로테스탄트 신자들은 교회를 모든 참 신자들로 구성된 눈에 보이지 않는 실체로 생각하는 경향을 나타냈다. 그리고 눈에 보이는 교회들, 혹은 교파들은 신자들이 나름대로의 신념들과 선호에 따라 만들고 가입한 자발적 조직체들로 여겼다.

"교회"와 "교파들"을 구분한 결과 나타난 실질적인 결과로서 북아메리카 개신교는 특정 교회에 국한되지 않고 교파적 장벽을 뛰어넘었다. 그리하여 예를 들면 노예제도, 진화론, 근본주의, 진보주의(liberalism), 인종 정책 등이 동시에 여러 교파들을 분열시켰으며, 이에 따라 특정 문제에 관해 입장을 같이하는 신자들은 교파의 경계를 뛰어넘어 힘을 합치게 되었다.

미국 기독교의 교파주의에 의한 반응으로 나타난 것이 그리스도의 제자교회(Diciples of Christ)이다. 이 운동의 창시자인 토머스 캠벨(Thomas Campbell, 1763-1854)과 그의 아들 알렉산더(Alexander, 1788-1866)는 원래 새로운 교회나 교파를 세울 의도가 없었다. 이들의 목적은 원래의 순수한 복음을 선포함으로써 모든 프로테스탄트 신자들을 통일시키려는 것이었다. 곧 이 운동의 지도자가 된 알렉산더 캠벨은 자기의 시대를 풍미했던 합리주의의 일부와 신약성경의 권위에 대한 심오한 존경심을 결합했다. 그리하여 그의 신약 해석은 합리주의 관점의 영향을 받았지만, 그가 하나님의 명령이라고 생각한 점들에 대한 충성심은 합리주의자들이 따를 수 없는 것이었다. 자기가 이해하는 대로의 원시적 기독교로 함께 돌아가는 것이 기독교 연합을 이루는 방법이라고 확신했던 캠벨은 개혁 운동을 추진했는데, 그의 원래 의도와는 달리 이 때문에 새로운 교파인 크리스천 교회(Christian Church, 제자교회)가 생겨났다. 캠벨의 이상 및 그 후의 다양한 영향력 안에 존재하는 긴장상태를 반영하듯, 제자 교회 안에는 합리주의 진영과 보수 진영이 공존해 왔다. 그들은 모두 기독교의 일치를 추구했다.

초기의 이민

미합중국으로 변신한 13개 식민지의 주민들은 주로 영국, 그리고 독일 및 유럽의 다른 국가들 출신의 이민들이었다. 그러나 18세기 말부터 19세기 전체에 걸쳐 전례 없이 많은 이민들이 유럽으로부터 미합중국으로 몰려들어왔다. 그 이유들 중 하나는 당시 나폴레옹 전쟁, 산업화로 인한 사회적 격변, 여러 왕실들의 폭정, 흉년 등으로 인해 유럽의 사정이 악화되었기 때문이다. 동시에 이 신생국 서부 지역의 광대한 토지 때문이기도 했다. 동시에 노예매매 때문에 대대적인 강제 이민이 이루어졌다.

이러한 대량 이민은 미합중국의 기독교 형성에 지대한 영향을 미쳤다. 독립 당시에는 소수파였던 가톨릭교회가 19세기 중엽에는 이곳에서 가장 큰 종교 집단이 되었다. 처음에는 대부분의 가톨릭 신자들이 영국 혈통이었다. 후에 프랑스와 독일인들이 합류했다. 그러나 1846년경에 아일랜드에서 대기근이 시작되어 수십 년 동안 지속되었고, 아일랜드 출신 이민자들 및 그들의 후손들이 미국 가톨릭교회에서 가장 큰 집단을 이루었다. 이에 따라 지역적으로나 국가적으로 가톨릭교회 내부에 긴장상태가 형성되었다. 교구 차원에서 볼 때 각 이민 집단들은 교회를 자기들의 문화와 전통을 보존하기 위한 수단으로 생각했으므로 각 집단마다 별개의 교구를 원했다. 국가적인 차원에서 보면 각 집단마다 자기들의 입장을 이해하고 대표할 성직자들에 의해 교회가 운영되기를 바랐으므로, 다양한 집단들 사이의 권력 투쟁이 불가피하게 되었다. 이러한 긴장 관계들은 20세기 후반까지 계속될 뿐만 아니라 이탈리아와 폴란드 등 출신의 이민들, 루이지애나를 매입한 프랑스인들(1803), 멕시코 출신 히스패닉들(1848), 군사적 정복에 이은 이민에 의해 푸에르토리코(1898)가 북아메리카 가톨릭교회에 합류함으로써 더욱 복잡해진다. 결국 미합중국의 가톨릭교회는 문화적 다양성, 그리고 주변 문화의 다양성과 압박으로 말미암아 가톨릭교회의 전통적인 성직자들의 세력의 제한이라는 특징을 지니게 되었다.

이러한 가톨릭교회의 성장은 일부 프로테스탄트 신자들의 거센 반발을 야기했다. 미국 독립 당시에 이미 무제한적인 가톨릭 이민들에 대한 반대가 있었다. 이러한 반대자들이 내세운 이유는 민주주의가 가톨릭에서 주장하는 성직계급제도의 이념과 공존할 수 없으며, 따라서 이들의 수효가 증가하는 것은 국가에 대한 위협이라는 것이었다. 후일 쿠 클럭스 클랜(Ku Klux Klan)이라는 비밀 단체는 미합중국이 백인 프로테스탄트 신자들로 이루어진 민주주의 국가가 되어야 하며 이 세 가지 특징이 분리될 수 없다는 전제 하에 가톨릭 신자들과 유대인들뿐만 아니라 흑인들에 대한 배타적 광신주의를 추구했다. 1864년 교황 피우스 9세는 80개 오류를 정죄했는데, 그 중에 미국 민주주의의 몇 가지 근본 논지들이 포함되어 있었다. 미합중국 내의 많은 보수주의자들과 진보주의자들은 이것을 가톨릭교회의 정치적 야욕을 보여주는 행동이라고 생각했다. 그 후 가톨릭 신자가 미국의 최고 관직을 차지하기까지는 거의 1세기를 기다려야 했다.

이민 덕분에 루터교도 급성장했다. 처음에는 대부분의 루터교도 이민들이 독일 출신이었으나, 곧 많은 스칸디나비아인들이 이민 대열에 합류했다. 이 각 집단들이 특유한 전통들을 도입했으므로 그 후 오랫동안 다양한 루터파 집단들의 궁극적인 통합이 미국 루터교회의 주요 목표였다. 그 외에도 이민을 통해 교세가 증가한 교파들은 메노파(Mennonites), 모라비아파(Moravians), 희랍 및 러시아 정교회(Greek and Russian Orthodox), 그리고 유대교 등이다. 이처럼 다양한 집단들의 공존은 수백 년 전 로드아일랜드와 펜실베이니아에서 시작되었던 종교의 자유라는 전통의 필요성을 더욱 강화했다.

많은 이민자들은 사회로부터 구분되어 복음의 원리에 기초를 둔 종교 공동체 생활이라는 이상을 가지고 있었다. 그리하여 농촌지역에 시험적으로 공동생활을 하는 많은 공동체들이 출현했다. 개척 초기부터 유럽인들이 북아메리카의 식민지들을 찾아온 중요한 목표들 중 하나는 새로운 세계에 새로운 사회를 건설하려는 것이었다. 메이플라워(Mayflower)호를 타고 온 필그림들은 비슷한 꿈을 가진 수천 명들 중 제1진에 불과했다. 유럽 출신 이민자들과 미합중국 주민들은 이상적 공동체를 세우기 위해 계속 서진했다. 펜실베이니아에 세운 모라비아 공동체는 지금도 존속하고 있으며, 메노파 신자들과 재세례파 신자들도 자기들의 평화주의적 신념을 자유로이 실천할 수 있는 곳을 찾아 정착했다. 독일 경건주의자들은 펜실베이니아 에프라타(Ephrata)에 공동체를 세웠고, 그 근처 및 오하이오에도 여러 공동체를 세웠다. 이러한 정착촌들의 특징들 중 하나는 재산의 공동소유였다. 1846년 오나이더 공동체(Oneida community)는 "복합 결혼"(complex matrimony) 제도를 실행에 옮겼으니, 이것은 공동체 내의 모든 남성들은 모든 여성들과 결혼한다는 것이었다.

이러한 운동들 중 가장 중요한 것 중 하나는 마더 앤 리라고 불린 앤 리 스탠리(Ann Lee Stanley)가 창시한 셰이커파(Shakers)이다. 이들은 얼마 동안 고국 영국에서 자기들 나름의 신앙생활을 하려 했지만 심한 사회적 압력 때문에 아메리카로 이주했다. 이들은 이곳에서 공동생활을 택했다. 마더 앤 리는 자신이 재림한 그리스도—여기에서 그리스도의 재림 신자의 합동협회(United Society of Believers in Christ's Second Coming)라는 공식 명칭이 유래되었다—인데, 처음에는 남성의 형태로 이 땅에 오셨으므로 이제 여성의 몸으로 성육신했다고 주장했다. 결국 모든 사람들이 구원받을 것이며 현세의 신앙공동체는 그러한 최종 구원의 교두보에 불과하다고 주장했다. 신자들은 모든 악의 근원인 성을 부인해야 한다고 했다. 셰이커파 예배의 특징은 춤을 중요시한 점이었다. 이 운동은 수십 년 동안 번창했고, 몇 개의 셰이커 공동체들이 설립되었다. 이 공동체들의 상황이 인근 지역보다 나았기 때문에 공동생활의 실험에 있어서 성공을 거두었다. 그러나 결국 후손이 없는데다가 새 신자들도 부족했기 때문에 이 운동은 쇠퇴했고, 오늘날 남아 있는 신자들은 극소수에 불과하다.

제2차 대각성 운동

18세기 말 뉴잉글랜드 지방에서 제2차 대각성 운동이 시작되었다. 처음에는 지나친 감정 폭발 대신에 기독교적인 삶과 헌신을 중시했다. 예배 참석자들이 뚜렷하게 증가했고, 많은 이들이 회심의 경험을 간증했다. 초기의 각성 운동은 비슷한 다른 운동들처럼 반지성적 경향을 띠지도 않았다. 오히려 이 운동은 뉴잉글랜드의 저명한 신학자들 속으로 파고 들어갔다. 그 운동을 옹호한 가장 탁월한 인물은 조나단 에드워즈의 손자요 예일 대학교 총장인 티모시 드와이트(Timothy Dwight)이다.

각성 운동의 초기에 복음을 전파하기 위한 목적으로 몇 개의 단체들이 설립되었다. 그중 중요한 것들은 1816년에 세워진 미국성서공회(American Bible Society)와 이보다 6년 전에 설립된 미국 해외선교국(American Board of Commissioners for Foreign Missions)이다. 후자는 해외 선교에 헌신하기로 약속한 건초더미 기도회의 학생들에 의해 시작되었다. 이 기관에 의해 파송된 최초의 선교사들 중 하나인 아도니람 주드슨(Adoniram Judson)이 침례교 신자가 되자, 미합중국 내의 많은 침례교인들은 전 세계에 걸쳐 침례교 선교사들을 지원하기 위해 극단적인 조합교회주의 원칙을 포기하고 총회(General Convention)를 조직했다. 지역 교회 안에 여성선교회들이 나타났으며, 그중 일부는 그 후 다양한 여권 운동 단체로 발전했다. 제2차 각성 운동 기간에 설립된 다른 단체들은 노예제도의 폐지-미국식민협회(American Colonization Society), 금주 운동-1826년에 설립된 미국

절제협회(American Society for the Promotion of Temperance) 등 다양한 사회 문제를 취급하기 시작했다. 절제 운동에서 여성들이 지도적 위치를 차지했으며, 19세기 후반 프란시스 윌라드(Frances Willard)가 지도한 기독교여성절제연합회가 여성의 권리를 보호하는 최고의 기관이 되었다. 따라서 미국 여권 운동의 뿌리를 제2차 대각성 운동에서 찾을 수 있다.

한편 각성 운동은 뉴잉글랜드 지방과 유식한 엘리트 계층의 범주를 벗어나 교육 수준이 낮은 가난한 이들에게 침투했다. 독립전쟁의 결과 유럽의 강대국들은 미합중국이 미시시피까지 확장하는 것을 허락했으므로, 많은 이들이 서부로 이주해 갔다. 이때 서부로 이주한 많은 사람들은 제2차 대각성 운동에 의해 불붙은 열성적 신앙을 가지고 있었다. 그러나 개척지의 상황이 뉴잉글랜드와는 달랐으므로, 각성운동은 보다 감정적인 동시에 반지성적인 경향을 띠었다.

1801년 켄터키의 케인 릿지(Cane Ridge) 신앙부흥은 그 과정에서 중요한 의미를 지닌다. 그것은 원래 보다 깊은 신앙을 전파하겠다는 목적으로 "천막집회"를 시도한 이 지방의 장로교 목사에 의해 조직되었다. 그 지역에는 별다른 모임이나 행사가 없었으므로 이 목사의 발표는 대성공이었다. 정해진 날짜에 수천 명이 모였다. 많은 이들이 종교적 이유로 케인 릿지에 모였다. 그러나 어떤 이들은 술을 마시고 도박을 하기 위해 모였다. 원래 이 모임을 주도한 목사 외에 몇 명의 침례교 설교자와 감리교 설교자들이 참석했다. 어떤 이들이 도박을 하고 술을 마시는 소란 속에서도 목사들은 설교했다. 이러한 부흥 집회에 비판적이었던 어느 인사는 그 후 케인 릿지에서 잉태된 영혼들이 구원받은 영혼만큼이나 많다고 논평했다. 어쨌든 회개를 촉구하는 부름에 대한 응답이 놀랍고 압도적인 것이었다. 우는 사람들과 절제할 수 없을 정도로 웃는 사람들이 있었고, 온 몸을 떠는 사람들, 뛰어 돌아다니는 사람들, 개처럼 짖는 사람들도 있었다. 집회는 일주일 동안 계속되었다. 그 후 많은 사람들은 이러한 집회가 복음을 전파하는 데 최선의 방법이라고 확신했다. 그 후 "전도"(evangelism) 혹은 "부흥"(revival) 등의 단어들은 케인 릿지의 이미지를 연상하게 했다.

케인 릿지 집회는 장로교에 의해 조직되었으나, 이 교파는 이 운동의 일부가 되어버린 걷잡을 수 없는 감정적 반응을 좋아하지 않았다. 얼마 후 장로교에서는 케인 릿지 집회와 유사한 집회에 참여하는 목사들을 처벌하기 시작했다. 그러나 감리교와 침례교에서는 "천막집회"를 긍정적으로 받아들여 이를 정기적으로 개최했다. 개척지에서 이러한 부흥 집회가 사회생활의 중요한 부분이 되었으므로 감리교와 침례교는 급성장했다. 이 교파들이 성장한 또 다른 이유는 이들이 거의 교육을 받지 못한 설교자들을 사용하여 가능한 한 쉽게 기독교 복음을 전파했기 때문이었다. 다른 교파에는 개척지의 교육 시설이 부족했기 때문에 설교자들이 부족했던 데 반해 감리교와 침례교는 누구든 하나님께 소명을 받았다고 확신하는 이들은 가리지 않고 사용했다. 감리교의 선봉에 선 것은 유관 기관과 주교들의 감독 하에 구역에서 봉사한 평신도 설교자들이었다. 침례교에서는 농부들이나 생업을 가진 사람들을 지역교회의 목사로서 활동하도록 했다. 새로운 정착지에는 대체로 말씀 선포의 직분을 감당할 경건한 침례교 신자가 있었다. 그리하여 감리교와 침례교는 새로운 지역에서 세력을 구축했으며, 19세기의 중엽에는 미국에서 가장 큰 개신교 교파가 되었다.

제2차 대각성 운동의 또 다른 중요한 결과는 이를 통해 출신 민족과 특정한 교파의 상관관계가 무너졌다는 것이었다. 침례교나 감리교의 새 신자들 중에는 과거에 루터교 신자였던 독일인들, 장로교 신자였던 스코틀랜드인들, 가톨릭 신자였던 아일랜드인들이 있었다. 출신 민족들에 따른 교파의 구분이 가능했지만, 제2차 대각성 운동 이후 특히 개척지에서는 이러한 분류가 당연한 것으로 간주되지 않았다.

"명백한 운명"과 멕시코전쟁

메이플라워 호의 청교도들이 처음 상륙한 이후 신세계의 영국 식민지들이 하나님의 섭리에 따른 사명 성취를 위해 하나님의 도움으로 세워졌다는 관념이 통용되고 있었다. 독립전쟁 지도자들은 인류를 발전과 자유의 길로 인도해줄 새로운 실험에 대해 말했다. 후기의 이민자들

제2차 대각성 운동 기간에 미국 개척지에서는 이 사진의 감리교 집회와 같은 천막집회가 성행했다.

은 미합중국을 자유와 풍요의 약속된 땅으로 생각했다. 이러한 관념들은 개신교가 가톨릭교회보다 우월하며 가톨릭교회가 자유와 진보를 저해하는 방해물이라는 확신과 병행했다. 처음부터 영국은 자국의 식민지들이 남쪽으로부터 스페인 가톨릭 신자들과 북쪽으로부터 프랑스 가톨릭 신자들에 의해 위협을 받는다고 생각했다. 따라서 그러한 식민지들은 신세계에 있어서 프로테스탄트의 요새로 간주되었다. 이것은 인종차별주의적 태도와 연결되었다. 유럽인 이주자들은 백인들이 우월하다고 여겼으므로 인디언들로부터 토지를, 흑인들로부터 자유를 박탈하는 것이 정당화될 수 있다고 간주했다.

1823년 제임스 먼로(James Monroe) 대통령은 미합중국이 서반구에서 유럽의 새로운 식민지 개척을 지지하지 않을 것이며 그 신생국의 운명이 서반구와의 관계에 달려 있다는 먼로주의를 선포했다. 이와 거의 비슷한 시기에 미합중국 주재 멕시코 대사는 이곳 주민들이 독립전쟁의 궁극적인 결과로 아메리카 대륙의 대부분이 미합중국에 속하게 될 것이라고 확신하고 있음을 발견했다. 1845년에 처음 등장한 "명백한 운명(영토확장주의)"이라는 구호는 당시 영국이 소유권을 주장하고 있던 오레곤을 정복함으로써 태평양을 향한 서쪽으로의 진출과 당시 미합중국의 국경 서부에 위치한 모든 멕시코 영토의 점령을 언급했다. 협상을 통해 오레곤 문제를 해결한 후 미국과 태평양 사이에 위치한 멕시코의 영토 문제를 해결해야 했다.

미국의 확장주의는 텍사스에 중요한 영향을 미쳤다. 원래 멕시코의 코아윌라(Coahuila) 주의 방치된 지역이었던 이곳은 1819년 탐험가 제임스 롱(James Long)에 의해 침략되었다. 그러나 멕시코군은 제임스 롱을 물리쳤다. 멕시코 정부는 다른 이들이 이와 비슷한 모험을 시도하는 것을 막기 위하여 멕시코에 충성을 맹세한 미합중국의 가톨릭 신자들이 텍사스로 이주하는 것을 허락했다. 그 결과 땅을 소유하기 위해 종교를 바꾼 많은 이주민들이 몰려들어왔다. 이들은 명목상으로는 멕시코인이 되었으나 내심으로는 멕시코 정부의 이름으로 이 지역을 다스리고 있는 메스티소-인디언과 유럽인들 사이의 혼혈인-들보다도 우월하다고 믿었다. 이러한 이주민들 중 하나인 스티븐 오스틴(Stephen Austin)은 후에 다음과 같이 선포했다: "나는 15년 동안 텍사스를 미국화하기 위해 노예처럼 일했다. 나의 적들은 인디언들과 멕시코인들과 혼혈인들이었으니, 이들은 모두 백인과 문명의 원수들이었다."[4]

노예제도는 사태를 더 복잡하게 만들었다. 멕시코는 1829년 노예제도를 폐지했다. 그러나 노예제도에 의존하고 있었던 텍사스의 이주민들은 멕시코로부터 분리하여 미합중국에 합류하려 했다. 노예제도 폐지 운동을 두려워하고 있던 미합중국은 이 음모에 동조했으며, 텍사스를 자기들의 동맹군으로 끌어들이려 했다. 이 운동을 지원하는 사람들은 멕시코의 토지에 투자하여 부자가 되기를 바랐다. 멕시코 주재 미국 대사는 멕시코 관리에게 만약 미국의 텍사스 매입을 지지해 준다면 20만 불을 뇌물로 주겠다고 제안했다.

마침내 전쟁이 발발했다. 수적으로는 멕시코 군대가 크게 우세했으나, 미합중국에서 온 이민자들과 멕시코인 불평분자들로 구성된 텍사스의 반란군들은 월등하게 무장하고 있었으며, 이들의 대포와 소총들은 멕시코 군의 구식 소총보다 사정거리가 3배나 되었다. 샌안토니오(San

---

4) *The Austin Papers*, ed. Eugene C. Barker(Washington, D.C.: Government Printing Office, 919, 3:345-347.

Antonio)의 엘 알라모(El Alamo) 요새에서 약 200명의 반란군이 멕시코 군 전체를 상대로 저항했다. 격렬한 전투 후 투항한 생존자들은 멕시코인 들에 의해 처형되었다. 반란군들의 구호가 되었던 "알라모를 기억하라" (Remember the Alamo)는 그 후 미합중국이 군자금을 모으고 지원병들을 모 집하는 데 효과적으로 사용되었다. 수적으로 우세한 멕시코 군대는 거 듭 반란군들을 패배시켰다. 그러나 1831년 샘 휴스톤(Sam Houston)이 멕 시코 군 본부를 급습하여 안토니오 로페스 데 산타 안나(Antonio Lopez de Santa Anna) 장군을 포로로 잡았다. 안나 장군은 텍사스 공화국의 독립에 동의함으로써 석방되었다. 멕시코 정부는 텍사스가 미합중국에 합병되 지 않고 독립국가로서 남는다는 조건으로 이에 동의했다.

그러나 미합중국의 서진 정책은 한 장의 문서에 구애되지 않았다. 계 속 서진 정책을 주장한 제임스 포크(James K. Polk)가 1844년 대통령에 당 선되었다. 새 대통령이 취임식을 마치기도 전에 텍사스는 미 의회의 합 동 결의에 따라 미합중국의 주가 되었다. 그 다음 해에 "명백한 운명" (Manifest Destiny)이라는 구호가 처음으로 사용되었다. 강력한 경제적 이 해관계를 배후에 지닌 이 운명은 멕시코의 북부 영토 정복을 요구했다. 그러나 미합중국 내에는 이러한 확장 정책을 반대하는 인사들이 많았 다. 존 애덤스(John Quincy Adams)는 하원에서 행한 연설에서 "멕시코와 의 전쟁에서 멕시코의 깃발이 자유의 깃발일 것이다. 우리의 깃발은 수 치스럽게도 노예제도를 대표하는 깃발이 될 것이다"[5] 라고 말했다. 따 라서 멕시코로 하여금 먼저 발포하도록 해야 했다. 포크는 자카리 테일 러(Zachary Taylor) 장군에게 멕시코와의 분쟁 지역으로 침입하도록 명령

---

5) *Speech of John Quincy Adams*, May 25, 1836(Washington, D.C.: Gales and Seaton, 1838), p. 119.

했다. 당시 젊은 소위로 이 작전에 참가했던 율리시스 그랜트(Ulysses S. Grant)는 여러 해 후에 "우리는 전투를 도발하기 위해 파견되었다. 왜냐하면 멕시코로 하여금 전쟁을 시작하게 만들어야 했기 때문이다"[6] 라고 말했다. 멕시코가 응전하지 않았으므로 테일러는 멕시코군이 발포할 때까지 계속 진격하라는 명령을 받았다. 마침내 멕시코군이 저항하자 포크는 의회로부터 선전포고를 받았다. 그랜트는 이러한 일련의 사건들의 배후에는 노예 소유를 인정하는 주들을 증가시키려는 음모가 도사리고 있다고 확신했다.

전쟁은 1848년의 과달루페 이달고조약(Treaty Guadalupe-Hidalgo)으로 끝을 맺었다. 그리하여 멕시코는 1천5백 만 달러를 받고 3백 만 km² 이상-현재의 뉴멕시코, 애리조나, 캘리포니아, 유타, 네바다, 그리고 콜로라도의 일부-을 양도하고 텍사스의 미합중국 합병에 동의했다. 그리하여 리오그란데(Rio Grande) 강이 양국 간의 국경이 되었다. 이 조약은 정복지에 남기로 결정한 멕시코인들의 권리를 보장했다. 그러나 새로운 정착민들이 땅을 차지함으로써 이 권리가 침해되었고, 미합중국 남서부에서 멕시코인들을 열등민족으로 취급하는 인종차별이 성행했다.

1848년 멕시코 전쟁과 "명백한 운명"이라는 관념과 관련하여 미합중국의 교회들의 의견이 분열되었다. 노골적인 침략 정책 및 노예제도가 금지된 지역에서 노예제도를 합법화하려는 시도에 대한 용감한 저항이 일어났다. 그러나 전쟁이 끝나고 토지 소유욕에 불타는 정착민들이 개척지로 몰려감에 따라 교회는 서진운동에 합류했으며, 일부 교파들은 하나님께서 멕시코인들의 복음화를 위해 "문"을 여셨다고 공언하기에

---

6) Memoirs, quoted in W. S. McFeely, *Grant: A Biography* (New York: Norton, 1981), p. 30.

이르렀다.

이 지역의 정복은 가톨릭교회에게 다른 결과를 초래했다. 가장 중요한 것은 북아메리카의 가톨릭 신자들의 것과 전혀 다른 문화적 배경을 가진 신자들이 급증한 것이다. 미국 가톨릭교회는 수십 년 동안 이러한 차이를 인정하기를 거부하고 새로운 신자들의 "미국화"를 꾀했다. 1850년 남서부의 가톨릭교회가 동부에서 선출된 종교 지도자들의 수중에 들어갔으며 스페인계 사제들이 급격히 감소했다. 멕시코-미국 역사를 연구하는 이들은 민중들 사이에 살면서 가난한 이들을 위해 봉사했던 이전의 멕시코인 사제들과 동부로부터 이주해 와서 주로 영어를 사용하는 정착민들 사이에 거하면서 압박받는 멕시코인들을 위한 미사를 드리는 데 만족하던 새 사제들 사이의 뚜렷한 차이를 지적하고 있다. 이것을 보여 주는 본보기는 현지 주민들 사이에 "엘 쿠라 드 타오스"(el cura de Taos)라고 불린 안토니오 호세 마르티네즈(Antonio José Martinez) 신부와 뉴멕시코의 총대리(vicar general)였던 장 라미(Jean Baptiste Lamy) 사이의 갈등이다. 라미는 프랑스인이었으나 볼티모어(Baltimore) 교구에 속해 있었으며, 이 지역의 새 주민들 중에 친한 친구들이 많았다. 그중 하나가 키트 카슨(Kit Carson)이었다. 마르티네즈는 1824년부터 타오스(Taos)에서 신학교를 운영했다. 그는 성직자의 독신제도에 반대했지만, 그 지역 주민들은 그를 성자라고 불렀다. 왜냐하면 그는 평생 가난한 자들을 돌보았기 때문이다. 라미가 마르티네즈와 멕시코인 성직자들에게 보다 열심히 십일조를 거두어 본부로 보내도록 명령하자, 이들은 가난한 이들로부터 돈을 거두어 부자들에게 주는 것은 부도덕하며 비기독교적인 행위라고 저항했다. 라미는 이 반항적인 사제와 그의 추종자들을 파문했지만, 이들은 계속 멕시코인들 사이에서 사역하며, 교회의 고위성직자들과 공개적으로 결별한 채 성찬을 집례했다. 이러한 움직임은 1867년 마르티네즈가 사망한 후에도 한동안 계속되었다. 그의 사후 사제직을 지망하는 멕시코인들이 감소했다. 20세기에 들어와서야 비로소 히스패닉계의 가톨릭 주교가 남서부에 임명되었다.

노예제도와 남북전쟁

식민지 시대부터 노예제도는 많은 이들의 양심을 괴롭혀왔다. 독립이 확실해짐에 따라 사람들은 새 국가에서는 이처럼 악한 제도가 사라져야 한다고 주장했다. 그러나 대영제국에 대항한 연합전선을 결성하기 위해 이러한 주장들은 억압되었으며, 자유의 땅이라고 자처하는 미합중국은 계속 노예제도를 허용했다. 몇몇 교파들은 노예제도를 분명히 반대했다. 1776년 퀘이커교는 노예 소유를 고집하는 신자들을 축출했다. 미국 감리교를 독립교회로 만든 1784년의 크리스마스 회의에서도 신자들의 노예 소유를 금지했다. 또한 비록 전국적인 조직을 갖지는 못했으나 많은 침례교인들도 노예제도에 반대했다.

그러나 시간이 흐름에 따라 이러한 초기의 입장들이 약화되었다. 프렌즈(Friends) 교파만 강경한 입장을 고수했으나, 남부지방에서 이들은 소수에 불과했다. 감리교와 침례교는 노예제도를 반대하는 입장을 완화함으로써 남부의 노예 소유주들을 끌어들이려 했다. 1843년 1,000명 이상의 감리교 목사들과 설교자들이 노예를 소유하고 있었다. 다른 교파들도 이중적인 태도를 취했다. 예를 들면 1818년 장로교 총회는 노예제도

가 하나님의 법에 어긋난다고 선언한 동시에 노예제도의 폐지에 반대한
다는 입장을 공적으로 발표했으며, 노예제도의 폐지를 주장하는 목사를
해임했다.

처음에는 북부와 남부에서 노예제도를 반대하는 정서가 강했다. 1817
년 노예들을 매입하여 해방시켜서 아프리카로 돌려보내려는 목적으로
미국식민협회(American Colonization Society)가 설립되었다. 라이베리아 공화
국의 건국은 대체로 이 협회의 사역 결과였다. 그러나 이러한 노력이 노
예제도 전체에는 별로 영향을 미치지 못했다. 한편 노예제도 폐지 운동
은 노예의 존재가 경제적으로 그리 중요하지 않았던 북부에서 강해졌으
며, 경제와 사회 체계가 노예들의 노동력에 의존하고 있었던 남부는 반
대의 길을 걸었다. 곧 남부의 많은 설교자들은 노예제도가 하나님이 인
정하신 제도이며 흑인들도 그 제도로 말미암아 유익을 얻는다고 주장하
기 시작했다. 왜냐하면 흑인들이 토속 신앙을 지닌 미개한 아프리카에
서 벗어나 복음에 접할 기회를 소유했기 때문이다.

북부의 노예제도 폐지 운동은 하나님이 노예제도를 원하시지 않는다
고 주장했다. 감리교회 내의 많은 인사들은 노예제도에 반대했던 예전
의 입장으로 돌아가야 한다고 주장했다. 1848년 감리교 총회가 노예를
소유하고 있었던 조지아의 감독을 정죄한 것을 계기로 교회가 분열되었
다. 이듬해에 남감리교회(Methodist Episcopal Church, South)가 설립되었다. 침
례교에서도 비슷한 현상이 나타났다. 조지아 침례교연맹이 선교사로 추
천한 후보자가 노예를 소유하고 있다는 이유로 선교위원회가 임명을 거
부함으로 말미암아 남침례회 연맹(Southern Baptist Convention)이 탄생했다.
1861년에는 장로교에서 남장로교가 독립했다. 이러한 분열은 20세기까

지 계속되었다. 이들 중 일부는 재결합했으나 일부는 그 상태로 남았다. 분열하지 않은 채 존속한 것은 가톨릭교회뿐이었다. 성공회는 전쟁 중에 분열했지만 전쟁이 끝난 직후에 재결합했다.

1861년 미합중국은 처음에는 아메리카남부연합(Confederate States of America)의 탈퇴, 그 후에는 남북전쟁으로 말미암아 분열되었다. 전쟁 중 양측의 설교자들은 각기 자기편의 정의를 옹호했다. 전쟁 후에도 증오와 편견은 계속되었다. 왜냐하면 북부 군의 남부 점령을 의미한 "재건기간" 이후 남부가 북부의 경제적 식민지로 화했기 때문이다. 남부의 백인들에게 북부의 경제적 이해관계와 현지의 자본 투자를 방해하지 않는 한도 내에서 정치적·사회적 자율성이 주어졌다. 북부를 향해 화를 터뜨릴 수 없었던 남부의 백인들은 흑인들에게 화를 터뜨렸다. 남부의 많은 교회들은 흑인들에 대한 두려움을 조성했고, 그러한 두려움 때문에 쿠 클럭스 클랜(Ku Klux Klan)이 발족했을 때에 공공연하게 그 활동을 지지한 목사들이 있었다. 북부에 대한 증오와 공포는 남부지방 교회들 내에 반지성주의와 보수적 경향을 낳았다. 왜냐하면 대부분의 중요한 교육기관들이 북부에 있었고, 그곳들에서 유래된 모든 사상들이 의심의 대상이 되었기 때문이다.

남부의 백인들은 자기들의 분노와 좌절을 흑인들에게 발산할 수 있었다. 재건 기간에 북부의 침략자들은 흑인들에게 책임이 막중한 지위를 부여했는데, 그것은 흑인들에 대한 남부 백인들의 편견을 가중시켰을 뿐이다. 재건기간이 끝나자마자 남부의 백인들은 흑인들의 권리와 권한을 제한하기 시작했다. 1892년 미합중국 대법원은 공익기관과 공공시설을 인종에 따라 분리할 것을 명령하는 지방법의 시행을 허락했다. 이 짐 크로 법(Jim Crow laws)은 모든 인종에게 평등하지만 분리될 권리가 있다고 주장했지만, 흑인들은 공공장소와 질 좋은 공교육, 선거권 등을 빼앗겼다. 남부의 백인 교회들은 인종차별주의적 가르침과 생활을 계속했다. 과거에 노예로서 교회에 출석했던 흑인들에게 교회를 떠날 것이 요구되었으므로 다양한 흑인들의 교파가 생겨났다. 흑인 침례교인들은 자체의 교회들을 형성했는데, 이들은 후에 전국침례교연합(National Baptist Convention)에 가입했다. 흑인 감리교 신자들은 유색인감리교(Colored Methodist Episcopal Church)를 설립했는데, 이것은 후일 기독교 감리감독시온교회(Christian Methodist Episcopal Zion Church)가 되었다. 한편 북부 교회들—특히 장로교와 감리교—은 남부의 흑인 사회에서 사역을 시작했다.

그러나 북부라고 해서 인종적인 편견과 분리가 없었던 것은 아니

흑인들은 백인들의 교회를 떠나 자체의 교회를 세웠다. 그림은 워싱턴의 흑인교회를 묘사한 것이다.

다. 남북전쟁 이전에 이미 두 개의 흑인 교파, 즉 아프리카 감리감독교회(African Methodist Episcopal Church)와 아프리카 감리감독시온교회(African Methodist Episcopal Zion Church)가 형성되었는데, 이들은 그 후 남부의 해방 노예들에게 중요한 영향을 미쳤다. 전자는 북아메리카 감리교회에서 흑인으로는 최초로 집사 안수를 받은 해방 노예 리처드 알렌(Richard Allen)에 의해 설립되었다. 알렌은 필라델피아에 흑인들을 위한 교회를 세웠으나, 교파 내의 백인 성직자들과의 거듭된 갈등 때문에 독립하여 새 교파를 세웠다. 5년 후인 1821년 뉴욕에서도 비슷한 사건들 때문에 아프리카 감리감독시온교회가 창립되었다. 이 두 교파는 북부의 흑인 사회에서 중요한 역할을 했고, 남북전쟁 후에는 남부에서도 영향력을 행사했다. 이 교파들은 아프리카 선교에 중요한 몫을 담당했다.

흑인 교회들은 곧 흑인 사회의 중추적 기관이 되었다. 흑인들이 비교적 자유로이 접근할 수 있는 유일한 직업이 성직이었으므로 백 년 동안 대부분의 흑인 지도자들이 목사였다. 일부 흑인 교회들은 천국에서의 상급을 바라보고 현재의 불의에 복종할 것을 주장했다. 그러나 보다 과격하게 정의와 흑인들의 권위를 주장한 교회들도 있었다. 어쨌든 이들은 백년 후 민권 운동의 중심이 될 흑인들의 단결과 정체성 형성에 기여했다.

남북전쟁에서 제1차 세계대전까지

남북전쟁이 끝난 후에도 과거의 사회적·경제적 긴장은 계속 증가했다. 남부는 한층 더 인종 차별적이고 반지성적인 경향을 띠었다. 북부에

리처드 알렌은 북아메리카 감리교 최초의
흑인 안수집사였다.

서는 이민들의 유입으로 말미암아 도시가 급속히 성장했고, 교회는 그
러한 성장의 도전 및 보다 나은 생활을 추구하여 이동한 많은 흑인들에
제대로 반응하지 못했다. 서부에서는 인디언 소유의 토지에 대한 압력
이 계속되었고, 스페인계 주민들은 인종차별의 대상이 되었다.

　이러한 다양성 속에서 미합중국의 통일에 기여한 것은 인류의 발전에
있어서 미합중국이 하나님이 주신 역할을 발휘해야 한다는 의식이었다.
일반적으로 이 역할은 인종적, 종교적, 제도적인 측면에서 이해되었다.
즉 백인들과 개신교 신앙과 자유 기업체재에 기초한 민주적 정부의 우
월성이었다. 그리하여 19세기말 복음주의연맹(Evangelical Alliance)의 사무
총장인 조시아 스트롱(Josiah Strong)은 하나님이 어느 중요한 순간을 위해
"최대의 자유, 가장 순수한 기독교, 최고의 문명"[7]을 대표하는 앵글로
색슨 족이 약한 인종들을 정복하고 다른 인종들을 합병하고 그 외의 인

---

7) Sidney E. Ahlstrom, *A Religious History of the American People*, vol. 2(Garden City, New York: Doubleday,
　1975), p. 327 인용.

종들을 형성하여 결국은 "전 인류를 앵글로-색슨화"하게 될 "인종들의 최종 경쟁"을 준비하고 계시다고 말했다. 아메리카 개신교 보수진영 지도자들 중 한 사람이 표현한 이러한 정서들은 남유럽 인종들의 가톨릭 신앙과 폭정을 대항한 북유럽 인종들이 아메리카 개신교의 사상과 표현의 자유에 기여했다는 것, 그렇기 때문에 북유럽 출신 민족에게 나머지 세계의 후진적 인종들을 개화시킬 책임이 있다는 진보 진영의 정서와 비슷했다.

그러나 이러한 관념들은 미합중국의 도시 현실과는 상치되는 것이었다. 이곳에서 새로 이주하여 인구 밀집 지역에 거주하는 이주민들이 착취당했으며 기성 기독교, 특히 개신교와 접촉을 갖지 못하고 있었다. 개신교는 다양한 방법으로 이러한 상황에 대처하려 했다. 그 중 하나가 도회지의 대중들을 돕는 것을 목표로 하는 몇 개의 조직 설립이었다. 그중에서 가장 성공적이었던 것은 19세기 중반 영국에서 도입된 기독청년회(YMCA)와 기독교 여자청년회(YWCA)였다. 새로 유입된 이주민들을 위한 개신교의 또 다른 대응책은 주일학교의 시작이었다. 가정에서의 성경공부가 쇠퇴하고 대중의 성경 지식이 약화되던 시기에 주일학교가 중요한 역할을 했다. 결국 주일학교가 주일예배보다 더 중요한 위치를 차지한 교회들도 있었다. 1872년 몇몇 대 교파들이 주일학교에서 성경 본문을 사용하기로 합의하고 실천하기 시작하여 21세기까지 지속되었는데, 이 것은 교파들 사이의 이해와 협력을 촉진하는 데 중요한 역할을 했다.

개신교는 도시의 상황에 맞추어 옛날의 천막 집회를 새로운 상황에 적용했고, 도시의 종교생활에서는 신앙부흥이 중요한 요소가 되었다. 이 운동 초기의 중요한 인물은 드와이트 무디(Dwight L. Moody)이다. 무디는 시카고의 구두 판매원으로서 대도시 주민들에게 종교생활이 부족한 것을 보고 충격을 받았다. 그는 처음에 자기가 출석하고 있던 회중파 교회로 사람들을 인도하다가 얼마 후에 독립교회를 세웠다. 그는 곧 YMCA 사역에 개입하여 복음 전도자로서의 열정을 보였다. 그는 1872년 YMCA 일로 런던을 방문하던 중 처음으로 설교 부탁을 받았다. 그 결과가 매우 고무적이었으므로 무디는 처음에는 영국에서, 그리고는 미합중국에서 도시 주민들을 대상으로 설교할 소명을 느꼈다. 그의 설교 방법은 간단하고도 감정적인 것으로서 사람들에게 회개하고 예수 그리스도 안에서 제공되는 구원을 받아들이라고 촉구하는 것이었다. 그는 대중의 회심이 도시의 생활 상태 개선으로 이어질 것이라고 확신했으므로 당시 커다란 인간적 불행으로 이어지는 사회구조와 상태에 대해서는 거의 언급하지 않았다. 그러나 그의 메시지와 표현방식은 도시의 대중의 욕구에 적합했다. 그를 모방하는 전도자들이 많이 생겨났으며, 이들 중 일부는 유명해졌다. 부흥회는 곧 미국 도시의 종교 생활의 일부가 되었다.

도시 문제들에 대응하여 새로운 교파들이 생겼다. 영국과 미합중국의 감리교 전통 안에는 감리교가 웨슬리의 가르침의 기본 요소들을 버렸다고 느끼는 사람들이 많았다. 감리교가 점차 중산층으로 파고들면서 가난한 자들, 특히 도시의 가난한 자들을 등한히 했다. 그러나 원래 감리교는 도시의 빈민들을 기반으로 발전했으므로, 많은 사람들이 초기 모습을 회복하기를 원했다. 영국에서는 감리교 부부 설교자인 윌리엄 부스(William Booth)와 캐더린 먼포드(Catherine Munford)에 의해 구세군이 창설되었다. 구세군의 특징 중 하나는 남녀평등이었다. 구세군은 도시인들의 영적·육적 복리에 관심을 두었으며, 곧 가난한 사람들에게 음식, 주거, 직장 등을 제공하는 구제 사역으로 유명해졌다. 당시 미합중국의 도시생활의 상태를 볼 때, 구세군이 영국으로부터 건너오자마자 큰 성공을 거둔 것은 당연한 일이다.

미합중국 내에서 감리교가 취해온 방향에 대한 불만 때문에 몇 개의 신흥 종교 집단들이 생겼다. 이 집단들은 대중에 대한 관심 및 성화에 대한 웨슬리의 교훈으로 복귀하기를 원했다. 이 교회들은 성화를 강조하기 때문에 총괄하여 "성결교회"(holiness churches)라고 알려졌다. 처음에는 이러한 집단들이 많았지만 상호 소통 없이 존재했다. 결국 몇 개의 새로운 교파로 통합되는데, 가장 큰 것은 1908년 여러 개의 성결교회들이 연합하여 형성된 나사렛교회(Church of the Nazarene)이다. 그러나 이러한 성결 운동의 원동력은 수백 개의 독립교회들과 미국 전역에 산재한 아주 작은 교파들에 소속되어 있던 교회들 안에 있었다.

성결운동의 지도자들 중 한 사람인 쾨비 팔머(Phoebe Palmer, 1807-1874)는 감리교인으로서 1935년에 자기 집에서 여성들의 기도회를 인도하기 시작했다. 4년 후 남성들이 그녀의 집회에 참석하기 시작했다. 그녀가 공적으로 발언하기 시작함에 따라 그녀의 운동과 영향력이 성장하여 마침내 19세기 중반에 그녀는 미합중국과 캐나다, 대영제국, 유럽 대륙 등지를 여행하면서 "성결부흥회"를 인도하고 설교했다. 팔머는 회심 후에 주어지는 두 번째 축복인 완전한 성결이 기독교인의 삶의 목표요 결과가 되어야 한다고 확신했다. 이 때문에 그녀가 속해 있는 감리교의 많은 지도자들은 그녀가 성화를 거의 기계적인 과정으로 바꾸었다고 비난했다. 그러나 그녀는 자기의 견해를 고집하면서 성결의 개인적인 깨끗

함과 헌신뿐만 아니라 사랑의 행동 안에 존재하는 사회적 차원을 강조했다. 이러한 기반 위에서 그녀가 세운 감리교 여성국내선교회(Methodist Ladies Home Missionary Society)는 미합중국의 도시 지역 중 가장 궁핍한 지역에서 사역했다. 그녀의 사역 및 비슷한 신념을 가진 많은 여성들의 사역은 후일 미국 여권 운동 형성에 기여했다.

많은 성결교회들의 예배의 특징은 방언, 치유의 기적, 예언 등 성령의 은사의 유출이었다. 그런데 결국 많은 성결교회들이 포기했던 이러한 모습이 1906년 로스앤젤레스의 "아주사 거리 선교회"(Azusa Street Mission)에서 열정적으로 재등장하였다. 보니 브래 거리의 개인 집에서 모인 신자들의 소그룹에서 그 운동이 시작되었다. 그 모임은 과거에 노예였으며 오순절 교회 설교자인 찰스 파함(Charles Parham)의 영향을 받은 윌리엄 시모어(William Seymour) 목사가 인도했다. 그는 방언의 은사에 관한 설교 때문에 설교를 하지 못하게 되었다. 보니 브래 거리의 집에서 갑작스

피비 팔머는 성결 운동의 탁월한 지도자였다.

러운 성령의 능력, 특히 방언의 능력이 나타났다. 이러한 사건들에 의해 감명을 받은 시모어의 추종자들은 아주사 거리의 보다 넓은 장소로 옮겨갔다. 그 때부터 아주사 거리의 신앙 부흥에서 시작된 오순절의 불길이 전국으로 퍼졌다. 아주사 거리에는 흑인들과 백인들이 섞여 있었으므로 이 운동은 곧 흑인 사회와 백인 사회로 퍼져갔다. 그러나 결국 그 운동은 국가를 분열시킨 인종 정책을 반영하는 교회들을 낳았다. 그 후 그 운동은 웨슬리 전통의 범주를 초월하였고, 침례교인들을 비롯한 많은 사람들이 그 운동을 받아들였다. 1914년 오순절파 출판사 발행인이 "성령 세례를 믿는 자들"을 모아 큰 모임을 개최했는데, 그 모임에서 미합중국의 주요 오순절파인 "하나님의 성회"(Assemblies of God)가 조직되었다. 하나님의 성회를 비롯한 오순절파는 도시의 대중들 사이에 침투했고, 곧 농촌지역과 멀리 떨어져 있는 국가들에게 관심을 두어 많은 선교사들을 파송했다. 아주사 거리에서 시작된 이 운동은 그 다음 세기에 전 세계에서 주요한 교파가 되었다.

장기간의 형성 과정을 거쳐 남북전쟁 후에 분명한 형태를 드러낸 교파는 제7일안식일예수재림교(Seventh Day Adventists)이다. 19세기 초 버몬트(Vermont)에 살고 있던 침례교 신자 윌리엄 밀러(William Miller)는 다니엘서에서 취한 자료들을 창세기 및 전체 성경에서 취한 요소들과 결합하여 주님이 1843년에 재림하신다는 결론에 도달했다. 예언한 날이 지난 후 대부분의 추종자들이 떠나갔고 소수가 계속 남아 주님의 재림을 고대했다. 그 운동의 존속이 위기에 처했을 때에 예언자인 화이트(Ellen Harmon White) 부인이 등장했다. 그 무렵 이들은 이미 제7일침례교(Seventh Day Baptists)와의 접촉을 통해 토요일을 안식일로 지키고 일요일 대신 토요일에 예배드리기 시작했었다. 탁월한 조직가인 화이트 부인은 자기가 본 환상들을 출판했는데, 이를 보고 몰려든 밀러의 잔여 추종자들을 비롯한 많은 사람들이 1868년에 하나의 교단을 성립시켰다. 화이트 부인의 지도 아래 안식교는 의학, 식품영양학, 선교 등에 큰 관심을 기울였다. 화이트 부인이 1915년 사망할 당시 이 운동은 미합중국을 비롯한 여러 나라에 수천 명의 추종자들을 가지고 있었다. 이 특별한 교파는 해외에 지부나 선교부를 지닌 북아메리카 교단에 머물지 않고 국제적인 방식으로 자체를 재조직했다.

미합중국의 개신교는 도시 발전 이외의 다른 문제들에 직면했는데, 그중 가장 중요한 것은 지적인 것이었다. 유럽으로부터 이주민들뿐만 아니라 과거에 의심 없이 받아들여졌던 많은 것들을 의심하는 사상들이 대서양을 건너 유입되었다. 창세기의 창조 이야기들과 상치되는 것처럼

아주사 거리 신앙부흥이 시작된 보니 브래 거리에 있는 이 집은 현재 초기 개신교 교회사 박물관으로 사용된다.

보인 다윈의 진화론은 일반인들 사이에 소동을 발생시켰다. 그러나 유럽에서 발생하고 있었던 역사적·비평적 학문은 신학자들에게 보다 큰 도전을 제기했다. 이러한 학문들은 성경 중 몇 권의 책의 역사적 진위에 대한 의심을 제기했다. 방법론적 전제로서 초자연적인 것들과 기적적인 것들은 모두 배격되어야 했다. 이러한 경향의 학자들은 인간과 그 능력들에 관해 매우 낙관적인 견해를 가지고 있었다. 진보와 발전 덕분에 이제까지 인간들이 해결하지 못했던 문제들이 해결됨으로써 행복, 자유, 정의, 평화, 그리고 풍요의 새 시대가 열린다고 생각했다.

개신교 자유주의(Protestant Liberalism)는 이러한 사상들의 틀 속에 기독교를 집어넣으려는 시도였으며, 미합중국의 지식인들 사이에 널리 받아들여졌다. "자유주의"라는 개념 자체가 개인들이 원하는 바에 따라 생각하는 자유를 함축하므로, 그것은 결코 획일적인 운동이 아니었다. 그러나 그것은 많은 사람들이 기독교 신앙의 부인으로 간주한 커다란 사상의 물결이었다. 그 물결 속에 비교적 소수의 급진주의자들—"현대주의자"(modernists)라고 불렸다—은 기독교와 성경이 다른 종교들과 많은 위대한 서적들 중 하나와 다른 바 없다고 생각했다. 그러나 대부분의 자유주의자들은 기독교 신자들로서, 신앙을 현대인들이 받아들일 수 있도록 하기 위해 그 시대의 지적 도전에 응답하고자 했던 헌신적인 신앙인들이었다. 어쨌든 미합중국의 자유주의는 주로 동북부의 중상층에 제한되어 있었다. 이들은 도시 노동자들의 사회적 환경 문제보다도 지적인 문제들이 더 절박하다고 생각했다. 자유주의는 남부와 서부에서는 거의 영향을 미치지 못했다.

이에 대한 반작용이 곧 발생했다. 왜냐하면 많은 이들이 자유주의를 기독교 신앙의 핵심에 대한 도전으로 여겼기 때문이었다. 대중적인 차원에서는 가장 큰 문제가 진화론이었다. 심지어는 법원에서 이 문제를 결정하려는 시도도 있었다. 21세기 초까지도 일부 지역에서는 공립학교에서 진화론을 가르칠 수 있는지, 어떻게 성경에 어긋나지 않도록 가르칠 것인지에 관한 토론이 계속되었다. 그러나 보수적인 신학자들은 진화론 문제가 새로운 사상들이 기독교의 근본적인 것들에 대해 제기한 위협들 중 하나에 불과함을 분명히 깨달았다. 곧 근본적인 것들이라는 용어는 근본주의(fundamentalism)라고 불리는 바 자유주의에 대한 반작용의 특징이 되었다. 1846년 복음주의연맹(Evangelical Alliance)을 조직하여 자유주의를 신앙의 부정으로 여기는 모든 이들을 연합시키고자 했다. 1895년 뉴욕 주 나이아가라 폭포에서 열린 집회에서 자유주의의 오류에 빠진 사람이 아니고는 누구도 부인할 수 없는 기독교의 다섯 개 근본 조항을 열거했다. 그것들은 성경의 무오성, 예수의 신성, 동정녀 탄생, 우리의 죄를 대속하기 위한 십자가에서의 예수의 죽음, 그리고 그의 육체적 부활과 임박한 재림 등이었다. 얼마 후 장로교 총회도 유사한 원리들을 채택했다. 그 때부터 수십 년 동안 프로테스탄트들의 대부분, 특히 남부의 신자들은 근본주의자들이었다.

근본주의가 전통적인 정통신앙의 수호자라고 자처하면서 새로운 성경 해석을 창출한 것은 특기할 만한 일이다. 근본주의자들은 성경무오성을 강조하는 동시에 많은 성경학자들의 결론을 부정하면서 성경의 서로 다른 책들에서 취한 본문들을 한데 병치함으로써 과거와 현재와 미래의 하나님의 역사의 윤곽을 보여주고 설명하는 일련의 구조들을 발전시켰다. 그중 가장 성공적인 것은 세대주의자들의 것들이었다. 가장 유명한 세대주의적 구조를 발전시킨 사람은 사이러스 스코필드(Cyrus Scofield)이다. 그는 인간 역사를 일곱 "세대"(dispensation)로 구분하여 현 시대는 여섯째 세대에 해당한다고 주장했다. 1909년 이러한 역사 해석의 구조를 보여주는 "스코필드 성경"(Scofield Bible)이 출판되어 근본주의자들 사이에서 널리 사용되었다. 그리하여 비록 많은 근본주의자들이 세부 문제에 있어서는 스코필드와 의견을 달리하지만, 근본주의는 세대주의와 긴밀한 연관을 맺게 되었다.

한편 자유주의는 후일 "사회적 복음"(Social Gospel)이라 불린 운동에 크게 기여했다. 도시의 중산층에 속했던 대부분의 자유주의자들은 가난한 이들의 고통에 관심이 없었으므로 이를 추종하지 않았다. 그러나 자유주의자들 중 일부가 복음이 요구하는 바와 도시 대중의 비참한 상황 사이의 관계를 탐구하고 증명하기 위해 노력했다. 이들의 지도자는 1897년부터 1918년에 사망할 때까지 침례교 신학교에서 교회사를 가르친 월터 라우센부시(Walter Rauschenbush)이다. 그는 국가의 사회적·경제적 생활은 복음의 요구에 따라야 한다고 주장하고, 경제적 자유주의 -수요와 공급에 의해 시장을 통제할 수 있다는 원칙-가 불평등과 사회적 불의를 낳는다고 역설했다. 이러한 상황에서 기독교인들의 임무는 무제한적 자본의 횡포를 제한하고, 가난한 자를 도우며 정의를 고양시킬 수 있는 법률을 마련하는 것이었다. 사회적 복음과 다른 자유주의 사이의 접촉점은 이들이 인간의 능력과 사회의 진보에 관해 낙관적이었다는 점이다. 그러나 다른 자유주의자들이 단순하게 인류와 자본주의 사회의 자연적 발전을 확신했는 데 반해, 사회 복음을 지지하는 사람들은 소위 진보가 가난한 자들을 희생시키는 대가로 실현될 것을 두려워했다.

미합중국의 정치적·경제적 장래가 보장된 것처럼 보였던 시기에 근본주의와 자본주의 모두 절정에 달했다. 멕시코와의 전쟁, 노예제도 폐지, 1898년의 스페인 전쟁 등은 미합중국-그리고 이 나라를 다스린 백인들-이 세계를 진보와 번영의 시대로 이끌어가기로 작정된 것처럼 보였다. 그때 제1차 세계대전이 발발했고, 경제불황이 그 뒤를 이었다. 이러한 일련의 사건들이 미국의 기독교에 어떠한 영향을 미쳤는지 다음에 다시 살펴보기로 하자.

신흥종교들

19세기 미합중국 종교계에서 한 가지 특별한 현상은 전통적인 기독교와 매우 다르기 때문에 신흥종교라고 부를 수밖에 없는 새로운 운동들의 등장이었다. 그중 가장 규모가 큰 것들은 모르몬교, 여호와의 증인, 크리스천 사이언스(Christian Science) 등이다.

모르몬교의 창시자인 조셉 스미스(Joseph Smith)의 초기 생애는 실패자처럼 보였다. 농촌 출신의 가난한 부모는 버몬트를 떠나 뉴욕으로 이주했으나 경제적 안정을 얻는 데 실패했다. 어린 조셉은 농사에 흥미가 없었다. 그는 보물찾기를 좋아했고, 보물들이 숨겨진 장소를 알려주는 환상을 본다고 주장하곤 했다. 그는 모로나이(Moroni)라는 천사가 나타나서 고대 이집트 상형 문자로 기록된 금판들, 그리고 그 금판들을 읽을 수 있도록 두 개의 선견자의 돌을 주었다고 밝혔다. 스미스는 휘장 뒤에 앉아서 반대쪽에 앉은 필기자들에게 이 금판을 번역하여 읽어주었다. 그 결과 모르몬경이 1830년에 출판되었다. 이 책에는 또한 모로나이가 다시 가져가기 전에 금판들을 목격했다는 증인들의 증언도 포함되어 있다.

책이 출판된 직후 스미스는 많은 추종자들을 거느리게 되었다. 이미 공동생활을 실천하고 있던 한 집단이 그들과 합류했으며, 자기들의 새로운 종교와 기독교의 관계는 기독교와 유대교의 관계와 같다고 주장했다. 한편 스미스는 그를 정통 기독교 신앙으로부터 더 멀리 떨어지게 한 새로운 환상들을 계속 보았다. 그와 그의 추종자들은 한동안 오하이오에 정착했다가 일리노이로 옮겨갔고, 그곳에서 사병 조직을 갖춘 자치 공동체를 세웠다. 스미스는 이곳에서 "하나님의 나라의 왕"이라고 불렸다. 그런데 스미스가 미합중국 대통령에 출마하겠다고 선포한 후부터 주변 사회와의 갈등이 심화되었다. 결국 폭도들이 스미스와 그의 추종자 한 명을 살해했다.

그 운동의 지도자가 된 브리검 영(Brigham Young)은 모르몬교도-정확하게는 말일성도 예수그리스도의 교회(The Church of Jesus Christ of the Latter Day)-들을 유타 주로 이끌어 갔다. 이들은 이곳에 자치주를 세웠는데, 1850년 미합중국이 서진 확장의 일부로 그 지역을 차지했다. 이 때문에 새로운 갈등들이 생겼다. 2년 후 영(Young)이 스미스가 일부다처제를 채택하라는 환상을 받았었는데 그 때까지 비밀로 감추어져 있었다고 선언하고 일부다처제를 다시 도입했다. 1867년에 모르몬교와 미합중국 사이에 전쟁이 발발했다. 결국 모르몬교도들은 공동생활과 환상을 강조하는 태도를 버리고 일반 사회와 비슷한 구조를 택했으며, 1890년에는 공식적으로 일부다처제를 포기했다. 그러나 일부 교도들 사이에서는 비밀리에 일부다처제가 유지되었다. 유타 주에서 모르몬교의 정치적 영향력은 강력했고, 곧 다른 국가로 선교사들이 파송되었다.

여호와의 증인은 많은 이들이 성경을 마치 미래의 사건들과 세상의 종말에 관한 단서들이 숨겨져 있는 책인 듯이 읽는 방식에서 발생한 종교이다. 이 종교도 초기 단계에서는 종교적 · 정치적 · 사회적 기득권층에 대한 하류 계층의 불만들 중 일부를 구체화했다. 여호와의 증인의 창시자인 찰스 러셀(Charles T. Russel)은 정부와 기업과 교회가 사탄의 세 가지 무기라고 주장했다. 그는 또한 삼위일체교리와 예수의 신성을 부인했고, 재림은 이미 1872년에 이루어졌고, 세상의 종말은 1914년이 될 것이라고 선언했다.

1914년에 세계 제1차 대전이 발발했으나 러셀이 예고한 아마겟돈 전쟁은 일어나지 않았고, 러셀은 2년 후에 사망했다. 그의 뒤를 이어 "러더포드 판사"라는 이름으로 더 잘 알려진 조셉 러더포드(Joseph F. Rutherford)가 지도자가 되었다. 그는 1931년 이 운동을 "여호와의 증인

조셉 스미스의 후계자인 브리검 영의 지도하에 모르몬교도들은 유타 주로 이주하여 정착했다.

들"이라고 이름하고, 조직을 거대한 선교 단체화했으며, 1914년의 낭패 후에 러셀의 가르침들을 재해석했다.

크리스천 사이언스는 이미 영지주의, 마니교, 강신술 등을 다룰 때에 접한 바 있는 유서 깊은 종교적 전통이 미합중국에서 표현된 형태이다. 이 전통은 대체로 물질세계는 상상의 산물이거나 그다지 중요치 않다는 것, 인생의 목적은 우주적인 영(Universal Spirit)과의 조화 속에서 사는 데 있다는 것, 그리고 성경은 대부분의 기독교인들에게 알려지지 않은 영적 단서들에 의해 해석되어야 한다는 것을 주장한다.

크리스천 사이언스의 창시자인 메리 베이커 에디(Mary Baker Eddy)는 젊어서 계속 질병에 시달렸다. 그는 두 번이나 남편과 사별했고 가난하고 병약하여 몰핀을 사용해도 억누를 수 없는 고통에 시달렸다. 이때 그녀는 큄비(P. P. Quimby)를 찾아갔는데, 그는 질병은 잘못(error)이며 진리의 지식만 있으면 충분히 고칠 수 있다고 했다. 그녀는 큄비에 의해 치유된 후 그의 제자가 되었다. 큄비가 사망하고 나서 몇 년 후인 1875년, 그녀는 『성경의 열쇠로 푸는 과학과 건강』(Science and Health, with a Key to Scripture)이라는 책을 출판했다. 그녀의 생전에 이 책은 382판이 인쇄되었다. 그녀는 이 책에서 하나님, 그리스도, 구원, 삼위일체 등 정통 기독교에서 사용된 전통적 용어들을 본래 의미와는 판이한 영적 의미로 해석했다. 이것은 "진리," "생명" 등을 자기들 나름대로 특유하게 해석했던 고대 영지주의의 해석을 연상시킨다. 그녀는 모든 질병이 단지 멘탈에러, 즉 잘못된 인식의 결과이며 이를 치유하기 위해서는 의사와 약을 사용하지 말고 원래 예수님에 의해 사용되었다가 이제 그녀에 의해 재발견된 영적 과학을 사용해야 한다고 주장했다. 그러한 과학에 대한 지식이 당시 미합중국의 중산층이 이해하고 추구한 행복과 번영을 만들어낼 것이라고 주장했다.

과학자 그리스도의 교회(Church of Christ, Scientist)는 1879년에 공식적으로 설립되었으며, 곧 전국에 추종자들을 갖게 되었다. 2년 뒤 메리 베이커 에디는 보스턴에 "형이상학 대학"(Metaphysical College)을 세우고 크리스천 사이언스의—"목사들"이 아닌—"시술자들"(practitioners)을 배출했다. 그녀는 완전히 자신의 통제 하에 있는 중앙집권적 조직을 발전시켰다. 보스턴의 교회를 "모교회"(Mother Church)라고 불렀으며, 과학자 그리스도의 교회의 회원이 되고자 하는 자는 이곳에 소속해야 했다. 그녀는 그 운동 안에 교리적 반론이 없도록 보장하는 조처를 취했다. 그녀는 자기의 저서를 기록하게 한 신적 감화 속에서 그리스도의 재림이 이미 이루어졌음을 선언했다. 자기의 교리가 변질되는 것을 방지하기 위해 교회 내에서 설교를 금하고 그 대신 성경 및 자기의 저서에서 발췌한 본문들을 낭독하도록 했다. 메리 베이커 에디가 선정하고 지정한 이 본문들은 지금도 예배 때에 추종자들에 의해 낭독된다. 남자와 여자가 번갈아 낭독하는데, 이 운동에서 여성이 항상 중요한 위치를 차지했다.

메리 베이커 에디의 교리가 행복과 건강을 약속했음에도 불구하고 그녀의 말년은 고통과 극심한 괴로움이 가득했다. 몰핀의 양을 증가시켜도 고통은 완화되지 않았으며, 또한 영적 괴로움이 극심했기 때문에 항상 추종자들이 자기의 곁에 있어 원수들의 동물 자기(다른 사람들을 최면 상태로 만드는 선천적 능력)로부터 보호받기를 원했다.

독립 이후 처음 100년 동안 미합중국에서의 기독교의 형성과 흐름을 돌이켜볼 때 기독교인들을 분열시킨 끝없이 등장하는 듯한 새로운 교파들과 운동들, 그리고 미합중국의 사회적 · 경제적 질서가 종교에 미친 영향으로 말미암아 충격을 받게 된다. 다양한 국가의 이민자들에 의해 유입된 다양한 종교적 전통에서 몇 개의 교파가 생겨났고, 교리와 예배와 도덕에 있어서 보다 순수한 새 집단을 형성함으로써 교회를 정화하려는 시도에서 생겨난 교파들도 있다. 노예제도와 그 제도의 폐지에 관한 정치적 · 사회적 불화로 말미암아 생겨난 교파들도 있다. 또 성경과 역사 전체를 해석하는 열쇠를 발견했다고 주장되는 특별한 성경 본문의 문자적 해석에서 생겨난 교파들도 있다. 그 후 수십 년은 정치적 · 경제적 · 종교적으로 미합중국의 확장시대였으므로, 지금까지 이 장에서 살펴본 사건들과 경향들이 전 세계, 특히 라틴아메리카, 아시아, 그리고 아프리카의 기독교 공동체들에게 흔적을 남겼다.

제14장
서유럽의 변화

모든 종교 체제와 미신은 자연 법칙에 대한 무지에 기초하고 있다.
이러한 어리석음을 만들어내고 옹호한 자들은 인간 지성의 발달을 예측하지
못했다. 이들은 자기 시대의 지식이 알아야 할 전부라고 확신했기 때문에…
자기 시대의 견해를 기초로 하여 자기들의 이상을 세웠다.
—콩도르세(Antoine-Nicolas de Condorcet)—

18세기 말 유럽에는 광범위한 정치적·문화적 대변동들이 있
었다. 이러한 사건들이 여러 국가에서 발생했으나 가장 중요한 사건은
프랑스 혁명과 관련된 것들이었다.

프랑스 혁명

프랑스의 프로테스탄트들을 위해 종교 자유를 명한 루이 16세는 선한
통치자가 아니고 현명한 정치가도 아니었다. 그의 재위 기간에 왕실의
지출은 급증한 반면에 프랑스 내의 경제 상황, 특히 가난한 자들의 경제
상황은 계속 악화되었다. 국왕은 전통적으로 면세 혜택을 받아온 귀족

들과 성직자들에게 과세하고자 했고, 이들이 반대하자 왕과 각료들은 삼부회-이는 의회에 해당하는 프랑스의 기관으로서 성직자, 귀족, 그리고 유산 계층으로 구성되어 있었다-를 소집했다. 삼부회를 소집한 왕의 의도는 성직자와 귀족들의 저항을 억압하려는 것이었으므로 각료들은 제3계급-부르주아-이 나머지 두 계급보다 더 많은 대의원들을 파견토록 하자고 제안했다. 그리하여 성직자들은 주교들과 고위 성직자뿐만 아니라 이러한 고위 성직자들과 귀족들의 이해관계에 저항한 교구사제들을 포함시키도록 했다. 1789년 5월 4일에 회의가 소집되었을 때, 제3계급의 대표들이 다른 두 계급의 대표들을 합한 것보다도 더 많았으며, 성직자들 중 고위 성직자들은 3분의 1이 못되었다. 회의가 시작될 즈음 제3계급은 각 신분 공통의 두수제(頭數制) 체결방법을 주장했다. 성직자들과 귀족들은 부별투표(部別投票)를 원했다. 그렇게 하면 제3계급의 한 표에 대항하여 두 표를 행사할 수 있기 때문이었다. 그러나 부르주아들은 양보하지 않았다. 고위성직자들의 귀족적 경향에 반감을 품은 일부 사제들이 제3계급에 합류했다. 결국 이 두 집단은 스스로 국민의회 (National Assembly)라고 선포하고 자기들이 국가의 다수 의견을 대표한다고 주장했다. 이틀 후 성직자들이 국민의회에 합류하기로 의결했다.

이러한 정치 상황이 발생하고 있는 동안 경제는 더욱 악화되었고, 굶주림은 한층 더 널리 퍼졌다. 국민의회가 취할 행동을 두려워한 정부는 회의장을 폐쇄하고 해산을 명령했다. 그러나 의원들은 이에 불복하여 자기들의 회의를 통해 헌법제정 때까지 해산하지 않기로 맹세했다. 루이 16세는 군대를 파리 외각에 진주시키고, 부르주아와 파리 시민들의 지지를 받고 있었던 프로테스탄트 은행가요 재무총감인 자크 네케르

(Jacques Necker)를 해임했다. 분노한 파리 시민들은 일련의 폭동을 일으켰으며, 1789년 7월 14일에는 왕의 정적들을 유폐시키는 감옥으로 사용된 옛 성채 바스티유를 장악했다.

그 때부터 중요한 사건들이 연속적으로 발생했다. 왕은 결국 제3계급에게 굴복하여 나머지 두 계급에게 국민의회에 참여하여 새로운 헌법제정국민의회(National Constituent Assembly)를 구성토록 했다. 이 의회에서 그후 프랑스뿐만 아니라 유럽 각국에서 민주주의 운동의 기본 문서들 중 하나가 된 "인권 선언"이 선포되었다. 왕이 이 선언 및 의회의 다른 결정들을 받아들이기를 거부하자 파리 시민들이 폭동을 일으켰으며, 이때부터 왕과 그의 가족들은 실질적인 연금 상태에 놓였다.

의회는 자기들이 선포한 선언문 및 이 책 제8장에서 논의한 바 있는 철학자들의 정치적 사상들을 좇아 정치적·경제적 측면뿐만 아니라 종교생활까지 포함하여 정부를 재조직했다. 종교생활에 관하여 특히 가장 중요한 조처는 1790년의 "성직자 시민헌장"(Civil Constituent of the Clergy)이었다. 프랑스는 수백 년 동안 소위 "갈리아교회의 자유"(Gallican liberties)를 주장하여 로마의 지나친 간섭을 받지 않고 프랑스의 왕실과 주교들의 관할 아래 있었다. 따라서 스스로 국가의 주권의 소재 기관이라고 정의한 헌법제정국민의회는 프랑스 내 가톨릭교회의 조직과 생활을 규제할 권리가 있다고 여겼다. 게다가 교회 내에 많은 부정부패가 있었으므로 새로운 조직이 필요했다. 귀족들이 거의 독점하고 있었던 최고위 성직들은 신자들을 돌보기 위해서가 아니라 성직자들의 개인적 치부를 위해 사용되었다. 몇몇 유서 깊은 수도원들과 사원들은 사치와 향락의 중심지가 되었으며, 일부 수도원장들은 왕실과 줄을 대고 정치적 음모를 자행했다. 이러한 작태들은 개혁을 필요로 했다. 그러나 당시 의회의 의원들 중 다수는 교회 및 그 신앙이 과거 미신적 시대의 유물이므로 파괴되어야 한다고 확신했다. 성직자 시민헌법이 반포되었을 때 교회의 완전 소멸을 주장하는 사람들은 극소수로서 그 역할이 미미했다. 그러나 사건들이 전개되고 혁명이 과격해지면서 그들이 두각을 나타냈다.

성직자 시민헌법에 포함된 대부분의 요소들은 교회 개혁을 위한 것이었다. 그러나 문제의 핵심은 의회가 "교회와의 협의 없이" 이러한 명령을 발표할 권위를 소유하느냐는 것이었다. 그러나 당시에는 협의 대상이 되어야 할 "교회"의 실체가 분명하지 않았다. 어떤 이들은 프랑스 주교 전체의 회의를 소집해야 한다고 제안했다. 그러나 의회는 이러한 회의가 일부 종교 귀족들에게 장악될 것을 잘 알고 있었다. 또 어떤 이들은 교황과 협의해야 한다고 제안했다. 실제로 국왕은 의회의 결정을 비준하기 전에 이 방법을 택했다. 그러나 이것은 본질상 프랑스의 주권 유린인 동시에 "갈리아교회의 자유"를 부인하는 것이었다. 교황 피우스 6세는 루이 16세에게 서한을 보내어 성직자 시민헌법이 용납될 수 없는 분파적 문서라고 통지했다. 그러나 의회의 반응을 두려워한 국왕은 이것을 비밀에 붙이고 계속 교황을 설득하여 입장을 바꾸게 하려고 노력했다. 의회의 계속되는 압박을 받은 국왕은 결국 시민헌법에 합의하면서 자기의 동의는 잠정적인 것으로서 교황의 비준을 전제로 한다는 단서를 달았다. 마침내 의회는 성직을 맡은 모든 사람들이 시민헌법에 대한 충성을 서약해야 하며 이에 저항하는 자들을 해임하겠다고 했다.

이에 따라 교회가 분열되었다. 이론적으로는 서약을 거부하는 자들은 성직을 박탈당할 뿐 다른 처벌을 받지 않는다. 의회가 반포한 인권 선언에 따르면 누구도 사상의 자유를 침해받아서는 안 되며, 계속 서약을 거부한 자를 사제로서 용인하고자 하는 이들은 그렇게 할 수 있었다. 단지 서약한 이들은 국가의 지원을 받지만 서약을 거부한 사람들은 자기의 추종자들의 지원을 받아야 한다는 점이 달랐다. 그러나 실제로 서약을 거부한 자들은 단지 종교적인 이유 때문만 아니라 반혁명적 행동을 했다는 이유로 박해의 대상이 되었다.

한편 유럽의 다른 지역에서도 혁명 운동들이 힘을 얻고 있었다. 저지대 국가들과 스위스에서 혁명의 시도는 실패했으나, 왕들과 귀족들은 프랑스에서의 움직임이 자기들의 영토에 밀려들어오지 않을까 두려워했다. 이것은 프랑스의 혁명가들로 하여금 보다 극단적인 조처를 취하게 했다. 1791년 헌법제정국민의회는 입법의회(Legislative Assembly)에 의해 대체되었는데, 이때 온건파의 수가 격감했다. 6개월 후 프랑스는 오스트리아와 프러시아를 상대로 전쟁을 시작했고, 그리하여 1815년의 나폴레옹 전쟁이 끝날 때까지 계속된 오랜 전화가 시작되었다. 전세가 불리해지자 의회는 외국 왕실들과 가까운 관계를 맺고 있던 왕에게 분노를 터뜨렸다. 발미전투(Battle of Valmy)에서 프랑스는 결국 적군의 진군을 막을 수 있었다. 그 다음날 입법의회를 대체한 국민공회(National Convention)는 왕정을 폐지하고 공화정을 선언했다. 4개월 후 루이 16세는 반역죄로 재판을 받고 처형되었다. 그러나 프랑스의 문제가 해결된 것은 아니었다. 부르주아들의 정권 아래에서도 사회 불안과 계속되는 전쟁으로 막대한 경비가 소요되었으므로 도시의 빈민층은 별 혜택을 받지 못했고, 농민들의 생활 역시 피폐했다. 라 방대(La Vendée) 지방의 농민들이 반란을 일으켰고, 외국으로부터의 침입 위협도 고조되었다. 이리하여 모든 사람들이 반혁명적 정서를 소유한 것으로 의심을 받는 공포 분위기가 조성되었으며, 혁명의 지도적 인물들 대부분이 차례로 단두대에서 처형되었다.

여기에 가톨릭과 프로테스탄트를 망라한 기독교 전체에 대한 강력한 반동이 결합되었다. 혁명의 새 지도자들은 자기들이 미신 및 인간의 무지의 결과에 불과한 종교를 극복할 과학과 이성의 새로운 시대를 여는 연구자들이라고 생각했다. 새로운 시대가 열리면서 과거의 근거 없는 신념들을 포기해야 했다. 이러한 사상 위에서 프랑스 혁명은 처음에는 이성의 제의(Cult of Reason)라고 불리고 후에는 지존자의 제의(Cult of the Supreme Being)라고 불린 특유의 종교를 만들어냈다. 그 때에는 이미 성직자 시민헌법이 망각되었으며, 혁명은 교회와의 관련을 원하지 않았다. 달력도 합리적인 것으로 바꾸어 일주일을 10일로 했으며, 달의 이름은 각 계절의 자연 상태에 맞추어 "텔미도르"(Thermidor), "제르미날"(Germinal), "후룩티도르"(Fructidor) 등으로 개칭했다. 또한 볼테르의 유해를 공화국의 만신전(Pantheon of the Republic)으로 가져가는 엄숙한 행진을 필두로 각종 축제들이 종교적 축일들을 대체했다. 이성의 신전들이 건축되었고, 공식 성인 명단이 작성되었는데, 거기에는 예수, 소크라테스, 마르크스 아우렐리우스, 루소 등이 포함되어 있었다. 그밖에 결혼식, 장례식, 어린이들을 자유에게 바치는 의식 등이 지정되었다.

만약 이 때문에 고통과 유혈 사태가 발생하지 않았다면 이러한 광태는 터무니없는 희극에 불과했을 것이다. 새 종교의 신봉자들은 마구잡이로 단두대를 사용했다. 형식상으로 기독교 예배가 허락되었으나, 자유의 제단(altar of Freedom) 앞에서 맹세하기를 거부하는 사제들은 반혁명죄로 단두대로 보내졌다. 이에 따라 2,000-5,000명의 사제들, 그리고 수십 명의 수녀들과 무수히 많은 평신도들이 처형되었다. 감옥에서 죽은 자들도 많았다. 마지막에는 시민헌법에 서약한 사람들과 거부한 사람들, 가톨릭 신자들과 프로테스탄트 신자들조차 구분하지 않았다. 옛날 "광야 교회"인 프랑스의 개신교는 이때의 도전에 가톨릭 신자들만큼의 영웅적인 대처 능력을 발휘하지 못했다. 비록 1795년에 공포정치가 끝났으나, 정부는 공식적으로 계속 기독교를 대적했다. 프랑스가 스위스, 이탈리아, 네덜란드 등지에서 군사적 승리를 거둠에 따라 이 지역들에서도 비슷한 정책이 시행되었다. 1798년 프랑스 군은 교황령에 침입하여 피우스 6세를 포로로 잡아 프랑스로 데려가서 감옥에 가두었다.

이때 군부를 장악한 나폴레옹 보나파르트(Napoleon Bonaparte)가 1799년 11월에 집권했다. 피우스 6세는 몇 달 전에 프랑스의 감옥에서 사망했다. 나폴레옹은 가톨릭교회와 화해하는 것이 프랑스를 위한 최선의 정책이라고 생각했으므로 새로운 교황 피우스 7세와 협상을 시작했다. 일설에 의하면 나폴레옹은 당시 "사천만 명의 프랑스 국민들을 선물로 바치겠다"는 취지의 메시지를 교황청에 보냈다고 한다. 1801년 교황청과 프랑스 정부는 교회와 국가 양측의 이해관계를 보호할 수 있도록 주교들과 고위 성직자들을 임명하는 방안을 확정지은 화친조약(Concordat)에 합의했다. 3년 후 "제1통령"(First Consul)이라는 칭호에 만족하지 못한 나폴레옹은 피우스 7세가 집전한 대관식을 통해 황제가 되었다. 이때 그는 프로테스탄트들을 위해 종교의 자유를 용인했었다. 이상하게도 이러한 일련의 난관들은 프랑스교회에 대한 교황의 권위 증진에 기여했다. 그 때까지만 해도 프랑스 국왕들과 주교들은 갈리아교회의 자유를 주장하여 교황들이 직접 프랑스교회 문제에 개입하지 못하게 하고 있었다. 그러나 이제 나폴레옹은 황제의 정책을 방해하지 않는 한도 내에서 교황이 프랑스교회의 내부 문제에 간섭하는 것을 묵인했다.

그러나 황제의 야망과 교황의 굳은 결의가 충돌했으므로 이러한 합의는 오래 지속되지 못했다. 그 결과 프랑스 군이 또다시 교황령에 침입하여 교황을 사로잡았다. 그러나 교황은 포로 상태에서도 자기의 입장을 굽히지 않았고, 나폴레옹의 조처들에 대한 지지를 거부했으며, 특히 조세핀과의 이혼을 정죄했다. 피우스는 죄수로 지내다가 나폴레옹이 몰락한 후에 로마로 귀환했다. 그는 이곳에서 자기의 적들에게 대사면을 내리고, 나폴레옹을 위해 영국인들에게 중재했다.

피우스 7세가 주재한 대관식에서 나폴레옹은 황제로 즉위했다. 나폴레옹은 데이비드가 그린 이 그림을 보고서 그에게 교황의 몸짓을 황제에게 더 우호적인 몸짓으로 바꾸라고 명령했다.

새로운 유럽

나폴레옹 전쟁으로 말미암아 유럽 전체가 혼란에 빠졌다. 스페인, 포르투갈, 이탈리아, 저지대 국가들, 스칸디나비아 등의 왕실들이 전복되었다. 나폴레옹이 패배한 후 그를 대적했던 영국, 오스트리아, 프러시아, 러시아 등이 유럽의 정치적 판도를 결정했다. 프랑스의 국경은 혁명 이전의 상태로 돌아갔으며, 루이 16세의 동생인 부르봉가(Bourbon)의 루이 18세가 왕위에 올랐다. 나폴레옹에 의해 왕위를 박탈당했던 대부분의 국왕들이 복위되었다. 브라질로 망명했던 포르투갈의 주앙 6세(João VI)는 리스본으로 즉각 귀환하지 않았고, 귀국한 후 브라질 정부를 아들 페드로(Pedro)에게 맡겼다. 네덜란드와 벨기에는 한 국왕이 다스리게 되었다. 스웨덴의 왕위는 나폴레옹의 장군들 중 하나로서 현명하고 인기 있는 지도자로 입증된 베르나도테(Bernadotte)가 계속 유지했다. 많은 사람들은 이러한 합의가 전쟁으로 지친 대륙에 평화를 가져오기를 바랐다. 이러한 소원은 어느 정도 이루어진 셈이다. 1853-1856년의 크림 전쟁과 1870-1871년의 프로이센-프랑스 전쟁(Franco-Prussian War)을 제외하고 19세기의 남은 세월은 비교적 평화로운 시대였다.

그러나 이러한 국제 평화의 이면에서는 사회적·정치적 긴장으로 말미암은 음모와 반란과 폭동이 그치지 않았다. 이러한 불안의 주요 이유 중 하나는 이탈리아인들과 독일인들 사이에 출현한 국가 통일 운동이었다. 그 때까지도 이탈리아와 독일은 정치적 통일을 이루지 못했는데, 이 두 국가에서 통일을 이룰 때가 되었다는 정서가 커지고 있었다. 그러나 문화적 통일성이 없었고 독일과 이탈리아의 광대한 영토를 차지하고 있었던 오스트리아가 이에 반대했다. 독일과 이탈리아의 통일을 방해하고 유럽에서 일어나고 있던 각종 진보주의적, 사회주의적 운동들을 멸절시키기 위해 오스트리아의 수상 메테르니히(Metternich)의 영도 아래 국제적인 첩보망이 조직되었다.

신학적 자유주의와는 다른 성격을 띤 경제적 자유주의가 상인계급과 부르주아들의 환영을 받았다. 이 경제적 자유주의의 핵심은 시장을 포함한 전체 경제 질서가 수요와 공급의 법칙에 의해 조절되므로 정부의 규제나 억제가 필요하지 않다는 자유방임주의였다. 20세기와 21세기에 소위 보수주의자들에 의해 신봉된 이 이론에 의하면, 정부는 상거래와 자본의 사용을 규제함으로써 경제 활동에 개입해서는 안 된다. 당시 산업혁명이 유럽 대륙에 커다란 영향을 미치고 있었으므로 자유방임주의로 말미암아 자본의 집중이 대규모적으로 행해졌다. 이 이론은 자본이 팽창하고 산업이 발전함에 따라 가난한 자들의 경제적 지위가 향상된다는 것이었다. 이 경제적 자유주의는 종종 정치적 자유주의와 병행했다. 정치적 자유주의자들은 (주로 남성들만을 위한) 보통선거와 영국의 모범을 따른 입헌군주제를 지지하고 있었다.

이러한 사상들과 이전의 절대주의 사이의 갈등으로 말미암아 여러 국가에서 다양한 결과가 초래되었다. 스페인에서는 페르디난트 7세가 혁명 이전의 절대주의를 회복시켰다. 프랑스에서는 루이 18세가 용의주도하게 의원내각제를 도입했다. 독일에서는 프러시아가 국가 통일의 옹호자가 되었으며, 오스트리아는 옛 질서를 지지했다. 이탈리아에서는 일부 인사들이 피에몬테(Piedmont) 왕국과 사르디니아(Sardinia) 왕국을 중심으로 통일을 꾀한 데 반해, 또 다른 인사들은 공화국 설립을 주장했으며, 교황청을 중심으로 한 통일을 주장하는 인사들도 있었다. 1830년 벨기에가 네덜란드로부터 독립했는데, 가장 큰 이유는 벨기에는 가톨릭 진영이고 네덜란드는 개신교 진영이기 때문이었다. 같은 해에 공화파가 프랑스의 왕정을 전복시키려 했다. 이들은 목적을 달성하지 못했으나, 이 때문에 루이 18세를 계승한 보수적 국왕 샤를 10세가 몰락하고 상당히 진보적 성향을 가진 루이 필립 드 오를레앙(Louis Phillipe d'Orleans)이 왕위에 올랐다.

1848년에 새로운 혁명들이 발생했다. 독일, 이탈리아, 벨기에, 영국, 스위스, 그리고 프랑스에서 폭동과 반란이 일어났다. 스위스에서는 새 헌법이 공포되었다. 프랑스에서는 루이 필립이 폐위되고 제2공화정이 선포되었다. 제2공화정은 사망한 나폴레옹 황제의 조카인 루이 나폴레옹(Louis Napoleon)이 나폴레옹 3세라는 이름으로 즉위한 1851년까지 지속

1848년에 이 그림에 묘사된 리용의 폭동을 비롯하여 많은 폭동과 혁명이 발생했다. 리용에서는 노동자들이 군대를 대적하여 인간 바리케이드를 형성했다.

되었다. 같은 해에 오스트리아에서 메테르니히가 사망했으며, 당시에는 관심을 끌지 못했지만 마르크스와 엥겔스가 공산당선언(Communist Manifesto)을 발표했다.

카밀로 카부르(Camillo di Cavour)가 1852년 피에몬테 왕국의 수상이 된 직후 이탈리아의 지도는 급격히 변하기 시작했다. 카부르는 나폴레옹 3세의 도움을 받아 이탈리아 통일이라는 방대한 사업을 시작했다. 1861년 그가 임종할 당시 새로운 이탈리아 왕국은 베니스와 로마를 제외한 이탈리아 전역을 포함하고 있었다. 베니스는 1866년 프러시아가 이탈리아의 분열 상태를 지속시키려 한 오스트리아에 대항하여 개입했을 때 합병되었다. 로마와 교황령의 사연은 보다 복잡하다. 1849년 유럽을 휩쓸고 있었던 혁명의 물결은 로마 공화국(Roman Republic)을 탄생시켰고, 교황 피우스 9세는 자기의 교황위를 복위시켜 달라고 나폴레옹 3세에게 요청했다. 교황령은 끊임없이 위협을 받았지만 프랑스의 보호 아래 독립을 유지할 수 있었다. 마침내 프랑스와 독일의 전쟁이 한창이던 1870년에 이탈리아의 국왕 빅토리오 엠마누엘(Victor Emmanuel)이 로마를 점령함으로써 이탈리아 반도의 통일을 이룩했다. 국왕은 교황에게 매년 일정한 수입 외에도 독립 지역으로 간주되고 있던 바티칸, 라테란, 그리고 카스텔 간돌포 등 세 궁전을 양도해 주었다. 그러나 피우스 9세는 이것을 거부했고, 바티칸과 이탈리아 정부 사이의 긴장은 여러 해 동안 계속되었다. 1929년에야 교황청은 이전의 광대한 영지를 포기하고 빅토리오 엠마누엘이 제안했던 것과 비슷한 협정에 동의했다.

이탈리아에서 이러한 사건들이 발생하고 있었을 때, 독일의 지도자는 1862년 프러시아의 수상이 된 비스마르크(Otto von Bismarck)였다. 그의 업적은 오스트리아를 독일연방에서 제외시키고 그 연방을 단일 국가로 형성한 것이었다. 1870-1871년의 프랑스-프로이센-프랑스 전쟁으로 종식된 10년 동안의 교묘한 외교와 군사적 정복 이후 독일은 프러시아의 빌헬름(Wilhelm) 아래 통일되었다. 비스마르크는 가톨릭교회에 대하여 적대적인 종교정책을 폈다. 오스트리아 주민들 대부분이 가톨릭 신자였으므로 프러시아의 수상인 비스마르크는 자국의 가톨릭 신자들이 오스트리아인들에게 동조할 것을 염려했다. 뿐만 아니라 그는 국제적으로 이탈리아의 통일을 지원하는 정책을 폈는데, 오스트리아는 그 정책에 반대했다. 따라서 그는 교황이 교황령을 다시 차지할 수 있도록 프러시아가 개입해야 한다고 주장하는 국내의 가톨릭 신자들 때문에 큰 애를 먹었다. 그러나 무엇보다도 그는 가톨릭교회가 반계몽주의적이며 진보적인 개신교가 독일이 성취해야 할 역사적 사명에 잘 부합한다고 확신했다. 이러한 여러 가지 이유 때문에 비스마르크는 가톨릭교회에 적대적인 몇 가지 조처를 취했다. 독일은 교황청과의 외교관계를 단절하고, 몇 개의 수도회를 국외로 축출했으며, 전통적으로 교회에 지급되어 온 보조금을 중단했다. 1880년 비스마르크는 몇 가지 정치적 편의 때문에 이러한 정책들 중 일부를 변경하고 교황청과의 관계를 회복했다. 그러나 이전의 갈등들은 교황 피우스 9세로 하여금 가톨릭교회와 현대적 개념의 국가가 공존할 수 없다는 확신을 갖게 하는 이유가 되었다.

19세기에 유럽 개신교에 있어서 신학 발전과 선교 활동을 제외한 가장 중요한 문제들은 점차 고조되는 교회와 국가의 분리 관계로부터 발생한 것이었다. 16세기 종교개혁 이후 개신교가 우세하게 된 국가에서도 이 새로운 교회는 가톨릭교회와 비슷한 방식으로 국가와의 관계를 지속했다. 그러나 프랑스 혁명 후 이러한 현상은 변화하기 시작했다. 예를 들어 네덜란드의 경우 프랑스가 이곳을 점령하여 바타비아 공화국(Batavian Republic)을 세웠을 때 국가와 개혁파 교회의 유대가 깨졌으며, 왕정복고 후에도 교회와 국가의 관계는 전처럼 강력하지 못했다.

독일에서는 국가 통일을 추구하면서 종교적 통일을 강화하려 한 많은 옛 법들이 폐지되었다. 유럽 전역에서 경제적·정치적 자유주의가 비슷한 결과를 초래했다. 이에 따라 "자유 교회들"—국고에 의해 지원을 받는 국교회들과는 달리 신자들이 자발적으로 내는 헌금에 의해 유지되는 교회들—이 성장했다. 감리교와 침례교가 독일 전역과 북유럽에 퍼졌다. 또 정부와 관계를 가진 루터파와 개혁 교회 안에 경건주의가 진출했다. 경건주의에 의해 몇 개의 선교 기관들이 발족되었으며, 유럽의 병폐를 해결하려는 목적을 지닌 기관들도 설립되었다. 독일 및 북유럽의 국가들에서는 여집사들 및 그들의 조직이 병자들, 노인들, 그리고 빈민들을 돌보았다. 덴마크에서는 루터파 지도자인 그룬트비히(N. F. S. Grundtvig)가 협동조합 운동을 통해 도시 빈민들을 돕고자 했다. 일반적으로 유럽에서 국가의 지원이 감소함에 따라 개신교 신자들의 신앙 열기는 더욱 새로워졌으며, 많은 이들이 여러 방면에서 교회의 사역을 돕게 되었다.

영국에서의 발달

19세기 영국의 변화는 대륙의 그것과 흡사하다. 영국의 산업혁명은 유럽대륙에서보다 시기적으로 더 일찍 시작되었고 더 큰 영향을 미쳤다. 산업혁명은 중산층과 자본가들에게 유익을 주었던 반면, 전통적인 귀족들과 빈민층의 기반을 약화시켰다. 상공업의 발전으로 인한 도시의 급격한 성장으로 말미암아 빈민가들이 생겨났으며, 가난한 자들은 비참한 생활을 면치 못했다. 한편 급격히 강대해진 경제적·정치적 자유주의로 말미암아 상원의 세력이 약화되고 하원의 세력이 강화되었다. 이러한 상황들의 결과로서 많은 사람들이 미합중국, 캐나다, 오스트레일리아, 뉴질랜드, 남아프리카 등지로 이주했다. 또 (노동조합이 법적으로 금지되어 있던) 19세기 초부터 (노동당이 정치 세력이 된) 19세기 말 사이에 노동운동이 본격적으로 발전했다. 칼 마르크스는 영국에서 자신의 경제 이론들 중 다수를 발전시켰다.

이 모든 현상들이 교회에 영향을 미쳤다. 프랑스 혁명이 시작되었을 때 영국에는 중세 교회의 가장 좋지 못했던 시대의 폐습들, 즉 부재성직자제도, 성직겸임, 개인적·정치적 야망을 위한 수단으로 성직을 이용하는 행위 등이 존재했다. 그러나 19세기에 영국 국교회 안에 중요한 갱신이 이루어졌다. 정부가 반포한 많은 개혁 법령 덕분에 보다 신실한 교회를 추구하는 사람들이 주목을 받았다. 개혁 의지를 가진 인사들 중 일부는 성공회 중에서도 "복음주의적" 집단에 속해 있었다. 대륙의 경건주의의 영향을 받은 이들은 영국 국교회가 다른 프로테스탄트 진영과 보다 긴밀한 유대관계를 가질 것을 원했다. 특히 "옥스퍼드 운동"(Oxford Movement)의 주창자들은 정반대의 길을 택하여 결국 "앵글로 가톨릭"(Anglo Catholics)이라는 명칭을 얻었다. 여러 면에서 가톨릭교회의 영향을 받았고 종종 동방정교회의 감화를 받은 옥스퍼드 운동은 전통의 권위, 사도 전승, 그리고 기독교 예배의 중심으로서의 성찬 등을 강조했다. 지도자들 중 하나인 존 헨리 뉴만(John Henry Newman)은 가톨릭으로 개종하여 마침내 추기경이 되었으나 보수적 가톨릭 신자들은 그를 신뢰하지 않았다. 그러나 이 운동을 추진한 대부분의 인사들은 국교회 안에 남아 경건생활을 회복시켰다. 이 운동의 또 다른 결과는 국교회 내 수도원 운동의 재생이다. 곧 성공회 수도사들과 수녀들이 가난하고 병든 자들을 돕기 위해 노력하게 되었다.

그러나 19세기에 가장 활력적이었던 것은 비국교파 교회들이었다. 중산층의 성장으로 말미암아 비국교파의 신자들이 급증했다. 감리교, 침례교, 회중파 교회들은 양적 성장뿐만 아니라, 가난한 자들을 구제하며 사회 부조리를 고치고 해외 선교를 위해 설립한 기관들을 통하여 자기들의 활력을 입증했다. 가난하고 무지한 대중에게 복음을 전파하기 위해 비국교파 교회들은 주일학교를 세웠는데, 이것은 후일 프로테스탄트

영국의 개신교인들은 몇 가지 새로운 형태의 사역을 시작했는데, 그중에는 노숙자들을 수용하여 기독교 교육을 행하는 노숙인 센터가 포함되어 있었다.

교회들의 일반적인 관습이 되었다. 또한 기독교청년회(YMCA), 기독교여자청년회(YWCA)가 조직되었다. 몇 개의 새 교파들이 출현했는데, 특히 1864년에 설립된 구세군은 교회의 손길이 닿지 않는 도시의 빈민들을 위해 활약했다.

성공회의 복음주의파를 비롯한 이 모든 집단들은 당시의 사회적 병폐에 깊은 관심을 가졌다. 노동조합의 탄생, 감옥의 개선, 미성년 노동자에 관한 입법 등에 있어서 감리교와 퀘이커파 신자들이 중요한 역할을 했다. 그러나 19세기 영국 기독교인들의 가장 위대한 업적은 대부분의 서구 세계에서 노예제도를 폐지한 것이다. 이전부터 퀘이커파와 감리교는 노예제도를 정죄해왔다. 그러나 19세기에 들어와서야 윌리엄 윌버포스(William Wilberforce)를 비롯한 헌신적인 기독교인들의 노력 덕분에 영국 정부는 노예제도를 규제하기 시작했다. 1806년과 1811년, 의회는 노예제도를 금하는 법률들을 의결했다. 1833년 영국령 카리브 일대의 모든 노예들에게 자유가 주어졌고, 그 후 다른 영국령 식민지에서도 비슷한 법이 반포되었다. 동시에 노예매매 종식을 위해 합의하여 조약을 체결하려는 다른 국가들과의 노력이 계속되었다. 일단 조약이 체결되면 영국 해군이 적극적으로 개입했다. 얼마 안 되어 대부분의 서구 국가들이 노예제도를 폐지했다.

요약해서 말하면, 19세기에 유럽은 정치적·경제적인 큰 변화를 겪었다. 일반적으로 이러한 변화는 개신교보다는 가톨릭교회에 더 큰 피해를 주었다. 따라서 19세기는 현대 사상들에 대한 가톨릭교회의 반동기로서 가톨릭교회는 그러한 사상들을 위협으로 여겼다. 반면 19세기는 개신교에게 새로운 기회들을 부여했다. 대영제국과 독일 등 개신교 국가들의 영향력이 급증했다. 정치적·경제적 자유주의는 개신교 신앙과 긴밀한 관계를 가지고 있었으며, 그것을 지지하는 이들은 자유주의를 한물 간 권위주의적 가톨릭교회에 대한 미래로부터의 도전이라고 생각했다. 개신교인들은 사회적 불의, 특히 노예제도에 대항한 투쟁을 주도했다. 결과적으로 가톨릭교회는 새 시대에 대한 극도의 경계에서 벗어나지 못한 데 반해, 많은 개신교 신자들은 거의 무조건적으로 미래를 낙관했다.

제15장

라틴아메리카의 변화

Skipped

베드로의 계승자들은 언제나 우리의 아버지였다. 그러나 전쟁은
우리를 잃어버린 어머니를 애타게 부르는 어린양과 같이 고아로
만들었다. 이제 인자한 어머니께서 그를 찾아 다시 양떼 속으로 인도
하셨으며, 우리에게는 교회와 공화국을 영도할 목자들이 주어졌다.
―시몬 볼리바르(Simón Bolívar)―

신생국가들의 태동

19세기 초 유럽 및 북아메리카의 영국령 식민지들에서 발생한 정치적
격변들을 라틴아메리카에서도 느낄 수 있었다. 이곳 스페인과 포르투갈
식민지에서는 오래 전부터 최근에 스페인 본토에서 건너온 페닌슐라레
(*peninsulares*)와 초기 이민자들의 후손인 크리오요(*criollos*) 사이에 긴장상태
가 존재해왔다. 인디오 및 노예들을 착취하여 비교적 부유한 계층이 된
크리오요는 자기들이 페닌슐라레보다 식민지 현황을 더 잘 이해하고 있
으므로 식민지 운영에 참여해야 한다고 생각했다. 그러나 성속(聖俗)을
불문하고 모든 중요한 직책의 임명이 유럽에서 이루어졌으므로, 주로
페닌슐라레가 요직을 차지하기 마련이었다. 신세계를 본 적도 없는 많

은 페닌슐라레들이 신세계를 다스리는 직책에 임명되었다. 크리오요들은 식민지의 발전이 자기들의 노력의 결과라고 생각하여 페닌슐라레의 권위에 반발했다. 그들은 계속 왕실에 충성했으나, 식민지의 희생을 강요하면서 본국에 유리하게 제정된 많은 법을 혐오했다. 이들은 넉넉한 재산을 이용하여 자주 유럽을 방문했으며, 대륙에서 기세를 떨치고 있던 공화주의적 이념에 물들어 돌아오곤 했다. 그리하여 라틴아메리카의 크리오요들은 프랑스의 부르주아들과 비슷한 역할을 했다.

1808년 나폴레옹은 스페인의 페르디난트 7세를 폐위시키고 자기의 동생 조셉 보나파르트(Joseph Bonaparte)—스페인인들은 그를 페페 보테야(*Pepe Botella*)라고 불렀다—를 왕위에 앉혔다. 스페인인들은 카디즈(Cadiz)에 본부를 두고 해임된 왕의 이름으로 군사정부(junta)를 조직하여 프랑스에 대항했다. 나폴레옹은 모든 스페인 식민지들에게 조셉에게 복종하라고 선포했으나 그 명령을 실천할 힘이 없었고, 신세계에도 여러 지역에 군사정부들이 조직되었다. 페닌슐라레들은 이 모든 군사정부들이 카디즈 정부 아래 복속되어야 한다고 주장했으나, 크리오요들은 독립된 군사정부들의 존재를 주장했고, 결국 이들의 의견이 관철되었다. 그리하여 식민지들은 비록 폐위된 왕의 이름을 빌렸지만 자치를 시작했다.

1814년 나폴레옹의 패배 후 페르디난트 7세가 복위했다. 그런데 그는 자기를 위해 영토를 보존해 준 사람들에게 감사를 표하기는커녕 이 진보적 경향의 군사정부들이 이룩한 것들을 무효화시키기 시작했다. 스페인에서는 카디즈 군사정부가 반포한 헌법을 폐지했는데, 이에 대한 반항과 불만이 격렬했기 때문에 1820년에 그것을 다시 채용했다. 식민지에서의 유사한 정책들로 말미암아 크리오요들은 스페인 본국 정부의 정책에 반항했으며, 이에 따라 국왕에게 충실했던 식민지 주민들이 반란을 일으켰다. 라플라타(Rio de la Plata)-현재의 아르헨티나, 파라과이, 그리고 우루과이-에서는 1816년 독립이 선언되기까지 군사정부가 통치를 계속했다. 3년 후 파라과이가 스페인과 라플라타로부터의 통일을 선언했다. 우루과이는 1828년에 독립 국가가 되었다. 한편 호세 데 산 마르틴(Jose de San Martin)은 안데스를 넘어 칠레에 침입했고, 1818년에 칠레의 독립이 선포되었다. 남부에서 이러한 사건들이 벌어지는 동안, 북부에서는 시몬 볼리바르가 군대를 조직하여 스페인 군을 물리치고 그레이터 콜롬비아(Greater Columbia)-현재의 콜롬비아, 베네수엘라, 그리고 파나마-의 독립을 선포했다. 곧이어 에콰도르가 그레이터 콜롬비아에 합류했으며, 볼리바르는 남쪽으로 진군했고 페루-현재의 페루와 볼리비

19세기에 신세계의 식민지들 대부분이 볼리바르를 비롯하여 본토 귀족들의 영도 하에 독립했다.

아-가 독립했다.

볼리바르는 남아메리카 대부분을 포용하는 방대한 공화국의 성립을 꿈꾸고 있었지만 그 꿈은 곧 산산이 부서졌다. 그레이터 콜롬비아는 베네수엘라와 콜롬비아와 에콰도르로 분리되었다. 페루에서는 알토 페루(Alto Peru)라고 알려진 지역이 독립을 주장하여 볼리바르의 공화국-오늘날의 볼리비아-이 되었다. 대륙의 연합을 향한 볼리바르의 마지막 희망은 1826년의 파나마 회의(Panama Congress)에서 무산되었다. 왜냐하면 그 지역의 이해관계와 미합중국의 이해관계로 말미암아 신흥국가들이 단결할 수 없었기 때문이었다. 5년 후 임종하기 며칠 전에 볼리바르는 다음과 같이 탄식했다. "아메리카를 제대로 통치할 수 없다. 혁명에 참가한 이들은 바다에 밭을 가는 헛수고를 했다."[8]

ㄴ멕시코에서는 다른 상황이 발생했다. 페닌슐라레들로부터 권력을 장악하려는 크리오요들의 음모가 발각되었을 때, 지도자들 중 하나인 미구엘 이달고 이 코스티야(Miguel Hidalgo y Costilla) 신부는 체포되기 전에 행동으로 옮기기로 결정했다. 1810년 9월 16일 그는 멕시코의 독립을 선언했다. 그는 조직화 되지 못한 6만여 명의 인디오들과 메스티소(mestizo)-인디오와 백인 사이의 혼혈인-들로 이루어진 군대의 지도자가 되었다. 이달고가 체포되어 처형된 후 메스티소 출신의 신부 호세 마리아 모렐로스(Jose Maria Morelos)가 뒤를 이었다. 그리하여 처음부터 이 신생국가는 인디오와 메스티소의 지원과 참여를 얻고 있었다. 한동안 크리오요들이 권력을 다시 잡았으나, 후일 베니토 후아레스(Benito Juarez)의 지도 아래 상황은 원래대로 바뀌었다. 따라서 멕시코의 정치사에서 인디

---

8) Simón Bolívar, *Obras completas*, vol. 3(Havana: Lex, 1950), p. 501.

오와 메스티소들이 중요한 역할을 해왔다. 원래 멕시코의 일부였던 중앙아메리카는 1821년 독립을 선언했으며, 후일 과테말라, 엘살바도르, 온두라스, 니카라과, 코스타리카 등으로 분리되었다. (파나마는 원래 중앙아메리카에 속한 지역이 아니었다. 콜롬비아의 일부였는데, 1903년 콜롬비아가 파나마 운하 건설을 위해 요구한 조건을 피하기 위해서 미합중국이 분리 독립을 조성했다.)

브라질의 독립 역시 나폴레옹 전쟁의 결과였다. 1807년 포르투갈 왕실은 나폴레옹 군대를 피해 브라질에 자리 잡았다. 후앙 6세는 1816년 리스본에서 복위했으나 돌아가려 하지 않다가 1821년에 정치적 상황 때문에 어쩔 수 없이 포르투갈로 돌아갔다. 그는 아들 페드로를 브라질에 섭정으로 남겨두었다. 후일 페드로는 포르투갈로 돌아가기를 거부하고 브라질의 독립을 선언하여 페드로 1세 황제가 되었다. 1825년 포르투갈은 자국의 식민지였던 이곳의 독립을 승인했다. 그러나 페드로 1세는 자기가 원했던 방식의 통치를 할 수 없었다. 그는 어쩔 수 없이 의회 정치 제도를 도입했으며, 1889년에는 그의 아들 페드로 2세가 폐위되고 공화국이 설립되었다.

아이티(Haiti)의 독립은 프랑스 혁명의 직접적 결과였다. 혁명 때문에 이곳의 백인 주민들이 군사적 지원을 받을 수 없게 되자, 주민들의 대부분을 차지했던 흑인들이 반란을 일으켰다. 독립은 1804년에 선언되었으며, 1825년에 프랑스가 독립을 인정했다. 미합중국은 1862년에 비로소 독립을 인정했다. 왜냐하면 노예 반란의 결과로 설립된 국가가 노예제도를 인정하는 미합중국의 입장에 방해되었기 때문이었다.

이 모든 사건들을 살펴보면 몇 가지 공통적인 맥락이 드러난다. 프랑스와 미합중국으로부터 유입된 공화주의 이념은 라틴아메리카의 혁명과 독립에 이념적인 틀을 제공했다. 그러나 이 혁명들은 크리오요 계층–아이티에서는 군사 지도자들–이 권력을 장악하는 결과를 가져왔으며, 대중의 욕구에는 관심을 기울이지 않았다. 국민들의 다수가 토지를 소유하지 못한 가운데, 소수의 지주들이 거대한 농경지들을 소유했다. 19세기 중반 외국 자본과 농산물의 수출을 기초로 대규모의 경제 발전이 이루어졌다. 이에 따라 지주들의 토지 점유는 오히려 증가했고, 크리오요 출신 지주들과 외국 자본의 동맹이 이루어졌다. 도시에는 비록 권력을 소유하지 못했으나 당시 발생하고 있던 경제 발전과 이해관계가 밀접하게 연결되어 있던 상인들과 공무원이 중산층으로 등장했다. 국민들이 소망했고 거듭 약속되었던 것은 상업과 공업과 교육의 발전에 따라 사회의 모든 계층이 혜택을 얻고 최하위 빈민층까지도 부의 공정한 분배에 참여하는 것이었다. 그러나 경제 발전을 위해서는 질서가 필요하다는 미명 아래 독재가 정당화되곤 했다.

19세기 내내 라틴아메리카는 "자유주의자들"과 "보수주의자들" 사이의 이념적 논쟁에 시달렸다. 일반적으로 양 집단의 지도층은 상류층 출신들이었다. 그러나 보수 진영이 귀족 지주들을 기반으로 한 데 비해 진보 진영은 주로 도시의 상인들과 지식인들의 지지를 받았다. 보수파는 사상의 자유와 자유기업이라는 개념을 두려워했다. 반면 이러한 관념이 현대적이었고 상인 계층의 이해관계에 적합했으므로 진보파는 이를 옹호했다. 대부분 보수주의자들은 스페인으로부터 사상을 유입해온 데 반해, 진보주의자들은 영국, 프랑스 그리고 미국에 의존했다. 그러나 양측 모두 하류층이 부의 분배에 참여할 수 있도록 사회질서를 개조하려 하지 않았다. 그 결과 (진보와 보수 양파가 주도한) 일련의 독재정치와 측근자 쿠데타, 폭력 등이 반복되었다. 19세기 말 많은 이들이 대륙의 통치가 불가능하다는 볼리바르의 탄식에 동조했다. 이 견해는 1910년에 시작되어 오랜 폭력과 시민 반란 시대—이 때에 국가가 빈곤해졌고 많은 사람들이 다른 지역으로 이주했다—를 야기한 멕시코 혁명이 입증해주는 듯하다.

신생국가들의 교회

식민지 시대 내내 라틴아메리카 교회는 국왕 교회 보호권(*Patronato Real*) 아래 있었다. 현지의 주교들은 스페인과 포르투갈 정부에 의해 임명되었다. 따라서 페닌슐라레와 크리오요 사이의 긴장관계가 교회 안에도 존재했다. 고위 성직은 페닌슐라레들이 차지했고, 하위 성직자들의 대부분은 크리오요와 메스티소였다. 소수의 주교들이 스페인령 아메리카의 독립을 지지했으나 대부분의 주교들은 왕실을 지지했고, 많은 주교들은 목회서신에 의해 반란을 정죄했다. 독립 후 이들의 대부분이 스페인으로 돌아감으로써 많은 교구들이 공석이 되었다. 그런데 그 자리에 성직자들을 임명할 수 없었다. 왜냐하면 스페인이 국왕 교회 보호권(*Patronato Real*)을 고집한 데 반해, 새 공화국들은 왕실이 임명한 주교들을 받아들이지 않았고 심지어 스페인 왕실의 권리를 계승한 새 정부들이 자국의 주교들의 임명권을 갖는다는 국가 교회 보호권(*Patronato Nacional*)을 주장했기 때문이다. 교황들의 태도는 우유부단했다. 왜냐하면 스페인이 유럽에서 교황청의 중요한 우방이었지만, 신생국가들의 가톨릭 신자들이 큰 비중을 차지했기 때문이다. 그 당시 피우스 7세는 1816년 "전쟁의 용사"(*Etsi longissimo*) 회칙에서 반란을 커다란 악이라고 비난하고, 페르디난트를 가리켜 "예수 그리스도의 가장 사랑받는 아들, 그대들의 가톨릭 국왕"이라고 칭했으나, 결국 정치적 상황 때문에 중립을 지킬 수밖에 없었다. 1824년 레오 11세는 회칙 "현재의 신"(*Esti Iam diu*)에서 독립운동을 "가라지"라고 일컫고 페르디난트를 "우리의 사랑스러운 아들 페르디난트, 스페인의 가톨릭 국왕"이라고 칭했다. 유럽에서는 프랑스와 오스트리아와 러시아가 스페인과 합세하여 신생국가들이 스페인과의 협의 없이 주교들을 임명하는 데 반대했다. 결국 1827년 레오 12세는 콜롬비아—당시 현재의 콜롬비아, 베네수엘라, 에콰도르, 그리고 파나마가 포함되어 있었다—를 위한 최초의 주교들을 임명하기로 결정했다. 이때 이 장 첫머리에 인용된 볼리바르의 발언이 행해졌다. 그러나 이를 통해서도 문제가 해결되지는 못했다. 왜냐하면 페르디난트는 로마와의 관계를 단절했으며, 교황은 이제까지 행한 많은 조처를 철회해야 했기 때문이다. 그로부터 수십 년 후 교황 그레고리 17세는 신생공화국들의 존재를 공인하고, 이들을 위한 주교들을 지명했다. 가톨릭교회에서 성찬이 차지하는 위치를 감안해 볼 때, 주교들의 공백 상태는 지도자의 부재 이상의 의미를 지닌다. 주교들이 없이는 성직자 임명이 불가능했으며, 정식 임명을 받은 성직자들이 없이는 교회에서 성찬을 시행할 수 없었다.

대부분 크리오요나 메스티소였던 하위 성직자들의 태도는 주교들의 태도와 대조를 이룬다. 멕시코에서는 사제들의 4분의 3이 반란을 지지했다. 아르헨티나에서는 독립선언서에 서명한 29명 중 16명이 사제였

다. 또 반란 초기에는 독립을 지지하는 주민들이 거의 없었으나, 교구사
제들이 지지를 얻는 데 큰 역할을 했다. 이와 같은 교회의 모순된 태도
는 여러 모로 라틴아메리카의 교회가 식민지시대 초기부터 취했던 양면
적인 태도의 지속이었다. 특히 고위 성직자들은 일반적으로 보수적인
정책을 지지했지만, 많은 사람들이 정치적 · 경제적 · 사회적 변화를 지
지했다.

독립 이후의 라틴아메리카

설상가상으로 교회의 공식적인 가르침과는 상관없이 주민들은 다양한 방식으로 자기의 신앙을 이해하고 실천했다. 사제들의 부족 때문에 성례전과 종교 의식, 그리고 만성절, 묵주신공, 마술적 힘을 지닌다고 생각되는 기도문 등 사제가 참석하지 않아도 되는 기념행사들을 강조하지 않게 되었다. 이 모든 것이 아메리카 대륙의 원주민들과 아프리카 출신의 노예들이 지니고 있는 고대 종교들의 요소들과 결합되었고, 후일 유럽에서 도입된 것으로서 죽은 자들의 영의 환생 및 그것과의 교제를 강조하는 강신술과 결합되었다. 이것들은 대체로 순전히 종교적인 것으로 이해되었지만, 대부분 교회를 좌우하고 있던 권력자들에 대한 저항 행위였음이 분명하다.

이러한 이유들 때문에 가톨릭교회에 대한 새 정치가들의 태도는 복합적이었다. 그들은 모두 가톨릭 신자임을 자처했으며, 초기의 다양한 헌법들은 가톨릭교회를 국가의 종교로 인정했다. 그러나 특히 멕시코에서 교황청과의 관계가 악화되었으므로 어떤 이들은 로마와의 관계를 단절하고 새로운 국교회를 세우자고 주장했다. 그 후에도 교황들이 자국의 정치적 이해관계에 위배되는 태도를 취할 때마다 이러한 경향이 되풀이하여 등장했다.

독립 후 진보파와 보수파 사이의 투쟁은 다양한 종교 정책들로 표현되었다. 보수파는 성직자와 교회의 전통적 특권들을 수호하고자 했고, 진보파는 이에 반대했다. 이때 독립을 지지했던 많은 원주민 성직자들이 보수 진영에 합류했다. 초기 진보주의자들은 가톨릭교회 자체를 반대한 것이 아니라 원주민이면서도 스페인을 우주로 간주하는 성직자들의 편협한 사상과 관습에 반대했다. 그러나 결국 진보파와 교회 지도자들 간의 계속된 갈등으로 말미암아 진보 진영 내에 가톨릭교회에 반대하는 정서가 증가했다.

19세기 후반 자유주의는 오귀스트 꽁트(August Comte)의 실증주의 철학을 받아들임으로써 노골적인 반가톨릭 경향을 띠게 되었다. 프랑스 출신의 철학자인 꽁트는 현대 사회학의 창시자들 중 하나로서 사회는 이성의 명령에 따라 재조직되어야 한다고 확신했다. 그의 이론에 따르면, 인류는 세 단계의 발전을 통과해 왔다. 즉 신학적 단계, 형이상학적 단계, 그리고 실증적 혹은 과학적 단계이다. 비록 초기 두 단계의 잔재들이 남아 있지만 우리는 이제 과학 시대에 살고 있으므로 사회는 과학적 혹은 "실증적" 원리에 기초를 두고 재조직되어야 한다는 것이 그의 주장이었다. 그 결과 탄생하는 새로운 사회는 영적 권위와 세속 권력을 분명히 구분할 것이다. 후자는 사회의 욕구를 가장 잘 이해하는 자본가들

멕시코 시에 소재한 이 감리교회는 멕시코 혁명의 결과를 보여준다. 당시 모든 종교적인 건물들이 혁명 당국에서 소유하고 그 용도를 결정했다. 결과적으로 감리교인들은 과거 가톨릭 수녀원이었던 곳의 안쪽 마당에서 모였다.

과 상인들의 수중에 들어가야 한다. 영적 권위는 "초자연적인 하나님"을 인정하지 않는 새로운 "가톨릭교회"의 수중에 들어가서 "인류의 종교"를 위해 헌신해야 한다. 이러한 사상들은 특히 브라질, 그리고 프랑스의 사상적 영향을 깊이 받은 아르헨티나와 칠레 등 라틴아메리카의 부르주아 계층의 지지를 받았다. 결과적으로 진보파와 교회 사이의 갈등이 재개되었고, 국가들은 더욱 세속화되었다.

멕시코에서는 이와 같은 19세기의 동향들이 1910년의 멕시코 혁명에서 막을 내렸다. 텍사스와의 전쟁(1835-1836)과 미합중국과의 전쟁(1846-1848) 이후 베니토 후아레스(Benito Juarez)가 이끈 진보 정부는 교회가 누려온 전통적인 특혜들 중 다수를 폐지했다. 성직자들의 사법적 면책권을 폐지했고, 교회의 종교적 기능과 직접적인 관련이 없는 재산을 몰수했고, 출생·결혼·사망 등과 관련된 공식기록을 세속정부가 관리했다. 이 모든 것이 1857년의 진보적 헌법에 삽입되었다. 보수 진영이 나폴레옹 3세에게 도움을 요청했으므로 프랑스 군대가 멕시코를 침입하여 오스트리아의 막시밀리안을 지도자로 세웠다(1864). 이로 말미암아 반란이 일어났고 막시밀리안은 1867년에 체포되어 처형되었다. 시민 소요 및 진보주의자들과 민주주의자들 간의 충돌이 있은 후 포르피리오 디아스(Porfirio Diaz)가 권력을 잡았다. 포르피리오토(Porfiriato)라고 알려진 34년간의 디아스 집권기의 특징은 반대파에 대한 폭력적 압제, 교회와 국가의 재접근이었으며, 그로 인해 1857년에 헌법 조항들이 완화되었다.

1910년 정부의 탄압과 농촌 주민들의 궁핍으로 말미암아 혁명이 발생했다. 디아스는 1911년에 해임되었고 또다시 교회의 특권들이 폐지되었다. 그러나 여러 해 동안 투쟁이 계속되면서 정부는 한층 가혹한 법을 제정하고 교회의 지도자들은 보다 공개적으로 정치적 저항을 했다. 1926년 교회의 지지자들이 크리스테로(Cristero) 혁명을 일으켰는데, 이 전쟁에서 3만 명 이상의 반란군이 전사했고, 그 두 배쯤 되는 연방정부 군인들이 전사했다. 어느 측도 상대방을 진압할 수 없었으므로 1929년에 양측의 타협이 이루어졌다.

19세기 후반 라틴아메리카 전역에는 새로운 이민들이 밀려들었다. 대부분은 유럽대륙 출신들이었으나 중국인들도 태평양 연안으로 이주해 왔다. 집권층인 부르주아의 눈으로 볼 때 이러한 이민은 라틴아메리카의 발전을 위해 필요한 것이었다. 이민들은 상공업에 필요한 노동력을 제공했을 뿐만 아니라, 인디오들이나 흑인들과 균형을 이루는 요소로 작용했다. 어쨌든 대규모의 이민은 대륙의 종교생활에 크게 중요했다. 이민들 중 다수가 개신교인들이었으므로, 일부 국가들은 처음에 개신교 이민들에게만 종교의 자유를 주었지만 결국 모든 국민들에게 종교의 자유를 허용했다. 그러나 이민의 가장 중요한 결과는 가톨릭교회에서 영세 받은 신자들이 급증했는데 교회가 이들에게 사역과 종교교육을 베풀 수 없었다는 점이다. 그 결과 라틴아메리카의 가톨릭교회는 점차 표면에만 흐르는 형식적 경향을 띠게 되었다. 부에노스아이레스와 상파울로 같은 대도시의 주민들 대부분은 스스로를 가톨릭 신자라고 일컬었으나 교회생활에 참여하는 이들은 별로 없었다.

오랜 세월에 걸쳐 가톨릭교회 성직자들은 과거로 돌아가려는 헛된 시도를 통해 이러한 문제들에 반응했다. 새로운 사상들이 널리 퍼질수록, 이들은 더욱 격렬하게 이 사상들을 정죄했다. 결국 라틴아메리카의 많은 가톨릭 신자들은 신앙을 교회의 권위와는 별개로, 혹은 이에 대항하는 것으로 간주하게 되었다. 따라서 개신교는 이곳에서 추수를 기다리는 무르익은 밭을 발견했다.

드디어 전 세계의 기독교인들이 이사야 선지자가 예언한 대로
"칼을 쟁기로, 창을 보습으로" 만들기 위해 힘을 합하여 다시 한 번 세계
속에서 기독교의 생존능력과 영원한 실체를 증명해야 할 때가 왔다.
—루마니아 총대주교 저스티니안, 1960년—

　　21세기 기독교인 모두가 당면한 큰 문제들 중 하나는 "콘스탄
틴 이후 시대"를 어떻게 살아야 하는가이다. 이것은 교회가 이제 콘스
탄틴 시대 이후로 누려온 정치적 지원을 의지할 수 없음을 의미한다. 미
국 독립혁명과 프랑스 혁명과 더불어 시작된 과정에서 서방 기독교는
항상 기독교에 대해 적대적은 아니었지만 무시하는 경향을 지닌 세속
국가들의 도전에 직면했다. 그러나 동방 기독교에게 있어서 이러한 과
정은 1453년 콘스탄티노플이 투르크족에게 함락되면서 시작되었다. 그
때로 거슬러 올라가 동방교회에 관해 살펴보기로 하자.

비잔틴 기독교

교회가 비잔틴 제국으로부터 전통적으로 받았던 지원이 순수한 축복은 아니었다. 제국과의 관계로 말미암아 희랍 교회는 큰 특권을 누렸으나, 동시에 그 자유는 크게 제한을 받았다. 서방의 경우 교황들이 국왕들이나 황제들보다 더 강력했던 사례들을 찾아볼 수 있는 데 반해, 동방에서는 황제들이 교회를 통치했으며, 황제에게 복종하지 않는 총대주교들은 해임되곤 했다. 황제가 자기의 제국을 구하기 위해 로마와의 재결합이 필요하다고 결정했을 때, 비잔틴 회 내의 다수가 반대했음에도 불구하고 결국 재결합이 이루어졌다. 1년 후인 1453년 콘스탄티노플은 투르크족에게 함락되었다. 많은 비잔틴교회 신자들은 이 사건이 동방교회를 이단적인 로마와 강제로 연합시켰던 황제의 폭거로부터의 해방이라고 해석했다.

오토만 제국은 처음에는 교회에게 어느 정도 자유를 허락했다. 콘스탄티노플의 정복자인 모하메드 2세(Mohammed II)는 로마로 도망한 총대주교를 대체하기 위한 선거에 주교들을 초청했으며, 새로 선출된 총대주교에게 자기 영토내의 기독교인들에 대한 정치적·종교적 권위를 부여했다. 콘스탄티노플에 있는 교회들 중 절반가량이 모스크로 전환되었으나, 나머지 교회에서는 국가의 완전한 보장 아래 기독교의 예배를 계속할 수 있었다. 1516년 오토만 제국이 시리아와 팔레스타인을 정복했고, 그곳의 기독교인들도 콘스탄티노플 총대주교의 관할 아래 두었다. 1년 후 이집트가 투르크족에게 함락되었을 때 알렉산드리아 총대주교에게 이집트의 신자들을 다스릴 권한이 주어졌다. 이 정책으로 말미암아 총대주교들은 투르크 제국 내에 있는 기독교 국가의 실질적 통치자가 되었지만, 이는 술탄의 정책에 반대하는 총대주교의 직위가 박탈된다는 것을 의미했다.

수세기 동안 헬라어권 교회의 신학 활동은 서방의 영향 아래 있었다. 종교개혁 기간 중에 서방에서 논쟁의 대상이 된 신학적 문제들은 헬라어권 교회에서도 논의되었다. 1629년 콘스탄티노플 총대주교 키릴 루카리스(Cyril Lucaris)가 출판한 『신앙고백』(Confession of Faith)은 여러 면에서 프로테스탄트 색채를 띠고 있었다. 비록 루카리스는 해임되고 살해당했으나, 많은 사람들이 그를 기억하고 존경했다. 그러나 어떤 이들은 그의 신앙고백이 거짓된 것이라고 주장했다. 결국 1672년의 종교회의는 그를 "칼빈주의적 이단자"라고 정죄했다. 그러나 다음 세기의 문제는 프로테스탄트주의가 아니라 서구의 철학과 과학 및 그것들이 정교회 신학에 미치는 영향이었다. 그리스가 터키로부터 독립한 19세기에는 이 문제가 종교적 색채를 띠기 시작했다. 일반적으로 그리스 민족주의자들은 서구적인 학문과 연구 방법의 도입에 찬성했다. 또한 이들은 이제 독립국가 안에 존재하는 그리스교회가 콘스탄티노플 총대주교로부터 독립해야 한다고 주장했다. 반면 보수주의자들은 일반적으로 받아들여진 전통이 학자들의 연구 활동을 이끌어가야 한다는 것, 그리고 비록 콘스탄티노플 총대주교가 터키의 술탄에게 예속되어 있지만 그 전통이 총대주교에게 예속되어 있다는 것을 주장했다.

19세기부터 20세기 초에 오토만 제국이 몰락했으며, 그리스뿐만 아니라 세르비아와 불가리아와 루마니아에 국가별로 정교회가 형성되었다. 이들 각각의 국가에는 민족주의적 요소와 전통적인 정교회 노선 사이에 갈등이 존재했다. 양차 세계대전 사이의 기간에 콘스탄티노플 총대주교는 발칸 반도의 이전 터키 영토뿐만 아니라 에스토니아, 라트비아, 체코슬로바키아 등 유럽 다른 지역에 존재하는 여러 정교회의 독립을 인정했다. 그런데 이 지역들이 제2차 대전 후 러시아 영향권에 속하게 되었으므로, 소비에트 종교정책이 이들에게 적용되었다.

20세기 초 예루살렘, 알렉산드리아, 안디옥 등 옛 총대주교구들이 아랍의 지배 아래 놓였다. 처음에는 이 신생 아랍 국가들이 서구 열강의 영향권 아래 있었다. 이때 이 총대주교구들에서 상당수의 신자들이 가톨릭이나 프로테스탄트로 개종했다. 당시 서구 세력에 반발한 아랍 민족주의가 성장함에 따라 프로테스탄트와 가톨릭의 성장은 중지되었다. 20세기 중반 이후 그런 대로 정교회의 특징이라 할 수 있는 교회와 국가의 연합을 유지하고 있었던 국가는 그리스와 키프로스—1960년에 독립했으며 공식적인 종교는 키프로스 정교회(Cypriot Orthodox Church)이다—뿐이었다.

많은 난관을 겪었음에도 불구하고 콘스탄티노플 총대주교구의 지도 아래 있다가 소비에트의 통치 하에 놓인 다양한 정교회들은 활력과 생기를 보여주었다. 많은 이들은 한동안 교회학교의 폐교와 무신론적 정부의 압력 아래 젊은 층들이 교회를 떠날 것을 우려했다. 그러나 수십 년의 경험이 보여준 바에 의하면, 정교회 신자들의 영적인 힘의 원천인 전통적 예배 의식은 적대적인 국가 안에서도 기독교 전통을 전수하는 역할을 감당해 냈다. 그것은 20세기 말 러시아 공산주의의 몰락 이후에 진실임이 증명되었다. 이들 몇 국가에서 여러 시대에 기독교인들에게 가해진 차별 정책 때문에 직업 전선에 있는 연령층의 교회 참석을 감소했으나 은퇴한 후에 많은 사람들이 교회로 복귀했다.

러시아교회

러시아의 많은 신자들은 1453년의 콘스탄티노플 함락을 이단적인 로마와의 재결합에 동의한 데 대한 하나님의 징벌이라고 해석했다. 결국 이러한 해석은 콘스탄티노플이 "제2의 로마"로서 로마를 대체했듯이, 이제 모스크바가 "제3의 로마", 하나님의 섭리에 따라 정통신앙을 수호할 임무를 지닌 새로운 제국 도시라는 해석으로 발달했다. 1547년 러시아의 이반 IV세는 "짜르"(czar), 즉 황제라는 칭호를 취했다. 이것은 그가 옛 로마와 콘스탄티노플 황제들의 후계자라는 의미였다. 또한 1598년 모스크바 대주교가 총대주교라는 칭호를 취했다. 러시아교회는 이러한 자기이해를 뒷받침하기 위해 그리스 정교회 신자들, 가톨릭 신자들, 그리고 개신교 신자들에 대항한 논쟁적인 저술들을 발간했다. 17세기에는 이러한 관념들이 단단히 자리 잡았으므로 그리스 정교회와의 화해를 모색하는 시도가 러시아교회의 분열을 초래했다.

황제 알렉세이 미하일로비치(Alexis I Mikhailovich, 1645-1676)는 그리스 정교회와의 화해를 콘스탄티노플 정복을 위한 예비 단계로 생각하여 총대주교 니콘(Nikon)에게 그리스인들이 용납할 수 있도록 예배 의식을 개정하도록 요구했다. 그러나 러시아의 많은 신자들, 특히 하류층 신자들이 격렬하게 반대했다. 특히 새로운 사상들을 고취하는 것이 귀족층이었으므로 이들은 외국의 것들을 모조리 불신했다. 그 결과 소위 구교도(Old Believers)라는 분파가 생겨났으며, 이들 중 일부는 농노반란에 합류했다. 농노반란은 무자비하게 진압되었으며, 농노들의 신분은 더욱 악화되었다. 구교도들은 여러 가지 문제들-특히 정교회로부터 전향한 사제들을 받아들일 것인지 아니면 아예 사제들을 두지 않을 것인지의 여부-로 인해 분열했으나 계속 존속했다. 이들 중 일부는 종말론적 극단주의로 흘렀으며, 수천 명이 자기의 신앙을 증명하기 위해 자살했다. 그러나 결국 과격한 집단들은 사라졌고, 구교도들은 21세기까지도 러시아 내의 소수파로 존속했다.

표토르 대제(Peter the Great, 1689-1725)는 상이한 정책을 취했다. 그는 그리스 정교회 신자들과의 화해보다는 서구의 영향을 받아들이는 데 더욱 적극적이었다. 이에 따라 교회 역시 가톨릭 신학과 프로테스탄트 신학에 큰 관심을 가지게 되었다. 어느 쪽 사상을 따랐든 상관없이 이들은 정교회 신앙을 포기하지 않았다. 이들은 주로 가톨릭이나 프로테스탄트의 방법론을 도입하여 정교회 신학을 발전시키려 했다. 논쟁의 대상이 되는 문제에 있어서 일부는 가톨릭 신학을 따랐고 일부는 프로테스탄트 신학을 따랐다. 페테르 모길라(Peter Mogila)가 이끄는 키예프 학파는 가톨릭 성향을 띤 데 반해, 테오파네스 프로코포비크(Theophanes Prokopovick)와 그의 추종자들은 러시아 정교회 전통에 대한 개신교의 비판에 주목해야 한다고 생각했다. 19세기 초에는 계몽주의와 낭만주의의 영향으로 프로코포비크 학파가 우세했다. 그러나 19세기 후반에 민족주의적 반작용이 일어나 러시아 고유의 전통을 강조하기 시작했는데, 이것이 곧 슬라브주의(Slavophile) 운동이다. 이 운동을 이끈 주요 인물인 평신도 신학자 알렉세이 코미야코프(Alexis Khomiakov, 1804-1860)는 헤겔의 변증법을 도입하여 정교회가 주장하는 보편성(sobornost)이야말로 가톨릭이 주장하는 교회의 권위라는 정명제(these)와 프로테스탄트 측이 주장하는바 복음의 자유라는 반명제를 포용하는 종합명제(synthesis)임을 증명하고자 했다.

러시아 혁명이 이 논쟁을 종식시켰고, 또 다른 서구 철학인 마르크스주의가 우세하게 되었다. 1918년 교회는 공식적으로 국가로부터 분리되었으며, 1936년의 헌법은 "예배의 자유"와 "반종교적 선전"의 자유를 동시에 보장했다. 1920년 학교에서의 종교교육이 불법화되었다. 2년 전 모든 신학교들이 폐교되었다. 러시아 정교회는 1925년에 총대주교 티콘(Tikhon)이 사망한 후 1943년까지 후계자 선출이 허용되지 않았다. 그 때 가능한 모든 지원을 필요로 했던 독일과의 전쟁의 결과로 정부는 교회가 존재하는 것을 인정하기로 결정했다. 같은 해에 신학교들이 다시 문을 열었다. 또한 일부 종교 서적들과 정기간행물의 인쇄, 그리고 예배 의식에 필요한 책들의 출판이 허용되었다.

공산주의의 통치 아래 있던 다른 정교회들과 마찬가지로 러시아교회 역시 예배 의식을 통하여 신자들을 지원하고 새로운 세대들에게 전통을 넘겨주었다. 20세기 말, 거의 70년에 걸친 공산주의의 통치에도 불구하고 소련 내의 정교회 신자는 6천만 명에 달했다.

다른 동방교회들

위에서 언급한 교회들 이외에도 세계 여러 지역에 정교회들이 자리 잡고 있다. 일본과 중국과 한국의 정교회들은 러시아 교회의 선교 사역의 결과이다. 이 교회들은 완전히 토착화되어, 신도들과 성직자들 모두가 현지인들이며 현지어로 예배의식을 거행한다. 또한 "정교회 디아스포라"(Orthodox Diaspora)라고 불리는 현상의 결과인 교회들이 있다. 몇 가지 이유들-정치적 격변, 박해, 보다 나은 생활조건 추구-때문에 많은 정교회 신자들이 고국을 떠났다. 특히 서유럽과 신세계에는 러시아인

들, 그리스인들, 그밖에 신앙과 전례를 자기들의 전통과 가치관을 보존
하는 수단으로 삼는 사람들이 대규모로 이민하여 정착했다. 이러한 다
양한 집단의 관계들 때문에 정교회는 어려운 문제들에 직면했다. 왜냐
하면 정교회는 전통적으로 특정 지역이나 장소에 하나의 정교회만 인정
했기 때문이다. 경우에 따라서는 이러한 상황이 정교회 내의 연합 문제
에 골칫거리를 안겨주었다. 이러한 난제들 중 하나가 20세기에 미합중
국에서 발생했다. 당시 러시아 정교회가 미합중국 정교회에 자율성을
부여한 것에 대해 콘스탄티노플 총대주교를 비롯하여 미합중국 내의 다
양한 정교회 공동체 지도자들이 항의했고, 결국 미합중국 내에 통일된
정교회를 세우기 위한 많은 대화가 이루어졌다.

그러나 동방교회 모두가 정교회에 속하는 것이 아니다. 5세기에 있었
던 기독론 논쟁 때부터 공의회의 결정에 동의하지 않은 다수의 동방교
회들이 독립교회로 존속했다. 이전 페르시아 제국 영토 내의 대부분 신
자들은 마리아를 가리켜 "하나님의 어머니"라 부르기를 거부했으므로
네스토리우스파(Nestorians)라고 불렸다. "앗시리안"(Assyrian)이라는 또 다
른 이름으로 알려진 이 신자들의 역사는 매우 복잡하다. 중세시대에 한
동안은 이 교회에 속한 신자들이 많았으며 중국에 선교하기도 했지만,
근래에는 특히 이슬람들로부터 심각한 박해를 받았다. 20세기와 21세기
초에는 박해 때문에 신자들이 격감했다. 그들의 수장을 포함한 많은 생
존자들이 서반구로 이주했다. 이들은 처음에 키프로스로 이주했다가 시
카고에 정착했으며, 21세기에도 그의 후계자가 그곳에 거주하고 있다.
당시 이란, 이라크, 시리아, 그리고 미합중국에 10만 명에 달하는 신자
들이 있었다.

칼케돈 종교회의의 "신앙의 정의"가 예수의 인성과 신성을 분리하는 것이라고 이해하여 그 결정을 받아들이기를 거부한 교회들은 흔히 "단성론파"(Monophysites)라고 불린다. 그러나 이 명칭이 이들의 기독론적 입장을 정확하게 표현하는 것은 아니다. 이 교회들 중 가장 큰 것은 이집트의 콥트교회(Coptic Church)와 여기서 파생된 에티오피아교회이다. 후자는 국가의 적극적인 지원을 받은 마지막 동방교회였다. 그러나 그 지원은 1974년 하일레 셀라시에(Haile Selassie) 황제의 몰락과 함께 종식되었다. "야곱파"(Jacobite)라 알려진 고대의 시리아 단성론파 교회는 시리아와 이라크에서 상당한 세력을 유지했다. 야곱파의 수장인 안디옥 총대주교는 시리아의 수도 다마스쿠스에 자리 잡고 있다. 형식적으로는 이 총대주교의 관할 아래 있지만 실질적으로는 독립을 유지하고 있는 인도의 시리아파 교회는 사도 도마에 의해 설립되었다고 주장하고 있으며, 완전히 토착화되어 약 50만 명의 신도를 가지고 있다.

이미 지적한 바처럼 아르메니아교회(Armenian Church)는 칼케돈 신조를 받아들이기를 거부했다. 가장 큰 이유는 페르시아인들이 아르메니아를 침략했을 때 로마제국이 지원해주지 않았던 데 있다. 이들의 영토는 투르크족에 의해 정복당했는데, 이들은 계속 전통신앙을 고수했기 때문에 투르크족 정복자들과 갈등상태에 있었다. 오토만 제국의 세력이 약화됨에 따라 이러한 갈등은 폭력 사태로 나타났다. 1895년, 1896년, 그리고 1914년에 터키의 지배 아래 있던 아르메니아인 수천 명이 학살당했다. 약 백만 명이 이를 피해 이주했는데, 그 결과 21세기에 시리아, 레바논, 이집트, 이란, 이라크, 그리스, 프랑스, 그리고 서반구에는 많은 아르메니아 기독교인들이 거주하고 있으며 이들은 터키의 공식 역사가 부인하고 있는 민족 말살을 인정하라고 요구하고 있다. 현재 소련의 일부가 된 아르메니아에서는 교회가 소련 통치 하의 다른 교회들과 비슷한 상태로 존속하고 있다.

20세기 초 정교회들은 에큐메니컬 운동에 소극적이었다. 이들은 각종 신앙과 직제(faith and order) 문제들을 자발적으로 논하는 것이 자기들의 신앙에 대한 확신의 부족이나 타협인 듯이 오해받을까 염려했다. 따라서 이들 중 일부가 실질적인 문제에 있어서 다른 기독 신자들과 협력했지만, 신앙 문제를 협상에 의해 해결하려는 것으로 해석될 수 있는 토론에는 공식적으로 참여하지 않았다. 1948년 암스테르담에서 열린 세계교회협의회의 제1차 총회에 초대되었을 때, 대부분의 정교회 지도자들은 자기들끼리의 의논 결과 불참하기로 결정했다. 1950년 세계교회협의회 중앙위원회는 이러한 동방정교의 불안을 해소하기 위한 공식성명을 발표했다. 그 후 대부분의 정교회들이 세계교회협의회의 정회원이 되었다. 이와 함께 다른 동방교회들의 참여도 증가했다. 현재 세계교회협의회의 주선에 의해 칼케돈 신조를 받아들이는 측과 거부하는 측ー네스토리우스파와 단성론파 사이에 활발한 대화가 이루어지고 있다. 이런 대화들을 통해 이 다양한 집단들 간의 합의점이 있다는 것 및 많은 의견의 불일치가 오해에 기인했음이 알려졌다. 그리하여 에큐메니컬 운동은 동·서방교회 사이의 대화를 열게 함으로써 동방 교인들 간의 대화를 촉진하는 역할을 했다.

소비에트 연방의 몰락

소비에트 연방의 몰락은 그 지역 정교회들에게 엄청난 변화를 가져다

주었다. 미하일 고르바초프(Mikhail Gorbachev)의 페레스트로이카(perestroika) 정책은 교회의 보다 큰 자유를 비롯하여 소비에트 연방 내의 새 시대를 보여주는 최초의 표식들 중 하나였다. 소비에트 연방 정부가 80년 동안 억압해왔음에도 불구하고 기독교가 여전히 엄청난 힘을 보여주고 있음은 세상을 놀라게 했다. 1989년에만 천 개 이상의 새로운 정교회 공동체들이 출현했고, 시베리아와 벨라루스(Belarus)에 신학교가 생겼고, 정부에 의해 폐쇄되었던 몇 개의 수도원들이 문을 열렸다. 그 이듬해 보수주의자요 쉽게 정부에 굴복한 것으로 유명한 피멘(Pimen) 총대주교가 사망했다. 그의 후계자인 알렉세이 2세(그는 전임자들과는 달리 비밀투표에 의해 선출되었다)는 민주주의의 수호자였으며 기독교와 러시아 민족주의를 분명히 구분했다. 1993년에 모스크바 정교회 대학이 설립되었다. 우크라이나, 에스토니아 등 러시아의 지배에서 벗어난 일부 동유럽 국가들에서 비슷한 사건들이 발생했다. 정교회는 엄청난 활력의 조짐들과 더불어 러시아의 통치에서 모습을 드러냈다.

그러나 상황이 완전히 희망적인 것은 아니었다. 이제 러시아의 정교회는 다른 기독교 공동체들의 존재에 대처해야 했으며, 교황이 모스크바를 비롯한 러시아의 여러 도시에 가톨릭교회 감독들을 임명했을 때에 강력하게 항의했다. 공산주의 치하에서 억압되었고 공식적인 정교회에 합류하도록 강요되었던 일부 귀일교회들(Uniate churches)이 공식적인 정교회에게 빼앗겼던 재산의 환수를 주장하며 전방에 나섰다. 특히 우크라이나에서는 갈등이 격렬했다. 1996년 에스토니아 정부는 에스토니아 사도적 정교회(Estonian Orthodox Apostolic Church)를 유일한 공식 교회로 인정했다. 이 교회의 지도자들 중 다수는 소비에트 통치 기간에 스웨덴에 망명했었고, 콘스탄티노플 총대주교는 이 교회를 자신의 권위 하에 있는 자율적 교회라고 선포했었다. 알렉세이 2세와 러시아 정교회는 임시로 모스크바 총대주교구와 콘스탄티노플 총대주교구와의 교제를 정지하는 것으로 이에 대응했다.

과거 공산주의 통치에 의해 연합되었다가 해체됨에 따라 여러 국가에서 비슷한 사건들이 발생했다. 특히 유고슬라비아에서는 내란이 발생했고, 세르비아의 파벨 총대주교가 폭력의 종식을 촉구했음에도 불구하고 무슬림과 정교회와 가톨릭 간의 종교적 충돌은 인권 침해 및 인도에 반하는 죄(crime against humanity)로 이어졌다. 알바니아 및 과거 공산주의 치하에서 회교도가 다수를 차지했던 지역에서는 새 정부들이 정교회 지도자들과 그 추종자들의 자유를 부당하게 구속하는 데 대한 항의가 발생

러시아 정교회 대표단이 세계교회협의회 제3차 총회의 개회 예배에 참석하기 위해 회의장을 떠나고 있다.

했다.

이주자들로 말미암아 국교회가 이전 시대에 누리던 것을 향유하기 어렵게 된 새로운 현실에 적응하려 함에 따라 소비에트 연방 밖에서도 정교회 신자들 간의 충돌이 있었다. 미합중국, 오스트레일리아, 라틴아메리카 등지에서 동방정교회 이주자들 및 그들의 후손들은 자기들의 신앙을 유지했다. 각 집단이 계속 조상들의 교회와의 관계를 유지했으므로,

성 브루클린의 라파엘은 미합중국을 비롯한 여러 지역에서 정교회선교를 위해 노력한 상징적인 인물이 되었다.

한 국가 안에 각기 고국의 대주교나 총대주교에게 충성하는 상이한 정교회들이 존재하게 되었고, 결과적으로 상이한 총대주교들과 고위성직자들이 권한을 주장함에 따라 혼란과 갈등이 야기되었다.

이처럼 다양한 교회들을 바라보면서 두 가지 결론을 끌어낼 수 있다. 첫째는 이 교회들은 비록 활동한 시대가 다르지만 급격한 변화, 특히 러시아 정교회를 비롯한 일부 교회들이 오랫동안 존속해온 환경과는 매우 다른 상황에서 생존하는 방법을 발견해야 했다는 점이다. 또 한 가지는 서구 기독교인들, 특히 개신교인들은 이 교회들이 매우 좋지 않은 환경 속에서도 계속 존속하게 해준 전례와 전통의 힘을 과소평가했을 수도 있다는 점이다. 따라서 동방정교회는 20세기와 21세기의 전례 갱신에 기여하게 될 것이며, 기독교 전통 안에서 뿌리를 찾는 개신교인들은 동방정교회에 매력을 느낄 것이다.

정교회 전례의 변화와 활력, 그리고 전통에 대한 의식은 20세기에 전통적으로 정교회 국가가 아니었던 지역에서 시작된 운동-정교회의 메시지를 새로운 지역과 인종 집단들에게 전하려는 운동-들 안에서 찾아볼 수 있을 것이다. 동방정교회의 지리적 확장은 대부분 러시아인들과 그리스인들의 이주에 따른 결과이지만, 20세기 초 미합중국 내의 정교회 신자들 중에는 전통적인 지리적·인종적 한계를 초월하여 동방정교회 신앙을 확장하려는 사람들이 있었다. 그 선구자는 브루클린의 라파엘이라고 알려져 있는 레바논 태생인 라파엘(Rafle Hawaweeny, 1860-1915)이었다. 라파엘은 30개의 교구를 세우는 것을 포함한 사역을 통해 미합중국에서 체계적으로 정교회 신앙을 확장하기 시작했다. 1988년에 그의 노력의 결과로서 복음주의 개신교인들-이들 중 다수는 대학생선교회 소속이었다―이 세운 복음주의 정교회(Evangelical Orthodox Church)가 북아메리카의 안디옥 정교회(Antiochian Orthodox Christian Archidiocese)에 가입했다. 같은 해 안디옥교회는 아메리카를 정교회 국가로 만들려는 목표로 선교와 복음전도국을 세웠다.

합리주의 신학과 진보 신학, 그리고 현대 신학에 의해 건축된 기독교의
역사적 토대는 더 이상 존재하지 않는다. 그렇다고 해서 기독교가
그 역사적 토대를 상실한 것은 아니다.…우리 현대 신학자들은
우리의 역사적 방법, 역사적 예수, 그리고 우리의 역사적 신학이 세계에
가져다 줄 수 있는 영적 유익에 대한 신념을 지나치게 확신하고 있다.
―알베르트 슈바이처―

19세기는 기독교에 거대한 지적 도전들을 제기했다. 가톨릭 당
국과 신학자들은 현대 사상들을 정죄하고 거부했으나, 많은 프로테스탄
트들은 새로운 정신구조에 의해 자기들의 전통적 신앙을 해석할 방법을
모색했다. 따라서 이러한 도전들이 서방 기독교의 두 줄기에 공통적으
로 제기되었으나, 이 장에서는 프로테스탄트의 반응을 살펴보고, 다음
장에서 가톨릭의 반응을 살펴보려 한다.

새로운 사상의 조류

19세기 초 산업혁명은 유럽의 대부분을 휩쓸었고, 신세계의 일부에까

지 미쳤다. 그 효과는 경제 분야를 넘어서서 삶 전체에 미쳤다. 많은 이들은 일자리를 찾아 공업 중심지로 옮겨 갔고, 곡식이 공업용으로 사용됨에 따라 농민들이 농촌을 떠났다. 이러한 움직임에 따라 전통적인 대가족 제도가 약화되고 핵가족이 출현하여 가치관과 전통의 전달이라는 큰 책임을 지게 되었다. 많은 이들이 자신의 삶을 개인적인 책임으로 여기게 됨에 따라 개인주의와 자아에 대한 집착이 철학과 문학의 공통 주제가 되었다.

산업혁명은 또한 진보의 개념에 기여했다. 역사적으로 사람들은 믿을 수 있다고 검증된 옛 사상들과 관습들이 새로운 사조보다 낫다고 생각해왔다. 많은 새로운 사상들이 도입된 르네상스와 종교개혁 시대에도 사람들은 종교와 예술과 지식의 옛 원천으로 돌아가려 했다. 그러나 이제 사람들은 과거가 아니라 미래를 지향하게 되었다. 응용과학이 이전에는 존재하지 않았던 부와 편리를 만들어냈다. 미래의 가능성은 무한한 듯했다. 사회의 지도계층들은 산업혁명에 의해 생겨난 문제들을 일시적인 것으로 보았다. 응용기술에 의해 곧 이러한 문제들이 해결되고 사회의 구성원들 모두가 새로운 질서로부터 유익을 얻을 것이라고 생각되었다. 대부분의 지식인들이 지도계층에 속해 있었으므로 이러한 낙관적 사상이 그들의 가르침과 저술에 반영되었다. 어떤 의미에서 볼 때 다윈의 진화론도 자연 과학에 적용된 진보에 대한 신앙의 표현이었다. 인류뿐만 아니라 자연 전체가 진보하고 있다. 진보는 우주의 구조의 일부이다. 사회의 진보에도 이러한 원리가 적용되었다. 즉 그것은 쉬운 진보가 아니라 적자가 생존하며 생존 행위 자체가 종(種)들 전체의 진보에 기여하는 가혹한 투쟁이다. 이것은 1859년 출판된 다윈의 저서『종의 기원』(On the Origin of Species by Means of Natural Selection)에 표현되어 있다.

인간 생활과 전체 우주에서 진보는 매우 중요한 요소이므로, 역사에 대해서도 동일한 원리가 적용되어야 했다. 즉 역사란 과거의 진보라는 것이었다. 19세기에는 수세기 동안 사회에서 발생해온 급진적 변화를 강력하게 의식하게 되었다. 그 의식은 특히 아프리카와 태평양 연안의 다른 문화들과의 접촉 증가에 의해 촉진되었다. 그리하여 현대의 인류는 과거의 인류와는 다르며, 그렇기 때문에 인류의 지적·종교적 관념 역시 다르다는 결론에 도달했다. 앞에서 "신학"에서 "형이상학"으로, 그리고 "과학"으로 변천해가는 콩트의 진보 이론을 살펴본 바 있다. 이러한 사상이 19세기의 전형적인 것이었다. 그 결과 과거의 전통적 견해들을 의심하는 일련의 역사 연구들이 진행되었다. 이러한 연구들이 성경과 초대 기독교에 적용되었을 때 나타난 결과는 많은 것들이 신앙과 양립할 수 없는 것이었다.

어떤 이들은 산업혁명에 의해 초래된 진보에 따른 사회적 폐해를 목격했다. 많은 기독교인들이 특정 집단들의 욕구를 충족시키려 했다. 주일학교 운동은 전통적인 종교교육의 혜택을 받을 수 없는 계층들을 염두에 둔 것이었다. 구세군, YMCA, 그리고 이와 비슷한 운동들은 도시 빈민 계층의 불행을 덜어주기 위해 시작된 것이었다. 그러나 당시의 문제들 및 그 해결책들은 자선기관들의 능력을 넘어서는 것이었고, 많은 사람들은 사회질서 내에서의 급진적 변화의 필요성을 고려하기 시작했다. 만약 진보라는 것이 존재하며 세월이 흐름에 따라 사회구조가 변화해 왔다면, 그 구조 안에서 더 많은 변화들을 이루려고 노력해야 마땅할 것이다. 종종 현대 사회학의 창시자라고 간주되는 콩트는 그러한 변화—

사회를 자본가들과 상인들의 수중에 두는 변화—를 제안했다. 19세기에 이러한 계획들이 제안되었다. 많은 기독교인들을 비롯하여 당시의 사회적 상황에 관심을 가지고 있었던 이들은 사회주의에서 그 해답을 찾고자 했다. 1848년 실패했던 혁명들은 부분적으로는 이러한 사상들과 계획들이 가져온 결과였다.

결국 가장 큰 영향을 미치게 되는 사회주의 저술가는 1848년 『공산당선언』(Communist Manifesto)을 출판한 칼 마르크스였다. 그가 제안한 이론은 당시의 사회주의 유토피아의 범주를 초월하는 것이었다. 왜냐하면 그의 사상 속에는 그가 "변증법적 유물론"(dialectical materialism)이라 부른 것을 토대로 한 역사와 사회 분석이 포함되어 있기 때문이다. 아무리 지적인 것처럼 보이는 것이라도 인간의 사상들은 사회적이고 정치적인 기능을 지니고 있다는 것이 그의 분석의 기본요소였다. 지배 계층은 순수한 합리적 구인(構因)이라는 가면 아래 실제로는 기존 질서를 강화하는 기능을 지닌 이데올로기를 발전시킨다. 종교는 유력한 자들을 지지하기 위한 구조의 일부이다. 그런 까닭에 "종교는 민중의 아편"이라는 유명한 표현이 생겨났다. 그러나 마르크스의 이론에 의하면 역사는 이 단계를 거쳐서 계속 진전하는데, 다음 단계는 대규모 혁명을 통한 "프롤레타리아 독재"이며, 결국 국가의 존재까지도 무용해지는 계급 없는 사회—진정한 공산주의 사회가 이루어진다. 어쨌든 비록 20세기에 마르크스의 이론들이 기독교에 심각한 도전을 제기했으나, 19세기에는 그리 영향을 미치지 못했다.

19세기 말 지그문트 프로이트(Sigmund Freud)의 저술이 새로운 도전을 제기했다. 프로이트는 여러 해 동안 여러 가지 학문을 공부한 후 인간정신의 기능, 특히 무의식 차원에서 기능하는 방식에 관심을 갖게 되었다. 그는 여러 해 동안의 관찰을 통하여 인간의 정신은 의식적으로 알고 있는 것뿐만 아니라 무의식의 차원에만 존재하며 표면에 드러나지 않는 다른 요인들에 의해서 좌우된다는 결론에 도달했다. 이것은 특히 사회적인 압력 등 여러 가지 이유로 말미암아 정신이 억압하기는 하지만 파괴할 수는 없는 경험과 본능에 적용된다. 예를 들어 성욕과 공격적인 본능은 우리가 아무리 억압해도 사라지지 않고 활동한다. 그의 이론은 심리학뿐만 아니라 신학을 위한 새로운 지평선을 열어 놓았다. 그러나 신학 분야에서는 이러한 프로이트의 통찰을 다루는 방법을 확실하게 알지 못한 적도 많았다.

마르크스와 프로이트는 19세기에 살았으나 20세기에 막대한 영향을 미친 인물들이다. 이 두 사람 모두 사회와 인간정신을 이해하기 위한 노력에서 과학적 논증이 자연과학의 범주를 초월하여 적용되기 시작한 그 시대에 어떤 움직임이 일고 있었는가를 보여 주는 예들이다. 이러한 이유 때문에 19세기에 사회학, 경제학, 인류학, 심리학 등 새로운 학문들이 탄생했다. 이러한 새로운 학문들의 발달 속에서 신학자들은 자기들의 임무를 감당해야 했다.

슐라이어마허의 신학

이미 살펴본 바처럼 칸트는 18세기의 안이한 합리주의를 종식시켰다. 만약 순수이성이 하나님 존재나 사후의 삶과 같은 의문들을 해결할 수 없다면, 종교에 있어서 이러한 문제들 및 동일하게 중요한 문제들을 다룰 때에 신학은 어떤 경로를 따라야 할 것인가? 만약 사고의 구조들이 정신 속에 존재하는 것으로서 현실과 반드시 상응하지는 않는다면, 궁극적 실재들에 관해 어떻게 말할 수 있을 것인가? 이러한 질문들에 대응하는 세 가지 방법이 있으며, 신학자들은 이 세 가지 방법을 모두 탐구했다. 이제 이것들에 관해 살펴보기로 하자.

첫째는 순수이성 혹은 사변적 이성 외의 다른 분야에서 종교의 핵심을 찾는 것이었다. 칸트는 『실천이성 비판』(*Critique of Practical Reason*)에서 이 방법을 택했다. 그는 종교가 기본적으로 지적인 것이라고 생각하는 것은 잘못이라고 주장했다. 왜냐하면 종교는 지성이 아니라 윤리의식에 기초를 두고 있다는 것이었다. 인간은 본성적으로 도덕적인 존재이므로, 이러한 선천적인 도덕의식을 기초로 하여 하나님의 존재, 영혼, 인간의 자유 및 사후의 삶을 증명할 수 있다. 어떤 의미에서 볼 때 칸트는 이러한 방법을 통해 그가 『순수이성 비판』(*Critique of Pure Reason*)에서 파괴했다고 볼 수 있는 기독교 합리주의를 구출하려 했고, 그것을 위해 순수이성이 아닌 다른 곳에 종교의 기초를 두었다.

19세기 초 프리드리히 슐라이어마허(Friedrich Schleiermacher)도 비슷한 해결책을 제시했다. 그러나 그는 순수이성이든 실천이성이든 막론하고 이성에 종교의 기초를 두려는 시도를 포기했다. 그는 모라비아파 경향을 띠고 있었던 개혁파 목사의 가정에서 태어나 성장했고, 부모는 그의 교육을 모라비아 교도들에게 맡겼다. 슐라이어마허는 개혁파 신자였지만 그의 신학에는 모라비아파 경건주의의 흔적이 있다. 어쨌든 젊은 슐라이어마허는 당시의 우세한 합리주의 때문에 기독교의 전통적 교리들을 효율적으로 조직하기 어려움을 발견했다. 그는 낭만주의의 도움을 받아이 상황에서 벗어났다. 낭만주의는 인간에게 냉정한 이성의 것이 있다고 주장했고, 합리주의가 비인간화를 초래하고 있다고 느끼는 젊은 세대에 낭만주의에 통달한 사람들이 많았다. 슐라이어마허는 낭만주의자들의 통찰을 이용하여 합리주의가 가져다준 회의와 교착상태에서 빠져나갈 길을 찾기 시작했다. 그의 첫 번째 대작인 『종교론』(*Speeches on Religion to the Cultured among Its Despisers*, 1799)은 종교가 인간생활에서 여전히 중요한 위치를 차지해야 함을 낭만주의에 심취한 독자들에게 각성시키기 위한 시도였다. 그의 주요 논거는 종교란 합리주의자들과 정통주의자들이 믿는 것처럼 지식의 형태가 아니라는 것이었다. 또한 칸트가 시사한 바처럼 도덕의 체계도 아니었다. 종교는 순수이성, 실천이성, 혹은 도덕적 이성에 기초를 두는 것이 아니라 감정(Gefühl)에 기초를 둔다.

그의 『종교론』은 이러한 감정의 내용이 무엇인지 명백하게 밝히지 않았다. 슐라이어마허는 『기독교 신앙』(*The Christian Faith*)에서 이 작업을 계속한다. 그는 이 책에서 그것이 감상적인 "감정"이나 일시적인 감정이나 급작스런 경험이 아니라 우리 및 우리 주위의 세계가 그 존재를 의지하고 있는 일자(the One)에 대한 심오한 깨달음이라고 분명히 밝힌다. 따라서 그것은 제대로 정의되지 않거나 아무런 형체 없는 느낌이 아니다. 왜냐하면 그것의 분명하고 구체적인 내용은 하나님에 대한 우리의 절대적 의존이기 때문이다. 이러한 "감정"은 합리적인 기능이나 도덕적 정서에 기초하지 않지만, 합리적인 해명과 윤리적인 책임에 있어서 중요한 결과들을 가져온다.

이 의존의 감정은 각 종교 공동체 내에서 구체적인 형태를 취한다. 종교 집단들의 목적은 다른 집단들과 미래의 세대들에게 자기들에게 필요한 특별한 경험을 전달함으로써 그들이 동일한 감정에 참여할 수 있게 하려는 것이다. 슐라이어마허는 프로테스탄트 종교 공동체에 관심을 가지고 있었는데, 이 공동체는 두 개의 근본적인 역사적 순간에 기초하고 있었다. 이 역사적 순간들이란 예수 및 예수께서 최초의 제자들에게 남긴 영향, 그리고 16세기의 종교개혁이었다.

신학의 기능은 의존의 감정의 의미를 세 개의 차원-자아, 자아와 세계의 관계, 그리고 자아와 하나님의 관계-에서 탐구하고 해석하는 것이다. 신학에서는 의존의 감정과 관련되지 않은 것은 중요하지 않다. 예를 들어 창조론을 생각해 보자. 창조론은 절대 의존의 감정에 가장 중요한 역할을 한다. 왜냐하면 그것은 일체의 존재가 하나님을 의존하고 있다고 주장하기 때문이다. 이를 부인하는 것은 기독교적 종교 감정의 중심인 의존성을 부정하는 것이다. 그러나 이것은 우리가 특정한 형태의 창조를 인정해야 함을 의미하지는 않는다. 창세기에 기록된 창조가 역사적으로 정확하지 않을 수도 있지만-슐라이어마허는 그것이 정확한 묘사라고 생각하지 않았다- 어쨌든 그것은 의존의 감정과 관련이 없기 때문에 적절한 신학 탐구 대상이 되지 못한다. 만약 모세에 관련된 이야기들이 참이며 초자연적으로 계시되었다 해도 "그 정보는 우리가 의미하는 신앙의 신조가 될 수 없다. 왜냐하면 우리의 절대 의존의 감정이 그것에 의하여 새로운 내용, 새로운 형태, 혹은 보다 명백한 정의를 얻을 수 없기 때문이다."[9]

천사들이나 사탄의 존재 등에 관해서도 같은 말을 할 수 있다. 같은 이유에서 자연적인 것과 초자연적인 것 사이의 전통적인 구분은 포기되

---

9) Friedrich Schleiermacher, *The Christian Faith* (Edinburgh: T. & T. Clark, 1928), p. 151.

어야 한다. 그 구분이 현대 과학에 위배되기 때문이 아니라 초자연적인 것이 드러나는 사건이나 장소에 대한 우리의 의존 감정을 제한하기 때문이다. 이처럼 슐라이어마허는 종교가 지식과 다르다고 주장함으로써 기독교의 중심 교리들을 과학의 발견들과 모순되지 않도록 해석할 수 있었다.

슐라이어마허의 영향은 지대했다. 많은 이들이 종교를 과거의 유물이라고 믿던 시대에 많은 사람들이 그가 설교하는 교회로 모여들었다. 그러나 그는 그 후의 세대에 더욱 큰 영향을 미쳤다. 후세인들은 그를 가리켜 "자유주의의 아버지"라고 부른다.

헤겔의 체계

칸트의 비판 이후 개방된 또 하나의 길은 지성이 일체의 지식을 인증한다는 데에 칸트와 동의하면서도, 이를 이성의 한계를 보여 주는 증명이라고 인정하는 대신 이성이 실재 자체라고 주장하는 것이었다. 이성은 우리의 정신 안에 존재하는 것이 아니며, 우리가 실재를 이해하기 위해 사용하는 것이다. 이성은 실재, 유일한 실재이다.

헤겔(G. W. F. Hegel, 1770-1831)이 이 길을 추구했다. 헤겔은 신학 분야에서 학문적 수업을 시작했지만 후일 신학이 학문 탐구의 영역으로서는 너무 협소하다고 생각했다. 왜냐하면 종교뿐만 아니라 실재 전체를 이해하려는 노력이 필요했기 때문이었다. 이러한 실재는 서로 연결되지 않는 일련의 사물들이나 사건들로서가 아니라 전체로서 이해되어야 한다. 그는 이성과 실재가 동일하다고 인정할 때에 이러한 작업을 이룰 수

헤겔의 철학체계는 수천 명의 열광적 추종자들을 획득했는데, 그중 많은 사람들이 헤겔의 체계에 기초를 두고 기독교를 해석하려 했다.

있다고 제안했다. 실재를 이해할 수 있는 것은 단지 이성의 문제가 아니며, 실재가 이성을 제한하는 것도 아니다. 오히려 이성이 곧 실재이며, 유일한 실재는 이성이다. 그가 말한 바와 같이 "합리적인 것은 존재하며, 존재하는 것은 합리적이다."

그런데 헤겔이 언급한 "이성"이란 단지 이해력이나 추론의 결론들을 가리키는 것이 아니다. 그것은 사고 과정 자체를 의미한다. 우리는 생각할 때에 고정 개념을 연구하기 위해 고정된 개념 앞에 서는 것이 아니다. 우리는 하나의 개념을 제시하고, 그것을 초월하기 위해 점검하거나 혹은 다른 개념을 선호하여 그것을 부인하며, 마지막에는 이전의 두 개념 속에 담겨 있던 가치 있는 것을 포함하는 제3의 개념에 도달한다. 이처럼 하나의 "정"(thesis)를 제안하고, "반"(antithesis)에 의해 의문을 제기하여 결국 "합"(synthesis)에 이르는 과정을 가리켜 헤겔은 "이성"이라 불렸다. 따라서 이것은 동적 이성, 계속 발전하는 운동이다. 그러나 이 이성은 인간의 지성 안에만 존재하는 것이 아니다. 우주적 이성(universal reason)-헤겔은 이를 가리켜 우주적 영이라고 부른다-이 실재의 전부이다. 존재하는 모든 것들은 이 우주적 영의 변증법적이고 역동적인 사고이다.

헤겔은 이것을 기반으로 하여 역사 전체를 우주적 영의 생각으로 포함하는 인상적인 체계를 이룩했다. 각종 종교들, 철학 체계들, 그리고 사회적 · 정치적 질서들은 우주적 영의 생각들 속에서의 순간들에 불과하다. 그 생각 속에서 과거는 결코 상실되지 않으며 항상 새로운 "종합"에 의해 초월되고 그 속에 포함된다. 그리하여 현재는 일체의 과거와 미래를 포함한다. 왜냐하면 현재는 과거를 종합하며, 미래는 현재의 합리적 발전이기 때문이다.

헤겔은 기독교가 절대 종교(absolute religion)라고 확신했다. 이는 기독교가 다른 종교들을 부인한다는 의미가 아니라, 기독교야말로 모든 종교들의 정점으로서 인간의 종교적 발전의 전체 과정을 요약한다는 의미였다. 종교의 중심 주제는 하나님과 인간의 관계이다. 그 관계가 기독교의 성육신의 교리에서 절정에 달한다. 왜냐하면 성육신 속에서 신과 인간이 완전히 연합했기 때문이다. 초기의 종교들 속에 잠재해 있었던 신과 인간의 연합이 이제 성육신 안에서 뚜렷하게 드러나게 되었다. 마찬가지로 삼위일체의 교리는 하나님 개념의 정점이다. 왜냐하면 그것은 궁극적 실재의 역동적인 본질을 인정하기 때문이다.

삼위일체의 변증법은 세 가지 운동을 포함한다. 우선 하나님은 우리가 창조라고 부르는 합리적 실재의 발전을 초월하여 그 자체로서 영원한 개념이다. 이것이 "아버지의 나라"이니 곧 일체의 다른 존재들로부터 분리하여 생각된 하나님이다. "아들의 나라"는 우리가 흔히 "창조"라고 부르는 것, 즉 시간과 공간 속에서 존재하는 세계로서 그 절정은 신과 인간의 궁극적 동일성을 보여 주는 하나님의 성육신이다. "성령의 나라"는 이러한 신과 인간의 종합을 뒤따르며, 공동체 속에 있는 하나님의 임재 안에 나타난다. 이것들을 종합한 것이 "하나님의 나라"로서 도덕적 생활과 국가의 질서 속에서 역사적인 열매를 맺게 된다. 여기서 볼 수 있는 바처럼 헤겔은 국가의 개념을 중요하게 생각했다. 헤겔은 이에 따른 결과가 일체의 교조적이고 부분적인 체계들의 편협성을 탈피한 철학이라고 보았다.

많은 사람들이 이처럼 광범위한 실재의 구조를 칭송했다. 드디어 인간들이 실재를 전체로서 파악하게 되었다고 일컬었다. 이 체계를 강화하기 위해, 헤겔의 추종자들은 실재의 다양한 요소들이 어떻게 헤겔의 방대한 구조에 들어맞는지를 증명하고자 했다. 헤겔 체계의 인기에 대한 반발로서 덴마크의 철학자요 신학자인 키에르케고르(Kierkegaard)는 어떻게 모든 문제들이 해결될 것인지에 대해 비아냥거리는 어조로 "이제 그 체계는 완전하다. 혹시 그렇지 않다면 다음 주일까지는 완전해질 것이다"라고 말했다. 그러나 헤겔의 체계를 받아들이지 않은 철학자들과 신학자들도 역사를 심각하게 생각하게 되었다. 헤겔 이후 영원한 실재들을 연구하는 이들에게 있어서 역사는 더 이상 2차적인 문제가 아니라 영원한 실재들을 파악할 수 있는 배경으로 간주되었다. 후기 신학자들로 하여금 성경적 관점의 많은 부분을 회복하게 하는 데 도움을 준 이 관념이 헤겔과 19세기가 남겨준 유산의 일부라 할 수 있다.

키에르케고르의 업적

키에르케고르(Søren Aabye Kierkegarrd, 1813-1855)는 19세기의 가장 흥미로운 인물들 중 하나였다. 키에르케고르는 덴마크의 엄격한 루터교 가정의 영향을 깊이 받았다. 그의 청년 시절은 불행했다. 그는 몸이 약한 데다가 약간 비뚤어져 있었으므로 평생 놀림을 받았다. 그러나 그는 곧 자신이 지닌 탁월한 지적 능력이 특별한 사명을 의미하므로 다른 모든 관심을 버려야 한다고 확신했다. 이 때문에 그는 사랑했던 여인과의 약혼을 파기했다. 왜냐하면 결혼 생활을 통하여 행복해질 수 있겠지만 자신이 부름 받은 바 외로운 신앙의 기사로서의 삶에 방해가 될 것이라고 생각했기 때문이었다. 몇 년 후 그는 이 고통스러운 결정을 이삭을 제물로 바치려 했던 아브라함의 결심에 비교했다. 또한 그는 자기의 저서들 중 몇 권은 "그녀 때문에" 저술되었다고 선언했다.

합리주의에 대한 칸트의 비판은 슐라이어마허와 헤겔이 따른 것과는 다른 세 번째 길을 남겨 놓았다. 이성은 궁극적 진리에 도달할 수 없지만, 신앙은 할 수 있다는 것이다. 칸트의 순수이성은 하나님의 존재를 증명할 수도 없고 부인할 수도 없지만, 신앙은 하나님을 직접적으로 안다. 이러한 관점에서 볼 때 기독교의 기반은 합리성이 아니며, 절대의존의 감정도 아니며, 헤겔의 체계와 같은 체계 안에 장점이 있는 것도 아니다. 기독교는 신앙—성경과 예수 그리스도 안에서 우리에게 계시를 주신 하나님에 대한 신앙—과 관련된 것이다.

그것만이 아니다. 왜냐하면 각 시대의 도전에 대응하여 신앙 안에서 은신처를 찾았던 이들도 같은 말을 해왔기 때문이다. 키에르케고르는 이러한 종류의 "신앙"은 진정한 신앙이 아니라고 말했다. 왜냐하면 진정한 신앙은 손쉬운 것이 아니며, 조용한 생활을 위한 수단도 아니기 때문이다. 신앙은 언제나 위험한 것, 자신을 부인하고 신앙이 없는 사람들이 즐기는 모든 기쁨을 부인해야 하는 모험이다. 그리하여 키에르케고르는 당시의 가장 유명한 설교가를 조롱하며 기독교를 "진리의 증인"이라고 설교함으로써 재산을 모은 사람을 언급하는 것은 우스꽝스러운 일이라고 선언했다. 아울러 그는 그 시대의 덴마크 사회를 과격하게 비판했는데, 21세기까지 대부분의 그의 제자들은 이것을 강조하지 않았다.

키에르케고르가 볼 때 기독교의 큰 적은 기독교계였다. 기독교계의 목적은 기독교인이 되는 문제를 단순화하는 것이기 때문이다. 기독교계에서는 유대인이나 이슬람이 아니면 기독교이다. 그러나 이런 식으로 기독교를 이해하는 자들은 이교도들에 불과하다. 이처럼 고통이나 대가를 필요로 하지 않는 "싸구려" 기독교는 마치 전쟁놀이와 같다. 전쟁

키에르케고르는 당시 유행하던 헤겔의 체계를 거의 사용하지 않은 철학자요, 기독교 제자도의 근본적인 본질을 증명해야 할 소명을 느낀 기독교인이었다.

놀이에서는 군대가 이동하고 요란한 소리도 내지만 실제 위험과 고통이 없기 때문에 진정한 승리도 없다. 이들이 "기독교"라고 부르는 것은 단지 "기독교인 놀이"에 불과하다. 많은 설교가들이 기독교를 쉬운 것으로 설교함으로써 이러한 놀이를 조롱하는 데 기여한다. 그것은 기독교를 유희의 대상으로 전락시키고 하나님을 바보로 취급하는 "기독교권의 범죄"이다. 하나님을 이런 식으로 논하는 것이 얼마나 우스꽝스러운가를 깨닫는 이가 별로 없다는 것이야말로 비극이다.

이러한 기독교권의 졸렬한 모방과 비극에 대응하여 키에르케고르는 "기독교를 어렵게 만드는 것"이 자기의 소명이라고 생각했다. 이것은 기독교 신앙이 잘못된 것이라고 사람들에게 납득시켜야 한다는 것이 아니라, 이제까지 그들이 설교로 듣고 가르침을 받아온 것들이 진정한 신앙과는 거리가 멀다는 사실을 말해 주어야 한다는 의미였다. 다시 말해 진정한 기독교 신자가 되기 위해서는 신앙에 따르는 대가를 깨달아야 하고, 그 대가를 지불해야 한다. 이러한 고통 없는 사람이 기독교권의 구성원이 될 수 있겠지만 기독교 신자는 아니다.

진정한 기독교는 인간의 지성뿐만 아니라 존재 자체와 관련을 가진다. 이러한 점에서 키에르케고르는 "체계"—헤겔의 철학을 비꼬아 부른 명칭—의 환상들을 거부할 수밖에 없었다. 헤겔과 그의 추종자들이 한 것이란 고통과 회의와 절망 속에서 발생하는 인간의 진정한 실존이 설 자리가 없는 구조물을 지어낸 것이었다. 그들은 마치 호화로운 대저택들을 지어놓고는, 그 저택이 자기들에게는 너무 호화롭기 때문에 헛간에서 살기로 결정한 자들과 같았다. 실존—실질적이고 고통스러운 인간의 실존—은 본질보다 우선하며 본질보다 훨씬 더 중요하다. 이처럼 실존을 강조하기 때문에 키에르케고르는 실존주의의 창시자라고 불린다. 그러나 후대의 많은 실존주의자들은 그와는 판이한 흥미와 관심을 추구했다. 실존이란 끊임없는 투쟁, 무엇인가로 형성되고 태어나기 위한 투쟁이다. 이처럼 실존을 사물의 중심에 놓을 때 인간은 헤겔주의뿐만 아니라 모든 다른 체계들을 포기해야 하며, 심지어 일관성 있는 체계를 향한 희망까지도 버려야 한다. 비록 하나님이 보실 때에는 현실 자체가 체계라 할지라도, 실존의 한가운데 있는 인간의 관점에서 볼 때에는 결코 파악할 수 없기 때문이다.

그러나 키에르케고르는 특별한 형태의 실존, 즉 기독교적 실존에 관심을 가지고 있었다. 이 역시 어떤 체계로 축소될 수 없었다. 기독교권, 즉 쉬운 기독교의 비극은 이러한 실존이 하나님 앞에서 이루어지는 모험이나 항존하는 위험이 되지 못하고, 도덕이나 교리 체계의 형태로 전락했다는 데 있다. 따라서 만인들에게 제시하고자 했던 키에르케고르의 큰 문제는 기독교권의 한복판에서 살아야 하는 약점을 안고 있으면서 어떻게 진정한 신자가 될 수 있는가 하는 것이었다.

기독교와 역사

19세기의 특징이었던 바 역사에 대한 관심 역시 성경과 신학 연구에 흔적을 남겼다. 튀빙겐의 바우어(F. C. Bauer, 1792-1860)는 헤겔의 구조를 따라 신약성경 속에서의 신학의 발달을 밝히려 했다. 바우어와 그의 추종자들은 신약성경의 근저에 베드로의 유대교적 기독교와 바울의 보편적인 관점 사이의 갈등이 존재한다고 느꼈다. 이러한 테제(정)와 안티테제

(반) 사이의 긴장은 어떤 이들이 제4복음, 다른 이들은 제2세기의 기독교라고 제시한 신테제(합) 안에서 해소된다. 당시의 역사에 대한 일반적 관심과 바우어의 기본 체계 및 그 변형들은 성경의 각 책들의 집필 시기와 저자에 관한 학문적 논쟁들을 야기했다. 많은 이들은 이러한 논쟁들과 새로운 결론들이 신앙에 대한 위협이라고 간주했다. 어쨌든 이러한 논쟁들을 통하여 역사적 연구의 도구들이 발전했으며, 성경과 그 시대에 대한 보다 깊은 이해가 이루어졌다.

교회사의 연구도 동일한 경로를 따랐다. 기독교 교리가 여러 세기를 거쳐 발달했다는 사상은 많은 이들을 당황하게 만들었다. 어떤 이들은 이러한 발달은 단지 초기 기독교 안에 이미 잠재해 있던 가르침들이 드러난 것에 불과하다고 주장했다. 그러나 또 다른 이들, 특히 역사가 하르낙(Adolp von Harnack, 1851-1930)은 도그마(교리)의 발달을 초대 교회 신앙의 점차적 포기로서 예수의 가르침들로부터 예수에 대한 가르침들로 옮겨가는 것이라고 간주했다. 하르낙에 의하면 예수는 하나님의 부성, 보편적 형제애, 인간 영혼의 무한한 가치, 그리고 사랑의 계명을 가르치셨다. 후일 장기간의 과정을 거쳐 예수님과 예수님에 대한 신앙이 기독교 메시지의 중심이 되었다.

이러한 사상들 중 다수는 19세기의 영향력 있는 신학자들 중 하나인 알브레히트 리츨(Albrecht Ritschl, 1822-1889)에게서 비롯되었다. 하르낙은 리츨을 가리켜 "마지막 교부"라고 불렀다. 슐라이어마허와 마찬가지로 리츨도 종교를 순수이성, 또는 인지적 이성의 영역과는 다른 영역에 둠으로써 칸트의 도전에 대응했다. 그러나 그는 슐라이어마허가 주장한 "절대 의존의 감정"이 지나치게 주관적이라고 생각했다. 그에게 있어서 종교, 특히 기독교는 합리적 지식이나 주관적 감정의 문제가 아니라 실제생활과 관련된 것이었다. 그는 사변적 합리주의를 지나치게 냉정하여 신앙의 결단을 요구하지 않는 것으로 간주했다. 반면 신비주의는 지나치게 주관적이고 개인주의적인 것으로 여겨 거부했다. 기독교는 실천적, 도덕적 생활 속에서 실행되어야 한다는 점에서 실제적이다.

그러나 기독교는 사건들, 특히 예수님의 사건들에 관한 사실적 지식에 기초해야 한다는 점에서도 실제적이다. 실제 생활을 위해 가장 중요한 것은 예수 안에 나타난 하나님의 역사적 계시이다. 신학이 이것을 망각할 때 합리주의, 혹은 신비주의에 빠지게 된다. 이러한 오류들에 대항하여 역사적 연구는 예수의 교훈의 중심이 하나님 나라와 "사랑에 기초한 행동을 통한 인류의 조직"이라는 윤리임을 보여준다. 따라서 믿음에 대한 개인주의적 이해 때문에 기독교 안에서 공동체의 역할이 부인되어서는 안 된다. 이러한 측면에서 리츨의 신학은 라우센부쉬(Rauschenbusch)의 사회 복음의 기초가 되었다.

19세기에 역사에 대한 관심은 "역사적 예수 탐구"로 이어졌다. 기독교의 참 본질을 알기 위해서는 교회의 신앙과 복음서의 기록들 뒤에 숨겨진 사실적 예수를 찾아야 한다는 주장이 대두되었다. 그러나 이러한 탐구에는 역사가 자신의 가치관과 현실을 보는 시각이 발견되는 자료들 위에 덧입혀진다는 문제가 있었다. 그리하여 20세기 초의 유명한 신학자요 음악가요 선교사였던 알버트 슈바이처(Albert Schwiezer)는 이러한 탐구가 예수님 자신을 발견하는 대신에 19세기의 이상적 인간을 만들어냈다고 결론지었다.

본 장에서 언급된 신학자들은 연구 대상이 되어야 할 인물들 중 일부에 불과하다. 왜냐하면 19세기야말로 신학 활동이 가장 활발했던 시대라 할 수 있기 때문이다. 그러나 이 장에서 언급된 몇 가지만으로도 프로테스탄트 진영에서 출현한 사상들과 견해들의 다양성, 그리고 그 다양성 안에 반영되어 있는 지적 활력을 짐작할 수 있을 것이다. 물론 이와 같은 열정적인 지적 활동의 시대에 등장한 진술들과 견해들은 곧 수정을 필요로 하게 된다. 그러나 부정할 수 없는 사실은 19세기 프로테스탄트 진영에는 그 시대의 지적 도전들을 두려워하지 않은 많은 인물들이 존재했다는 사실이다.

제18장
현대 가톨릭 신학

SKiPP

> 우리는 엄청난 오류들, 괴물 같은 교리들을 보고 경악하지
> 않을 수 없다. 그것들은 크기는 작지만 크게 해로운 책, 팸플릿,
> 기타 저술들을 통해 널리 유포되었다.
> ―그레고리 16세―

많은 프로테스탄트 신학자들이 자유주의의 길을 따른 데 반해
가톨릭의 성직제도는 신학자들의 행로를 엄하게 막고 있었다. 가장 큰
이유는 새로운 사상들이 교회의 권위를 위협하고 훼손시켰기 때문이다.

교황청과 프랑스 혁명

프랑스 혁명 발생 당시의 교황은 피우스 6세였다. 프랑스 혁명이 발생
하기 몇 년 전인 1775년 그는 새로운 사회적·정치적 질서를 주창한 철
학자들의 사상을 공격하는 칙령을 반포함으로써 교황의 직무를 시작했
다. 따라서 교황은 혁명 초기부터 그 발전을 막기 위해 최선을 다했다.

프랑스 정부에서 "성직자 시민헌법"(Civil Constitution of the Clergy)을 반포했을 즈음에는 양측의 관계는 협상할 수 없을 만큼 악화되었다. 보수파를 지원한 교황에 대해 보복하면서 프랑스 공화정부는 교황청을 약화시키려 했는데, 이것은 이성의 제의(Cult of Reason)가 탄생하게 된 이유들 중 하나이다. 1798년 프랑스 군이 로마를 점령하여 공화국을 선포하고 교황은 더 이상 그 도시의 세속적 통치자가 아니라고 선언했다. 이듬해에 피우스 6세는 프랑스에서 포로의 신분으로 사망했다.

추기경들은 프랑스 공화국의 적수인 오스트리아의 황제 프란츠 2세의 보호 아래 베니스에 모여 피우스 7세를 선출했다. 나폴레옹의 집권으로 새 교황과 프랑스 사이의 긴장은 완화되었으며, 1801년에는 양측의 합의가 이루어졌다. 나폴레옹은 특별히 경건한 인물이 아니었으나 교황청과의 충돌을 피하려 했으므로, 피우스 7세는 몇 년 동안 자신의 교황청에서 비교적 평화를 누렸다. 1804년 교황은 나폴레옹의 대관식을 집전하기 위해 파리로 갔는데, 나폴레옹은 교황에게서 제관을 받아 직접 자기 머리에 얹음으로써 절대 권력을 선언했다. 다음해에 황제의 군대가 이탈리아를 침입했고, 1808년에는 로마 시를 정복했다. 교황은 피신하기를 거부하고, 자기 자신이나 교회에게 위해를 가하는 자들을 파문했다. 그는 프랑스인들의 포로가 되었고, 나폴레옹의 몰락 후에야 자유를 얻었다. 그가 로마로 귀환하여 제일 처음 한 공식 활동은 자기의 적들을 용서한 것이었다.

나폴레옹의 사후 2년 후인 1823년 피우스 7세가 사망했고, 레오 12세가 그의 뒤를 계승했다. 레오 및 그의 계승자들인 피우스 8세와 그레고리 14세는 평화롭게 재위했다. 그러나 프랑스 혁명을 잊지 못한 이들은 정치적 · 신학적 보수주의로 흘렀으며, 공화주의 혹은 민주주의 사상을 지원하고자 하는 가톨릭 신자들의 시도를 차단했다. 이때 정죄된 가장 유명한 인물은 프랑스의 신학자 드 라므네(F. R. de Lamennais)였다. 그는 나폴레옹이 개인적인 목적으로 교회를 이용하고자 했을 때 완강히 저항한 인물이다. 라므네는 오랜 영적 순례 끝에 절대 군주들이 항상 개인적 목적을 위해 교회를 이용하고자 한다는 결론에 도달했고, 따라서 기독교인들은 절대 군주들의 권력을 제한하는 운동을 육성해야 한다고 주장했다. 이러한 운동은 교황청의 지도와 지원 아래 이루어져야 했다. 이 방대한 정치적 운동의 일환으로 교황은 언론의 자유를 옹호해야 했다. 왜냐하면 그것이 새로운 질서를 불러들이고 보호하는 가장 큰 무기이기 때문이다. 만약 교황들이 이러한 일에 적극적으로 참여하고 주도한다면 교회는 이에 따라 이룩되는 사회 질서 속에서 정당한 위치를 주장할 수 있을 것이라고 라므네는 확신했다.

이때까지 라므네는 교회의 특권을 존중하려 하지 않는 절대주의 정부를 대적하는 교회의 수호자였으므로, 레오 12세는 그를 추기경에 임명할 것을 고려했다. 그러나 라므네가 교황청과 정치적 자유주의 사이의 동맹을 주장하기 시작했을 때, 프랑스 혁명을 생생하게 기억하고 있는 로마의 지지를 상실했다. 그는 교황에게 자신의 지혜로운 계획을 납득시키기 위해 로마로 갔다. 그러나 당시 교황이었던 그레고리 16세는 두 개의 칙령을 통해 그의 사상들을 정죄했다. 라므네 및 그의 추종자들은 교회와의 결별을 선언했다.

이러한 논쟁이 발생하고 있을 때 이탈리아에서는 민족주의 정서가 성장하고 있었다. 상당수의 이탈리아 애국자들은 교황청이 새로운 통일

국가의 중심을 차지하기를 원했다. 그러나 교황은 어떠한 형태든 혁명
과 반란을 두려워했으며, 이탈리아를 분열 상태로 유지하려 한 군주들
의 비위를 맞추려 했으므로 곧 교황은 이탈리아 민족주의자들의 지지를
상실했다.

피우스 9세

역사상 가장 오랫동안 재위한 피우스 9세(1846-1878)는 당시의 패러독
스를 여실히 보여 주는 인물이다. 이 패러독스들 중 가장 역설적인 것은
교황무오설이 선포된 것과 동시에 교황들이 세속권력을 상실했다는 점
이다. 1848년 혁명의 결과 다음해에 로마 공화국이 성립되었다. 로마 시
에서 축출된 교황은 프랑스의 중재로 겨우 귀환할 수 있었다. 복귀한 피
우스 9세는 공화주의자들이 도입했던 개혁과 자유화를 계속하는 대신
절대 군주로서 통치하고자 했다. 그는 또한 이탈리아의 통일을 꿈꾸었
던 피드몽-사르디니아(Piedmont Sardinia) 왕국의 대정치가 카부르(Conte
Camilio Benso di Cavour)와도 충돌했다. 결국 1870년 9월 20일 새 이탈리아
왕국의 군대가 교황령을 점령했다. 교황들은 그 후 오랫동안 새로운 현
실을 받아들이려 하지 않았지만, 이러한 사건들은 교황청의 세속적 권
력의 종말을 의미하게 된다. 왜냐하면 이제 그들의 주권이 바티칸을 포
함하여 이탈리아 정부에서 허락한 몇 개의 궁전에만 미치게 되었기 때
문이다. 비슷한 시기에 독일의 비스마르크가 교회의 권력을 제한하는
조처들을 취하기 시작했고, 유럽의 다른 강대국들도 그 뒤를 따랐다. 따
라서 피우스 9세의 재위 기간은 13세기 이노센트 3세 때에 절정에 달한

교황들의 정치적 권력이 종식되는 시기였다.

권력을 상실하던 피우스 9세는 종교적 문제에 관해서라도 자기의 주권을 주장하려 했다. 그리하여 1854년 그는 성모 무염시태의 교리를 선포했다. 이 교리에 의하면, 마리아는 구세주의 어머니로서 예정되었기 때문에 원죄를 포함한 일체의 죄 및 그 영향으로부터 순수하게 보존되었다. 이것은 이미 가톨릭 신학자들이 합의에 도달하지 못한 채 수세기 동안 논쟁해온 문제였다. 그런데 역사적인 관점에서 볼 때 가장 중요한 점은 이 교의를 교회의 교리로 선포함으로써 피우스 9세가 공의회의 지원 없이 독단적으로 신조를 정의한 최초의 교황이 되었다는 것이다. 어떤 점에서 볼 때 성모 무염시태의 교의를 선언한 교황의 대칙서 "인에파빌리스"(Ineffabilis)는 세계가 어떻게 반응하는가를 알아보기 위한 시험이었다고 할 수 있다. 이 대칙서에 대해 큰 반대가 없었으므로 교황무오류설의 교리가 선포된다.

한편 교황은 당시 유럽과 아메리카 대륙에 유포되고 있는 새로운 정치 사상들에 대한 투쟁을 멈추지 않았다. 1864년 그는 회칙 관타쿠라(Quanta cura), 그리고 가톨릭 신자들이 부인해야 할 80개 종목들을 포함한 오류 목록(Syllabus of Errors)을 발표했다. 이 목록에 포함된 몇 가지 오류의 내용을 살펴보면 19세기 교황청의 분위기를 짐작할 수 있다:

13. 고대 스콜라 학자들이 신학을 발달시키기 위해 사용한 방법과 원리들은 현대인들의 욕구나 과학 발전과 양립할 수 없다는 주장.

15. 각 사람에게는 자기의 이성에 비추어 참이라고 생각되는 종교를 택하고 따를 자유가 있다는 주장.

18. 프로테스탄트 신앙은 기독교의 다른 형태에 불과하며, 가톨릭교회 내에서만 아니라 프로테스탄트교회 내에서도 하나님을 기쁘시게 할 수 있다는 주장.

21. 교회에게는 가톨릭교회만이 유일하게 참된 교회라고 독단적으로 정의할 권한이 없다는 주장.

24. 교회에게는 무력을 사용할 권한, 혹은 세속적 권력이 없다는 주장.

30. 교회와 성직자들의 면책특권이 세속법에 기초한다는 주장.

37. 로마 교황으로부터 완전히 분리되고 독립된 국교회를 수립하는 것이 합법적이라는 주장.

38. 교황들의 독단적 행동이 동·서방 교회의 분열을 초래했다는 주장.

45. 기독교 국가에서 신학교들을 제외하고 청년들을 교육하는 학교들이 세속 권력에 의해 운영될 수 있으며, 마땅히 운영되어야 한다는 주장. 학교 운영, 학문의 방향, 학위 수여, 교사들의 자격 인증과 선발에 있어서 국가 외의 다른 권력이 개입해서는 안 된다는 주장.

47. 세속사회의 선한 질서를 위해서는 모든 계층의 아동들을 교육할 공립학교들, 문학과 과학 교육 및 청년 교육을 위한 공립기관들이 필요하되, 이 기관들은 교회의 권위와 개입 없이 행정당국과 정치적 권한 하에 있어 세속 관리들 및 그 시대의 일반적인 견해에 따라 운영되어야 한다는 주장.

55. 교회는 국가로부터, 국가는 교회로부터 분리되어야 한다는 주장.

77. 더 이상 가톨릭교회가 국가의 유일한 종교일 수 없다거나 다른 종교들은 배제되어야 한다는 것이 옳지 않다는 주장.

78. 일부 가톨릭 국가에서 이주민들이 원하는 형태의 예배를 드릴 수 있

도록 공식적으로 허락하는 것이 바람직하다는 주장.

79. 만약 모든 종교들에게 자유를 허용하고 나름의 사상과 이론들을 공개적으로 표현하게 한다면, 이는 도덕적 · 정신적 부패를 불러오고 신앙 무차별론이라는 악습을 유포시키게 되리라는 것을 부인하는 주장.

80. 로마 교황이 진보와 자유주의와 현대 문명과 양립할 수 있으며 그것들과 타협해야 한다는 주장.

그리하여 19세기 말 교황청은 공개적으로 교회와 국가의 분리, 예배의 자유, 언론의 자유, 국가의 감독 아래 행해지는 공립학교 교육 등 혁신적인 계획들에 공개적으로 반대했다. 동시에 교황은 자기의 권위를 주장하고, 이에 복종하지 않을 경우 불행을 초래하게 될 것이라고 고집했다. 이것은 피우스 9세의 주도 아래 열린 제1차 바티칸 공의회(First Vatican Council)에서 절정에 달했다. 동 공의회는 「영원한 목자」(*Pastor aeternus*)라는 헌장을 통해 교황무오류설의 교리를 반포했다:

그리하여 기독교 신앙의 시초부터 이룩된 전통에 따라, 그리고 우리의 구세주이신 하나님의 영광과 기독교의 명예를 위하여 기독교 신자들의 구원과 거룩한 공의회가 인정하는 바에 따라, 우리들은 다음과 같은 도그마가 하나님에 의하여 계시되는 걸로 믿고 이를 정의한다: 만일 로마의 주교가 "교좌로부터"(*ex cathedra*) 말한다면, 즉 로마의 주교가 자신이 지닌 최고의 사도적 권한으로 전체 교회를 다스리고 가르치는 직무를 수행하는 가운데 전체 교회를 위한 신앙과 도덕에 관한 가르침을 최종 결정한다면, 이 결정은 성베드로 위에 확약된 신적(神的) 조력으로 말미암아 무류성(無謬性)을 가진다(*infallibilitate*). 이는 구세주 스스로께서 자신이 세우신 교회가 신앙과 도덕을 가르침에 있어서 어떠한 그르침이 있음을 관망하길 원하시지 않기 때문이다. 따라서 로마 주교의 이런 결정들은 교회의 아무런 동의를 필요치 않는 "그 자체로서"(ex sese) 불변한다 (irreformabiles esse).[10]

피우스 9세의 주도 하에 개최된 제1차 바티칸 공의회는 트렌트 공의회 때에 시작된 경향들의 절정이었다. 이 공의회의 가장 중요한 활동은 교황무오류설의 선포였다.

이것은 가톨릭교회가 주장하고 있는 교황의 무오류성에 관한 공식 진술이었다. 그런데 그 내용은 교황이 항상 무오류한 것이 아니라 단지 "교좌로부터"(ex cathedra), 즉 그의 직분에 따라 말할 때에만 무오류하다고 말한 점에 주목할 필요가 있다. 이 말은 예를 들어 교황 호노리우스

10) Tr. by H. E. Manning, 1871; quoted in *Schaff, The Creeds of Christendom*. vol. 2 (New York: Harper & Brothers, 1878), pp. 270-71.

가 이단이었다는 반박에 대항하기 위한 선언문에 포함되어 있었다. 그 반론에 대한 답변인즉 호노리우스가 "교좌로부터"(*ex cathedra*) 잘못된 교리를 받아들인 것이 아니라는 것이었다. 어쨌든 공의회에 참석한 600명 이상의 주교들 중 522명이 이에 찬성하고 2명이 반대했으며, 100명 이상이 기권했다. (이 선언 이후 그러한 권위를 이용한다고 주장한 교황은 한 명뿐이었다. 즉 1950년에 교황 피우스 12세가 성모 몽소승천, 즉 마리아가 이 세상에서의 생애를 마친 후 육체 그대로 천국으로 옮겨 갔다는 교리를 선포했다.)

그런데 교황무오류설의 선포가 예상했던 바와 같은 동요를 일으키지는 않았다. 네덜란드와 오스트리아, 그리고 독일의 일부 가톨릭 신자들은 교황청과의 관계를 단절하고 구가톨릭교(Old Catholic Church)를 세웠다. 그러나 일반적으로 이에 대한 저항과 비판은 대단한 것이 못되었다. 왜냐하면 정치적 세력을 상실한 교황은 이전처럼 무서운 존재가 아니었기 때문이었다. 갈리아주의자들과 교황권지상주의자 사이의 투쟁에서 후자가 승리를 거두었다. 그러나 그 승리는 이전에 갈리아주의자들이 두려워했던 교황청의 권력이 약화되었기 때문에 가능한 것이었다. 교황무오류설은 1870년 7월 18일에 반포되었고, 그 해 9월 20일 로마는 이탈리아 왕국 군대에게 항복했다. 피우스 9세는 스스로 빅토리오 엠마누엘 국왕의 포로라고 선언하고 새로운 질서를 인정하기를 거부했다. 어쨌든 이전에도 교황들은 로마 시를 상실한 적이 많았으며, 항상 누군가가 개입하여 이를 다시 교황에게 돌려주곤 했다. 그런데 이때에는 아무도 중재에 나서지 않았으므로, 1929년 교황 피우스 11세는 이미 50년 이상 기정사실화되었던 현상을 받아들였다.

레오 13세

피우스 9세를 계승한 레오 13세의 재임 기간도 유난히 길었다(1878-1903). 로마 및 인근 지역에 대한 교황의 세속적 권위를 주장한 레오 13세는 이탈리아의 정치 상황을 고려하여 가톨릭 신자들이 이탈리아의 선거에 참여하는 것을 금지시켰다. 20세기까지 지속된 이 금지령은 이탈리아의 국가적 형성기에 가톨릭 신자들이 참여할 기회를 박탈했다. 그러나 레오는 이탈리아에서는 보수 정책을 따르면서도 다른 지역에서의 현실에 타협할 필요성을 실감했다. 그리하여 그는 독일과의 암묵적 합의에 도달할 수 있었으며, 그 결과 비스마르크에 의해 시작된 반가톨릭 정책들 중 일부가 철회되었다. 프랑스의 제3공화국 역시 반성직자적 정책을 채택했으나, 교황은 타협 정책을 추구하는 것이 최선이라고 생각했다. 그는 몇 해 전에 회칙 「임모르탈레 데이」(*Immortale Dei*)에서 민주주의와 교회의 권위가 양립할 수 없다고 선언했었음에도 불구하고 1892년 프랑스의 성직자들에게 공화국에 대한 반대 정책을 포기하라고 종용했다. 그리하여 레오 13세는 현대의 새로운 현실과 태도들을 고려해야 할 필요성을 인정하면서도 피우스 9세의 권위와 유사한 교황의 권위를 믿고 있었으며, 교황청에 의해 성립된 원칙에 의해 이끌어질 가톨릭 사회 실현의 꿈을 버리지 못했다.

레오 재위 기간 중 가장 중요한 문서인 「새로운 사태」(*Rerum novarum*)가 1891년 5월 15일 반포되었다. 이 회칙의 주제는 교황청으로서는 거의 처음 다루는 문제, 즉 노동자와 고용주의 관계였다. 회칙을 읽어 보면 레오가 "막대한 부를 소유한 소수와 극도로 빈곤한 대중"의 차이에서 비롯된 불평등을 알고 있었음을 볼 수 있다. 따라서 그는 이제 드디어 "부

교황 레오 13세

자와 가난한 자, 자본과 노동 사이에 존재하는 상호간의 권리와 의무들을 정의해야 할 때"가 왔다고 했다. 그는 주장하기를 노동단체들이 사라짐에 따라 양자의 관계는 한층 더 비극적으로 화했고 "소수의 부자들이 가난한 대중의 목에 노예제도와 다를 바 없는 멍에를 얹고 있다"고 갈파했다. 부자와 가난한 자 사이에 단지 계급투쟁만 존재한다고 이해하는 것은 잘못이지만, 가난한 자들의 보호에 특별한 주의를 기울일 필요가 있다. 왜냐하면 부자들은 여러 가지 방법으로 스스로를 보호할 수 있으나, 가난한 자들이 의지할 수 있는 것은 국가의 보호뿐이기 때문이다. 따라서 법은 가난한 자들의 권리를 보장하는 것이어야 한다. 특히 이것은 모든 노동자들이 혹사당하지 않으면서 자신과 가족들을 부양하기에 충분한 급료를 받아야 할 권리를 의미한다. 그 원인은 "하나님은 가난하고 불행한 자들을 보다 귀하게 여기시기 때문"이다.

이것은 사회주의자들의 견해가 옳다는 의미가 아니다. 개인의 재산 소유와 유산 상속 권리는 하나님에 의해 수립된 권리이기 때문이다. 뿐만 아니라 사회 질서 안에 존재하는 차이들은 적어도 부분적으로는 인간들의 선천적 차이점들에 기인하는 것이다. 교황이 우선적으로 요구하는 것은 부자들이 자선을 베풀라는 것이었다. 물론 누구에게도 생존에 필요한 것을 남에게 주어야 할 의무는 없지만 그러한 욕구가 충족된 후에 "남은 것을 가난한 자들에게 주어야 할 의무"가 있다. 한편 가난한 자들은 부자를 증오해서는 안 되며, 가난이 수치가 아니며 덕의 실천이 물질적 형통함으로 이어진다는 사실을 기억해야 한다.

레오는 사랑과 자선만으로 정의를 이룩하기에 불충분함을 잘 알고 있었으므로 모든 신자들에게 가난한 자들을 보호할 것을 요구하고, 노동자들의 권리를 옹호하기 위한 노동조합의 결성을 촉구했다. 그러한 권리들 안에는 정당한 보수, 합리적인 노동 시간, 그리고 방해를 받지 않고 가톨릭교를 신봉할 권리 등이 포함되므로, 레오는 가톨릭 노동조합들 내에서 종교 없는 빈곤이 발생시키는 증오와 분열을 없앨 수 있을 것이라고 주장하면서 노동조합 결성을 요구했다. 그는 회칙을 다음과 같이 요약했다: "오늘날의 시급한 문제는 노동 계급의 상태이다.…그러나 기독교 노동자들은 협회를 구성하고, 현명한 지도자들을 선택하며, 그들의 선조들이 자기들 자신과 사회를 위해 기여했던 행로를 따름으로써 용이하게 이를 해결할 수 있다."

이 회칙은 이미 산업혁명과 자본주의 성장에 의해 제기된 문제들에 대한 해결책을 찾고 있던 많은 가톨릭 신자들에게 새로운 동기를 제공했다. 어떤 이들 곧 그 회칙을 실천에 옮겼던 사람들은 그 해결책들이 지나치게 단순화된 것이라는 결론에 도달했다. 또 어떤 이들은 레오가 장려하는 것은 가톨릭 조합에 불과하다고 지적하면서 조합 운동에 반대했다. 따라서 「새로운 사태」(Rerum novarum)는 현대의 가톨릭 노동조합 운동의 시작인 동시에 현대 세계의 도전과 요구 앞에서 레오의 양면성을 나타내주는 것이기도 하다.

레오는 현대 학문에 대해서도 양면적인 태도를 보였다. 레오는 역사적 연구의 결과가 교회의 권위를 강화시킬 것이라고 예상했기 때문에 바티칸의 기록보관소를 역사가들에게 공개했다. 그러나 그의 회칙 「섭리의 하나님」(Providentissimus Deus)은 역사적 성경 연구의 가치를 인정하면서도 그것을 사용함으로써 성경이나 교회의 권위가 약화될 것에 대해 경고했다. 따라서 비평적 성경 연구를 위해 보다 많은 자유를 요구한 사람들과 이에 반대한 인물들 모두 그 회칙에서 자기들에게 유리한 구절들을 찾아낼 수 있었다. 또 레오는 토마스 아퀴나스의 신학으로의 복귀를 장려하여 아퀴나스의 저술들의 교정판을 출판하기 위해 레오 위원회(Leonine Commission)를 구성하고 그 저술들을 신학교육의 기초로 삼을 것을 명했다. 그러한 조처들 안에 보수주의 요소가 존재했지만, 아퀴나스가 소중한 이유들 중 하나는 그 역시 철학 분야에서의 새로운 태도들과 변화하는 시대의 도전에 직면할 수밖에 없었기 때문이라고 레오가 느꼈음에 주목해야 한다.

피우스 10세

레오를 계승하여 제1차 세계대전 발발 시기까지 가톨릭교회를 이끈 인물은 피우스 10세(1903-1914)이다. 그는 레오보다 훨씬 보수적인 정책을 취했고 피우스 9세의 노선을 따랐다. 그 결과 현대 사상 및 사회의 주류와 가톨릭신앙 사이의 틈이 더욱 커졌다. 교황의 지시에 따라 옛 종교재판소의 후신이라 할 수 있는 검사성성(檢邪聖省)에서는 새로운 연구 방법들을 성경이나 신학 문제에 적용하는 자들을 정죄하는 회칙을 반포했다. 이들 소위 근대주의자들 중 가장 유명한 사람은 프랑스의 로이시(A. F. Loissy), 영국의 조지 틸렐(George Tyrrell), 그리고 독일의 헤르만 쉘(Hermann Schell) 등이다. 얼마 후 피우스 10세는 그의 회칙 「주의 양떼 먹이기」(*Pascendi Dominici Gregis*)에서 검사성성의 활동을 공식화했다. 그 결과 많은 근대주의자들이 교회를 떠났다. 물론 가톨릭 신자들의 대부분은 교회 내에 남았지만 교황의 지시에는 별다른 관심을 기울이지 않았다.

베네딕트 15세부터 피우스 12세까지

제1차 세계대전이 발발했을 때 피우스 10세가 사망하고 베네딕트 15세(1914-1922)가 교황이 되었다. 피우스 10세에 의해 대주교에 임명되었던 그는 피우스 10세의 정책을 유지하기로 결정했다. 이전의 세 명의 교황들처럼 그는 교황령 통치권을 주장했고, 이탈리아가 교황청으로부터 교황령을 강탈해갔다고 주장했다. 그는 재임 초기에 대체로 평화를 위해 노력했지만 반대 세력들에 의해 거듭 거부되었다. 마침내 평화가 임하고 국제연맹이 설립되었지만, 그는 결정적으로 사건들에게 영향력을 발휘할 위치에 있지 않았다. 전쟁이 끝난 후 그는 평화협상의 결과로 탄생한 몇 개의 신흥국가들과 협약을 체결할 수 있었다. 일반적으로 그는 전임자보다 개방적이었지만 매우 유능한 교황으로 인식되지는 않았다.

그의 후임자인 피우스 11세(1922-1939)는 학자요 유능한 행정가였다. 그 역시 비유럽권 세계가 점점 더 중요해지고 있음을 의식했으므로 선교사역을 장려하고 과거의 선교지에 세워진 교회들을 성숙하도록 돕기 위해 힘껏 노력했다. 그의 재임기간에 가톨릭 선교사들이 두 배로 증가했다. 또 그는 최초의 중국인 주교들을 임명했다. 이처럼 타 지역에서의 가톨릭 신앙의 발달을 강조함으로 말미암아 20세기 후반에 예기치 않은 중요한 결실을 거두게 되었다. 그 시대의 내부분의 교황들과는 달리, 피우스 11세는 경건과 헌신이라는 단순한 행동에 크게 관심을 가졌고, 리지외의 소화 테레사(Therese of Lisieux, 1873-1897)를 흠모했다. 그녀는 자신을 "사도들을 위한 사도"로 여겨 사제들을 위해 기도하고 그들의 사역을 장려했으며, 그녀의 신앙의 중심은 순종의 작은 길이었다. 피우스 11세는 소화 테레사에 대한 존경심, 그리고 그녀의 가르침이 그 시대의 교회에 절실히 필요하다는 확신을 보였으며 1923년에 그녀를 시복했고, 2년 후에 시성했다. 어떤 면에서 테레사는 성직자들의 감독 하에서 이루어지는 평신도 활동의 증가에 대한 피우스의 관심을 보여주는 상징이었다. 이것이 그의 첫 번째 회칙에 요약되어 있는데, 그 회칙에서는 20세기 초의 가장 중요한 가톨릭 평신도 기구인 가톨릭액션(Catholic Action)의 목표와 규칙을 제시했다.

피우스 11세는 공산주의 및 그 운동의 공공연한 무신론의 위험성에 대해 크게 우려하고 있었지만, 특히 공산주의의 주적으로 대두된 파시즘에 대한 염려를 표명하지 않았다. 게다가 파시즘은 피우스 9세가 오류목록에서 강력하게 옹호했던 원리들-사회에 대한 계급구조적 이해, 강력한 권위의식, 도덕적 표준 강화에 헌신하는 국가-과 동일한 원리에 호소했다. 이탈리아에서 초기 단계의 파시즘은 가톨릭 신앙에 우호적이었으므로, 교황은 파시즘과 함께 일하는 데 매우 만족했다. 1929년 교황의 대리인이 무솔리니와의 협정에 서명함으로써 마침내 로마에 대한 이탈리아의 주권문제가 해결되었다. 이탈리아는 바티칸 시국이 주권국이라는 것 및 그곳에 대한 교황의 주권을 인정했고, 잃게 된 다른 지역에 대해 경제적인 보상을 지불했다. 그에 대한 보답으로 교황 피우스는 로마를 수도로 하는 이탈리아 왕국을 합법적 국가로 인정했다. 결국 피우스는 이탈리아의 파시즘과 충돌했으며, 세력을 얻던 초기 단계의 히틀러와 나치즘을 거듭 정죄했다. 그러나 후일 그는 나치 정권을 반대하는 입장을 완화했고, 스페인의 프랑코 파시즘 정권을 지원했다. 독일에서는 진보주의와 공산주의에 대한 두려움 때문에 많은 가톨릭 신자들이 신흥 나치즘을 선호했다. 1933년 히틀러를 대적한 가톨릭 당이 붕괴했고, 루트비히 카스(Ludwig Kaas) 주교가 이끄는 정당의 지원으로 히틀러가 정부를 완전히 장악했다. 거의 같은 시기에 주교들이 풀다에 모여 나치즘의 위험에 대한 이전의 거친 말을 철회했다. 로마의 피우스 11세와 국무장관 파첼리-후일의 피우스 12세-는 히틀러와 협정을 맺어야 할 때가 되었다고 느꼈고, 몇 달 후 국제사회에서 나치정권에 대한 바티칸의 제한적 승인으로 간주된 협약이 조인되었다.

　오랫동안 나치즘을 공산주의를 대신할 수 있는 대안으로 여겨왔던 교황은 여러 해 후 나치즘의 위험을 깨달았다. 1937년 교황은 각기 나치즘과 공산주의에 반대하는 두 개의 회칙을 반포했다. 그중 첫째 회칙 「심한 우려와 함께」(*Mit brennender Sorge*)는 나치즘이 새로운 형태의 이교신앙이라고 선언하며, 히틀러가 1933년의 협약을 무시하고 있다고 비난했다. 닷새 후에 반포된 「하나님이신 구세주」(*Divini Redemptoris*)는 공산주의를 정죄했는데, 이는 러시아가 반종교적 선전을 확대하여 심각한 우려를 초래했기 때문이었다. 공산주의는 아시아에서도 급속히 성장하고 있었고, 교황은 멕시코 혁명으로 말미암아 또 다른 공산주의 국가가 탄생하게 될까 염려했다. 그는 이 회칙에서 종교를 하류 계층들을 학대하는 수단이라고 여겨 마르크스주의 견해를 정죄했고, 기독교인이 그것과 협력해야 할 근거가 없다고 선언했다. 한편 히틀러와 무솔리니의 유대 강화와 이탈리아 파시즘과의 거듭된 충돌로 말미암아 교황은 이탈리아 파시스트 정권의 몇 가지 행동을 강력하게 정죄하는 연설을 준비했지만, 그 정권과의 관계를 단절하지는 않았다. 그는 사망할 때에도 여전히 이 연설문을 손보고 있었다.

비밀 추기경 회의에서는 하루 동안 세 차례의 투표를 통해 파첼리 추기경을 후임자로 선출했다. 그는 피우스 12세(1939-1958)라는 이름을 취했고 피우스 11세의 정책을 지속하겠다는 의사를 밝혔다. 노련한 정치가인 그는 족벌정치를 선호했고, 교회에 대해 매우 권위주의적이고 성직자 중심적인 견해를 지녔다. 피우스 12세는 몇 시간씩 기도하는 신비가요 지칠 줄 모르고 일하는 사람이었다. 그를 돕는 사람들은 종종 그가 자기들을 지나칠 정도로 일하게 한다고 불평했다. 그는 또한 개인적으로 친구들이나 적들로부터 크게 존경받는 매력을 지니고 있었다. 그의 재임 초기에 제2차 세계대전이 진행되고 있었는데, 그는 그 전쟁을 막으려 했으나 성공하지 못했었다. 전쟁이 불가피해졌으므로 그는 이탈리아를 싸움에 참여하지 못하게 하는 데 관심을 기울였으나 이 역시 성공하지 못했다. 그는 히틀러를 전복시키려는 음모를 지원하기도 했다. 전쟁이 발발하자, 피우스 12세는 중립정책을 취함으로써 적절한 시기에 중재자 역할을 할 수 있기를 기대했다. 그러나 이러한 중립의 대가로 그는 자신이 심각하게 비판했던 정책인 바 유대인들에 대한 나치의 잔학행위 앞에서 침묵해야 했다. 이 점에 관하여 그를 옹호하는 사람들조차도 그가 독일에서 발생하고 있던 일을 알고 있었음을 인정하며, 항쟁으로 성취할 수 없는 것이 거의 없다는 근거에서 그의 정책을 옹호한다.

폴란드의 주교들은 바티칸 라디오 방송의 항의가 이루어질 때마다 가톨릭 신자들에게 불리한 조처들이 이루어졌다고 보고했지만, 그러한 고려 사항들로는 폴란드의 가톨릭 신자들에 대한 나치의 잔혹행위에 대한 교황의 비난을 막지 못했다. 이러한 문제들에 관해 피우스 12세는 트렌트 공의회 이래 교황청의 기본 태도였던 것을 주장했다. 즉 교회가 가능한 한 많은 자유와 힘을 추구하는 것을 무엇보다 중요한 것으로 여기며 어떠한 대가를 치르더라도 교회를 보호하려 했다. 또 그는 나치의 승리를 두려워했지만 공산주의의 성장을 더 염려했고, 추축국들과 소련연방 사이의 전쟁에서 추축국을 지지했다. 어쨌든 그는 국가와 정부를 판단하는 일을 삼가면서도 국가와 정부들을 심판하는 기준이 되는 일반적 원리를 거듭 주장했다.

독일 및 유럽의 점령 지역에서 이루어진 유대인 박해에 대한 교황의 반응은 매우 바람직했지만, 목숨과 자유를 희생하면서도 유대인 형제자매들을 위해 노력한 가톨릭 신자들이 있었다. 피우스는 유대인들이 독일, 프랑스, 기타 동유럽의 여러 국가에서 탈출하는 일을 돕는 비밀 조직을 알고 있었다. 국제적인 유대인 공동체가 그 시대의 도전, 혹은 영웅주의로 성장했다고 인정한 "의로운 이교도들"(righteous Gentiles) 중 다수가 가톨릭 신자들이었다.

종전 후 교황의 국제정책은 주로 공산주의의 위협을 향했다. 1949년 그는 어느 국가에서든 공산주의자들을 지원한 사람들의 자동 파문을 선언했다. 당시 러시아가 제국주의적으로 크게 확장하고 있었는데, 곧 동유럽 대부분이 그 영향권에 포함되었다. 아시아의 중국도 공산주의 국가가 되었다. 당시 이 방대한 국가 내의 가톨릭교회 및 다른 교회들이

파시즘에 대한 피우스 12세의 입장은 분명하지 않았다. 전쟁이 끝난 후 그는 유대인에 대한 나치의 잔혹행위를 비난하지 않았다고 비난을 받았으며, 일부에서는 그가 조용히 유대인들을 옹호했다고 주장했다.

완전히 궤멸되었다. 이러한 위협에 맞서 미래의 전쟁을 피하려는 소망에서 피우스는 통일 유럽을 요구하는 진영에 합류했다. 1953년 그는 여러 가지 이유를 들어 종전 후 존속하고 있는 나치즘의 주요 보루인 스페인의 프랑코 정부와의 협약에 조인했다. 내란 이전 긴장이 고조되면서 스페인 정부 내의 공산주의자들의 영향력이 증가했었다. 공산주의를 두려워한 가톨릭 신자들은 프랑코와 그의 정부를 유일한 대안으로 여겼으나, 프랑코 정부는 오히려 더 큰 교권반대주의를 야기했다. 그 때 내란으로 큰 혼란이 야기되어 수천 명의 사제들과 수녀들과 수도사들이 사망했다. 사태가 수습된 후 프랑코는 국가를 굳건히 장악했고, 가톨릭 성직자들의 보수 진영이 그의 강력한 동맹이 되었다. 그리하여 점점 더 많은 정부들이 교회를 등지는 세계 속에서 바티칸은 프랑코와 그의 정권을 환영했다.

교황청 및 교황청의 가르침과 행정적 권위에 대한 이해 속에서 교황의 성향을 파악할 수 있다. 그는 각 국가의 주교단에게서 주도권을 박탈하며 교회 정치를 중앙집권화하려 했다. 그는 전임자들의 에큐메니컬 운동에 호의적이었지만, 1950년에 성모몽소승천의 교리를 선포함으로써 그 운동의 발전을 방해하는 또 다른 장애물을 설치했다. 그는 무엇보다도 신학 분야에서의 획기적인 것들을 극도로 의심했다. 1950년 「인류의 기원」(Humani Generis)이라는 회칙에서 신학에서의 획기적인 것들에 대한 이전의 경고를 반복했다. 그 시대의 가장 항의적인 가톨릭 신학자들 중 일부의 설교가 금지되었는데, 그 중에는 제2차 바티칸 공의회의 초석이 된 저술의 저자들도 포함되어 있었다. 20세기의 가톨릭 사상가들 중 한 사람인 테야르 드 샤르댕(Pierre Teilhard de Chardin)은 검사성성에 의해 신학 저서들의 출판을 금지당했다. 그의 저술들은 1955년 그가 사망한 후에 비로소 출판되었다.

프랑스의 일부 가톨릭 지도자들은 노동 사제들을 통해 노동운동에 침투하려 했다. 노동 사제들은 일반 노동자로서 취업했으며, 때로는 그 집단에 자신이 알려져 받아들여질 때까지 사제로서의 신분을 드러내지 않았다. 그 운동은 프랑스 가톨릭교회 내 보수 진영의 비판을 받았으나, 처음에는 바티칸의 지원을 받았다. 그러나 일부 사제들이 노동 운동의 지도자가 되어 자본가들을 반대하는 입장을 취했으므로, 교황은 지원을 철회했다. 그는 모든 노동 사제들에게 노동시장에서 후퇴하라고 명령했고, 노동 사제들이 교육받는 신학교를 폐교했다. 당시는 냉전시대였는데, 제2차 세계대전 때에 중재자가 되기를 바랐던 교황은 이제 반동적 보수주의 외에 공산주의를 대신할 대안이 없이 싸움에 휩싸여 있음을 발견했다.

한편 피우스 12세의 일부 정책들은 다음 교황 시대에 발생할 큰 변화의 기초를 놓았다. 1943년에 반포한 그의 회칙「성령의 영감」(*Divino afflante spiritu*)은 현대적인 성경연구 방법을 장려했다. 비록 후일 그는 조심해야 할 필요성을 강조했지만,「성령의 영감」의 영향 아래 이루어진 성경연구는 교회의 갱신에 기여했다. 그의 장려로 조심스럽게 이루어진 제2차 바티칸 공의회의 초기 활동들 중 하나가 전례의 개혁이다. 그러나 무엇보다도 그는 궁극적으로 교회의 국제화를 주도했으며, 그것이 제2차 바티칸 공의회를 가능하게 한 원동력이다. 그는 식민지주의 시대가 종식되었음을 이해했으므로 유럽 외부의 교회를 강화하는 전임자들의 정책을 지속시켰다. 또 그는 식민지들의 해방을 장려했으므로 유럽,

특히 한동안 식민지들의 독립을 주저했던 프랑스의 원수라는 비난을 받았다. 그는 모든 교회에 대한 보편적 사업권과 직접적인 통제를 주장하면서도 원주인 주교들의 지도하에 이루어지는 토착 교회들의 형성을 장려했다. 후일에 발생할 운동들을 위해 매우 중요했던 것은 바티칸의 감독 하에 이루어진 라틴아메리카 주교회의였다. 이것은 종교적으로 국제적 차원에서 이루어진 최초의 공식 조직이다. 그는 이탈리아인이 아닌 사람들을 교황청에 도입했고, 추기경단을 국제화했는데 그가 사망할 당시 추기경단의 3분의 1만 이탈리아인이었다. 그리하여 그는 트렌트 공의회와 제1차 바티칸 공의회의 방식을 따른 보수적인 교황이었지만 결국 제2차 바티칸 공의회 및 그 공의회가 옹호한 개혁을 초래할 기구를 발족시켰다.

결론적으로 아메리카 혁명과 프랑스 혁명, 그리고 급격히 변화하는 상황 속에서 모든 기독교회들은 새로운 정치적·종교적·사회적·학문적 상황에 직면했다. 일반적 프로테스탄트주의는 이러한 새로운 상황을 참작하기 위한 수단을 강구했는 데 반해, 가톨릭은 반대의 길을 택했다. 물론 이러한 일반적 평가에 반하는 많은 예외들이 있다. 어쨌든 이러한 움직임의 결과 세계 제1차 대전 당시 프로테스탄트 신자들과 가톨릭 신자들은 그 어느 때보다도 더 소원한 관계에 있었다. 프로테스탄트 신자들은 가톨릭교회를 과거의 유물이라고 생각했으며, 가톨릭 신자들은 프로테스탄트주의가 현대 세계의 도전에 굴복함으로써 그 이단적 특성을 드러냈다고 확신했다. 이러한 상황이 계속되는 한 서방 기독교의 양대 진영 사이의 화해 가능성은 거의 없는 듯했다. 제1차 세계대전으로 말미암아 개신교는 현대 사회를 쉽게 받아들인 태도를 재평가해야 했지만, 가톨릭교회는 20세기 후반 제1차 바티칸 공의회 때에 비로소 현대 사회에 대한 극도로 부정적인 견해를 재검토하게 되었다.

제19장

지리적 확장

새로운 커뮤니케이션 수단들이 개발되고 발달함에 따라 복음
전파와 서구 문명의 영향력을 보다 쉽게 전할 수 있게 된 것과
동시에, 국가들과 인종들의 근접은 그리스도의 나라에 적대적인
세력들이 보다 신속하게 전파되는 계기를 마련했다.
—세계선교회의(에든버러, 1910)—

식민지 시대의 선교 활동

서구 세계에서 식민지주의를 향한 기독교인들의 태도는 매우 다양했
다. 일부는 식민지 사업이 국가적 이해에 위배된다는 이유로 반대했다.
확고한 신념을 지닌 많은 기독교인들은 일부 식민지에서 사람들을 다루
는 방식에 항의했다. 그러나 일반적으로 많은 경건한 기독교인들이 포
함된 식민지 개척자들은 식민지 사람들이 받을 혜택이 자기들의 일을
정당화해 준다고 확신했다. 하나님은 서구 문명과 기독교 신앙의 혜택
을 백인들-유럽인들과 북아메리카 정착민들-의 수중에 두셨다. 이는
그들이 그것을 나머지 세계와 나누어 갖게 하시기 위해서였다. 그 책임
이 소위 백인의 짐(White Man's Burden)-산업화, 자본주의, 민주주의, 그리

고 기독교 등의 혜택을 나머지 세계에게 전하는 것—이다.

이러한 환상들은 근거 있는 것이었다. 예를 들어 의학의 혜택이 오지에까지 전파되어 무수한 인명들을 구했다. 교역과 공업 발달은 여러 지역의 부를 증가시켰는데, 이러한 이유 때문에 현지인들 중 일부 계층의 지원을 얻었다. 전 세계적으로 개선된 상황의 혜택을 받고 진보라는 현대의 약속의 실현을 누리는 사람들이 있었다. 그러나 대부분의 경우 많은 사람들이 농토를 잃고 방황하게 되었으며, 수백 년 동안 현지 사회를 이끌어온 문화와 전통이 파괴되었고, 전 세계에 걸쳐 부자와 가난한 자들 사이의 생활 수준 차이가 커졌다. 어쨌든 전체 식민주의의 기반을 이루고 있던 인종적·문화적 자만심은 20세기 중반의 특징인 바 식민지주의에 대한 반발을 불러올 수밖에 없었다.

교회는 이러한 상황들과 사상들의 깊은 영향을 받았다. 그러나 식민지주의와 선교의 관계는 매우 복잡했다. 종종 선교사들을 식민지주의의 앞잡이였다고 비난하지만, 반드시 그렇지는 않았다. 식민지주의에 반대하여 비판하고 정죄한 선교사들이 많았다. 또한 선교 사역이 식민지주의에 의해 열린 문을 통해 이루어졌다는 주장도 사실이 아니다. 왜냐하면 대부분의 경우 선교사들이 식민지에서 사역했지만, 선교사들이 백인 상인들이나 정복자들보다 먼저 오지에 들어가곤 했기 때문이다. 또한 대부분의 경우 식민지의 관리들이나 상인들은 현지의 종교적 갈등이 교역을 방해할까 두려웠기 때문에 선교 사역을 반대하고 훼방하곤 했다. 그러나 서구, 특히 개신교 국가들의 식민지 확장과 선교 영역의 확장이 동시에 발생했으며, 양자는 상황에 따라 서로를 돕기도 하고 갈등을 겪기도 했다.

19세기 선교 활동의 괄목할 만한 특징은 선교협회들의 설립이다. 이들의 일부는 특정 교파에 속해 있었으며, 교파의 장벽을 초월한 것들도 있었다. 이것들은 모두 자발적 기관들이었다. 왜냐하면 조직체로서의 교회들은 선교를 지원하는 일이 별로 없었기 때문이었다. 그 운동의 선구자는 1698년에 설립된 기독교지식보급회(Society for Promoting Christian Knowledge; SPCK)와 1701년에 설립된 해외복음전도회(Society for the Propagation of Gospel in Foreign Parts; SPG)이다. 이 두 기관은 성공회 소속이었으며, 한동안은 해외 거주 영국인 사회에서만 활동했다. 18세기에 경건주의자들, 모라비아파, 감리교 등의 영향에 의해 이와 비슷한 협회들이 설립되었다. 그러나 선교협회들의 전성기는 18세기 말에 시작되어 19세기 내내 지속되었다. 1792년 윌리엄 캐리(William Carey)의 끈질긴 노력 덕분에 복음 전파를 위한 특별침례교회 선교협회(Particular Baptist Society for Propagating the Gospel amongst the Heathens)가 설립되었다(이것은 간략하게 침례교선교회로 개칭되었다). 3년 후 침례교도들을 본받아 감리교인들, 장로교인들, 그리고 회중파 교인들이 연합하여 런던 선교회(London Missionary Society; LMS)를 설립했다. 1799년에 설립된 교회선교협회(Church Missionary Society)는 주로 성공회 내의 복음주의자들이 조직한 것이다.

1804년에 설립된 영국성서공회(British and Foreign Society)처럼 구체적인 목표를 가진 협회들도 설립되었다. 이 운동은 다른 나라들로 전파되었고, 곧 네덜란드, 스위스, 덴마크, 독일 등 각국에 개신교 선교협회들이 설립되었다. 프랑스에는 개신교 협회들과 가톨릭 협회들이 있었다. 미합중국의 회중파는 미국해외선교국(American Board of Commissioners of Foreign Society)을 설립했다. 이 선교국 소속 선교사인 아도니람 주드슨(Adoniram

현대선교의 아버지라고 불리는 윌리엄 캐리는 인도어를 배우고 성경을 인도어로 번역하는 데 헌신했다.

Judson)이 침례교로 개종했을 때, 그를 지원하기 위해 침례교선교회가 조직되었으며, 이를 모태로 하여 미국침례교총회(American Baptist Convention)가 발족되었다.

이러한 협회들의 출현은 19세기 선교 운동의 또 다른 특징인 폭넓은 지원을 보여준다. 그 이전 수백 년 동안 대부분의 선교 사역은 국가의 공식적 지원 아래 이루어졌다. 그러나 19세기에 대부분의 서구 정부들은 선교 사역과 거의 공식적인 관련이 없었다. 영국의 동인도회사는 여러 해 동안 자기들의 교역지에 선교사들이 들어오지 못하도록 방해했다. 대부분의 유럽 정부들과 미합중국은 선교사들과 그 사역에 대하여 중립적인- 어떤 경우에는 약간 적대적인-태도를 견지했다. 이론적으로 볼 때 선교사들은 다른 사업을 하는 동료 시민들만큼의 보호를 받지 못했다. 특히 재정 지원의 측면에서 볼 때, 현대의 선교 운동과 그 이전의 운동들 사이에는 큰 차이가 있었다. 선교 사역을 위해 자금을 제공하는 정부나 교회들이 거의 없었다. 국가적·교회적 지원이 부족했으므로 선교에 관심을 갖는 이들은 일반 대중에게 호소해야 했다. 이런 이유 때문에 선교협회들이 성장하고 번성했던 것이다.

그 결과 수백 년 만에 처음으로 교회의 일반 신자들이 국제적인 선교 사역에 관심을 갖게 되었다. 물론 이 일에 관심을 갖지 않은 이들도 많았다. 그러나 누구든 원하는 이들은 먼 외국에 복음을 전파하는 일에 기여할 수 있었다. 선교협회들은 아시아나 아프리카의 오지에서 발생하는 사건들을 고국에 전함으로써 외국 및 외국 문화에 관한 정보와 교육의 중요한 통로가 되었다.

이 모든 일에 있어서 여성들이 중요한 역할을 담당했다. 미합중국과 유럽의 많은 교파에서 여성들이 선교회를 조직하고 해외 선교를 위한 자금과 물자를 수집했다. 처음에는 모든 선교사들이 남성들이었다. 물론 결혼하여 아내들을 동반한 선교사들도 많았다. 그러나 곧 여성들이 해외에서 해야 할 일이 많다는 것이 알려졌다. 그리하여 여성 선교회들이 독자적으로 여성 선교사들을 파송하기 시작했다. 가톨릭교회에서는 주로 수녀들을 선교사로 파송했는데, 이들은 선교지에서도 고국에서와 마찬가지로 교육, 간호, 노약자 보호 등의 사역에 종사했다. 개신교 여성 선교사들은 고국에서는 금지되어 있던 설교나 교회 개척 등의 임무를 수행하기 시작했다(여성들은 고국에서는 성차별 때문에 권위를 누리지 못했지만, 선교지의 인종차별은 여성들로 하여금 원주민들에 대한 권위를 누릴 수 있게 했다). 결국 이러한 여성들의 본보기 및 이들의 성공담에 힘입어 유럽과 미합중국의 여성들도 동일한 기회를 요구하기 시작했다. 따라서 서구의 개신교 사회에서 선교 운동이 여권 운동의 근원 중 하나가 되었다.

마지막으로 선교 운동의 또 다른 중요한 결과는 다양한 교파들 사이에 나타나기 시작한 협동정신이었다. 유럽과 미합중국에서 정당한 것으로 받아들여지던 교파들 간의 경쟁이 인도와 중국의 선교 사역에서는 큰 장애물이 되었다. 따라서 많은 선교사들과 개종자들은 교파간의 장벽을 낮추는 조처를 취했다. 일부 선교협회들은 여러 교파로 구성되었다. 선교지에서는 경쟁을 피하고 서로 협력할 수 있는 길을 항상 강구했다. 그리하여 적어도 개신교 진영에서 에큐메니컬 운동의 주된 근원은 19세기와 20세기의 선교 경험에 있다.

아시아와 오세아니아

수세기 동안 극동의 고대 문명은 유럽인들의 마음을 사로잡았다. 중세시대의 서적들 속에는 신기한 풍습과 무시무시한 괴물들에 관한 소문들이 포함되어 있었다. 그 마르코 폴로(Marco Polo)를 비롯한 여행자들이 중국과 인도의 왕실의 엄청난 부를 소개했다. 16세기에는 포르투갈인들이 이 지역에 영구적인 교역소들을 설치했고, 곧 다른 유럽 국가들도 유사한 교두보를 추구하기 시작했다. 교역 및 그 보호 문제가 흔히 군사적·정치적 정복으로 이어졌으므로, 제1차 세계대전 당시에는 아시아와 태평양 연안 대부분의 국가들이 식민지화되었다. 선교사들 및 그들이 세운 교회들이 항상 식민지 정책에 동의한 것은 아니었으나, 유럽의 확장 과정에서 일익을 담당했다.

아시아의 경우 최초로 식민지 확장의 영향을 받은 곳은 현재의 인도, 파키스탄, 방글라데시, 그리고 스리랑카 등으로 이루어진 인도 아대륙이었다. 오랜 옛날부터 이곳에 기독교가 존재하고 있었고, 가톨릭교회는 16세기에 진출했다. 18세기 초에 경건주의의 영향을 깊이 받은 덴마크 국왕의 보호 아래 최초의 개신교 선교사들이 도착했다. 그러나 19세기에 영국의 영향력이 급성장하면서 개신교 선교사들이 본격적으로 자리 잡기 시작했다.

영국의 동인도회사는 18세기 초부터 인도에서 사업을 시작했다. 백 년 후에는 이 회사가 인도 아대륙의 동해안 전체를 다스렸다. 이보다 수년 전에는 영국인들이 실론(Ceylon)을 정복했었다. 19세기 중반에는 전체 지역이 직접적으로든 간접적으로든 영국의 지배하에 있었다. 1858년 의회의 의결에 따라 인도 정부는 동인도회사로부터 왕실 직속으로 관할이 이전되었다.

동인도회사는 처음 백 년 동안 선교 사역을 반대했다. 왜냐하면 기독교 복음의 전파가 교역을 방해할 긴장과 폭동을 불러올 것이라 생각했기 때문이었다. 선교에 관한 관심이 희박했던 영국에서는 이 정책에 거의 반대하지 않았다. 그러나 윌리엄 캐리(William Carey)의 노력의 결과 상황이 변하게 되었다. 그가 "현대 선교의 창시자"라 불린 것은 당연하다.

윌리엄 캐리는 성공회 가정에서 자라났으나 침례교로 개종했다. 직업이 교사이자 제화공이었던 그는 태평양에서 캡틴 쿠크(Captain Cook)가 발견하고 있었던 새로운 영토들에 관한 소식에 매료되었다. 그는 먼 나라에 대한 자각과 자기의 신앙을 연합시키면서 당시의 많은 기독교인들과는 달리 복음을 알지 못하는 먼 나라에 전도해야 한다는 특별한 확신을 갖게 되었다. 많은 비판에도 불구하고, 그는 자기의 뜻에 동조하는 사람들을 모아 복음 전파를 위한 특별침례교선교회를 조직했다. 이 협회에서 선교사로 파송할 인물을 발견하기 어렵게 되자, 캐리는 스스로 선교의 길에 나섰다. 그는 마침내 1793년 가족과 의사 한 명을 대동하고 캘커타에 도착했다. 어려움이 말할 수 없이 많았다. 그는 한때 영국에 있는 후원자들에게 주위가 온통 장애물로 막혀 있기 때문에 계속 앞으로 전진할 수밖에 없다고 편지를 보냈다. 그의 정열과 영국에 보낸 소식들을 통해 선교에 대한 관심이 높아졌으며, 결국 제2진의 선교사들이 그와 합류했다.

동인도회사가 새로운 선교사들의 캘커타 정착을 허락하지 않았기 때문에 캐리는 주거지를 근처의 세람포르(Serampore)로 옮겼는데, 이곳이 선교 본부가 되었다. 캐리와 그의 동료들―그들 중 하나는 인쇄기였다―은 우선적으로 해야 할 사역이 인디언들에게 성경을 보급하는 것이라고 생각했다. 탁월한 언어학습 능력을 가지고 있었던 캐리는 임종 시까지 무려 35개 언어로 성경의 전체, 혹은 일부를 번역했다. 후일 이 언어들 중 다수에 대한 제한적 지식에서 비롯된 오류들 때문에 이 번역 성경들은 비판을 받았다. 그는 또한 죽은 남편의 시체를 화장하는 장작불에 미망인들을 함께 태워 죽이는 풍습을 중지시키고자 했다. 이 두 가지 사역

캐리가 최초의 개종자에게 세례를 베푸는
모습

에서 그는 괄목할 만한 성공을 거두었다.

캐리의 사역이 영국과 미합중국에 전해지자 많은 이들이 그 뒤를 따랐다. 19세기 초에 설립된 선교협회들 중 다수가 그의 영향을 받은 것들이었다. 캐리의 사역에 대한 소문을 들은 많은 기독교인들이 그와 비슷한 선교의 소명을 느꼈다. 1813년 동인도회사의 정관이 의회에서 갱신될 때, 의회는 회사가 활동하는 지역에 선교사들이 자유로이 왕래할 수 있도록 하는 조항을 삽입했다.

인도에서 캐리의 사역이 처음부터 많은 개종자를 내지는 않았다. 그러나 그의 생애 말에는 교회가 굳게 자리를 잡았으며, 다른 이들이 그의 사역을 계승할 것이 확실해졌다. 그 다음 세대에 스코틀랜드 출신의 알렉산더 더프(Alexander Duff)는 기독교가 인도에 들어갈 수 있는 최선의 방법은 교육이라고 생각했기 때문에 교육에 심혈을 기울였다. 그를 비롯한 여러 사람들의 사역의 결과로서 100년쯤 뒤 인도가 독립을 쟁취했을 당시 많은 지도자들이 기독교인들이거나 기독교 신앙의 깊은 영향을 받은 인물들이었다.

한편 하류층에서는 대량으로 기독교로 귀의했다. 개신교 선교사들은 당시 인도를 지배하고 있던 카스트제도가 잘못이라고 주장했다. 인도의 전통으로 볼 때 다양한 카스트에 속한 사람들이 참석한 성찬식에서 떡을 떼는 행위는 카스트제도의 파괴를 의미했다. 그리하여 "불가촉 천민들"(untouchables)과 전통적으로 사회의 주류로부터 소외되었던 몇 종족들이 기독교 안에서 해방을 발견하고 합류했다. 여성들도 기독교 안에서 자유를 발견했고, 교회 안에서 중요한 직책들을 맡았다. 그들 중 가장 탁월한 인물은 영국과 미합중국을 여행한 후 고국에 돌아와 여성교육에 헌신한 판디타 라마바이(Pandita Ramabai)이다. 그녀의 사역 덕분에 많은 여성들이 교회와 인도 사회에 중요한 공헌을 하게 되었다.

동남아시아에서는 한때 강성했던 왕국 샴(Siam, 현재의 태국)이 식민지 세력들에 의해 분리되었다. 동쪽으로는 프랑스 식민지들이 등장하여 프랑스령 인도 지나 연방을 이룩했고, 서쪽으로는 영국인들이 버마(현재의 미얀마)를 점령했다. 프랑스령에서는 가톨릭 선교사들이 개종자들을 별도의 마을에 거주하게 하면서 가톨릭 교리를 가르쳤다. 그 결과 이 지역은 20세기까지도 가톨릭 마을들과 불교 마을들로 나뉘어 있었다. 버마에서 활동한 가장 유명한 선교사는 아도니람 주드슨이다. 그는 미국해외선교국에서 파송한 회중파 교도였는데, 선교지로 가는 도중 침례교로 개종했다. 캐리를 본받아 주드슨 부부는 성경을 버마어, 태국어 등 여러 언어로 번역했다. 그들에 의해 개종한 현지인들은 얼마 되지 않았으나,

그 중 하나인 고타뷰(Ko Tha Byu)는 후에 자기의 종족인 카렌(Karen)족을 대량으로 회심시켰고, 그들 중 다수는 21세기에 군사적 압박을 피해 미합중국으로 망명했다. 독립을 유지할 수 있었던 유일한 동남아시아 국가였던 샴에는 가톨릭 선교사들과 개신교 선교사들이 주재했다. 간헐적인 박해 때문에 이들의 사역이 방해를 받았으나, 19세기 말에는 상당히 강력한 교회들을 세울 수 있었다.

중국은 극동의 가장 거대한 제국이었다. 여러 차례 기독교가 소개되었지만 혹독한 박해와 고립 상태로 말미암아 종적을 감추곤 했다. 16세기말 예수회의 리치(Ricci)와 그의 동료들이 간신히 작은 교회를 세웠다. 그러나 또다시 고립기가 시작되어 19세기 초 중국에는 작은 가톨릭 공동체가 겨우 존속하고 있었다. 개신교 선교사들도 오랫동안 중국에 들어가기를 꿈꾸고 있었다. 캐리의 동료들 중 한 사람이 이미 성경을 중국어로 번역하는 획기적인 사업을 시작했었다. 그 일은 대부분의 번역이 그렇듯이 원주민들의 실질적인 도움과 독창성으로 이루어졌다. 그 후 스코틀랜드 출신의 로버트 모리슨이 광동 지방에 정착하여 성경을 비롯한 기독교 서적을 중국어로 번역하는 데 헌신했다. 그는 7년 만에 겨우 한 사람을 개종시켰으며, 평생 동안 개종시킨 자들이 많지 않았다. 그러나 그의 모범과 중국어로 번역된 성경의 존재가 기독교 복음을 이 거대한 대륙에 심고자 하는 노력을 유지시켰다. 그러나 가장 큰 난관은 중국 정부가 외국인들의 존재를 호의적으로 여기지 않았다는 것이다. 중국인들이 서구 야만인들이라고 여기는 약간의 외국인들만이 특정의 제한 지역에 거주하는 것이 허락되었고, 이 지역을 통해서 교역이 이루어졌다.

그때 아편전쟁이 발발했다(1839-1842). 이 전쟁은 서구 식민지주의 역사상 가장 수치스러운 사건 중 하나였다. 왜냐하면 영국은 중국 황실의 명령을 어기고 중국으로 아편을 수출할 영국 상인들의 권리를 보호한다는 명목으로 중국과의 전쟁을 벌였기 때문이다. 난징 조약(남경 조약)을 통해 영국은 홍콩을 양도받고, 영국의 교역에 있어서 중요한 5개 항구를 개방시켰다. 이 사건 후 다른 강대국들이 영국의 예를 좇아 군사력을 동원하여 중국으로부터 한층 더 큰 이권을 받아냈다. 그런데 이 조약들 속에는 중국 영토 내에 선교사들이 주재할 권리가 포함되어 있었고, 선교사들에 대한 특별 보호 조항도 포함되었다. 마침내 중국인 기독교인들에게까지 특혜가 주어졌다. 그리하여 식량 등의 특혜를 누리기 위해 기독교를 받아들인 사람들이 등장했다. 곧 각국으로부터 여러 교파의 선교사들이 중국에 도착했으며, 초기에 상당한 성과를 거두었다.

　이러한 기독교 포교의 예기치 못한 부산물이 태평천국의 난이다. 이 운동의 창시자로서 교사 출신인 홍수전은 많은 기독교 서적들을 읽은 후 "태평천국"을 세울 때가 도래했다고 믿었다. 그 나라에서는 모든 물건을 공동 소유하며, 남녀평등이 이루어지고, 매춘, 간음, 노예제도, 전족제도, 아편, 담배, 음주 등이 금지되리라고 했다. 1850년에 공개적인 반란이 시작되었고 태평천국의 군대는 몇 개의 중요한 전투에서 승리했다. 1853년에는 남경을 "천도"로 정하고 베이징까지 위협했다. 그러나 결국 서구 열강의 도움으로 제국군은 반란을 평정할 수 있었다. 15년간 계속된 내란 때문에 2천만 명이 목숨을 잃었다.(흥미롭게도 고국의 반란과 군사적 영웅을 찬양한 많은 선교사들이 폭력이 기독교 신앙과 양립하지 않는다는 이유로 태평천국의 난을 반대했다.)

　태평천국의 난이 진행되는 동안 허드슨 테일러(J. Hudson Taylor)가 중국

기독교 저술의 감화를 받은 교사 홍수전은 태평천국을
세우려는 목적으로 반란을 일으켰다.

에 도착했다. 건강이 좋지 않아 영국으로 돌아간 그는 중국내지선교
회를 조직하고, 이 선교회의 파송을 받아 중국으로 돌아왔다. 이 선교
회의 목적은 유럽과 미국 개신교 진영 내에 존재하는 것과 같은 분열
없이 기독교를 전파하는 것이었다. 이들은 교파에 관계없이 선교사들
을 받아들여 중국 각지에 수백 개의 교회들을 설립했다. 이들은 또한
외국의 간섭에 의한 특권이 중국인들 사이에 반감을 자아낼 것이며
결국 대가를 치르게 될 것을 의식하고서 외국의 도움에 의한 특권을
포기했다.

테일러의 예상은 현실로 나타났다. 1899-1901년의 의화단 사건은 외
국 침략에 대한 중국인들의 반감이 폭발한 것이었다. 3만 명 이상의 중
국인 신자들이 살해되었다. 어떤 사람은 고문당한 후에 살해되었고, 어

승리한 태평천국 군대는 난징을 수도로 정했고 중국의 대부분을 통제했다.

떤 사람은 자기 앞에서 살해된 사람의 피를 마신 후에 살해되었다. 중국을 약탈하기 위해 경쟁하고 있던 베이징의 외국 사절들은 포위되어 있다가 서구 연합군에 의해 겨우 구출되었다. 결국 서구 강대국들이 반란을 평정시켰으며, 중국 황실은 막대한 배상금을 포함하여 보다 많은 양보를 할 수밖에 없었다. 반란을 통해 교훈을 얻은 몇몇 선교기구들은 일체의 금전적 보상을 거절했다. 결국 이러한 격변들로 말미암아 중국이 몰락했다. 1911년 또다시 반란이 발생하여 황제는 강제로 양위했으며, 중화 인민공화국이 설립되었다. 이때에는 개신교 선교사들이 수만 명에 달했으며, 각 지방에 교회들이 번창하고 있었고, 교회 내에서 지도적 위치를 차지하는 중국인들도 증가하고 있었다. 장래가 매우 낙관적이었으므로 일부 서구인들은 콘스탄틴 대제 시대에 로마제국에서 발생한 것을

의화단 사건은 외국의 침략에 대한 분노의 표현이었다. 이 반란에서 수만 명의 선교사들과 개종자들이 죽었고, 교회 재산에도 큰 피해가 있었다.

방불케 하는 국가적인 개종이 이루어질 것을 예언했다.

19세기 전반 일본은 서구의 접촉이나 영향력에 대해 철저히 폐쇄적이었다. 1854년 미 해군의 페리(M. C. Perry) 준장이 일본으로 하여금 강제로 서구 강대국과 최초의 통상조약을 맺게 했다. 영국, 프랑스, 네덜란드, 그리고 러시아 등이 그 뒤를 따랐다. 1864년에 서구 연합군이 외국 세력에 대한 저항을 완전히 종식시켰다. 일본은 서방 기술의 우월성을 인식하고 가능한 한 많은 것을 습득하려 했다. 19세기 말 일본이 막강한 공업력과 군사력을 동원하여 중국과 러시아를 패배시켰다. 1910년에는 찬란한 역사를 자랑하는 한국을 합병했다. 이 급속한 서구화 과정은 페리 준장의 업적 직후에 일본에 오기 시작한 선교사들의 사역에 도움을 주었다. 곧 모든 주요 도시에 교회들이 세워지고, 일본인들이 교회를 지도하기 시작했다. 개신교 선교사들이 나가사키 인근에서 수백 년 전 프란시스 사비에르를 비롯한 예수회 선교사들로부터 받아들였던 복음의 흔적을 보유하고 있는 십만 명 가량의 신도들을 발견한 것은 특기할 만한 일이다.

일본인들은 페리 준장의 수법을 모방하여 1876년 한국에게 통상조약 체결을 강요했다. 한국은 곧이어 미국(1882), 영국(1883), 러시아(1884) 등과도 비슷한 조약을 맺었다. 그리하여 한국에도 개신교 선교사들이 들어올 수 있게 되었으니, 1884년 미국으로부터 감리교 및 장로교 선교사들이 상륙했다. 이들의 선교 전략은 처음부터 자립할 수 있는 교회를 세우고, 이러한 교회들을 위해 필요한 현지 지도자들을 육성하는 것이었다. 그 결과는 놀라웠다. 비록 1910년 일본의 점령으로 교회는 어려움에 처했으나 계속 성장했고, 얼마 안 되어 한국은 극동아시아에서 필리핀을 제외하고는 가장 많은 비율의 기독교 신자를 자랑하게 되었다.

필리핀은 이미 오래 전 스페인에 의해 정복되어 식민지가 되었으므로 19세기 초 주민의 대부분이 가톨릭 신자였다. 그러나 중남미의 스페인령 식민지들의 모범을 따라 독립에의 열망이 고조되었으며 1896년에 독립을 선포했다. 그러나 실제로 독립이 성취된 것은 50년 후의 일이었다. 2년 후 스페인-미국 전쟁의 결과 스페인은 필리핀을 미합중국에게 양도했다. 그러나 독립을 위한 투쟁은 계속되었으니, 1946년에 결국 독립을 쟁취했다. 스페인에 대항한 전쟁 기간에 가톨릭교회는 식민지 정부의 도구였으며, 그로 말미암아 필리핀 독립교회가 설립되었는데, 이 교회는 후일 개신교의 영향을 받아 가톨릭교회로부터 더욱더 멀어졌다. 개신교인들은 미국 점령기에 이곳에 진출했으나, 1914년까지도 그들이 세운 교회는 소수에 불과했다.

원래 포르투갈의 식민지였던 인도네시아는 19세기 초 네덜란드의 수중에 있었다. 1798년까지 식민 활동을 주도해온 네덜란드의 동인도회사는 기독교 선교에 적대적이었다. 따라서 19세기에야 비로소 인도네시아 현지인들을 위한 본격적인 포교가 행해졌다. 네덜란드의 기독교인들은 부패한 정부와 노골적인 착취를 강력하게 비판했고, 1870년에는 어느 정도 개혁이 이루어졌다. 한편 영국의 탐험가 제임스 브루크(James Brooke)는 보르네오의 사라와크 정부의 독립 영주(rajah)로 취임했다. 그와 후계자들(그의 아들 찰스 안토니 브루크와 손자인 바이너 브루크)은 교육과 의료 시설 개선을 위해 선교사들을 초청했다. 또한 이들은 중국인 신자들의 이민을 장려했다. 그리하여 19세기말 기독교는 인도네시아에서 수적으로 크게 성장했다. 현재 사라와크는 말레이시아에 속해 있다.

이 지역의 동쪽과 남쪽에는 16세기부터 유럽인들에게 희미하게 알려진 지역들이 있었다. 이 지역은 1768년에서 1779년 사이에 제임스 쿡(James Cook) 선장의 탐험에 의해 영국의 관심을 끌게 되었다. 쿡의 항해는 윌리엄 캐리로 하여금 외국에 관심을 갖게 만들었다. 그중 가장 방대한 지역인 오스트레일리아와 뉴질랜드는 곧 영국의 식민지가 되었고, 영국인들은 이곳에 본국의 교회와 비슷한 교회들을 세웠다. 오스트레일리아 원주민들과 뉴질랜드의 마오리족은 유럽 출신 이주민들과 이들이 가져온 질병 때문에 대량으로 죽어갔다. 교회들은 원주민 학대와 착취를 과감히 비판했다. 뉴질랜드에서 발생한 하우하우(Hau Hau)교와 링아투(Ringatu)교는 전통적인 마오리족의 신앙을 기독교의 가르침, 그리고 21세기까지도 마오리족이 널리 따르고 있는바 정의를 희구하는 열망과 혼합한 것이었다. 태평양의 작은 섬들은 처음에는 탐험가들과 몽상가들의 관심의 대상이 되었고, 그 후 선교사들이 그곳에 관심을 가졌다. 마지막으로 1870년 이후 식민지 열풍을 타고 제국주의 열강들이 침입했다. 19세기 말에는 모든 섬이 외국에 의해 점령되었다. 이때 폴리네시아의 주민 대부분이 기독교 신자였으며, 멜라네시아(Melanesia)와 미크로네시아(Micronesia)의 거의 모든 섬에 교회가 존재했다. 단지 뉴기니 내륙과 같은 오지에만 아직 그리스도의 이름이 선포되지 못하고 있었다.

아프리카와 이슬람 세계

수세기 동안 이슬람 세력은 남부와 남동부를 향한 유럽의 진출을 가로막고 있었다. 아프리카 북부의 이슬람 영토 너머에 불모지가 있었으며, 그 너머는 유럽인들에게 유해하다고 간주된 열대 지역이었다. 따라

제임스 쿡 선장의 항해 기록은 먼 나라 및 그 지역 선교에 대한 관심을 일깨웠다.

서 유럽은 아프리카와 이슬람 세계를 풍요로운 동양에 도달하기 전에 극복해야 할 방해물로 간주했다. 그러나 19세기에 이러한 관점이 급격히 바뀌었다. 19세기 초 근동 및 아프리카 북부 해안은 이스탄불—옛날 콘스탄티노플—을 수도로 삼고 있던 오토만 제국에 속해 있었다. 제1차 세계대전 초기에 영국, 프랑스, 이탈리아 등이 아프리카 북부 해안을 장악했으며, 오토만 제국은 사라질 운명에 처했다. 이에 따라 많은 이들이 이 지역 및 전통적인 이슬람 지역에서 선교 사역을 시작할 가능성을 고려하게 되었다.

그러나 이 지역에는 이미 다른 기독교인들이 살고 있었다. 원래 그 지역은 기독교의 발상지였기 때문이다. 따라서 서구 선교사들의 주된 관심은 자기들의 사역과 그 유서 깊은 교회들과의 관계 형성에 있었다. 일반적으로 가톨릭교회는 동방 교회 집단들 전체를 로마교회에 속하게 하고 교황에게 순종하게 하려 했다. 이 집단들은 나름대로의 의식과 전통을 유지했지만 사실상 가톨릭신앙을 받아들여 "동방전례 가톨릭교회" (Uniates)라 불리게 되었다. 특별히 이들에게 영향을 미치는 문제들을 다루기 위해 1862년 로마에 "동방의식 회중"(Congregation of Eastern Rites)이 설립되었다. 가톨릭 신자들은 이슬람교도들을 개종시키려 했으나 그리 성공하지 못했다. 반면 개신교 측에서는 토착 동방교회들과 협력을 통해 이러한 교회들에게 새로운 활력을 불어넣으려 했다. 이 시도는 어느 정도 성공했지만 결국 토착교회들 내에 긴장상태가 발생하여 분열시키는 결과를 초래했다. 보수적인 집단은 이전의 관습으로 복귀했으며, 진보적인 집단은 프로테스탄트로 화했다. 이 분열로 말미암아 개종한 사람들이 초기 개신교 신자들의 다수를 차지했지만, 결국은 이슬람 신자들을 개종시키기 시작했다. 이러한 사역은 특히 이집트, 시리아, 그리고 레바논에서 성공을 거두었다.

19세기 초 블랙아프리카에는 유럽인들의 거주지역이 거의 없었다. 포르투갈은 앙골라와 모잠비크에 진출했지만 내륙까지 들어가지는 못했다. 네덜란드는 1652년에 희망봉에 식민지를 건설했다. 그 직후에 프랑스는 세네갈에 교역소를 설치했다. 1799년에는 영국이 아프리카로 귀환하는 해방노예들을 위해 시에라리온(Sierra Leone)을 세웠다. 이것이 19세기 초 아프리카 유럽 식민지의 실태였다. 이와는 대조적으로 1914년에 대륙 전체에 남아있는 독립국은 에티오피아와 라이베리아뿐이었다. 라이베리아는 미합중국의 초기 노예제도 폐지 운동의 결과였다.

19세기 초의 식민지 확장 과정은 상당히 더뎠다. 영국은 네덜란드로부터 케이프(Cape)를 인수했고, 네덜란드는 북쪽으로 진출하여 새로운 식민지를 세웠다. 1820년 최초의 미국 흑인들이 라이베리아에 도착했고, 1847년에 독립국가가 되었다. 한편 선교사들은 유럽인들의 발이 닿지 않은 오지로 들어가서 노예매매 실태와 아프리카 내륙의 경제적인 자원에 관한 소식을 전했다. 1867년 남아프리카에서 다이아몬드가 발견되었다. 프랑스는 알제리와 세네갈에 보유하고 있는 재산을 합병하려 했다. 독일은 1884년 나미비아(Namibia)를 점령함으로써 경쟁에 뛰어들었다. 자국 내에서의 권력이 제한되어 있던 벨기에의 레오폴드 2세(Leopold II)는 개인적으로 콩고를 식민지화했고, 1908년에는 이 지역을 벨기에령 콩고로 선언했다. 1885년 스페인은 리오데오로(Rio de Oro)와 스페인령 기니(Guinea)를 차지했다. 그 후 이탈리아가 에리트레아(Eritrea)를 점령했다. 그 무렵 대륙의 나머지 부분은 영국과 프랑스와 독일에 의해 삼분되어 있었다.

이 사건들은 영국과 미합중국의 선교열을 자극했다. 일반적으로 가톨릭 식민지에서는 가톨릭 선교가 성공했고, 영국과 독일 식민지에서는 프로테스탄트가 우세했다. 또한 가톨릭의 선교는 각국의 영토 분쟁 때문에 방해를 받았다. 포르투갈은 전체 아프리카교회에 대한 과거의 지배권을 주장했고, 프랑스와 벨기에는 콩고 계곡을 두고 다투었다.

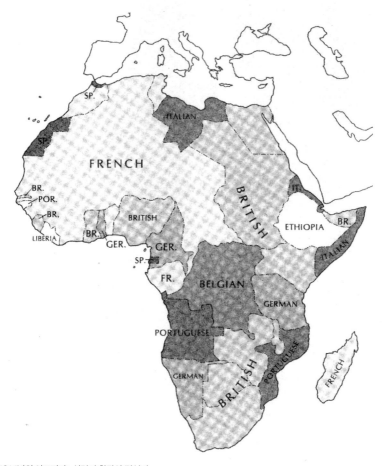

1914년의 아프리카: 식민지 확장의 전성기

에든버러의 대성당 광장에 세워진 리빙스턴의 동상

아프리카에서 활동한 가장 유명한 개신교 선교사는 데이비드 리빙스턴(David Livingston)이었다. 스코틀랜드 출신의 의사였던 그는 남부 아프리카를 횡단하여 여행하면서 복음을 전하고 병자들을 치료해 주었고 많은 놀라운 일들을 목격했다. 리빙스턴은 사람들을 기독교로 개종시킬 뿐만 아니라 아프리카의 개방을 통한 합법적인 교역에 의해 노예매매를 근절시키기를 바랐고 목적으로 삼았다. 그 목적을 이루기 위해 그는 때로는 선교사로서, 때로는 영국 정부의 대표로서 여행하면서 목격한 것을 보고했고 그를 알게 된 많은 아프리카인들의 신뢰와 사랑을 받았다. 그의 저술은 그의 고국인 스코틀랜드와 북대서양 지역에서 블랙아프리카에 대한 관심을 일으켰으며, 노예제도 폐지에 크게 공헌했다.

1914년에는 아프리카 대륙의 대부분이 식민지화했을 뿐만 아니라, 모든 지역에 기독교 교회들이 존재했다. 주요 도시들뿐만 아니라 내륙의 오지 마을에도 교회들이 존재했다. 이때에는 이미 다수의 교회들이 현지인들을 지도자로 육성하면서 새로운 지역으로 사역을 확장하고 있었

1984년의 아프리카: 독립 국가들의 성장

다. 최초의 아프리카 태생 선교사들 중 하나로서 1843년에 성직자로 임명된 사무엘 크라우더(Samuel Crowther)는 모국어로 예배하고 설교하는 경험이 꿈을 꾸는 것과 흡사하다고 말했다. 그러나 외국 출신 선교사들과의 평등을 추구하는 아프리카인 지도자들이 등장함에 따라 장기간의 갈등이 이어졌다.

라틴아메리카

라틴아메리카 국가들의 독립이 그곳의 가톨릭교회에 미친 영향에 대해서는 이미 살펴본 바 있다. 독립으로 말미암아 라틴아메리카의 모든 국가에 개신교 교회들이 설립되었다. 처음에는 이민의 결과로 그것이 이루어졌다. 새 정부들은 여러 가지 이유 때문에 이민들의 유입을 장려했다. 첫째, 이들은 영국과 같은 서구 제국의 공업발전을 모범으로 삼으려 했으므로, 서구로부터의 이민 유입이 공업발전에 필요한 숙련된 인력을 공급하리라 생각했다. 둘째, 아직 경작되지 않은 광대한 농경지가 있었다. 그곳에 정착한 이민들로 말미암아 농산물과 국가의 부가 증가할 것이라는 계산이었다. 셋째, 스페인에서 유입되었으며 가톨릭교회에서 장려하는 사상들과 상이한 것들을 도입하고 전파해야 할 필요가 있었다. 그리하여 19세기 내내 라틴아메리카의 일부 국가들 —특히 진보적인 국가들—이 유럽과 미국으로부터의 이민을 장려했다.

그러한 정책을 시행하기 위해서는 이 장래의 이민자들 대부분이 자기들의 신앙을 고수하려 하는 개신교 신자들임을 기억해야 했다. 이들에게 신앙의 포기를 강요하는 것은 절조 없는 위선자들의 이민을 장려하는 결과를 초래할 것이었다. 이미 멕시코가 텍사스 사건에서 뼈저리게 이러한 경험을 한 바 있었다. 따라서 자국민들에게 종교의 자유를 부여하지 않았던 국가들을 비롯한 많은 국가들이 이민들의 신앙의 자유를 보장하는 법을 반포했다. 그러나 그러한 법이 부적합하다는 것을 깨달았기 때문에 결국 자국민들에게도 동일한 권리를 부여하지 않을 수 없게 되었다. 따라서 외국 이민 장려 정책은 결국 원주민 사회에 개신교신앙을 전파하는 결과를 낳았다.

초기의 이민자들은 대부분 유럽 출신이었고 미합중국 출신은 극히 적었다. 이는 당시 미합중국은 서부 개척 시대였으므로 라틴아메리카로 이주하지 않아도 농경지를 소유할 수 있었기 때문이다. 많은 스코틀랜드인들이 본국과 기후가 비슷할 뿐만 아니라 더 나은 경제생활을 영위할 수 있는 아르헨티나, 우루과이, 칠레 등으로 이주했다. 따라서 최초로 라틴아메리카인들이 개신교로 개종하기 오래 전에 이미 라틴아메리카 남부의 주요 도시에서는 영어로 개신교 예배가 행해지고 있었다.

이민에 의한 선교의 흥미로운 사례는 제임스 시어도어 홀리(James Theodore Holly)와 110명의 흑인 성공회 신자로 이루어진 그의 동료들이었다. 이들은 보다 큰 자유를 찾고 아이티인들에게 복음을 전하기 위해 미국을 떠나 아이티로 이주했다. 18개월 동안 43명이 여러 가지 질병으로 사망했다. 생존자들 중 대부분은 미국으로 돌아가거나 자메이카(Jamaica)로 이주했다. 그러나 홀리를 비롯한 몇 사람이 남아 교회를 세웠다. 1876년 홀리는 성공회에 의해 아이티 사도 정교회(The Apostolic Orthodox Church of Haiti)의 초대 주교로 임명되었다. 이 교회의 후신이 아이티 성공회이다.

이민은 결국 현지의 라틴아메리카 원주민 선교로 이어졌다. 이곳에 도착한 최초의 선교사는 영국성서공회의 침례교 대표자인 제임스 톰슨(James Thomson)일 것이다. 그는 1818년 부에노스아이레스에 도착했다. 그 후 몇 년 동안 그는 여러 국가-아르헨티나, 칠레, 쿠바, 멕시코-를 순방한 후 다른 나라로 떠났다. 콜롬비아에서는 진보적 사제들의 도움을 받아 성서공회를 설립했다. 그는 주로 스페인어 성경을 배포했고, 개인적으로 사제들이나 현지인들과 대화를 나누었다. 19세기 후반에 남아메리카 대부분의 국가에서 영속적인 개신교 사역이 시작되었다. 현재까지 남아있는 기록으로는 최초의 스페인어 설교가 1867년 부에노스아이레스에서 행해졌다. 거의 비슷한 시기에 장로교가 칠레에서 사역을 시작했다. 일반적으로 1870년 이후에 미국의 선교 단체들이 라틴아메리카에 적극적인 관심을 갖기 시작했다.

미국과 유럽 국가들이 라틴아메리카 선교에 대한 관심을 갖지 못하게 된 요인들 중 하나는 이 지역의 가톨릭교회 때문이었다. 이 지역에 선교사를 파송한다는 것은 가톨릭 신자들이 기독교인이 아니라거나 그들의 기독교에 결함이 있음을 암시하는 행위였으므로, 많은 개신교 선교 기구들과 교회들은 그러한 조처를 반기지 않았다. 특히 성공회는 가톨릭 신자들을 대상으로 한 선교에 강력히 반대했다. 따라서 초기 성공회 선교 사역은 주로 티에라델푸에고(Tierra del Fuego) 섬의 인디오 사회에서 행해졌다.

그러나 20세기 초부터 라틴아메리카에서 개신교의 본격적인 선교 사역이 시작되었다. 대부분의 초기 선교사들은 영혼 구원뿐만 아니라 현지인들의 건강과 교육에 관심을 가졌다. 따라서 개신교인들은 교육과

의료사역으로 유명해졌다. 또 미국의 국력이 강성해짐에 따라 그와 관련된 교회들도 성장했다. 또한 초기 선교사들의 대부분은 큰 교파들을 대표했으나, 20세기 초부터는 작은 보수주의 교파를 대표하는 선교사들이 증가했다.

라틴아메리카에서의 교파 분열로 말미암아 새로운 교회들이 출현했다. 멕시코와 푸에르토리코에서 가톨릭교회로부터 분열한 집단들은 결국 성공회(Episcopalians)가 되었다. 칠레에서는 1910년 감리교에서 분열한 오순절파 집단이 형성한 감리교 오순절교회(Methodist Pentecostal Church)가 모교회보다 더 크게 성장했다. 이리하여 제1차 세계대전이 발발한 1914년에는 라틴아메리카의 모든 국가에 상당히 많은 개신교 신자들이 존재했는데, 그들은 선교 사역의 직접적인 결과로 세워진 교회들과 라틴아메리카 자체에서 생겨난 교회들에 속해 있었다.

에큐메니컬 운동

19세기 기독교에서 발생한 가장 중요한 현상은 진정한 보편교회의 시작이라 할 수 있다. 그때까지만 하더라도 기독교는 거의 서양 종교를 벗어나지 못했다. 1914년에 지구상의 거의 모든 나라에 교회가 존재했는데, 이 교회들은 자체의 지도자들을 배출하기 시작했을 뿐만 아니라, 자기들의 특별한 상황에서 기독교인이 된다는 것의 의미를 이해하기 시작했다. 그것은 두 가지 의미에서 에큐메니컬 운동의 탄생을 뜻한다. 첫째로 "에큐메니컬"(ecumenical)이라는 단어는 "사람이 사는 모든 지역과 관련된"이라는 의미이다. 따라서 19세기에 비로소 기독교가 실질적 의미에서 "에큐메니컬" 하게 되었다. 둘째, 만약 "에큐메니컬"이 기독교인들의 연합과 관련된 것이라고 생각된다면, 현대 기독교 통일 운동을 불러온 원동력들 중 하나가 선교 운동임이 분명하다.

상이한 교파의 신자들이 인접하여 살아야 했던 미국에서는 교파의 경계를 초월하여 신자들에게 호소하는 다양한 운동들-노예제도 폐지 운동, 금주 운동, 근본주의, 자유주의 등-의 결과로서 에큐메니컬 정서가 자리를 잡았다. 그러나 이곳에서도 각 교파에 대한 충성이 당면한 문제를 앞에 두고 단결하는 데 장애가 되지 않았으므로, 교파의 분열이 거의 문제가 되지 않았다. 문제가 된 가장 심각한 예는 그리스도의 제자교회(Diciples of Christ)의 설립일 것인데, 결국 이들은 하나 이상의 교파로 분열되었다.

그러나 해외 선교에서는 교파간의 협력이 필수적이었다. 한 교파의 선교사들이 번역한 성경들이 다른 교파에서 사용되었다. 곧 협력하여 노력하는 것이 제한된 자원을 제대로 관리하는 것임이 명백해졌다. 또 방대한 지역이 복음의 말씀을 듣기를 기다리고 있었으므로, 특정 교파나 선교 기구가 일정 지역을 맡아 사역하는 것이 타당하게 생각되었다. 무엇보다도 중요한 것은 복음을 들어 보지 못한 현지인들에게 경쟁적으로 여러 가지 해석을 제시하기보다는 통일된 해석을 제공하는 일의 중요성이었다. 교파간의 분열이 유럽과 미국에서는 자연스럽게 받아들여졌지만 남부 인도와 일본에서는 납득되지 않았다. 따라서 세계 복음화를 위한 열정을 지닌 이들은 곧 상이한 전통을 지닌 신자들이 협력하여 일해야 한다고 확신했다.

에큐메니컬 운동의 위대한 선구자는 윌리엄 캐리이다. 그는 1810년 남아프리카의 케이프타운에서 국제선교협의회를 개최할 것을 제안했다. 그는 이러한 협의회를 통하여 전 세계 선교사들과 선교기구들이 서로 정보를 교환하고 각각의 계획들을 조정하기를 희망했다. 당시 많은 사람들이 전통을 중시했으므로 캐리의 제안은 받아들여지지 못했다. 100년 후 사람들은 그의 제안에 주목했다. 그동안 선교사를 파송하는 나라들과 선교지 사람들 사이의 소규모 회의들이 열리곤 했다.

마침내 1910년 스코틀랜드의 에든버러에서 제1차 세계선교회의(The First World Missionary Conference)가 개최되었다. 이전의 회의들과는 달리 에든버러 회의에는 여러 선교협회들의 공식 대표들이 참여하되 대표들의 숫자는 전체 선교 활동에 대한 협회의 재정적 기여도에 따라 결정되었다. 또한 이 회의는 비기독교인 대상의 사역만 다루고 라틴아메리카의 가톨릭 사회와 근동의 동방정교회 사회에서 이루어지는 개신교 선교에 대해서는 논하지 않기로 했다. 또한 "신앙과 직제"에 관한 문제들은 의논하지 않기로 했다. 왜냐하면 그러한 논의로 인해 서로 더 소원해질 것을 염려했기 때문이다. 이 회의를 준비하기 위한 예비 연구에 전 세계에서 수백 명이 참여하여 서신 왕래와 지역회의를 통해 전반적인 계획과 접촉했다. 마침내 회의가 개최되었을 때 참석자들의 대부분은 영국과 북아메리카 대표들이었고, 유럽 다른 지역 대표들도 많았다. 새로 기독교를 받아들인 국가들의 대표는 17명에 불과했는데, 그중 세 명은 집행위원회에 의해 초청받은 특별 회원들이었다.

이 회의는 정보와 계획 교환이라는 기본 목표를 충분히 달성했으나, 그 중요성은 훨씬 더 큰 것이었다. 왜냐하면 이 회의는 다양한 교파 소속 선교협회들의 공식 대표들이 모인 최초의 대규모 국제회의였기 때문이다. 이 회의는 선교 외의 다른 주제들을 다룰 비슷한 회의들의 효시가 되었다. 두 번째로 이 회의에서는 계속위원회(Continuation Committee)를 임명함으로써 이 운동을 계속하겠다는 의지를 표현했다. 이 계속위원회의 사역에 의해 많은 연구가 이루어지고 회의가 개최되었으며, 결국 국제선교협의회(International Missionary Council)가 구성되었다. 세 번째로 이 회의는 20세기 초에 에큐메니컬 운동을 이끌어갈 지도자들을 배출하게 되었다. 그중 가장 유명한 인물은 감리교 평신도였던 존 모트(John R. Mott)이다. 마지막으로 에든버러 회의는 라틴아메리카의 신앙과 직제 운동과 협력위원회(Committee on Cooperation)를 배출한 계기인 바 라틴아메리카 내의 선교, 그리고 신앙과 직제 문제를 배제했다는 점에서 중요하다. 신앙과 직제 운동은 1948년 세계교회협의회 설립을 초래한 강력한 조류들 중 하나이다. 간단히 말해서 1910년 에든버러에서 개최된 세계선교회의는 현대 에큐메니컬 운동의 가장 중요한 선구자였다.

한편 국제적 갈등이 심화됨으로써 기독교인들은 단지 교회 문제를 의논하기 위해서 뿐만 아니라 국제 평화를 보존하기 위한 방법을 논의하기 위해 모여야 할 필요성을 느꼈다. 1914년 8월 2일 콘스탄스(Constance)시에서 교회를 통해 평화를 이룩할 길을 찾기 위한 국제기구가 창립되었다. 그런데 바로 그날 제1차 세계대전이 발발했다.

제20장
로마 가톨릭교회

Skipped

국민들의 과반수가 기독교인이라고 자칭하는 일부 국가들은
막대한 부를 누리는 데 반해, 다른 국가에 속한 신자들은 인간으로서의
최저 생활에 필요한 것을 소유하지 못한 채 굶주림과
질병과 온갖 불행을 당하고 있다는 비극을 해결해야 한다.
—제2차 바티칸 공의회—

가톨릭교회는 현대 세계에 대해 대체로 두려움과 정죄의 시각
으로 대응했다. 이러한 반응을 가져온 이유들 중에는 신흥국가인 이탈
리아에게 교황령을 빼앗긴 것, 세속 국가들이 가톨릭교회의 사역을 방
해할지도 모른다는 공포, 현대 사상들로 말미암아 사람들의 사고방식이
타락할 것이라는 염려 등이었다. 일반적으로 20세기 후반 교황 요한 23
세의 재위 기간의 가톨릭교회 역사는 개신교를 대적한 트렌트 공의회에
서 수립한 정책과 태도들의 연속이었다. 동시에 가톨릭교회 내에는 현
대의 동향들을 일괄적으로 거부하고 정죄하는 것이 신학적·목회적 실
수라고 느끼는 인사들이 있었다. 20세기 초 이 비판 세력들은 거듭 자신
의 견해와 대안들을 제시했으나 무시되거나 억압당했다. 따라서 20세기

초반 60년 동안의 가톨릭교회 역사는 트렌트 공의회와 제1차 바티칸 공의회의 결정을 고수하려는 세력과 현대 세계의 도전에 대응하여 교회를 개방하고 보다 창의적으로 대처하기를 원하는 세력들 간의 갈등의 역사였다.

요한 23세와 제2차 바티칸 공의회

다음 교황의 선출은 이전보다 어려웠다. 11차례의 투표 끝에 론칼리 (Roncalli) 추기경의 선출이 발표되었을 때, 많은 이들이 당시 77세의 추기경은 단지 다음 교황 선출 때까지의 잠정적 교황이라고 평했다. 그러나 요한 23세라는 칭호를 취한 늙은 교황의 짧은 재임 기간(1958-1963)에 중대한 변화들이 발생했다. 일찍이 아비뇽 교황 시대와 피사에 거주했던 대립교황 요한 23세에 의해 얼룩진 요한이라는 칭호를 택하기로 결정한 것은 이 새 교황이 신기원을 이루려 하고 있었음을 지적해준다. 그는 곧 불시에 로마의 빈민가를 방문함으로써 경호원들뿐만 아니라 교황청 내의 많은 사람들을 괴롭게 했다. 일부에서는 그가 교황의 막중한 임무를 감당하기엔 너무나 단순한 인물이라는 염려를 표명했다. 그러나 그는 폭넓은 경험과 심오한 지혜를 구비한 인물로서, 이미 불가리아, 이스탄불, 그리고 프랑스 등지에서 어려운 책임들을 완수함으로써 협상과 외교에 탁월한 기량을 갖추고 있음을 증명했었다. 또한 그는 터키의 이스탄불과 세속화된 파리에서 거주함으로써 교회와 세상의 소통이 얼마나 단절되어 왔는지 알았다. 이 소통 단절을 회복시키는 것이 그의 막중한 임무가 될 것이었다. 이를 위해 그의 탁월한 외교적 수완이 필요했다. 왜냐하면 당시 교황청과 교회의 고위 성직자들 중에는 당시의 상황에 대해 그와 인식을 달리한 사람들이 많았기 때문이다.

막중한 임무를 맡은 노령의 요한 23세는 신속하게 행동해야 할 필요성을 느꼈다. 그리하여 교황에 선출되고 나서 석 달 후 에큐메니컬 공의회를 소집할 계획을 발표했다. 교황청 내의 많은 인사들은 이에 반대했다. 과거 대부분의 공의회들은 대부분 교회의 긴급한 문제들—특히 위험하다고 생각된 이단 사상—을 다루기 위해 소집되었었다. 그뿐만 아니라 제1차 바티칸 공의회에 의해 교황 무오류성의 교리가 반포된 후 공의회 시대가 막을 내렸으므로 교황들은 절대 군주처럼 교회를 통치해야 한다고 생각하는 사람들이 있었다. 실제로 피우스 9세 이후 꾸준한 중앙 집권화 경향이 존재했다. 그러나 교황 요한의 시각은 달랐다. 그는 주교들을 "나의 형제들"이라 불렀고, 이들에게 명령하기보다는 충고를 들으려 했다. 그는 또한 교회를 전면적으로 현대화(aggiornamento)할 시기가 도래했으며 그 일이 전체 교회 주교들의 단결된 지혜와 관심을 통해 가능하다고 확신했다. 교황청의 일부 인사들이 공의회의 필요성에 대해 의심을 제기했을 때 교황은 창문을 열고서 "신선한 공기를 집어넣으세요"라고 말했다고 한다.

공의회를 위한 준비 작업에 2년 이상이 소요되었다. 한편 교황은 회칙 「어머니와 교사」(Mater et Magistra)를 발표했는데, 많은 정의구현 사제들은 이것을 자기들의 사역에 대한 교황의 승인으로 받아들였다. 마침내 1962년 10월 11일 교황 요한은 제2차 바티칸 공의회의 개회를 선언했다. 이 회의가 과거 400년 동안 가톨릭교회가 고수해 온 노선을 급변시키리라고는 아무도 예측하지 못했다. 교황청은 공의회에서 논의되고 승인될 문서들을 준비했는데, 그것들은 전통적인 가톨릭 교리를 재확인하고 당시의 여러 가지 위험들을 경고하는 것에 불과했다. 그러나 교황은 다른 방향으로 회의를 이끌어갈 조처들을 취해 놓았었다.

1년 전 그는 기독교 일치 촉진 사무국(Secretariat for the Promotion of Christian Unity)을 창설함으로써 다른 교파들과의 화해를 모색하려는 의지와 공의회를 그 방향으로 진행시키려는 의도를 분명히 표현했다. 또한 그의 개회사의 논조도 미리 준비된 대부분의 문서들과는 달랐다. 그는 교회가 현대 세계의 관심사를 정죄할 것이 아니라 이해하고 대화해야 할 때가 되었음을 지적했다. 이 목표들은 회의에 참석한 비가톨릭 참관인들ー회의가 시작될 때에는 31명, 끝날 때에는 93명이 참가하고 있었다ー에 의해, 그리고 회의에 정식으로 참석한 사람들의 도움을 받았다. 대표들의 46%만이 서유럽, 캐나다, 그리고 미합중국 출신이었다. 라틴아메리카, 아시아, 아프리카 출신이 42%나 되었다. 대체로 참석한 주교들의 반 이상이 가난한 교회에서 파송되었으므로 공의회 기간의 체재비를 부유한 교회들이 감당해야 했다. 따라서 공의회의 구성 자체가 20세기의 특징인 바 세계 기독교 중심의 이동을 가리켰다. 이 주교들은 가난한 자들의 곤경을 실감하고 있었으며, 비기독교 세계와 적극적으로 대화하고자 했으며, 독선적으로 정죄하기보다는 이해와 동정의 말을 했다. 따라서 교황이 개회사에서 표현한 "자비의 약"이라는 말은 호의적으로 받아들여졌다.

회의가 시작되자 대표들의 과반수이상이 교회 생활, 특히 현대 세계와의 관계의 변화를 원한다는 것이 명백해졌다. 처음 논의된 것은 전례였다. 준비된 모든 의제들 중 이것이 가장 중요한 변화를 제안하는 것이

제2차 바티칸 공의회를 계기로 가톨릭교회는 새로운 역사의 장을 열었다.

었다. 전례의 쇄신은 전임 교황들의 관심사 중 하나였으며 교황청 내에서 많은 사람들이 전례 쇄신의 필요성을 받아들였기 때문이다. 보수적인 소수파는 제한된 변화에 반대했지만 전례의 쇄신을 지지한 사람들이 승리했다. 이 의제가 초안을 작성한 위원회로 반송되면서 함께 붙은 지시문을 보면 보수파가 패배한 것이 명백했다. 그 때부터 준비 위원회에 의해 작성된 서류들은 개정을 위해 반송되었는데, 거기에는 위원회 구성 자체의 변화를 비롯하여 엄청난 변화를 요구하는 지시문이 첨부되어 있었다.

교황 요한은 자신이 소집한 공의회가 최초의 결의문을 선포하는 것도 보지 못한 채 1963년 6월에 사망했다. 다음 교황은 트렌트 공의회와 연관된 바울(Paul)이라는 이름을 택했으므로 일부 보수주의자들은 그가 공의회를 해산하거나 논의를 방해하는 강력한 조처를 취해주기를 원했다. 그러나 바울 6세(1963-1978)는 즉위 직후 공의회가 이전의 작업을 계속할 것을 선포했다. 그가 요한 23세보다 더 보수적이었음은 의심할 나위 없으나, 공의회의 첫 회기에 전 세계 가톨릭 지도자들이 새로운 변화를 추구하고 있음을 실감했다. 1963년 9월 29일 제2차 회기가 시작되었을 때, 그는 참석자에게 "교회와 현대 세계 사이에 다리를 놓으라"고 요청했다.

공의회는 교황의 권면을 아마도 바울 6세가 원했던 것보다 더 민첩하게 받아들였다. 처음부터 가장 진보적이었던 전례 문서는 총회의 인준을 받았으나, 나머지 문서들은 현대 세계에 대한 교회의 새로운 개방 정책에 맞춰 수정하도록 반송되었다. 「거룩한 전례에 관한 헌장」(Constitution on the Sacred Liturgy)은 제2차 회기의 가장 확실한 결과였다. 이에 따라 전 세계적으로 전례에서 과거에 허용되던 수준 이상으로 모국어를 사용하는 것이 승인되었다. 그 헌장은 다음과 같이 선언했다:

> 가톨릭교회 의식의 본질적인 통일성이 유지되는 한, 특히 선교지의 다양한 집단들과 지역들과 인종들의 필요에 따라 전례서를 개정하면서 적절히 바꾸고 개작하는 조처를 취해야 한다.

그 후 총회가 선출한 다수의 위원들을 주류로 하여 여러 문서들을 수정하여 작성하는 임무를 맡을 위원회가 재구성되었다. 이러한 사태의 진전 과정을 교황이 흡족해하지 않았다는 것을 보여주는 징후가 있었으며, 일부에서는 교황이 공의회의 폐회를 선언하지 않을까 염려했다. 그러나 바울 6세는 이처럼 극단적인 조처를 사용하지 않았다. 공의회의 제3차 회의(1964년 9월 14일부터 11월 21일까지)에서는 다시 공의회의 개혁 정신에 일치하지 않는 문서들을 거부하고 위원회에 반송했다. 공의회는 교회, 동방교회들, 그리고 에큐메니컬 운동에 관한 문서들을 발행했다. 교황은 교회에 관한 문서에 가톨릭교회 주교끼리의 권한의 평등이 교황의 절대적 통치 하에 존재함을 분명히 하는 각주를 달았고, 총회에서 통과된 에큐메니즘에 관한 문서에 비가톨릭 신자들이 받아들이기 힘든 해석을 첨가함으로써 많은 참석자들을 실망시켰다. 또한 공의회에 참석한 많은 대표들은 그리스도의 중요성을 강조함으로써 마리아 숭배가 극단화되는 것을 방지하고자 했으나, 교황은 마리아를 "교회의 어머니"라고 선포했다.

이와 같은 교황의 조처들에도 불구하고 공의회의 마지막 회기인 제4차 회의(1965년 9월 14일부터 12월 8일까지)가 소집되었을 때 참석자들은 자기들의 의사를 관철시키기로 결심했다. 가톨릭 교인들이 다수를 차지하는 국가 출신의 보수적인 대표들은 종교의 자유를 강력하게 반대했다. 그러나 이 최후의 시도도 실패했으며, 남은 회기 동안은 진보적인 인사들이 회의를 주도했다. 그리하여 비교적 용이하게 공의회는 주교들, 사제들과 그 임명, 평신도, 교회 및 비기독교인들, 선교활동 등의 문제에 관해 매우 진보적인 문서들을 발표했다. 「교회헌장」(*Lumen Gentium*)에서는 공의회 전에 마련된 원래 문서에서처럼 교권제와 성직자들을 강조하지 않고 평신도와 성직자 모두를 포함하는 하나님의 백성으로서의 교회 개념을 강조했다. 수세기 동안 가톨릭교회에 팽배했던 것과는 다른 정신을 표현한 중요한 것들로 종교의 자유, 기독교와 유대교, 현대 세계에서의 교회에 관한 문서들이 있었다. 종교의 자유에 관한 문서는 집단뿐만 아니라 개인의 종교의 자유가 존중되어야 하며, 또한 모든 종교 집단들은 "공공질서의 필수요소를 침해하지 않는 한" 자기들의 원칙에 따라 조직을 구성할 권리를 지닌다고 선포했다. 기독교와 유대교에 관해서 공의회는 유대인들에 대한 전통적인 편견을 분명히 거부했고, 교회의 신앙과 이스라엘의 신앙 사이에 독특한 연관이 있음을 인정했다. 「현대 세계 속의 교회에 대한 사목(司牧) 헌장」(Pastoral Constitution on the Church in the World of Today)은 공의회에 의해 발표된 가장 긴 문서로서 19세기에 고수되었던 것과는 전혀 다른 논조를 나타낸다. 그것은 신앙과 윤리에 관한 가톨릭교회의 원칙들을 강조하는 동시에 현대 풍조의 긍정적인 측면들에 대한 개방성을 보여주며, 가정생활, 경제적·사회적 문제들, 정치, 기술과 과학, 인간 문화의 중요성과 다양성 등을 독창적으로 다루었다. 머리말이 그 문서의 논조를 드러내준다:

우리 시대의 사람들, 특히 가난하고 고통받는 자들의 기쁨과 소망과 슬픔과 번민은 그리스도를 따르는 모든 이들의 기쁨과 소망이요, 슬픔과 번민이다. 그리스도와 연합하여 성령의 인도하심을 따라 성부 하나님의 나라를 이룩하고 모든 이들을 위해 마련된 구원의 소식을 전하기 위해 전진하는 이들의 공동체가 있다. 이러한 이유 때문에 이 공동체는 스스로 인류 및 그 역사와 깊이 결합되어 있음을 자각한다.

공의회가 휴회되었을 때 사람들은 가톨릭교회가 새로운 시대에 진입했음을 분명히 깨달을 수 있었다. 공의회의 결정 사항들을 실행하기 위해서 취해야 할 조처들이 많았다. 여러 분야에서 저항이 있을 것이고 급격한 변화가 발생할 것이므로, 바티칸이 양 진영을 조정해야 할 것이었다. 공의회가 휴회된 후 바울 6세는 지나치게 급격한 변화로 말미암아 분열이 발생하거나 가톨릭 보수 진영의 사람들을 잃을까 염려하여 서서히 진행했다. 1968년 교황은 회칙 「인간의 생명에 관하여」(*Humanae vitae*)를 반포함으로써 자신의 보수 성향을 암시했다. 이 회칙에서 그는 모든 인위적인 산아 제한 방법을 금지했고, 몇 가지 피임방법을 인정하였던 교황 직속 위원회의 추천을 기각했다. 우려했던 대로 어느 보수적 주교의 주도하에 분열이 발생했다. 그러나 동조한 신자들이 많지 않았으며, 제1차 회기 후 20년이 지났을 때에는 제2차 바티칸 공의회로 말미암아 돌이킬 수 없는 과정이 시작되었음이 명백해졌다. 이와 같은 지속적인 영향력을 보여주는 한 가지 예는 핵전쟁 및 군비 확장 경쟁에 관한 미국 주교들의 선언이다. 일부에서는 교회가 정치적 · 군사적인 문제에 개입하는 것이 부당하다고 여겨 이 선언에 반대했다. 이 선언에서 주교들은 군비 확장 경쟁이 영속적이고 진정한 평화를 가져올 수 없다는 제2차 바티칸 공의회의 입장을 재천명했다. 1986년 미국 주교들이 반포한 「가톨릭 사회·교육과 미합중국의 경제에 관한 교서」는 사회적 · 경제적 질서에 관해 한층 더 논쟁적인 문서이다.

바울 6세부터 베네딕트 16세까지

1979년 바울 6세가 사망했고, 요한 바울 1세(John Paul I)가 잠시 재임한 후 16세기 이래 최초의 비이탈리아인 교황인 요한 바울 2세(John Paul II)가 그 뒤를 계승했다. 폴란드인인 새 교황은 독일과 러시아 정권 아래서의 교회의 갈등을 잘 알고 있었고 파시즘과 공산주의에 대한 환상도 없었다. 그의 재임 기간 동안 폴란드에서는 자국 출신이 교황이 됨으로써 저항의 힘을 얻었으며, 바웬사(Lech Walesa)라는 평신도가 이끈 가톨릭교회와 공산주의 정부 사이의 긴장이 고조되었다. 이로 인해 마침내 공산주의가 몰락했고, 폴란드는 소비에트 제국으로부터 자유를 획득했다. 그 투쟁에서 교회와 교황이 결정적인 역할을 했다.

폴란드 사태에 이어 다른 지역에서 발생한 중요한 사건들로 말미암아 결국 소비에트 제국이 해체되었고, 러시아에서는 공산주의가 전복되었다. 동유럽, 그리고 정교회에서 이러한 변화의 영향이 강력하게 감지되었지만, 가톨릭교회에서도 감지되었다. 부분적으로 동방정교회들이 처한 새로운 상황 때문에 1995년 요한 바울 2세가 회칙 「하나 되게 하소서」(Ut Unum Sint)를 반포하며 가톨릭과 정교회와 개신교 사이의 분열 해소를 위한 노력을 촉구했다.

요한 바울 2세의 재위 기간에 오랫동안 형성되어온 몇 가지 문제들이 모습을 드러냈다. 그 중 하나는 성직자들을 겨냥한 성적 학대-특히 아동의 성적 학대- 혐의였다. 특히 북아메리카와 유럽 성직자들의 성적 학대 사건에서 법정이 지급하라고 판정한 손해배상금으로 말미암아 가톨릭교회는 피학대자들에게 막대한 금액을 지불해야 했으며, 교황은 미합중국 내에서 그러한 사건을 조사하고 성범죄자들을 다루는 정책 수립을 위해 특별위원회를 임명했다. 요한 바울 2세는 여성 성직 임명 문제에 직면했는데, 20세기 후반 개신교에서 부각되었던 그 문제가 이제 가톨릭교회의 논의 주제가 된 것이다. 1995년 오스트리아에서 50만 명의 가톨릭 신자들이 여성 성직 임명을 지지하고 성직자 독신제도에 반대하는 청원서에 서명했다. 교황은 이에 대해 완강히 반대했다. 전 세계적으로 일부 전통적인 가톨릭 국가가 낙태를 합법화하고 있을 때, 가톨릭교회는 낙태에 대한 정죄를 재천명했다.

요한 바울 2세는 성직자들과 수도사들의 생활에 관련된 문제, 그리고 개인적 윤리 문제 등에 관해 보수적이었으며, 가난한 자들의 고통과 압제자들의 불의에 관해서 강력한 발언을 했다. 그는 사제들이 정치적으로 공직을 맡는 데 반대하는 지침을 반포했고, 니카라과를 방문했을 때 그 문제에 대한 자신의 감정을 드러냈다. 당시 그가 문화부장관인 에르네스토 카르데날(Ernesto Cardenal)에게 비난조의 손짓을 하는 모습이 사진으로 찍혔다. 그러나 그는 교회가 정의의 문제에 개입해야 한다고 주장하기도 했다. 따라서 보는 자의 입장과 현안에 따라 그의 정책은 보수적이기도 하고 진보적이기도 했다. 요한 바울 2세의 재임 기간에 전 세계의 가톨릭 신자가 10억 명이 넘었다는 사실에도 주목해야 한다.

요한 바울 2세는 2005년에 사망했고, 후계자로 선출된 독일인 요세프 라칭거(Joseph Ratzinger) 추기경은 베네딕트 16세라는 칭호를 취했다. (가톨릭교회에는 1522-1523년에 재위한 아드리안 6세 외에 이탈리아인이 아닌 교황이 없었는데, 연속적으로 두 명의 비이탈리아인 교황이 선출되었다. 라칭거가 교황으로 선출될 때 북대서양 지역이 아닌 곳 출신의 일부 고위 성직자들이 교황으로 고려되었었다.) 1981년 라칭거는 요한 바울 2세에 의해 신앙교리성 (Congregation of the Doctrine of Faith, 종교재판소를 대신하여 가톨릭 정통교리를 수호하기 위해 만들어진 기관) 수장에 임명되었었다. 그 직무를 수행하면서 그의 보수적 자세, 특히 해방신학을 반대한 두 가지 지침으로 유명해졌다.

그가 교황으로 선출될 때 일부에서는 그가 보수적인 자세로 교황직을 수행할 것이라고 염려했지만, 재임 초기에 그는 많은 가톨릭 신자들의 저항에도 불구하고 세계가 처한 새로운 상황에 대해 보다 온건한 조처가 필요하다는 것을 의식하고 있었다. 그리하여 2009년 그는 사제 독신제도의 필요성을 강조하면서도 가톨릭 신앙으로 개종한 결혼한 성공회 성직자들을 사제로 받아들일 준비가 되어 있다고 선언했다. 그것을 일부에서는 에큐메니컬한 개방성으로 보았고, 일부에서는 동성애자들의 성직임명 문제로 분열된 성공회의 "혼탁한 물에서 물고기를 잡는 것"이라고 불렀다. 그는 3년 전 비슷한 태도로 동방정교회에 대한 개방성의 몸짓으로 해석될 수 있는 행위로서 서구의 총대주교라는 전통적인 호칭을 제거했지만, 콘스탄티노플 총대주교는 베네딕트가 여전히 그리스도의 대리인이라는 호칭과 교황이라는 호칭을 사용하고 있음을 지적하면서 그것을 교황청의 권리 확대로 해석했다. 전임 교황 시대와 마찬가지로 그는 사제들에 의한 아동 성학대 문제 및 그러한 일들을 덮으려 한 성직계급의 시도를 주목하고 비난했다.

신학적 발전

가톨릭교회 내에서 오랫동안 진행되어온 사상의 암류들을 알지 못했던 세계는 제2차 바티칸 공의회의 개방성에 놀라지 않을 수 없었다. 그러나 이러한 사태를 낳게 한 신학적 작업은 50년 동안 계속되어왔다. 노동사제와 같은 실험들은 로마 당국이 찬성하지 않았던 신학적 탐구의 결과였다. 무엇보다도 의심되지 않는 가톨릭 신앙을 소유하고 있으면서도 그 업적이 바티칸에 의해 거부되거나 무시된 신학자들이 많았다.

이러한 신학자들 중 가장 독창적인 인물은 샤르댕(Pierre Teilhard de Chardin, 1881-1955)일 것이다. 프랑스 귀족 가문 출신인 그는 청년 시절 예수회에 가입했고 1911년에 사제서품을 받았다. 제1차 세계대전이 발발하자, 그는 종군 사제가 마땅히 받는 대위 계급을 거절하고 상등병으로 참전하여 부상자들을 들것으로 후송했다. 종전 후 예수회의 정회원이 되었으며, 1922년에는 고생물학 박사 학위를 취득했다. 그는 항상 진화론에 관심을 가지고 있었는데, 이는 창조론을 부인하는 것이 아니라 하나님의 창조력의 내적 작용들을 이해하는 과학적인 방법이었다. 그러나 신앙과 진화의 관계에 관한 그의 첫 번째 저술은 즉각 로마로부터 정죄되었다. 그는 신학에 관한 저술을 금지당했고, 중국으로 파송되었다. 그곳에서는 별로 영향을 미치지 못할 것이라고 판단되었기 때문이었다. 그는 순종하는 사제답게 명령에 복종했다. 그는 자기의 저술들을 출판하지 않는 한 계속 저술할 수 있었다. 따라서 중국에서 고생물학 연구를 하는 동시에 신학 작업을 계속했으며, 그의 사본들을 믿을 수 있는 몇몇 친구들에게 주었다. 1929년 그는 북경원인의 두개골을 확인하는 데 큰 역할을 담당했는데, 그것이 진화의 원리를 확인해 주었으며 그는 전 세계 과학자들의 칭송을 받게 되었다. 그러나 로마는 프랑스에서 그의 친구들 사이에 유포되고 있던 그의 철학적 · 신학적 저술들의 출판을 허락하지 않았다. 결국 1955년, 그의 사후에 친구들이 그의 작품들을 출판했는데, 이는 즉각 많은 이들의 주목을 받았다.

테이야르는 진화론의 일반적 원칙들을 받아들이면서도 "적자생존"이 진화의 배후에 있는 인도력이라는 제안을 부인했다. 그는 대신에 "복잡성과 의식에 관한 우주법칙"(cosmic law of complexity and consciousness)을 제안했는데, 이것은 진화에 있어서 복잡하고 매우 의식적인 것을 향한 견인력이 있다는 의미였다. 따라서 우리는 진화의 특정 단계에서 진화 과정 내의 상이한 단계나 영역들을 대표하는 많은 유기체들을 발견할 수 있다. 이 진화는 "우주물질"(stuff of the universe)과 더불어 시작되며, 이 우주물질이 "지권"(geosphere)으로 편성되며, 지권은 분자들로 편성되고, 분자들은 물체들로 편성된다. 다음 단계는 "생물권"(biosphere)으로서, 이때 생명이 출현한다. 이로부터 "정신권"(noosphere)이 나타나는데, 이때 생명이 자의식을 얻는다. 진화는 이 시점에서 끝나지 않고 의식적 차원에 도달한다. 우리가 알고 있는 인간들은 진화 과정의 종착점이 아니다. 즉 인간은 계속되고 있는 바 인간화(humanization)로 이어지는 진화의 한 단계이다. 이 새 단계의 특징은 의식 있는 존재인 인간이 스스로의 진화에 개입되어 있다는 것이다.

그러나 인간은 진화의 결과에 대한 지침이 없이 존재하지 않는다. 진화 과정에는 "오메가 포인트"(종착점), 우주적 성숙 과정 전체의 수렴점이 있다. 실제로 진화를 이해하려면 진화를 처음에서부터 끝을 보지 말고, 거꾸로 끝에서부터 처음을 바라보아야 한다. 종착점이 이 과정의 나머지 부분들을 의미 있게 만들어 주기 때문이다. 이 종착점이 예수 그리스도이다. 그분 안에서 진화의 새로운 관계(마지막 단계)가 나타났으니, 곧 "그리스도권"(Christosphere)이다. 그리스도 안에서 인성과 신성이 혼동이 없이 완전하게 연합되듯이, 각 사람도 종국에는 완전한 우리 자신인 동시에 완전하게 하나님과 연합될 것이다. 그리스도의 몸인 교회는 종착점에 중심을 두고 있는 새로운 역사적 실재이다. 따라서 테이야르는 과학을 신학 및 강력한 신비적 성향과 결합했다. 그러나 그는 대부분의 신비적 전통과는 달리 이 세상을 인정하는 신비주의자였다.

테이야르의 우주적 체계를 받아들이지 않는 사람들에게서도 그의 영향을 찾아볼 수 있다. 진화 과정을 "끝에서부터 시작하여 처음으로" 관찰하려 한 그의 시도는 가톨릭과 프로테스탄트를 망라한 현대 신학자들로 하여금 종말론에 관심을 갖도록 했다. 현대 신학의 중요한 부분들과 관련하여 종말론은 다른 신학들에 첨부된 부록이 아니라 중요한 출발점으로 다루어지고 있다. 둘째, 진화 과정의 계속성 및 그 과정에 있어서 우리의 의식적 참여를 강조한 테이야르 덕분에 다른 신학자들도 인간이 하나님의 목적에 참여하는 분야를 탐구하며, 역사를 형성하는 과정에서 인간을 적극적 동인(動因)으로 간주하게 되었다. 마지막으로 그의 현세적 신비주의는 많은 이들을 고취하여 자신의 경건생활을 정치적 행동주의와 연결하게 했다.

테이야르의 동료요 예수회 수사였던 프랑스인 앙리 드 뤼박(Henri de Lubac, 1896-1991)은 20세기 초 바티칸의 기대에 반하여 주교 제도 안에서 발달하고 있었던 신학의 또 다른 본보기이다. 뤼박은 다니엘루(Jean Daniélou, 1905-1974)와 함께 방대한 양의 고대 기독교 저술 시리즈를 편집했다. 이 학구적인 시리즈는 현대인들을 대상으로 했으며, 현대 세계와 기독교 전통이 역동적이고 창조적인 갈등 속에서 결합되기를 원한 뤼박의 관심을 반영하고 있다. 그는 전통에 대한 교회의 이해가 편협해짐으로 말미암아 전체 기독교 전통의 역동성이 상실되었다고 여겼다. 과거

교회가 가지고 있었던 전통의 광범위함과 보편성에 비교해 볼 때, 당시의 가톨릭 신학은 편협하고 진부해 보였다. 그러나 로마가 이러한 견해를 환영하지 않았으므로, 20세기 중엽 그 역시 침묵이 강요되었다. 그에 대한 금령이 해제된 후 동료 예수회 사제들은 그에게 테이야르의 업적과 사상을 가톨릭 전통에 비추어 평가하는 비평적 연구서를 저술해 달라고 요청했고, 그는 1962년에 프랑스어로 제1권을 출판했다. 로마는 즉각 이 작업을 중지시키고 이미 출판된 책의 재출판과 번역을 금지했다.

뤼박은 테이야르만큼 원대한 우주적 견해에 기울어지지 않았다는 사실 및 초기 기독교 전통에 관한 심오한 지식 때문에 가톨릭 신학에 보다 중요한 영향을 미쳤다. 그러나 그도 테이야르처럼 인류는 단일한 목표를 가지고 있으며, 전체 역사는 이 목표-즉 예수 그리스도-의 시점에서 가장 잘 이해될 수 있다고 여겼다. 하나의 법률 기구가 아니라 그리스도의 신비한 몸으로서의 교회는 세계 한가운데 존재하는 성례(sacrament)이다. 비록 로마에 의해 침묵을 강요당했으나, 뤼박은 당시의 많은 신학자들과 진보적 주교들의 존경을 받았으며, 제2차 바티칸 공의회에 참석하여 중요한 영향을 미친 "상담역 신학자"(periti)였다.

제2차 바티칸 공의회에 참석한 또 한 사람의 상담역 신학자인 이브 콩가르(Yves Congar, 1904-1995)도 비슷한 경향을 띠고 있었다. 그는 1939년 프랑스 군에 징집되었고 1940년부터 1945년까지 독일에서 전쟁 포로생활을 하면서 현대생활의 냉혹함을 직접 경험했었다. 도미니크회 수도사였던 그는 후일 스트라스부르에 있는 도미니크회 수도원의 감독이 되었다. 그는 뤼박과 마찬가지로 교회가 신학 논쟁에 대처하면서 전통의 범위를 좁혀왔으며 그렇기 때문에 그 전통이 지닌 많은 풍부함을 상실했다고 확신했다. 그는 특히 교회의 자기이해에 관심을 가지고 있었으므로 당시 만연하고 있던 바 교회에 대한 법률적이고 계층적인 관점을 초월해야 할 필요성을 느꼈다. 이것은 "하나님의 백성"이라는 이미지가 주도적이었고 평신도들이 관심의 초점이 되었던 과거 교회학의 영향을 받은 것이었다. 그러한 관점에서 그는 20세기 초의 가톨릭 신자로서는 특이하게 다른 교파의 신자들에게 개방적인 태도를 보였다. 테이야르와 뤼박처럼 콩가르도 한동안 로마로부터 침묵을 명령받았다. 그러나 그의 영향력은 널리 퍼져갔으며, 제2차 바티칸 공의회가 소집되었을 때 그는 공의회의 신학 지도자들 중 하나로 임명되었다. 공의회에 미친 그의 영향은 특히 교회의 본질, 에큐메니즘, 현대 세계의 교회 등에 관한 문서들 속에서 찾아 볼 수 있다.

20세기의 가장 중요한 가톨릭 신학자는 예수회 소속으로서 제2차 바티칸 공의회의 상담역 신학자였던 칼 라너(Karl Rahner, 1904-1984)일 것이다. 그는 독일의 고등학교 교사의 7남매 중 하나로 태어났다. 그의 동생 휴고(Hugo)도 유명한 예수회 신학자였다. 라너는 3천 편 이상의 책들과 논문들을 남겼는데, 가장 전문적인 신학 문제에서부터 "우리는 왜 밤에 기도하는가?"처럼 평범한 문제까지 다루었다. 그러나 그 방법은 모두 비슷했다. 즉 그는 전통과 현대 세계를 모두 인정하고서, 전통에 대해 일반적인 질문과는 매우 상이한 질문을 제기했다. 그의 목적은 우주의 신비를 해결하려는 것이 아니라 존재의 신비한 본질을 분명하게 밝히고 신비를 일상생활의 중심으로 복귀시키려는 것이었다. 철학적으로 그는 토마스 아퀴나스와 실존주의의 지도자이자 그의 스승인 마르틴 하이데거(Martin Heidegger)의 영향을 받았다. 그러나 그는 단지 기독교의 가르침을 명확하게 드러내는 데 도움이 되는 한에서만 철학에 관심을 가졌다. 또 그는 대중을 위해서는 거의 저술하지 않고 주로 신학자들을 위해 글을 쓰면서 이들로 하여금 전통을 새롭게 받아들이고 해석하게 하고자 노력했다.

그는 전통에 대해 당시 일반적으로 받아들여지고 있던 것들과는 다른 해석을 발표했음에도 불구하고 다른 프랑스인들처럼 로마 당국에 의해 침묵을 명령받지 않았다. 그의 영향이 직접·간접적으로 제2차 바티칸 공의회의 모든 문서들에 미쳤으나, 가장 큰 영향을 준 분야는 감독제도의 기능에 대한 이해일 것이다. 실제로 수세대 동안 가톨릭교회는 군주 정체를 모방하여 로마의 중앙집권화가 진행되고 있었다. 라너는 주교제도의 개념을 탐구했고, 로마의 우위성을 거부함 없이 주교제도의 집단 지도 체제적 성격을 강조했다. 이는 곧 교회가 진정한 의미에서 보편성을 갖게 됨, 즉 로마와 서유럽의 관점을 진리의 기준으로 고집하지 않고 각각의 문화에 적응해 나갈 수 있음을 의미했다. 이러한 보편성과 집단성이라는 견해는 주교제도뿐만 아니라 모국어 사용, 그리고 다양한 문화와 상황에 맞춘 전례의 적용 등에 관한 공의회 결정의 기초가 되었다. 건전한 신학적 학문의 신중한 조합, 전통의 이해와 재해석, 그리고 그 전통에 대해 새로운 질문을 제기하려는 개방적인 태도 등은 급진적인 신학, 특히 라틴아메리카의 해방신학의 모델이 되었다.

20세기 후반 가톨릭교회는 수세기에 걸쳐 현대 세계의 도전에 대해 대결과 정죄로 일관했던 자세를 버리고 현대세계와의 대화를 모색했다. 이러한 대화의 결과로서 가톨릭 신도들뿐만 아니라 프로테스탄트 신자들 및 비기독교인들도 가톨릭교회 안에서 기대하지 못했던 새로운 에너지를 발견했다. 제2차 바티칸공의회가 개최되기 오래 전부터 로마 당국이 불신했던 신학자들이 이 예기치 못한 발전을 위해 길을 닦고 있었다.

제2차 바티칸공의회를 발생시켰고 또한 그 공의회로 말미암아 초래된 신학적 쇄신과 병행하여 가톨릭 경건의 쇄신이 이루어졌다. 다양한 집단에서 다양한 방식으로 이루어진 이 쇄신의 본보기가 되는 두 사람은 캘커타의 마더 테레사와 헨리 나우웬이다. 알바니아 태생인 마더 테레사(Mother Teresa, 1910-1997)는 캘커타에서 사랑의 선교 수녀회(Missionaries of Charity)를 세우고 병자들과 빈민들을 위한 봉사에 헌신했다. 그녀는 전 세계에서 칭송을 받았고, 많은 사람들에게 감화를 주어 비슷한 길을 따르게 했다. 헨리 나우웬(Henri Nouwen, 1932-1996)은 네덜란드인 사제로서 자신의 내면생활 −하나님을 온전히 신뢰하는 동시에 신뢰를 망설이는− 의 기쁨과 번민을 거리낌 없이 표현했다. 그는 하버드 대학, 노틀담 대학, 예일 대학 등에서 교수생활을 한 후 여생을 처음에는 프랑스에서, 그 후에는 캐나다에서 장애인들을 위한 봉사에 헌신했다. 가톨릭 신자들과 개신교인들 모두에게 널리 읽히고 있는 그의 저술들은 20세기말과 21세기 초 많은 신자들의 삶의 특징인 영성을 강조하게 된 주요 요인이었다.

20세기의 마지막 수십 년 동안 가톨릭교회가 유럽의 전통적인 가톨릭 국가들 내에서 쇠퇴하고 있었지만 다른 지역에서는 힘을 얻고 있었다. 가톨릭교회의 활력과 신학적 지도력을 북대서양과 유럽의 남성들만 누린 것이 아니라 북대서양의 여성들과 소수집단들, 그리고 라틴아메리카와 아시아와 아프리카 등지의 신자들도 누렸다. 라틴아메리카와 아시아와 아프리카에서는 가톨릭 신자들이 계속 증가했으며, 그 결과 유럽의 신자들이 감소했음에도 불구하고 2010년에는 가톨릭 신자들이 10억 명이 넘었다. 가톨릭교회-기독교 전체-의 경우 전통적인 중심지에서 발생한 위기와 병행하여 중요치 않은 주변 지역에서 전례 없는 성장과 독창성과 활력이 발생했다. 기독교 전체가 그렇듯이 가톨릭교회는 기독교권 너머로 이동하고 있었다.

유럽의
개신교

성숙한 우리는 하나님 앞에서 어떠한 입장을 취해야 할 것인가를
깨달아야 한다. 하나님은 우리에게 그분을 의지하지 않고도
살아가는 자들처럼 살라고 가르치고 계시다.
—디트리히 본회퍼—

제1차 세계대전과 그 여파

20세기 전반의 대변동들이 강력하게 감지된 곳은 유럽이었다. 유럽
대륙은 19세기의 낙관적 철학과 신학의 요람이었고, 자기들의 지도 아
래 인류가 새로운 시대를 맞을 것을 꿈꾸었었다. 또한 자기들의 식민지
점령이 세계에 유익한 이타적 사업이라고 확신하고 있었다. 유럽의 개
신교는 가톨릭 진영보다 더 깊이 이러한 환상에 젖어 있었다. 왜냐하면
19세기에 가톨릭교회는 현대 세계를 통틀어 정죄했는 데 반해, 개신교
자유주의는 실질적으로 새 시대에 굴복했기 때문이다. 따라서 두 차례
의 세계대전 및 그와 관련된 사건들로 말미암아 19세기의 꿈이 거짓으
로 드러났을 때, 개신교 자유주의는 뿌리까지 흔들렸다. 19세기에 가톨

릭교회가 현대 세계의 도전들에 창조적으로 대응하지 못한 결과 프랑스에서 회의주의와 세속주의가 만연했다. 20세기에는 자유주의 및 그 낙관적 희망의 실패로 말미암아 독일, 스칸디나비아, 영국 등 전통적으로 개신교가 득세했던 지역에서도 역시 회의주의와 세속주의가 증가했다. 20세기 중반에는 북유럽이 개신교 지역으로서의 위치를 상실했고 그 지도적 위치가 다른 지역들로 옮겨갔다. 따라서 과거 기독교권의 중심이었던 유럽은 "기독교권 너머로" 이동하고 있었다.

1914년 전쟁이 발발할 즈음 많은 기독교 지도자들은 유럽에서 긴장이 고조되고 있음을 의식했으며, 국제적인 교회 조직을 이용하여 전쟁을 방지하려 했다. 이 시도가 실패했을 때 이 기독교 지도자들 중 일부는 민족주의적 감정에 휘말려 들기를 거부하고 교회를 화해의 도구로 사용하려 했다. 이러한 노력의 중심인물이 1914년부터 루터파의 웁살라(Uppsala) 대주교였던 나탄 쇠데르블롬(Nathan Söderblom, 1866-1931)이었다. 그는 전쟁에 개입한 양측과의 접촉을 통해 기독교 교제의 보편적이고 초국가적인 특성을 증명할 것을 요구했다. 종전 후 그는 평화주의자로서 명성과 노력을 통해 초기 에큐메니컬 운동의 지도자가 되었다.

그러나 개신교는 시대의 사건들을 이해하고 대처하는 데 도움을 줄 신학을 갖추지 못하고 있었다. 인간의 본성과 능력에 관하여 낙관적이었던 자유주의는 당시의 상황에 대처할 수 없었다. 쇠데르블롬을 비롯한 스칸디나비아 신학자들은 루터 및 그의 신학에 관한 연구를 재개함으로써 이 문제를 해결하려 했다. 19세기에 독일 자유주의 학자들은 루터를 자유주의의 선구자요 독일 정신의 전형이라고 묘사했었다. 이제 스칸디나비아와 독일의 신학자들은 루터의 신학을 보다 깊이 탐구하면서 이전 세기의 해석과는 상이한 점들을 발견하기 시작했다. 이 분야에서 중요한 저술은 아울렌(Gustav Aulén)의 『승리자 그리스도』(Christus Victor)와 니그렌(Anders Nygren)의 『아가페와 에로스』(Agape and Eros)였다. 이 두 저서의 특징은 악의 세력과 조건 없이 주어지는 하나님의 은혜에 대한 의식으로서, 이전 세대의 주장과는 사뭇 다른 것이었다.

당시의 도전들에 대한 가장 중요한 신학적 반응은 칼 바르트(Karl Barth, 1886-1968)의 저술이었다. 스위스의 개혁파 목사의 아들인 바르트는 1901년부터 1902년까지 참여한 견신례 교육과정에 매료되어 신학을 전공하기로 결심했다. 그가 신학 공부를 시작할 준비가 되었을 즈음 그의 부친은 베른에서 교회사와 신약 교수로 재직하고 있었고, 그는 아버지의 지도 아래 신학 수업을 계획했다. 베른과 튀빙겐에서 특별한 일이 없이 공부한 후 베를린으로 갔고, 그곳에서 하르낙(Adolf von Harnack)과 그의 교리

칼 바르트는 20세기 개신교의 가장 중요한 신학자였다.

사 이해에 매료되었다. 후에 마르부르크에서는 칸트와 슐라이어마허의 저술에 매료되었다. 그는 이곳에서 평생지기 동료인 투르나이젠(Eduard Thurneysen)을 만났다. 마침내 그 시대의 가장 훌륭한 진보신학을 갖춘 바르트는 제네바에서 처음에는 목회를 하면서 칼빈의 『기독교 강요』를 정독할 기회를 갖게 되었고, 그 후 스위스의 자펜빌(Safenwil)로 옮겨갔다.

1911년 당시 자펜빌 교구의 주민들은 농민들과 노동자들이었다. 바르트는 생활 상태 개선을 위한 이들의 투쟁에 관심을 갖게 되었다. 그는 곧 교구의 사회적인 문제에 깊이 관여했으므로 설교나 강의를 준비할 때에만 신학 서적을 읽었다. 그는 1915년에 사회민주당원이 되었다. 그는 이 운동이 하나님의 나라 수립의 도구라고 생각했다. 그의 생각에 예수는 새 종교를 세우기 위해서가 아니라 새로운 세계를 시작하려고 오셨으며, 설교와 예배에 만족하고 있던 당시의 교회보다는 사회민주당원들이 그 목적에 더 가깝다고 여겨졌기 때문이었다. 그러나 전쟁이 그의 정치적 희망들과 신학을 파괴했다. 사회민주당이 약속했던 신세계는 도래하지 않았으며, 그의 스승인 자유주의 신학자들의 낙관주의는 전쟁에 시달리는 유럽의 상황에 맞지 않았다. 1916년 바르트는 투르나이젠과의 대화에서 전혀 새로운 기반 위에서 신학을 해야 할 시기가 도래했으며, 이 작업을 위한 최선의 방법은 성경 본문으로 돌아가는 것이라고 결정했다. 그 다음날 아침 바르트는 신학 세계를 뒤흔들 로마서 연구에 착수했다.

원래는 자기 자신과 가까운 몇몇 친구들을 위해 집필했던 『로마서 주석』(Commentary on Romans)은 1919년에 출판되었다. 그는 이 책에서 체계적인 신학 연구보다는 성실한 본문 주석으로 돌아갈 것을 주장했다. 그는 성경의 하나님은 초월적 존재로서 인간이 조정할 수 있는 대상이 될 수 없으며, 우리 안에서 역사하시는 성령은 우리가 소유하는 것이 아니라 항상 거듭하여 주어지는 하나님의 선물이라고 선언했다. 바르트는 또한 많은 스승들로부터 배웠던 종교적 주관주의에 반발했다. 이러한 측면에서 그는 구원받기 위해선 그러한 개인적 관심사로부터 벗어나 그리스도의 몸, 새로운 인류의 지체가 되어야 한다고 말했다.

독일과 스위스의 독자들은 『로마서 주석』에 찬사를 퍼부었으나, 바르트가 그것을 항상 좋아한 것은 아니었다. 그는 『로마서 주석』을 여러 번 읽으면서 그 내용이 미흡하다고 깨달았다. 특히 그는 자신이 하나님의 타자성(otherness of God)을 충분히 강조하지 못했다고 생각했다. 그는 이미 하나님의 초월성에 관해선 언급한 바 있었지만 자신이 최선의 인간 본성 속에서 하나님을 발견하고자 하는 자유주의적이고 낭만주의적인 경향에서 벗어나지 못했음을 깨달았다. 또한 하나님의 나라와 인간의 계획 사이의 상이성을 충분히 강조하지 못했다고 생각했다. 그는 이제 하나님의 나라는 종말론적 실체로서 인간이 만드는 것이 아니라 절대타자(Wholly Other)에게서 오는 것임을 확신하고 있었다. 이리하여 그는 자신을 사회민주당에 가입하도록 만들었던 신학을 거부했다. 그는 여전히 사회주의자였고 기독교인들이 정의와 평등을 위해 노력해야 한다고 확신하고 있었으나, 이러한 계획들이 종말론적 하나님의 나라와 혼동되어서는 안 된다고 주장했다.

바르트는 전면 개정된 『로마서 주석』의 제2판을 끝내자마자 자펜빌을 떠나 괴팅겐의 교수로 갔다. 그는 그 후 뮌스터, 본, 그리고 바젤 등지에서 계속 교수로 재직했다. 바르트의 『로마서 주석』 제2판에서는 키에르케고르의 영향을 뚜렷이 살펴 볼 수 있다. 특히 시간과 영원, 인간의 업적과 하나님의 행동 사이의 넘을 수 없는 간격을 주장한 데서 이를 찾아볼 수 있다. 또한 많은 이들은 바르트의 『로마서 주석』 제2판이 기독교권에 대한 키에르케고르의 공격과 비슷하다고 언급했다. 바르트가 교수 활동을 시작할 때에 이미 그는 "변증법적 신학"(dialectical theology), "위기신학"(crisis theology) 혹은 "신정통주의"(neo-orthodoxy)라 불리게 될 새로운 신학 학파를 시작했다는 평가를 받고 있었다. 그의 신학은, 결코 우리의 소유가 될 수 없으며 항상 우리 맞은편에 서 계시는 하나님의 신학이었다. 이 하나님의 말씀은 "긍정"인 동시에 "부정"이며, 그분의 현존은 우리의 노력에 편안함과 감화가 아닌 위기를 가져다준다.

그의 주위에는 그의 동료인 개혁파 에밀 브루너(Emil Brunner), 루터교 목회자인 프리드리히 고가르텐(Friedrich Gogarten), 그리고 신약학자 루돌프 불트만(Rudolf Bultmann) 등 많은 유능한 신학자들이 모여 들었다. 1922년 바르트, 고가르텐, 투르나이젠 등은 신학 저널 『시격(時隔)』(Zwischen den Zeiten)을 창간했고, 브루너와 불트만도 이에 기고했다. 그러나 얼마 안 되어 불트만과 고가르텐은 바르트 집단의 신학적 접근방법이 지나치게 전통적이며 현대인의 회의적인 질문을 충분히 포용하지 못한다는 이유로 이 집단을 떠났다. 후일 브루너도 자연과 은혜의 관계라는 문제에 있어서 동의하지 못했으므로 바르트와 갈라섰다. 브루너는 은혜가 작용하기 위해서는 인간들 안에 "접촉점"이 있어야 한다고 생각했는 데 반해, 바르트는 그렇게 할 경우 자연신학(natural theology)의 재도입이 초래될 뿐만 아니라 어떤 경우든지 은혜가 자체의 "접촉점"을 마련한다고 믿었다.

바르트는 신학적 순례를 계속했다. 1927년에는『기독교교의학』(Christian Dogmatics) 제1권이 출판되었다. 거기서 바르트는 신학의 목적은 슐라이어마허나 다른 이들이 주장했던 바처럼 기독교 신앙이 아니라 하나님의 말씀이라고 선언했다. 그의 저서의 논조도 변화했다.『로마서 주석』에서는 과거의 오류를 지적하는 선지자의 모습이었으나『기독교 교의학』에서는 대체 조직신학을 수립하고자 애쓰는 학자의 모습을 보였다. 그리하여 위기의 신학이 하나님의 말씀의 신학이 되었다.

그러나 그는 이 계획 전체가 출발점에서부터 잘못되어 있었던 것을 깨닫게 되었다. 바르트는 캔터베리의 안셀무스(Anselm)와 19세기의 개신교 신학을 연구한 결과 자신의『기독교교의학』이 지나치게 철학에 양보하고 있다고 확신했다. 그는『기독교교의학』에서 신학이 우리의 가장 심오한 실존적 문제들에 대한 해답을 준다고 주장했으며, 실존주의 철학이라는 틀 위에 신학을 세웠었다. 그러나 그는 이제 하나님의 말씀이 해답뿐만 아니라 질문까지도 마련해 준다고 선언했다. 예를 들어 죄란 우리가 본성적으로 알고 있는 것이 아니며 복음이 죄에 대해 반응하는 것도 아니다. 하나님의 은혜의 말씀이 우리로 하여금 죄를 깨닫게 해준다. 이 말씀을 알지 못하면 은혜도 죄도 알 수 없다. 이러 새로운 관점 때문에 바르트는 자신의 조직신학 작업을 다시 시작해야 했다. 이번에는 신학의 교회적 근거를 강조하기 위해 제목을『교회교의학』(Church Dogmatics)이라고 명명했다. 13권으로 된 이 저술은 그의 생전에 완성되지 못했고, 1932년에서 1967년 사이에 출판되었다.

그의『교회교의학』은 의심할 바 없이 20세기의 위대한 신학 작품이다. 많은 이들이 신학체계들은 과거의 유물이며 신학은 기껏해야 전공

논문들로 이루어진 것에 불과하다고 생각하던 시대에 바르트는 가장 활발한 신학적 학문 시대에 합당한 저서를 집필했다. 그의 『교의학』을 읽어보면 그가 이전 시대의 신학 전통들에 통달하고 있으며 그것들에 집중하고 있음을 알게 된다. 또한 거의 40년 동안 저술되었음에도 불구하고 전체 작품이 시종 일관성 있는 흐름을 유지하고 있음을 깨닫게 된다. 물론 그의 강조점들이 바뀌지만 새로운 출발점은 찾아볼 수 없다. 특기할 만한 것은 신학의 임무에 대해 가지고 있는 바르트의 자유와 비판적 정신이다. 그는 신학을 하나님의 말씀과 혼동하지 않았다. 그는 신학이란 아무리 참되고 정확하다 할지라도 결국은 인간의 작업에 불과하며, 그렇기 때문에 항상 자유와 기쁨, 그리고 유머까지를 포함해야 한다고 주장했다.

새로운 갈등

바르트가 『교회교의학』 제1권을 준비하고 있을 즈음 독일에서는 심상치 않은 사건들이 벌어지고 있었다. 즉 히틀러와 나치당이 세력을 얻고 있었다. 1930년 바티칸과 제3제국(Third Reigh)은 협약에 조인했다. 개신교 진보주의자들은 이 새로운 도전에 비판적으로 대응할 만한 신학적 도구들을 갖추고 있지 못했다. 실제로 그들 중 다수는 인류의 완전 가능성을 믿는다고 선언했는데, 그것이 바로 히틀러가 선언한 것이었다. 또 그들에게는 복음과 독일 문화를 혼동하는 경향이 있었다. 독일이 세계를 개화시킬 사명을 지니고 있는 국가라는 나치의 주장은 개신교 강단들과 학자들에 의해 되풀이되었다. 히틀러는 독일 내의 모든 프로테스탄트 교회들을 통합하고 이를 통해 독일 민족의 우수성과 신으로부터 받은 사명이라는 그의 메시지를 전파하고자 했다. 그리하여 자유주의에 의해 재해석된 전통적 기독교 신앙과 인종적 우수성의 관념과 독일 민족주의를 결합한 "독일 크리스천 연맹"(German Christians)이 출현했다. 이들의 의도들 중 하나는 기독교를 유대교와 대적하는 개념으로 재해석하여 제3제국의 반유대 정책에 공헌하려는 것이었다. 1933년에 정부의 지시에 따라 독일 복음주의 연합교회(united German Evangelical Church)가 결성되었다. 그런데 이 교회를 이끌던 감독이 매사에 제3제국에게 복종하려 하지 않았으므로, 히틀러는 그를 해임하고 다른 인물로 대체했다.

1934년 바르트와 불트만을 포함한 일단의 신학자들은 연합교회가 취하고 있는 목표에 대항하여 서명 운동을 벌였다. 며칠 후 독일 전역에서 루터파와 개혁파 지도자들이 바르멘(Barmen)에 소위 "증언하는 종교회의"(witnessing synod)를 개최하고 "바르멘 선언"(Barmen Declaration)을 발표했는데, 이 선언이 복음의 이름으로 히틀러의 정책에 대항한 "고백교회"의 기본 문서가 되었다. 바르멘 선언은 "거짓 교리, 즉 교회가 하나님의 말씀 외에 다른 사건들과 권력들, 외형들과 진리를 마치 하나님의 계시처럼 선포하는 것"을 거부했다. 또 독일의 모든 기독교인들에게 국가의 말을 하나님의 말씀에 비추어 시험해보고 그 말씀과 일치하는 것만 받아들이라고 요청했다.

제3제국의 반응은 신속했다. 베를린 루터파 교회의 목사로서 정부에 대한 강력한 비판자였던 마르틴 니묄러(Martin Niemöller) 박사는 체포되어 8년 동안 투옥되어 지냈다. 정부에 대해 비판적이었던 거의 모든 목사들이 징집되어 전선으로 보내어졌다. 독일 대학교들의 모든 교수들은 제3제국을 무조건 지지한다는 성명서에 서명해야 했다. 바르트는 서명을 거부하고 스위스로 돌아와 은퇴하기까지 바젤 대학에서 가르쳤다.

히틀러 정권의 박해를 받은 인물들 중 유명한 이는 젊은 신학자 디트리히 본회퍼(Dietrich Bonhoeffer, 1906-1945)였다. 그가 런던의 독일인 교회에서 목회하고 있을 때 고백교회는 그에게 독일로 돌아와 지하신학교를 맡아 달라고 부탁했다. 영국에 있던 친구들은 이 요청을 거부하도록 충고했지만, 그는 이것이 자신이 받아들여야 할 소명이라고 느꼈기 때문에 생명의 위협을 감수하면서 독일로 돌아왔다. 1937년 『제자도의 대가』(The Cost of Discipleship)를 출판했는데, 그 책에서 당시의 삶에 있어서 산상수훈의 중요성을 보여주려 했다. 같은 해 제3제국의 명령에 의해 그가 이끌던 신학교가 해체되었다. 이 명령에도 불구하고 본회퍼는 두 그룹의 학생들을 모아 계속 신학 교육을 했다. 순종과 위험 속에서의 나눔의 공동체 경험을 토대로 1939년에 『신자의 공동생활』(Life Together)을 출판했다.

그 무렵 전쟁의 발발이 확실해졌다. 그가 잠시 런던을 방문했을 때 영국과 미국의 친구들(그는 미국에서 교육받은 적이 있었다)이 독일로 돌아가지 말라고 강권했지만 그는 귀국했다. 독일로 돌아간 그는 미국에서 1년 동안 체류하라는 요청을 수락하기로 했다. 그러나 그는 미국에 도착하자마자 자기가 실수했음을 깨달았다. 왜냐하면 곧 동료 독일인들이 애국과 진리 중 하나를 택하도록 강요받을 것을 알았기 때문이다. 그리하여 그는 "나는 이 둘 중 무엇을 선택해야 하는가를 알고 있다. 그러나 안전한 상황 속에서 이러한 선택을 할 수 없다"라고 말했다.

디트리히 본회퍼는 나치가 패배하기 직전에 교수형을 당했다. 그는 "종교 없는 기독교"의 필요성에 관한 몇 가지 제안을 했다.

독일로 돌아온 본회퍼의 삶은 갈수록 험난해졌다. 1938년에는 베를린 시내 거주가 금지됐다. 2년 후에는 비밀경찰(Gestapo)의 명령에 의해 그의 신학교가 폐쇄되었으며, 그는 일체의 출판과 공개 강연을 금지당했다. 그 후 3년 동안 그는 히틀러에 대항한 지하조직에 점점 더 깊이 개입했다. 그 때까지만 해도 그는 평화주의자였다. 그러나 어려운 정치적, 실질적 결정들을 남들에게 떠맡기는 이러한 평화주의야말로 책임을 회피하는 것이라는 결론에 도달했다. 그는 스웨덴에서 만난 친구에게 자신이 히틀러 암살 계획에 참여하고 있다고 털어놓으면서 내키지는 않으나 다른 길이 없다고 여긴다고 말했다.

본회퍼는 1943년 4월 게슈타포에게 체포되었다. 감옥과 강제수용소

에서 본회퍼는 간수들과 동료 죄수들의 존경을 받았고 이들의 목사가
되었다. 그는 외부 사람들과 서신 왕래를 했는데, 그의 서신들 중 일부
는 당국에 의해 검열되어 삭제되었으며, 일부는 그를 존경하는 간수들
의 도움을 받아 비밀리에 유출되었다. 이 서신들 및 그가 남긴 다른 문
서들을 통해, 그는 자신이 후 세대들을 애타게 만든 것들을 포함하는 새
로운 사상들과 씨름하고 있었음을 보여주었다. 예를 들어 그는 "성숙"
단계의 세상에 대해 말했고, 이 세상에서 하나님의 현존은 현명한 부모
의 존재와 비슷한 것으로서 아이들이 자람에 따라 뒷전으로 물러간다고
묘사했다. 이와 관련하여 그는 존경하고 있었던 바르트를 비판했다. 왜
냐하면 바르트는 사실상 계시의 한계성이 있는데도 불구하고 이를 뛰어
넘어 "계시의 실증주의"(positivism of revelation)를 주장한다고 생각했기 때
문이다. 그러나 다른 부문에서는 바르트의 주장을 수용하여 과감하게
바르트의 원칙들을 적용하려 했다. 예를 들어 바르트는 종교란 하나님
으로부터 숨기 위한 인간들의 노력이라고 선언한 바 있었다. 이러한 기
반 위에서 본회퍼는 "종교 없는 기독교"를 주장했고, 그러한 기독교가
취할 장래의 형태를 모색했다. 후세인들은 이러한 본회퍼의 암시들을
서로 다른 몇 가지 방법으로 따르고자 했다.

　연합군의 전진에 따라 패전이 확실해진 제3제국은 자기들이 최악의
원수라고 여기는 사람들을 제거하기 시작했다. 본회퍼는 이들 중 하나
였다. 성급한 군사재판 후 그는 사형에 처해졌다. 당시 감옥에 있었던
의사의 말에 의하면, 그는 죽음을 준비하기 위해 감방에서 무릎을 꿇고
기도했다고 한다. 1945년 4월 9일 체포된 지 2년 4일 만에 디트리히 본회
퍼는 사형에 처해졌다. 며칠 후 연합군이 그가 처형된 감옥을 장악했다.

전후(戰後) 시대

전쟁의 한 가지 결과는 유럽의 동부와 중부의 방대한 지역이 소련의 통치 아래 들어갔다는 것이다. 이 지역의 대부분에서 가톨릭이 우세했지만 모든 지역에 소수의 개신교도들이 존재했다. 소련이 장악한 독일 지방은 개신교의 요람으로서 주민 대다수가 개신교인이었다. 따라서 개신교인들과 공산주의 정권 사이에 갈등이 시작되었으며, 마르크스주의자들과 개신교인들의 대화가 증가했다. 국가와 교회의 관계들은 지역에 따라, 그리고 시대에 따라 상이했다. 정통 마르크스주의는 기독교를 적으로 여기지만, 일부 공산주의 지도자들이 교회를 공개적으로 반대하는 정책을 따랐고, 다른 지도자들은 종교 신앙은 과거의 유물이므로 사라질 것이라는 확신 아래 무관심한 태도를 취했다. 체코슬로바키아와 헝가리에서는 국가가 공적 자금으로 교회를 지원하는 전통적 정책을 지속했다. 반면 동독의 기독교인들은 교육 및 고위직 임명의 기회를 박탈당했다.

체코슬로바키아에서 마르크스주의와 기독교의 대화는 프라하의 코메니우스 신학부(Comenius Faculty of Theology)의 학장이던 로마드카(Joseph Hromádka)에 의해 주도되었다. 그의 태도 및 체코슬로바키아 개신교인들의 태도를 이해하기 위해서는 그 지역이 후스가 활동한 지역이었으며, 30년 전쟁의 피해를 극심하게 경험했던 지역임을 기억해야 한다. 그때 이후 이곳의 개신교인들은 가톨릭 신자들을 자기들의 박해자로 간주했다. 따라서 체코의 개신교인들은 모든 교회가 국가 앞에서 평등하다는 공산정권의 선언을 일종의 해방으로 받아들였다. 바티칸에서 체코슬로바키아의 새 정부를 반대하자, 개신교인들은 이를 가톨릭 측이 상실했던 특권을 되찾으려는 시도이며 또다시 자기들을 압제하려는 움직임이라고 여겼다. 또한 후스파가 외국 침략군에 대항했을 때부터 체코인들은 기독교 신앙은 개인적인 것이 되어서는 안 되며 사회에 영향을 주어 보다 큰 정의를 확립하게 해야 하는 것이라고 믿었다. 이러한 이유들 때문에 로마드카와 그의 추종자들은 자기들의 신앙을 포기하지 않으면서도 마르크스주의 정권에게 적극적으로 대응했다.

로마드카는 제2차 세계대전 이전에도 러시아식 공산주의가 세계 역사의 새 시대, 사회정의가 가장 중요한 문제가 될 시대를 열 것이라고 말한 바 있었다. 또한 1933년에 그는 나치주의의 위험들을 경고했다. 독일이 조국을 공격한 후 그는 미국으로 망명하여 8년간 프린스턴 신학교에서 교수로 재직했다. 그는 당시 미국에서 기독교라고 칭하는 것은 자유민주주의와 자본주의의 정당화에 불과하다는 원래의 신념을 재확인했다. 뿐만 아니라 기독교인들이 마르크스주의의 무신론에 미혹되어서는 안 된다고 확신했다. 왜냐하면 마르크스주의자들이 하나님의 존재를 부인하는 것이 허구에 불과하다고 생각했기 때문이었다. 성경과 기독교 신앙이 계시하는 참 하나님은 공산주의가 부인하는 하나님이 아니라 마르크스주의의 무신론이 범접할 수 없는 분이라는 것이었다. 실제로 마르크스주의와 기독교 사이에는 근본적인 차이가 존재한다. 그러나 교회는 이러한 차이점을 냉전에 기인한 세계의 양극화가 가져오는 차이점과 혼동하지 말아야 한다. 기독교인들은 마르크스주의 국가에 비판적이어야 하지만, 전쟁 이전에 체코슬로바키아에 존재하고 있었던 자본주의 사회의 불의의 지속을 인정하는 식으로 비판해서는 안 된다.

유럽의 다른 지역에서도 기독교인들과 마르크스주의자들 사이의 대화가 활발하게 이루어지고 있었다. 종종 이 대화에 참여한 마르크스주의 인사들은 정통 마르크스-레닌주의자가 아니라 역사와 사회의 분석에 관한 마르크스의 분석의 근본 요소에 찬성하면서도 자기들 나름의 방식으로 그러한 통찰들을 추구하려 한 수정주의자들이었다. 이 운동의 지도자는 불로흐(Ernst Bloch)였다. 마르크스주의 철학자였던 그는 종교, 특히 기독교가 역사상 대부분의 기간에 박해의 도구로 사용되었다는 마르크스의 견해에 찬성했다. 그러나 그는 젊은 시절의 마르크스의 사상에 근거하여 초기 기독교가 박해에 대항한 저항 운동이었다는 사실에 착안하고 기독교 교리들과 성경의 이야기들을 재해석하려 했다. 그는 이러한 가치가 소망의 메시지 속에 자리 잡고 있다고 보았다. "소망의 원리"는 초기 기독교가 인간 역사에 미친 가장 위대한 공헌이었다. 소망이라는 관점에서 볼 때 인간은 과거가 아니라 미래에 의해 결정되기 때문에 이것이 중요한 의미를 가진다. 이 견해는 다른 마르크스 수정주의자들의 견해들과 함께 20세기 후반에 이르기까지 양자 사이의 대화의 통로를 열었다.

이러한 대화-그리고 특히 블로흐의 사상-는 20세기 말과 21세기에 개신교 신학의 가장 중요한 특성에 공헌했으니, 곧 기독교 신학의 기본 주제로서 소망과 종말론을 강조하는 것이다. 이 운동의 지도자인 위르겐 몰트만(Jürgen Moltmann)은 많은 제3세계 신학자들의 영향을 받았으며, 『희망의 신학』(Theology of Hope)과 『십자가에 달리신 하나님』(The Crucified God) 등 그의 저서들은 유럽 신학의 신기원을 이룩한 것으로서 칭송을 받았다. 몰트만은 희망이 성경적 신앙의 중심 교리라고 주장했다. 하나님은 아직도 이 세상과의 관계를 끊지 않으셨다. 몰트만은 우리의 하나님은 우리를 만나시고 미래로 부르신다고 주장했다. "종말"에 대한 희망은 기독교 신학의 마지막 장이 아닌 첫 장이 되어야 한다. 이는 개인주의적 희망이 아니라 새로운 질서를 향한 희망이다. 그리하여 희망의 신학은 신자들로 하여금 수동적으로 미래를 기다리게 하는 것이 아니라 하나님께서 이루시는 미래를 암시하는 바 빈곤과 압박에 대항한 투쟁에 참여하게 한다.

한편 소련의 통제를 받지 않은 서유럽에서는 세속화 과정이 가속되었다. 종전이 되고 20년 후 스칸디나비아, 서독, 영국 등 전통적인 개신교 국가들에서 교회 출석과 교회 활동의 참여율이 하락하여 주민의 소수─어떤 경우는 10% 이하─만이 기성교회와 접촉했다. 이 지역에서 기독교 지도자들과 신학자들이 관심을 기울인 것은 기독교와 현대 세계, 즉 세속화한 현대 세계의 관계였는데, 이는 본회퍼가 감옥에서 씨름했던 문제였다.

이 질문에 대한 가장 영향력 있는 해답들 중 하나는 루돌프 불트만(Rudolf Bultmann)이 제2차 세계대전 중에 저술한 논문 『신약과 신화』(*The New Testament and Mythology*)에 의해 제공되었다. 불트만은 신약성경의 메시지가 신화 속에서 언급되므로 오늘날 그것이 청취되려면 "비신화화"(demythologized)되어야 한다고 주장했다. 이것은 중요하다. 왜냐하면 이것이 없이는 신앙이 불가능하기 때문이 아니라─인간은 아무리 비합리적인 것이라 할지라도 자신이 원하는 것을 자신에게 납득시킬 수 있다─비신화화 과정이 없이는 신앙이 근본적으로 오해 위에 기초하기 때문이다. 신앙이란 믿을 수 없는 것을 믿으려하는 의지적인 노력이 아니다. 신앙을 향한 신약성경의 부름을 그 신화들을 받아들이라는 부름과 혼동할 때 우리는 신약성경의 부름을 듣지 못한다. 신화란 이 세상을 초월하는 이미지들을 통해 표현하려는 시도이다. 그런데 신약성경 속에는 이 기본적 신화 외에도 신화적(神話的) 세계관이 들어 있다. 이 세계관 속에서 하나님 및 다른 초자연적인 세력들이 개입하고 있으며, 이 세계관 속에서 우주는 천당과 지상과 지옥 등 세 부분으로 나뉜다. 현대 세계는 더 이상 초자연적인 개입이라는 관념을 수용할 수 없으며, 지구가 천당과 지옥 사이에 매달려 있다는 주장도 받아들일 수 없다. 따라서 인간의 용어로서 하나님을 묘사하고자 하는 기본적인 시도를 비롯한 모든 것이 비신화화되어야 한다.

신약성경을 이해하는 불트만의 방법은 실존주의적 철학자 마르틴 하이데거(Martin Heidegger)의 영향을 받은 것이다. 그러나 이 측면은 그의 비신화화 이론만큼 널리 받아들여지지 않았다. 그 이론을 옹호하는 사람들이 새롭게 이해한 신약성경의 내용이 무엇이든 상관없이 현대인들은 더 이상 세상이 초자연적 개입에 개방되어 있다고 믿지 않으며, 따라서 신화적 용어들로서 싸여 있는 신약성경의 이야기들이 신앙의 걸림돌이라고 생각한다. 불트만의 논문이 출판된 지 20년이 지난 후 성공회 주교 존 로빈슨(John A. T. Robinson)의 『신에게 솔직히』(Honest to God)가 출판되었다. 불트만뿐만 아니라 본회퍼 및 폴 틸리히(Paul Tillich)의 이론들을 대중화하려 한 이 책은 폭넓은 반향을 일으켰다.

그러나 20세기 말 신학적 논의에 새로운 차원이 추가되었다. 즉 많은 사람들이 현대성이 끝나고 있다고 확신했다. 200년 이상 현대성이라는 문제가 기독교 신학을 지배해 왔었다. 가톨릭교회는 처음에 그것에 반발했으나 결국은 받아들였고, 개신교 신학자들의 다수는 그것을 진리라

루돌프 불트만은 신앙을 위해서 신약성경의 비신화화를 제안했다.

고 주장하거나 그 중 주요 교리들을 받아들였다. 현대성은 식민지 사업의 기초를 제공했었다. 왜냐하면 식민국들은 자신의 군대와 현대적 조직 덕분에 세계의 다른 지역에 자기들의 뜻을 부과할 수 있었기 때문이다. 식민지주의가 과거의 일인 듯이 보이지만, 동일한 것이 현대성에도 적용되기 시작하고 있었다. 유럽 및 다른 지역에서 객관성과 보편성 등의 개념, 그리고 기계론적 원리들의 이끌림을 받는 배타적인 독립체로서의 세계관–인간 정신 안의 현대성의 주장의 대부분을 표시해준 개념들–이 과거만큼 강력하지 않다는 신념이 성장하고 있었다. 이러한 견해들이 동시에 세계적으로 발달하고 있는 상황신학의 배경에 놓여 있었다.

세기의 전환기

20세기의 마지막 10년 동안 유럽에서는 정치적으로 중요한 변화들이 있었다. 이 시기에 소련의 붕괴, 그리고 동유럽 소련 제국의 해체가 시작되었다. 그 직후인 1993년에 결성된 유럽연합은 서유럽 국가들의 대부분을 포함하게 되었다. 유럽연합의 출현은 소련의 붕괴만큼 교회 생활에 큰 영향을 주지 못했지만, 이 두 사건으로 말미암아 유럽 개신교에 근본적인 변화가 초래되었다. 동유럽에서 공산주의 몰락의 영향을 가장 크게 받은 것은 정교회였지만, 새 질서는 개신교 사회에 중요한 변화를 가져왔고 교회들로 하여금 새로운 역할을 취하게 했다. 예를 들어 독일 교회들은 방어적 자세를 취하게 되었다. 독일교회들에게 있어서 큰 승리는 1978년 동독의 공산정권이 교회와 합의에 도달하여 기독교인 자녀들과 청년들에 대한 차별정책을 종식하며 신자들의 지역적·국가적 대중 집회를 허락하고 많은 교회들의 건축을 허가했을 때, 1983년 루터 탄생 500주년을 기념하기 위해 정부와 가톨릭교회를 포함한 교회들이 연합했을 때 이루어졌다. 그러나 베를린 장벽의 함락과 독일 통일과 더불어 상황이 완전히 변화되었다. 동독에서 공산정권을 전복시키고 국가를 통일하려는 음모는 대체로 개혁파와 루터파 목사들과 평신도 지도자들이 주도했는데, 그들 중 일부가 통일 후 독일 재건의 주요 지위를 차지하게 되었다.

다른 국가에서도 비슷한 사건들이 발생했다. 헝가리에서는 라즐로 토케스(Laszlo Tokes)라는 개혁파 목사가 기성 질서에 대한 저항에서 폴란드의 바웬사와 비슷한 역할을 했다. 폴란드와 루마니아에서처럼 헝가리에서도 개혁파 목사들과 지도자들이 새 헌법의 틀을 잡는 데 기여했다. 이 모든 과정에서 교회는 과거 수십 년 동안보다 더 사람들의 삶과 관련된 것처럼 보였다. 한편 체코슬로바키아에서 개최된 실레지아 루터교회 종교회의는 몰락한 정권과 협력했었다는 이유로 감독을 해임했다. 유고슬라비아가 분열했을 때 이 국가의 개혁교회도 분열했다.

서유럽에서는 과거에 시작된 세속화 과정이 수그러지지 않고 계속되었고, 인간의 능력에 대해 19세기에 유행했던 것과 비슷한 낙관주의로 말미암아 오히려 가속되었다. 그러나 이것이 교회가 활력을 완전히 상실했다든지, 세속주의의 의미에 관한 신학적 토론이 주된 관심사였다는 의미는 아니다. 반대로 서유럽 개신교인들의 수는 감소했으나, 이들은 계속 사회 속에서 적극적인 누룩의 역할을 감당했고 군비경쟁 저지, 국제 쟁의, 산업발달과 그 결과로 말미암아 권리를 박탈당하거나 주거를 빼앗긴 사람들을 위한 봉사에서 지도적 역할을 수행했다. 1936년 프랑스에서는 감리교와 회중파 두 개의 개혁파 집단이 연합했다. 이 교회는 20세기부터 21세기에 이르기까지 공업화된 지역에서 전도와 선교에 투신했다. 서독의 개신교회들은 13만 명의 인원을 동원하여 독일 및 해외의 사회 문제 및 구제 사업에 헌신했다. 이 운동의 배후에는 세속주의가 아닌 순종을 핵심적인 명제로 받아들인 수백만 명의 헌신적 신자들이 있었다. 상황이 바뀌고 독일이 거의 50년 동안 공산정권에 의해 교회 출석이 억제되었다가 통일된 후 인구의 3분의 2 가량이 기독교 신자임을 고백하고 있다.

따라서 유럽의 개신교는 20세기에 발생한 주요 사건들, 심지어 처참한 사건들에 의해 충격을 받았고 일부 지역에서는 소수집단으로 전락했지만 활력을 잃지 않았다. 유럽 교회는 계속 궁핍한 사람들을 위해 봉사하고 사회정의를 외치며 보다 가난한 국가의 교회들을 지원하고 있지만 이제 그러한 사업의 주도적 동반자는 아니다. 이는 교회들뿐만 아니라 세속기관들도 인간의 궁핍함에 대처할 수 있다고 느끼는 사람들이 증가하고 있기 때문이다. 동시에 과거 아시아와 아프리카 등 유럽 식민지였던 지역에서 이주해온 많은 사람들로 말미암아 이슬람교, 불교, 힌두교 등의 종교가 전례 없이 성장하여 어떤 지역에서는 한 주일에 교회에서 예배하는 사람보다 모스크에서 예배하는 사람들이 더 많은 상황에 이르렀다. 따라서 21세기 초 유럽은 기독교권 너머로 이동하며 훨씬 더 복잡한 세계의 일부가 되고 있었다.

우리는 시민으로서의 기독교인의 책임을 인정한다. 따라서 우리는
국가가 경제력과 군사력에 의존하는 데 도전해야 한다.…우리는 국가 및
그 기관들을 거의 종교적 충성의 대상으로 삼고자 하는 유혹을 거부한다.
—시카고 선언—

제1차 세계대전부터 대공황까지

미합중국은 제1차 세계대전에 참전했으나 유럽만큼 큰 영향을 받지
는 않았다. 그 주된 이유는 미국이 종전 단계에서 참전했고 본토는 전
쟁터가 되지 않았기 때문이었다. 대체로 대부분의 미국인들은 물리적
파괴나 유혈을 직접 경험하지 않았으며, 민간인들의 고통은 유럽인들
의 고통에 비교할 수조차 없을 정도로 미미했다. 여론은 오랫동안 외관
상 유럽의 전쟁에 국가가 개입하는 것을 반대했지만, 일단 정부가 선전
을 포고하자 이 문제는 미국의 영광과 명예가 관련된 문제로 간주되었
다. 1916년까지 평화운동을 지지했던 교회들이 이제 전쟁 선전에 합류
했다. 진보주의자들과 근본주의자들은 "문명 구원"의 필요성을 역설했

으며, 일부 극단적인 근본주의자들은 당시 사건들을 다니엘서와 요한계시록에 등장하는 예언의 성취로 해석했다. 전통적으로 평화주의 교파인 메노파(Mennonites)와 퀘이커파를 제외한 교회들이 전쟁의 열기와 국가적 우월감에 사로잡혔으며, 일부 목사들은 하나님의 이름으로 독일인들을 멸종시키라고 외쳤다. 이러한 상황은 월터 라우센부시(Walter Rauschenbusch)를 비롯한 독일계 미국인들에게 큰 어려움을 초래했다. 라우센부시는 사회복음이라고 알려진 신앙의 사회적 차원을 강조하여 보수진영의 반대를 초래했다.

전쟁과 그 원인들에 대한 비판적 성찰의 부족은 그 후 여러 해 동안 심각한 결과를 초래했다. 우선 패전국들의 비통함과 이로 인한 또 다른 전쟁들을 방지하기 위해 패전국들을 공정하게 다루려 한 윌슨(Woodrow Wilson) 대통령의 희망은 승전국들의 야망과 미국의 지지 부족으로 무산되었고, 후일 제2차 세계대전이 발발하는 계기를 제공했다. 둘째로 국제적인 분쟁 해소를 위한 대화의 광장으로서 국제연맹을 조직하려는 그의 계획은 전쟁에 도취되어 있던 미국에 의해 받아들여지지 못했다. 종전 후 많은 교회 지도자들은 전쟁 중에 자기들이 조성한 편견을 해소시키려 했으나, 사랑과 이해를 촉구한 그들의 호소는 과거의 증오와 편견의 메시지만큼 받아들여지지 않았다.

전쟁의 결과로서 미국은 외국의 것 및 반대의 진압을 두려워하는 고립주의 시대에 돌입했다. 1920년대에 KKK단(Ku Klux Klan)의 회원이 남부에서만 아니라 북부에서도 급증했다. 이들은 흑인들뿐만 아니라 가톨릭 신자들과 유대인들까지 미국 기독교와 민주주의의 원수로 간주했다. 과거 많은 유럽인들이 이주했던 것처럼, 멕시코 혁명으로 말미암아 많은 사람들이 멕시코를 떠나 미국 남서부로 이주했다. 그러나 이 새로운 이주민들이 인종적으로나 종교적으로 항상 환영을 받은 것이 아니었고, 멕시코 혈통을 가진 사람들에 대한 인종차별이 증가했다. 다수의 종교 지도자들과 교회들이 이러한 편견에 기여했다. 당시는 "적색(공산주의) 공포의 시기였다. 이때 시작된 과격파들과 공산주의자들, 반정부주의자들에 대한 마녀사냥이 20세기 내내 계속되었다. 타는 불에 기름을 붓듯이 많은 교회들은 스스로 기독교 신앙이 공산주의의 위협에 대한 최선의 방어전선이라고 주장했다. 유명한 전도자 빌리 선데이(Billy Sunday)는 "과격파"를 추방하는 것은 충분한 처벌이 되지 못하므로 이들을 한

전쟁 및 새로운 상황에 의해 야기된 두려움의 결과로 KKK단원들이 전례 없이 증가했다.

줄로 세워 놓고 총살해야 한다고 외쳤다.

주류 교파의 일부 기독교인들은 이러한 극단적인 경향들에 대응하기 위해 위원회를 조직하고 캠페인을 벌였다. 이 위원회들은 간혹 교단 본부의 인정을 받았다. 그리하여 수십 년 동안 미국 주요 교단들의 특징이 될 현상이 나타났다. 이는 교단 내의 분열, 즉 정치뿐만 아니라 신학에 있어서 사회적으로나 정치적으로 진보적인 경향의 지도층과 자기 교파의 지도자들이 자기들의 견해를 대변하지 못한다고 느끼는 일반 신자들 사이의 괴리 현상이었다.

진보주의자들과 근본주의자들 사이의 갈등은 전후에 심화되었다. 이때 공립학교에서 진화론을 가르치지 못하도록 하려는 근본주의자들의 노력의 절정인 유명한 "스코프스 재판"―일부 지역에서 21세기까지 이

스코프스 재판은 수십 년 동안 지속되어온 진화론 반대 운동의 절정이었다.

러한 시도가 계속되었다- 이 발생했다. 거의 모든 교파가 근본주의 문제, 특히 당시 근본주의 정설의 특징이 된 성경무오성 문제로 분열했다. 후에는 이러한 분열이 공개적인 분파주의로 이어졌다. 그리하여 북장로교 근본주의 옹호자였던 프린스턴 대학의 교수 그레샴 메이첸(J. Gresham Machen)은 신학교를 설립했으며, 결국 정통 장로교회를 세웠다(1936년).

그러나 1920년대에 대부분의 개신교인들은 금주법(禁酒法)을 중심으로 연합했다. 이 문제에 있어서는 진보주의자나 보수주의자를 막론하고 입장을 같이 했다. 왜냐하면 진보주의자들은 이를 사회복음운동의 실질적 적용으로 보았고, 보수주의자들은 미국이 순수했던 이전 시대로 돌아가려는 시도로 간주했기 때문이었다. 많은 이들은 술 취함을 유대인과 가톨릭 신자들의 이민에 의해 발생한 모든 해악들과 연결함으로써 KKK단의 성장을 촉진시켰던 외국인과 유대인과 가톨릭 신자들에 대한 편견에 호소했다. 이 운동은 여러 주에서 입법화에 성공했고, 그 후 연방 헌법에 영향을 미쳤다. 1919년 헌법 수정 제18조에 의해 시행된 금주법은 그 후 10년 이상 유효했다.

그러나 법의 통과는 쉬웠지만 시행은 어려웠다. 기업의 이윤 추구, 깡패, 그리고 다양하게 술을 즐기는 일반인들이 이 법을 폐기하기 위해 협력했다. 그리하여 음주의 해악에 다시 비정상적인 이윤을 얻게 된 불법 거래를 통한 부패가 첨가됐다. 이 법이 폐지될 즈음엔 "누구도 도덕 문제를 입법화할 수는 없다"라는 관념이 미국인들의 상식이 되었다. 처음에는 금주의 이상을 포기한 진보주의자들 가운데 만연했던 이 관념이 후에는 인종 분리 반대 입법에 반대하는 보수파에 의해 사용되었다.

제1차 세계대전이 끝난 후 10년 동안 미국인들은 미래에 대해 낙관적이었다. 전쟁과 그 참상은 먼 외국에서 발생한 희미한 기억에 불과했다. 미합중국에서는 여전히 진보가 그 시대의 풍조였다. 교회들과 강단에서는 유럽에서 이전 세대의 낙관주의에서 벗어나 발달하고 있는 새로운 신학에 거의 귀를 기울이지 않았다. 미국인들은 그 생소한 것들을 "자유인들의 나라요 용사들의 고향"이라는 기분 좋은 기대와는 거리가 먼 세계를 언급하는 것으로 여겼다. 이때 불황이 닥쳐왔다.

불황과 제2차 세계대전

1929년 10월 24일 뉴욕증권거래소가 공황상태에 빠졌다. 주식시장은 잠시 약간 회복되었지만 1930년 중반까지 계속 하락했다. 이때 서구 세계의 대부분은 심각한 경제 불황에 시달리고 있었다. 미합중국 노동력의 4분의 1이 실업 상태였다. 영국을 비롯한 일부 국가들은 실업보험과 사회보장제도를 갖추고 있었다. 그러나 사회주의를 두려워하여 이러한 대책을 강구하지 않았던 미합중국의 실업자들은 기댈 곳이 없어 친척, 친지, 교회들의 구제를 기다릴 수밖에 없었다. 대도시들과 많은 작은 마을에 무료급식소가 생겼다. 은행 예금인출 사태, 파산, 압류 등이 사상 최고를 기록했다.

미국은 처음에는 수십 년 전에 직면했던 문제들을 다룰 때처럼 낙관적으로 대공황(Great Depression)에 대처했다. 후버(Hoover) 대통령과 각료들은 시장이 붕괴된 후 몇 달 동안 불황의 존재를 부인했다. 마침내 불황이 발생했음을 인정하면서도 미국 경제는 자체 반동력이 있으므로 시장 경제를 자유방임하는 것이 경제 회복의 최선의 방법이라고 생각했다.

비록 대통령 자신은 실업자들의 곤경에 공감하고 동정하는 인물이었으나, 그의 주위에는 대공황이 노동조합들을 파괴할 것이라고 기대하면서 기뻐하는 사람들이 있다. 마침내 정부가 공업과 상업 분야에서의 파산 상태를 방지하기 위해 개입했을 때 윌 로저스(Will Rogers)라는 코미디언은 "가난한 사람들에게 서서히 흘러들어가기를 바라면서 꼭대기에 돈을 쏟아 붓고 있다"고 풍자했다.

이 때문에 10년 전에 유행했던 낙관주의가 퇴색했다. 역사가들은 19세기 후반에 닥쳤던 불경기가 더 심각한 것이었다고 증명했으나, 미국의 일반 대중들은 심리적으로 1930년대의 대공황에 대처할 준비가 되어 있지 못했다. 평생 부족한 것을 몰랐고 점차 더 잘 살게 될 것이라고 믿었던 세대의 꿈은 산산이 부서졌다. 생존 자체가 문제였으므로 장밋빛 미래의 허황된 약속은 피상적인 것처럼 보였다.

이때 보다 덜 낙관적인 신학들이 미국에 영향을 미치기 시작했다. 대공황 직전에 영어로 출판된 칼 바르트의 『하나님의 말씀과 인간의 말』 (The Word of God and Word of Man)이 대공황으로 말미암아 바르트 및 그의 세대가 제1차 세계대전으로부터 받은 충격과 비슷한 경험을 한 미국인들에게 이해되기 시작했다. 라인홀드 니버(Reinhold Niebuhr, 1892-1970)와 리처드 니버(1894-1962) 형제의 신학이 사람들의 주목을 받았다. 리처드 니버는 『교파주의의 사회적 근원』(The Social Sources of Denominationalism)에서 미합중국의 교파주의는 복음을 사회의 다양한 인종적 사회경제학적 계층에 적응한 것이라고 주장하고, 이는 곧 "교회의 계층과 자기보존 윤리가 복음의 윤리를 지배하는 것"[11] 이라고 주장했다. 또 인류가 이제까지

---

11) H. Richard Niebuhr, *The Social Sources of Denominationalism.* 1959 reprint (New York: Meridian), p. 21.

라인홀드 니버는 새로운 신학—진보주의의 안이한 낙관론을 받아들이려 하지 않거나 미국의 문화와 전통을 기독교 신앙과 혼동하지 않은 신학—을 주도한 인물이었다.

경험하지 못했던 최악의 전쟁을 눈앞에 두고 있었으므로, "국가 · 경제 생활의 사회적 세력에게 주도권을 넘기는 기독교는 분열된 세계에 희망을 제공하지 못한다"[12]라는 그의 결론은 더욱더 절실했다. 그는 또한 1937년『미국 내의 하나님의 나라』(The Kingdom of God in America)라는 저서에서 이런 종류의 종교는 "분노할 줄 모르는 신이 죄가 없는 인간을 십자가를 지지 않는 그리스도를 통해 심판 없는 나라로 이끌어 가는 것"이라고 선언했다.[13]

한편 1928년까지 디트로이트에서 목회했던 그의 형 라인홀드는 자유방임적 자본주의가 파괴적이라는 결론에 도달했고, 1930년에는 동료들과 함께 "사회주의 크리스천 동지회"(Fellowship of Socialist Christians)를 조

---

12) Niebuhr, *The Social Sources*, p. 275.

13) H. Richard Niebuhr, *The Kingdom of God in America* (New York: Harper & Brothers, 1937), p. 193.

직했다. 그는 아무런 구속 장치가 없는 사회는 구성원들보다 더 악하고 이기적이라고 확신했다. 그는 이것을 『도덕적 인간과 부도덕한 사회』 (Moral Man and Immoral Society)라는 저서에서 자세히 설명했다. 그는 신학적 진보주의에 반발하여 인간의 능력에 관하여 신정통주의적 의심을 품었고, 자기의 저서의 제목을 『부도덕한 인간과 한층 더 부도덕적인 사회』라고 붙이는 것이 정확할 뻔했다고 언급했다. 이것은 죄와 그 결과들에 대한 보다 깊은 이해를 포함하여 인간 본성에 대한 균형 잡힌 견해와 은혜에 대한 근본적인 견해를 회복해야 할 때가 왔다는 의미였다. 그의 이러한 노력은 1941년과 1943년에 두 권으로 출판된 저서 『인간의 본성과 운명』(The Nature and Destiny of Man)에서 뚜렷하게 드러난다.

1934년 라인홀드 니버의 관심과 후원을 받아 독일 신학자 폴 틸리히 (Paul Tillich)가 뉴욕의 유니언 신학교에 부임했다. 이때 독일에서는 히틀러가 세력을 얻고 있었으므로, 온건파 사회주의자였던 틸리히는 조국을 떠날 수밖에 없었다. 그는 신정통주의자라기보다는 현대 세계를 향한 복음과 그 관계성을 해석하기 위해 실존주의 철학을 이용한 문화신학자였다. 그는 하나님의 말씀을 신학의 출발점으로 삼은 바르트와는 달리 "상관관계 방법"(method of correlation)을 제안했다. 즉 현대인들의 가장 심오한 실존적 질문들–틸리히는 이것을 "궁극적 관심"(ultimate concern)이라 불렀다–을 찾아내고 복음이 이것들에게 어떻게 대응하는가를 보여주는 것이었다. 그의 『조직신학』(Systematic Theology)에서는 이 방법을 기초로 하여 기독교 신학의 중심 주제들을 다루었다. 온건한 사회주의자였던 그는 서구 문명의 결점들을 이해하기 위해서 수정된 형태의 마르크스주의적 분석을 적용했다. 그러나 미국으로 옮겨온 후에 그의 사상에서 이

요소는 실존주의와 심층심리학에 대한 관심에 가려 빛을 잃었다.

대공황으로 말미암아 자유방임주의 경제를 비판한 것은 신학교수들 뿐만이 아니었다. 1932년 감리교회 및 교회연합협의회(Federal Council of Churches; 1908년 33개 교단에 의해 설립되었으며 후일 기독교교회협의회가 되었음)는 감리교회와 함께 정부가 경제계획에 참여하고 가난한 이들의 복지 방편 마련하는 데 대한 지지를 공표했다. 1932년에 이루어진 이 조치는 과격한 사회주의로 받아들여졌으며, 곧 이에 대한 반발이 나타났다.

사람들의 반응은 전통적인 근본주의와 반사회주의적인 정치적 견해의 요소들을 종합한 것이었다. 여러 주요 교파들의 지도자들이 사회보장제도, 실업보험, 그리고 독점금지법 등이 필요하다고 확신하게 되었고, 많은 평신도들은 반대 방향을 택하여 교단 지도자들이 공산주의에 물들었다고 비난했다. 전쟁이 임박함에 따라 이러한 운동의 중요 인사들이 파시즘에 동조했으며, 일부 지도자들은 기독교인들이 유럽에서의 사회주의 성장을 저지하고 있는 아돌프 히틀러에게 감사해야 한다고 선언했다. 러시아 공산주의와 다른 형태의 사회주의들을 구분하지 않은 채 모두 반기독교적이라고 규정했다.

루즈벨트(Roosevelt) 대통령의 뉴딜(New Deal) 정책의 등장으로 교회의 사회주의적 지도자들이 주창해온 다수의 정책들이 실행에 옮겨졌다. 일부 역사가들은 당시 가난한 자들을 구제하고 노동 인구의 안정을 보장하기 위한 온건한 조처들이 미국 자본주의 체제를 구했다고 평가한다. 어쨌든 뉴딜 정책을 통해 빈민층의 상태가 개신되고 경제가 서서히 회복되었으나, 대공황은 1939년에야 종식되었다. 이때 미국은 또다시 전쟁의 불가피성을 실감하고 이에 대비해야 했다. 어떤 면에서 볼 때 뉴딜 정책이 아니라 전쟁이 대공황을 종식시켰다.

미국은 이미 유럽과 극동에서 맹렬히 계속되고 있었던 전쟁에의 참전 여부를 두고 분열되었다. 사람들이 전쟁에 반대한 이유는 여러 가지였다. 기독교인들은 제1차 세계대전 때에 드러난 억제되지 않은 군국주의와 민족주의의 폐해를 통감하고 있었다. 파시스트들은 공산주의에 대한 공포와 그 극복을 최우선 과제로 삼았다. 독일계와 이탈리아계 미국인들은 조상들의 고국에 대한 동정심에 사로잡혔다. 고립주의자들은 미국이 세계 문제에 관여할 필요가 없다고 생각했다. 인종차별주의자와 반유대주의자들은 미국이 히틀러가 하는 일을 방해해서는 안 된다고 주장했다.

그러나 결국 참전을 결정해야 할 때가 왔다. 1941년 12월 7일 진주만 공격이 결정의 계기가 되었다. 그 후 전쟁에 반대하는 사람은 국가에 충성하지 않는 사람으로 의심되었다. 특히 일본계 미국인들은 여러 세대 동안 미국에 거주해온 사람들까지도 잠재적 스파이로서 억류되었다. 안타깝게도 교회는 이들이 재산과 사업체를 빼앗기는 모습을 보면서도 침묵을 지켰다. 교회는 일반적으로 이전의 경험을 살려서인지 전쟁 기간에 온건하게 발언했다. 교회는 전쟁을 지지하고 종군목사를 파견하고 나치의 범죄에 대한 혐오감을 분명히 표현했다. 그러나 대부분 지도자들은 기독교를 국가적 자존심과 혼동하지 않으려고 노력했다. 같은 시기에 독일에 더 큰 대가를 지불하면서 비슷한 태도를 견지한 인사들이 있었음은 특기할 만하다. 세계가 전쟁에 의해 분리된 와중에서 전쟁에 개입된 양측의 기독교인들은 화해를 위해 노력했다. 전쟁이 끝난 후 이러한 화해의 노력이 에큐메니컬 운동으로 열매를 맺었다.

전후 시대

전쟁은 히로시마 원폭 투하와 핵시대의 도래로 끝맺었다. 처음에 사람들은 원자력의 엄청난 가능성을 기대했으나, 그 파괴력도 명백하게 드러났다. 역사상 처음으로 핵무기에 의한 대량학살로 말미암은 인류멸망의 위협 아래 한 세대가 성장했다. 이들은 미국 역사상 가장 숫자가 많은 "베이비 붐" 세대였다. 국가 경제와 교회에게 있어서 전후(戰後) 시대는 핵전쟁의 망령에도 불구하고 전례 없는 번영의 시대였다. 수십 년간의 경기침체와 전쟁으로 인하여 가용할 물자가 부족한 시대가 지나가고 풍요의 시대가 도래했다. 전쟁 중에 필요한 물자들을 조달하기 위해 미국의 공업생산이 가속화되었었다. 전후에도 생산은 계속되어 세계가 일찍이 꿈꾸지 못했던 풍족한 소비사회가 등장했다.

정부는 제대군인원호법(GI bill)을 제정하여 대학교육이나 주택 구입을 원하는 퇴역군인들에게 재정적 지원을 해주었다. 원하는 사람들에게는 경제적 · 사회적 발전의 기회가 주어질 듯했다. 수백만 명이 그러한 기회를 찾아 새로운 지역으로 몰려갔고, 기회를 발견한 사람들은 새로 개발된 교외에 정착했다. 반면 점차 부유층에게 버림받은 도심 지역은 하류층, 주로 최근에 이주해온 사람들과 가난한 흑인들 및 소수 집단의 거주지가 되었다. 유동적인 교외 사회에서 교회는 안정과 사회 인식의 근원으로서 중요한 역할을 하게 되었다.

그 시대는 냉전의 시대였다. 추축국들이 패전하자마자 더 위험한 적인 러시아 소비에트 연방 사회주의 공화국(Soviet Russia)이 등장했다. 이 국가는 서구 세계에 동조자들을 가지고 있었으므로 한층 더 위험하게 생각되었다. 미국에서는 공산주의자 및 각종 사회주의자들을 대상으로 한 마녀사냥이 재개되었다. "매카시 시대"(McCarthy Era) 전성기에는 등록 교인이 아닌 사람은 반미국적 경향을 가졌을 것이라고 생각되었다.

이러한 이유들 때문에 교외의 교회들은 급성장했다. 1950년대와 1960년대 초는 부유한 교인들이 큰 건물과 아름다운 예배당, 교육관, 기타 교회 시설 건축을 재정적으로 지원한 교회 건축 시대였다. 1950년에 빌리 그레이엄 전도협회가 설립되었다. 이 협회는 단순히 미국의 전통적 부흥회를 계속하는 것 이상의 활동을 했다. 이 기관은 풍부한 재원으로 가장 진보된 커뮤니케이션 기법과 도구들을 사용했기 때문이다. 빌리 그레이엄 협회의 관점은 기본적으로 보수적이었으나 가능한 한 다른 신념의 신자들과의 마찰을 피했다. 미국의 부흥회 전통은 곧 전 세계로 퍼져 모든 대륙에 흔적을 남겼다.

그러나 모든 일들이 순조롭지는 않았다. 일반적으로 주류 교회들은 가난한 자들과 소수 민족들이 거주하는 도심지역을 포기했다. 일부에서 단호하게 노력했지만, 주류 기독교 지도자들은 새로 형성되기 시작한 부유한 교외 지역의 정서에 동화되어 도시의 대중들과 시골 지방과의 접촉을 상실했다. 시골의 전통적인 교파에 남아 있는 신자들은 새 지도층을 의심했다. 도시에서는 성결교회가 공백을 메우려 했으나, 많은 주민들이 모든 형태의 기성 기독교와의 접촉을 상실했다. 1950년대의 대종교부흥 이후 20년이 지난 후 도시 선교를 재개하자는 주장이 등장했지만, 어떻게 그 과업을 성취할 것인지 분명한 아이디어를 가진 이들은

20세기 중반 빌리 그레이엄 전도협회는 미국의 신앙부흥 전통을 유지하는 동시에 그것을 그 시대의 사회적 상황에 맞추어 수정했다.

별로 없었다. 1980년대에 비로소 도심지역에서 종교적 활력이 회복되고 있음을 보여주는 조짐이 나타났다. 그러나 이때에도 그러한 조짐들은 새로운 이주민들의 도착 및 그들의 교회, 또는 부자 교인들의 귀환과 연관되어 있다.

전후 신앙부흥의 또 다른 특징은 기독교 신앙을 내면의 평화와 행복에 이르는 길로 이해한 점이다. 당시 가장 유명한 종교 저술가들 중 하나는 노먼 빈센트 필(Norman Vincent Peale)이었다. 그는 정신 건강과 행복에 이르는 길로서 신앙과 "긍정적인 사고"를 권장했다. 역사가인 알스트롬(Sydney E. Ahlstrom)은 당시의 종교성을 가리켜 "마음의 평화와 자신감 있는 생활을 약속하는 신앙 자체에 대한 신앙"이라고 정확하게 표현했다.[14]

---

14) *A Religious History of the American People*, vol. 2 (New York: Doubleday, 1975), p. 451.

이러한 형태의 종교성은 시대와 부합한 것이었다. 왜냐하면 그것은 혼란스러운 세계의 한복판에서 평화를 제공했고, 사회적 책임에 대해서는 거의 언급하지 않았으며, 냉전적 사고에 사로잡혀 미국의 정치적 견해에 대해 종교재판소장처럼 행동하는 사람들과의 충돌을 피했다. 알스트롬은 다음과 같이 심각하게 고발했다:

교회는 일반적으로 급격히 과거의 안락한 생활을 상실하고 있는 유동적 인구들에게 사회적 동화의 수단을 제공하는 것 외에 행한 일이 없는 듯 하다.[15]

그러나 미국 사회에서 다른 요인들이 작용하고 있었다. 비록 전후 시대에 이 새로운 요소들은 미국에 팽배해 있는 낙관적 분위기를 불식시키지 못했으나, 수십 년 후에 그 요소들이 두각을 나타내서 미국의 모습을 근본적으로 변화시키기 시작했다.

이 요인들 중 하나는 수십 년 동안 태동하고 있었던 민권 운동이었다. 1909년에 창설된 전미(全美)흑인지위향상협회(National Association for the Advancement of Colored People; NAACP)는 표면에 나서기 전에 이미 여러 차례 법정 투쟁에서 승리한 바 있었다. 미국 흑인 공동체 내에는 종교가 내세에서의 상급을 약속하거나 소수 신자들로 이루어진 공동체에의 소속감을 준다는 인식 속에 도피하며 기존 질서에 도전하려 하지 않는 사람들이 있었다. 어떤 경우에는 이러한 경향은 스스로 하나님의 현현이라고 주장하는 지도자가 이끄는 신흥종교들을 탄생시켰다. 이들 중 가장 잘

---

15) *A Religious History of the American People*, vol. 2 (New York: Doubleday, 1975), p. 460.

알려진 것은 "파더 디바인"(Father Divine, 1895-1965년)과 "스위트 대디 그레이스"(Sweet Daddy Grace, 1881?-1960)이다. 해외에서 자유를 위해 싸우고 돌아온 흑인 병사들-이들은 백인 병사들과는 별개로 조직된 부대에 소속되어 있었다-은 정작 조국에서는 자유를 누리지 못했다. 정부는 1949년 군대 내에서의 인종차별정책을 철폐했고, 1952년 역사적인 대법원 판결을 통해 공립학교 내의 인종 간 통합을 명령했다. 많은 백인들이 인종 간 통합 운동을 지지했으며, 이 운동 초기에 이들의 활동은 큰 힘이 되었다.

전국교회협의회(National Council of Churchs: 연방교회협의회의 후신)와 대부분의 주요 교파들도 인종차별정책에 반대했다. 1960년대에 이르기까지 민권 운동 지도자들은 대부분 흑인 성직자들이었다. 제2차 대전 기간 및 종전 후 여러 해 동안 아담 클레이튼 포웰(Adam Clayton Powell, Jr)이 유명했고, 마틴 루터 킹(Martin Luther King, Jr)은 1950년대 후반부터 1960년대 초까지 활약했다. 수천 명의 흑인들은 이제까지 볼 수 없었던 믿음과 용기와 인내를 발휘하여 자기들을 억압해온 체제와 법의 실상을 드러내고 도전하려는 결심을 표명했다. 이들은 앨라배마 주의 몽고메리와 셀마 등지에서 연좌데모, 체포, 구타, 심지어 죽음을 당하면서 자기들이 백인들에 비해 열등하지 않은 존재임을 세상에 과시했다. "우리 승리하리라"라는 찬송이 저항과 신앙고백의 외침이 되었다.

킹 박사가 설립한 남부기독교지도자회의(Southern Christian Leadership Conference)를 비롯한 기독교 비폭력 조직만으로는 흑인 사회의 좌절과 분노를 해소할 수 없었다. 수십 년 동안 호전적 흑인들은 이슬람교에서 백인들이우 위를 차지하지 않음을 발견했으며, 이에 따라 블랙 모슬렘

초기 민권 운동 지도자들은 대부분 흑인 성직자들이었다.

(Black Moslems) 및 그와 유사한 운동들이 탄생했다. 특히 뉴욕과 로스앤젤레스와 같은 도시의 혼잡한 빈민지역의 흑인들은 폭동을 통해 분노를 발산했는데, 그중 가장 유명한 것은 1965년 로스앤젤레스 와츠(Watts) 지역의 폭동이었다. 60년대 중반 흑인들은 자기들이 권력을 획득하지 않는 한 완전한 자유를 얻을 수 없다는 결론에 도달했다. 그리하여 "블랙 파워"의 외침이 등장했는데, 많은 이들은 이것을 백인들을 지배하려는 흑인들의 의도를 의미한다고 오해했다.

같은 시기에 킹 박사의 운동은 인종차별을 넘어선 분야로 확대되었다. 그를 비롯한 남부기독교지도자회의의 일부 회원들은 자기들의 투쟁이 모든 종류의 불의에 대항한 싸움이라고 확신했다. 당시 동남아시아에서는 전쟁이 진행 중이었는데, 킹 박사는 그 지역에서의 정부의 정책을 비판했다. 왜냐하면 선발징병제(Selective Service System)가 가난한 사람뿐만 아니라 흑인들 및 소수 집단들에게 불리했으며, 또 미합중국 정부가 미국의 흑인들에게 가했던 것과 비슷한 불의를 동남아시아에서 재현하고 있다고 느꼈기 때문이었다. 킹 박사는 자기들의 투쟁에 인종을 불문하고 모든 가난한 이들을 포함시켜야 한다고 깨달았다. 그는 1968년 "빈민들의 행진"(Poor People's March)을 주도하던 중 암살당했다.

이 운동은 흑인 공동체 내의 기독교 신앙으로부터 비롯된 것이었다. 흑인들의 "영가"에 새로운 의미가 부여되었다. 달리 표현하자면 과거 흑인들이 대규모 농장에서 불렀을 때와 같은 저항적인 의미를 되찾았다. 교회는 시위대원들의 집회소이며 훈련소가 되었다. 설교자들은 복음과 민권 운동의 연결성을 주장했다. 마침내 "흑인 신학"이 등장했다. 이 신학은 근본적으로 정통 노선을 주창함과 동시에 흑인들의 현실과 희망, 투쟁을 공인하는 것이었다. 이 신학의 주요 인물인 유니언 신학교 교수 제임스 콘(James Cone)은 다음과 같이 부르짖었다:

> 굴욕과 학대를 당하는 이들과 일체성을 갖지 못하는 기독교 신학은 존재할 수 없다. 학대받는 자들의 공동체로부터 출발하지 않은 신학은 복음의 신학이 될 수 없다. 왜냐하면 수고하고 무거운 짐 진 자들의 하나님이요 그들을 위한 하나님을 인정하지 않고서는 예수 그리스도 안에서 자기를 계시하신 이스라엘 역사의 하나님을 말할 수 없기 때문이다.[16]

동시에 또 하나의 운동이 처음에는 민권 운동만큼 널리 알려지지 못

---

16) James Cone, *A Black Theology of Liberation* (Carol Stream, Illinoise: Creation House, 1974), cover and pp. 1-2.

했으나 점차 가속화되기 시작했다. 그것은 여권 신장 운동이었다. 일세기 이상 동안 미합중국의 여성들은 자기들의 권리를 주장해 왔었다. 이들은 노예제도 폐지운동, 기독교여자절제회(Women's Christian Temperance Union), 여성 참정권 운동 등을 통해 정치적 역량을 키워왔다. 여성 참정권은 1920년에 허락되었다. 19세기에 여성들을 성직에 임명한 교파는 거의 없었다. 20세기 중반까지도 대부분의 교파들은 여성들의 성직 임명을 허락하지 않았으며, 주도권이 남성들의 수중에 있었다. 1950년대에 교회 및 사회 전반의 구성 요소들이 급격히 변화함에 따라 여성 운동은 힘과 경험과 결속력을 갖게 되었다. 교회 내에서의 분쟁의 원인은 두 가지였다. 하나는 여성들이 성직 임명에 의해 사역할 수 있는 권리, 또 하나는 전통적으로 남성들이 주도해온 신학에 대한 비판이었다. 1980년대 중반에 대부분의 개신교 교파들이 여성 성직 임명을 시행했고, 이를 거부하고 있던 가톨릭교회 내에도 여성 성직 임명을 주장하는 강력한 항의 기구들이 존재했다. 신학 분야에서는 장로교 신자인 레티 러셀(Letty M. Russell)과 가톨릭 신자인 로즈마리 류터(Rosemary R. Reuther) 등 많은 여성들이 남성 우위의 신학을 교정해 보고자 했다. 메리 데일리(Mary Daly)는 보다 과격한 견해를 취했다. 그녀는 자신이 남성 주도의 교회를 "졸업"했다고 선언했고, 여성들에게 "하나님의 여성으로의 성육신"을 기다리라고 했다.

이러한 운동에 많은 흑인들과 여성들이 개입하고 있는 동안 또 다른 국내외 사건들이 미국의 사고구조를 형성하고 있었다. 그중 중요한 것은 동남아시아에서의 전쟁이었다. 미국은 처음에 비교적 소규모로 개입했으나 1965년에는 미국이 참전한 가장 장기간의 전쟁으로 화했다. 미국은 공산주의의 확산을 막기 위해 전쟁에 개입했지만, 부패한 정부를 지원하며 약소국을 상대로 막대한 화력을 쏟아 부으면서도 승리를 거두지 못하고 있었다. 언론은 전쟁의 참상을 국내의 각 가정에게 보여주었다. 그때 미국인들과 의회는 전쟁 강화의 계기가 된 "통킹 만 사건"에 관한 정보가 잘못된 것이었음을 알게 되었다. 반전 데모, 애국주의적 실망과 좌절이 대학가를 휩쓸었다. 학생 데모를 진압하기 위해 무력이 동원되어 켄트 주립 대학과 잭슨 주립 대학에서 사망자가 발생했다. 결국 미합중국은 역사상 최초로 패전했다. 그러나 이보다 중요한 것은 미국이 그 순수함을 잃었다는 것이다. 미국 내의 자유와 정의, 그리고 해외에서의 자기 방어를 상징하는 "자유인의 나라, 용사들의 고향"이라는 개념이 의심을 받게 되었다. 전쟁의 결과인 풍요로움으로 말미암아 일부 인사들은 미국이 의존하고 있는 경제체제가 인위적으로라도 전쟁을 발발시켜야 존재할 수 있는 것은 아닌가 하는 의심을 갖게 되었다. 여기에다 닉슨 대통령을 사임하게 만든 워터게이트 사건으로 인해 의심과 질문들이 더해졌다.

사회에서 이런 사건들이 발생하고 있을 때, 교회들도 압박을 받고 있었다. 신학자들이 근본적으로 상이한 길을 추구함에 따라 개신교 신학 작업은 산산이 해체되었다. 기독교의 메시지를 세속적인 용어로 표현하려는 시도들이 "사신신학"(死神神學, theology of the death of God)으로 나타났다. 다른 방향을 취한 하비 콕스(Harvey Cox)는 『세속 도시』(The Secular City)에서 도시 사회의 측면에서 기독교 메시지를 재해석하며 그러한 사회가 제공하는 기회와 도전들을 살펴보려 했다. 존 콥(John Cobb)과 일부 학자들은 과정철학의 기초 위에서 기독교 신앙에 대한 이해를 발전시키는 작업에 몰두했다. 몰트만의 희망의 신학이 미국에서 그와 상응하는 것을 발견한 셈이었다. 또한 많은 백인 남성 신학자들은 성경의 메시지에 대한 새로운 이해의 단서를 찾기 위해 흑인신학, 여성신학, 그리고 제3세계 신학을 연구하기 시작했다. 이처럼 다채롭고 다양한 신학들 안에는 세 가지 공통된 주제—즉 미래 지향적 태도와 사회 정치적 현실에 대한 관심, 그리고 이 두 가지를 합치려는 노력—가 존재한다. 다시 말해 이 신학들의 지배적 특징은 종말론을 현대의 사회적 관계 안에서 유효한 장래의 희망으로서 회복시키는 것이었다. 여기에 초대교회의 예배에 대한 역사적 탐구와 더불어 시작되어 예배의 종말론적 차원과 그 사회적 타당성을 강조하기 시작한 전례의 쇄신이 결합되었다.

이와 같은 사회 문제에 관한 관심은 교회들의 국제적 교류를 통해 더욱더 고조되었다. 그러한 상황 속에서 고난 받고 있는 외국 기독교인들과 거의 끊임없이 접촉하는 사람들은 기아, 정치적 자유, 국제 정의 등의 문제를 한층 더 중시하게 되었다. 그리하여 정치적인 보수주의자들은 전국교회협의회, 세계교회협의회, 그리고 모든 주요 교파의 선교부들이 공산주의에 물들어 있다거나 공산주의에 동조하고 있다고 공격했다.

한편 20세기 초에 아주사(Azusa) 거리에서 시작된 성령 운동은 새로운 형태를 띠기 시작했다. 20세기 전반에 이 운동은 주로 하류 계층과 성결교 신자들에게 영향을 미쳤다. 그러나 1950년대 말에 이 운동은 도시의 교외로, 그리고 가톨릭교회를 포함한 주류 교파들 내에 침투했다. 이 새로운 성령 운동에 관련된 신자들은 소속 교회의 충실한 신자로서 남아 있었지만, 교파를 불문하고 이 운동에 가담한 신자들이 서로 친근감을 느꼈으므로 체계화된 공식 에큐메니즘과는 관련이 없는 또 다른 에큐메니컬 운동이 생겨났다. 비록 비판가들은 이 성령 운동을 가리켜 교외로의 이주 현상에 비견할 수 있는 현상이라고 비판했지만, 실제로 카리스마 운동의 성격은 다양하다. 그 중 어떤 이들은 성령 체험을 통해 내세를 지향해야 한다고 느꼈고, 어떤 이들은 용감한 사회행동을 해야 한다고 느꼈다.

전도의 양상도 다양해졌다. 1970년대 말과 1980년대 초에 라디오 및 텔레비전을 통한 복음 전도가 급격히 성장했다. 일부 텔레비전 설교가들은 자기들의 사역을 조직하고 촉진하기 위해 방대한 규모의 기업을 세우고 이끌었다. 이러한 현상을 가리켜 비평가들은 "전자 교회"(electronic church)라 했다. 이 전도자들의 공통 주제는 전통적 가치관의 붕괴가 사회적 파멸을 가져올 것이라는 경고였다. 이 주제는 금주법과 그 폐지 때부터 계속되어 왔다. 이전의 각종 금주 운동을 거울 삼아 일부 복음주의 지도자들은 도덕적 가치 등을 수호하고 보수적인 경제적−사회적 정책을 지지하기 위해 "도덕적 다수파"(Moral Majority)를 조직했다.

반면 복음주의자들 중에서도 진정한 신앙은 국내외를 막론하고 기존 경제 사회 질서를 비평해야 한다고 느끼는 인사들이 증가했다. 기독교인들은 각종 불의, 고통, 핍박, 기아에 대항하여 싸워야 한다는 것이다. 1973년 이러한 신념을 가진 기독교 지도자들이 "시카고 선언"(Chicago Declaration)을 채택했다. 그 내용은 미합중국 내의 신자들 가운데 점차 고조되고 있는 확신을 대변하는 듯하다.

우리는 주 예수 그리스도와 하나님의 말씀의 완전한 권위를 인정하는 복음주의 신자로서 하나님께서 자기 백성들의 삶을 완전히 주관하심을 믿는다. 따라서 우리는 그리스도 안에 있는 우리의 삶을 하나님께서 미합 중국과 세계 안에서 우리에게 주신 상황과 분리할 수 없다…

우리는 하나님께서 사랑을 요구하심을 인정한다. 그러나 우리는 하나님의 사랑을 사회적으로 학대받는 자들에게 보여주지 못했다.

우리는 하나님께서 정의를 요구하심을 알고 있다. 그러나 우리는 불의한 미국 사회를 향해 그분의 정의를 선포하거나 증명하지 못했다.…그뿐만 아니라 우리의 경제 체제에 의한 국내외에서의 인종적 착취를 비난하지 못했다….

우리는 우리 문화의 물질주의와 국가의 부와 용역이 불공평하게 재분배된다는 사실을 비판해야 한다. 우리는 우리 조국이 국제 교역과 발전의 불균형과 불의에서 중요한 역할을 하고 있음을 인정한다. 하나님과 굶주리는 10억의 이웃들 앞에서, 우리는 자신의 가치관을 재고해야 한다….

우리는 국가 및 그 기관들을 거의 종교적 충성에 가까운 숭배의 대상으로 만들려는 유혹을 물리쳐야 한다….

우리는 이 선언에 의해 정치적 이념이나 정당을 지지하는 것이 아니라 국가 지도자들과 국민들이 국가를 높이 고양시키는 의로움에 참여하기를 요청할 뿐이다.

우리는 그리스도께서 그의 나라를 완성시키기 위해 다시 오신다는 성경적 희망을 가지고 선언하며, 그분이 다시 오실 때까지 그분의 제자로 살아야 한다는 그분의 요구를 받아들인다.[17]

---

17) Ronald J. Sider, ed. *The Chicago Declaration* (Carol Stream, Illinois: Creation House, 1974), cover and pp. 1-2.

이 선언문이 서로 다른 상황 속에서 살고 있던 전 세계의 기독교인들이 작성한 선언문들과 매우 비슷하다는 점이 중요하다. 그것들은 서로 다른 신학적 배경에서 나타났음에도 불구하고 거의 동일한 결론에 도달하고 있다. 세계적인 관점에서 볼 때, 미합중국의 교회가 마침내 콘스탄틴 이후 시대와 에큐메니컬 시대의 도전에 대처하기 시작한 듯했다. 또한 교회는 "우주시대"－우리가 처음으로 우주에서 지구를 보면서 지구를 인류 전체가 함께 사는 법을 배우지 않으면 함께 멸망하게 되는 취약한 우주선으로 여기게 된 시대－의 새로운 비전에 대응하는 것이기도 했다.

새로운 세기

새 천년이 시작됨에 따라 모든 컴퓨터들의 실패 가능성에 대한 쉽게 망각되는 두려움을 포함하여 심각한 종말론적 예고들에도 불구하고, 21세기는 낙관적인 분위기로 시작되었다. 냉전이 끝났고, 중앙아메리카를 비롯한 지역에서의 미합중국과 소련연방의 대리전쟁들도 끝이 났다. 소련연방의 해체로 말미암아 미합중국은 지구상의 유일한 초강대국으로 남게 되었다. 과거 10년은 전례 없이 풍요한 시절로 간주되었다.

그런데 2001년 9월에 테러와 비극이 급습했다. 갑자기 소련연방에 대한 승리를 축하하고 있던 국가가 더욱 은밀하고 무서운 테러의 공격을 받았다. 그것은 무슬림 공동체 내의 광신적인 소집단들이 선호하는 무기였다. 뉴욕에 소재한 세계무역센터의 쌍둥이 건물에 가해진 공격은 문명 전체에 대한 공격이었지만, 미국 언론과 정부는 즉시 그것을 "아메리카에 대한 공격"이라고 간주하여 보복을 선언했다. 그러한 보복은 주로 침략 형태로 이루어져, 처음에는 이슬람 급진주의 테러리스트들의 온상인 아프가니스탄 침입을 공격했고, 그 후 그와는 상이한 이라크를 공격했다. 여론이 테러리즘을 반대하는 방향으로 결집되었으나 그 반대를 실천으로 옮기는 데 있어서 정부의 정책에 관한 견해가 분열되었다. 테러리즘과는 거의 관계가 없었던 이라크 전쟁은 의심과 논쟁의 근거를 제공했다. 또 그 전쟁으로 말미암아 미합중국은 2001년의 끔찍한 사건들로 인해 전 세계로부터 얻은 공감과 지지의 대부분을 상실하는 대가를 치러야 했다.

2008년 미합중국은 90년 전의 대공황 이후 최악의 경제적 불황에 직면했다. 정부는 막대한 자본을 투입하여 주요 기업체들을 구해주어야만 했다. 주택산업이 실질적으로 마비되었고, 실업과 개인파산이 증가했다.

이 두 가지 요소의 결합-테러리즘에 대한 불안과 경제 불황-은 국수주의의 부활로 이어졌다. 그 무렵 미합중국의 인종적·문화적 구성이 크게 변화되어 있었다. 미합중국에는 수백만 명의 이슬람 이민자들과 그 자손들이 있었고, 사회의 많은 사람들은 이슬람 공동체들이 테러리스트들의 온상이 될까 염려했다. 멕시코의 경제위기와 1980년대에 중앙아메리카에서 벌어진 미합중국의 대리전쟁은 라틴아메리카인들의 이민을 초래했다. 동남아시아와 아프리카인들의 이민도 이루어졌다. 많은 소도시들과 모든 주요 도시에서 힌두교 사원을 비롯한 타종교 건물들을 흔히 볼 수 있게 되었다. 미합중국의 문화적·인종적 구성이 변화되고 있었으며, 많은 사람들은 이것을 국가와 그 가치관에 대한 위협으로 여겼다. 멕시코 국경에서는 무장한 시민 단체들이 취업을 위해 밀입국하는 사람들을 색출하는 임무를 수행했다. 대중 매체에서 어떤 사람들은 이민자들을 공격하여 유명해졌다. 소련연방의 해체가 과거의 "적색(공산주의)공포"를 능가했었는데, 이제 유색인 이민자들에 대한 "갈색공포"가 그것을 대신했다.

이러한 상황에서 기독교 교회들은 말과 행동으로 대처하려 했다. 실질적으로 모든 주요 교파들은 새로운 이민들을 대상으로 한 선교 프로그램들을 개발했다. 일부 교파들은 기독교와 이슬람 간의 대화 증진을 조성했고, 다른 교파들은 노숙자들에게 숙소를, 가난한 사람들에게 음식을, 불의를 당하는 사람들을 위한 법적인 조언을, 목숨을 걸고 사막을 횡단하는 이민자들을 위한 지원을 제공했다. 그러나 2000년대가 저물무렵 사회가 교회의 말을 경청하는 시대가 저물어가고 있음이 분명해졌다. 일부 종교 지도자들은 여전히 지니고 있지도 않은 정치적·사회적 영향력을 지니고 있다고 고집스레 주장했다.

1900년과 2005년을 비교한 통계는 미합중국의 종교계에서 발생하고 있었던 급격한 변화를 요약해서 보여준다. 1900년에 미국인의 90퍼센트가 스스로 기독교인이라고 주장했는데, 2005년에는 그 비율이 83퍼센트로 감소했다. 가톨릭교회와 개신교가 성장했지만(가톨릭교회는 대체로 이민에 의해, 개신교회는 이민과 개종에 의해), 대부분의 전통적인 주류 개신교 교파들은 쇠퇴했으며 계속 쇠퇴하고 있었다. 미합중국의 개신교가 성장했지만 그 성장은 세계 다른 지역에서의 성장보다 크게 뒤처진 것이었으며, 심지어 미합중국의 오순절 교파도 50년 전과 같은 중심적인 역할을 발휘하지 못했다. 유대교인은 약 2퍼센트로 비교적 안정적인 비율을 유지했다. 그러나 다른 종교들은 그렇지 못했다. 1900년 미국의 이슬람교도는 약 1만 명이었지만, 2005년에는 약 5천만 명에 달했다. 1900년에 보잘것없었던 다른 종교의 신자들도 급증하여 불교 신자들이 3백만 명에 달했고, 힌두교인들이 백만 명이 넘었다. 비록 유럽만큼 빠르지는 않지만 미국도 급격하게 기독교권을 넘어서고 있었다.

제23장
변방 지역에서의
활력

지난 세기에…기독교 세계의 무게중심은 남쪽으로, 아프리카,
아시아, 그리고 라틴아메리카로 이동했다.…새로운 세기의
기독교가 세계적인 호황을 누린다 해도 대다수의 신자들은
유럽인도 아니고 유럽 출신 미국인들도 아닐 것이다.
―필립 젠킨스―

19세기에 마침내 실질적으로 세계의 사방에 기독교가 존재하
게 되었고, 20세기 후반부터 21세기 초 수십 년에는 유럽 종교의 범주를
넘어섰다. 20세기 후반부터 21세기 초까지의 특징은 19세기의 식민지주
의, 그리고 특히 라틴아메리카의 일부 지역에서 발생한 신식민지주의에
대한 세계적인 반작용이었다. 이 반작용은 식민지 지역들뿐만 아니라
과거의 주요 식민 도시들, 즉 "백인의 짐"(white man's burden)이나 "명백한
운명"(Manifest Destiny) 개념 등의 단점들이 적나라하게 드러난 곳에서도
느껴졌다. 서구 식민지주의 전성기의 종식이은 식민지 확장시대에 세워
진 교회들이 존속하지 못하게 됨을 의미하지는 않았다. 오히려 기독교
는 북대서양 지역-유럽, 캐나다, 그리고 미합중국-의 전통적인 중심지

에서 위기에 처한 듯이 보이던 시대에 세계의 다른 지역에서는 큰 활력과 성장과 창조력을 나타내고 있었다. 따라서 북대서양 국가들이 주도적인 기독교 국가가 되지 못한다는 의미에서뿐만 아니라 기독교계의 전통적인 중심지들 너머로 새로운 중심지들이 출현하고 있다는 의미에서 기독교는 기독교권 너머로 이동하고 있었다. 이 점에 있어서 초기 유대교 분파가 제국종교가 되었던 2세기부터 4세기, 그리고 중동 지방과 북아프리카에 소재한 옛 기독교의 중심지들이 이슬람에게 정복되고 서방 기독교의 중심축이 북에서 남으로, 즉 영국제도에서 카롤링거 왕국의 영역을 거쳐 로마로 이동한 7-8세기에 발생했던 것과 같은 지리적 변화가 20세기의 마지막 수십 년부터 21세기 초에 발생했다.

2010년대에 북대서양 국가들 내에서 기독교가 쇠퇴하고 있다고, 기독교인들이 감소하고 있으며 많은 교회들이 그저 제자리걸음을 하며 옛 전통을 지키고 있다고 주장하는 사람들이 있었다. 그러나 북대서양 국가들 내의 기독교가 위기 속에서도 의미심장한 활력을 나타내고 있으며 또한 아시아와 아프리카와 라틴아메리카 등 과거의 선교지에서 기독교가 전보다 더 활동적이고 활력적이라는 점에서, 이것은 부분적으로만 사실이다. 이 지역에서의 수적인 성장뿐만 아니라 복음적 열정, 에큐메니컬 운동의 주도권, 그리고 문화적 · 신학적 창조력 속에 나타났다.

아시아

윌리엄 캐리가 사역하여 세계 전역에 선교 사역을 고취하게 된 지역인 인도는 20세기부터 21세기에 이르기까지 발생한 변화를 보여주는 본보기이다. 양차 세계대전 사이의 기간에 독립투쟁이 벌어졌는데, 가장 영향력 있는 지도자는 마하트마 간디라고 알려진 모한다스 간디(Mhonadas K. Ghandas, 1869-1948)였다. 1946년 오랜 투쟁 끝에 영국 정부는 인도의 완전한 독립에 동의했다. 그 후 여러 해 동안 정치적 불안이 지속되면서 주로 종교적인 근거에서 인도 아대륙은 파키스탄(후일 또다시 파키스탄과 방글라데시로 분할된다)과 인도로 분열되었고, 간디가 암살되었다(1948). 마침내 1950년에 인도 공화국이 출범했다.

인도는 도마가 세웠다고 주장하는 세계에서 가장 유서 깊은 교회들을 자랑했다. 19세기에 성공회 선교부와 개신교 선교부가 옛 인도교회를 다시 활성화시키려 했는데, 그것은 그 교회들을 서구의 개신교회들과 흡사하게 만드는 것에 불과했다. 동시에 가톨릭 신자들은 이 유서 깊은 교회들을 교황에게 순종하게 만들려 했다. 그 결과 인도교회는 분열되어 일부는 과거의 전통을 고수했고, 일부는 성공회나 개신교 교인이 되었고, 일부는 가톨릭 귀일교회 신자(Roman Catholic Uniates)가 되었고, 또 일부는 마토마(Mar Thoma)교회라는 개신교 단체를 설립했는데 21세기 초에 이 교회의 신자는 약 백만 명에 달했다.

이러한 분열과 정치적으로 불안한 상황 때문에 교회가 힘을 잃었거나 인도사회 내에서 일련의 고립된 공동체들로 전락했을 것이라고 기대할 수 있겠지만, 그러한 일은 발생하지 않았다. 오히려 인도의 기독교는 비범한 독창성과 복음적 열정을 나타냈다. 20세기 중반에 인도에 도착한 성령 운동의 결과로서 19세기에 특히 하류계층에서 시작된 대규모 개종이 계속되었다. 새로운 성령파 공동체들이 전국에 등장했는데, 일부에서는 서구로부터 배운 것들을 답습했지만, 다른 사람들은 학교를 설립하여 그곳이 인도의 전통문화가 기독교 신앙을 실천하는 적절한 장소임을 확인했다. 사회적으로 또 다른 극단주의이자 교회에 다니지 않는 기독교인들은 대부분 상류 카스트 출신으로서 힌두교의 전통적인 명상 수행을 교회와 상관없이 기독교와 결합하려 했는데, 이들은 종종 종교혼합주의라는 비난을 받았다.

식민지 시대에 인도에 자리 잡은 개신교회들 역시 독립국가로서의 인도에서 믿음을 표현하고 실천하는 새로운 방법을 창조적으로 모색했다. 그들은 이러한 도전들을 대처할 능력을 지닌 원주민 지도자 육성에 있어서 탁월했다. 그들은 인도의 국가적인 교육제도에서 중요한 역할을 했다. 전반적으로 20세기 말부터 21세기 초의 급진적인 힌두교의 부흥은 이따금 충돌과 폭력을 초래했지만, 이들은 인도인들 대부분의 존경을 받았다. 그들은 또 해외, 특히 영국, 미국, 그리고 과거 영국의 식민지였던 아프리카 국가들에 거주하는 많은 인도인들을 대상으로 사역했다.

그러나 인도교회는 에큐메니컬 운동에서 가장 창조적으로 활동했다. 윌리엄 캐리는 인도에서의 선교 경험을 토대로 하여 1810년에 남아프리카의 케이프타운에 세계적인 선교회의를 소집할 것을 요구했는데, 이 회의는 백년 후인 1910년 에든버러에서 개최되었다. 이제 인도가 기독교의 일치 촉진을 주도했다. 에든버러 회의가 개최되기 전인 1901년에 인도의 몇 개의 개혁파 교회들이 유기적 연합을 이루었다. 1908년 개혁교회와 회중교회가 연합하여 남인도연합교회(United Church of South India)를 결성했고, 1947년에는 감리교와 성공회가 추가로 가입하여 남인도교회(Church of South India)가 출현했다. 당시 그것은 선교가 교회의 주요 관심사가 된 시기에 이루어진 많은 결과들 중 하나로서 통합을 이룬 특별한 예였다. 곧 북인도뿐만 아니라 라틴아메리카, 아프리카, 그리고 미국 등지에서도 비슷한 일들이 이루어졌다. 2010년 미국에서는 60년 전에 남인도에서 이루어졌던 것과 같은 통합이 여전히 불가능한 꿈처럼 보였다. 게다가 인도의 기독교 공동체는 초기의 에큐메니컬 자세 덕분에 국제선교협의회와 세계교회협의회의 탄생과 지도에 있어서 중요한 역할을 했다.

중국의 역사는 매우 달랐다. 20세기 초에 발생한 의화단 사건에도 불구하고 20세기 전반에 많은 개신교 선교 프로그램과 사역의 초점이 중국에 주어져 6천 명이 넘는 선교사들이 중국에서 활동하여 성공했으므로 일부에서는 로마제국과 콘스탄틴의 회심을 무색하게 할 대규모 회심의 가능성을 언급하기 시작했다. 그 과정의 일부로서 수천 명의 중국인 목사들과 지도자들의 교육이 이루어졌다. 동시에 가톨릭교회가 중국에 더 깊이 뿌리를 내리고 있었는데, 이 과정에서 1926년에 최초로 6명의 중국인 주교들이 임명되었다. 개신교인들과 가톨릭 교인들은 중국 선교의 대성공, 그리고 한층 더 큰 성공을 향한 희망을 이야기했다. 그 때 제2차 세계대전과 그 여파로 중화인민공화국과 그 공산정권의 수립, 냉전, 마지막으로 모택동 주도 하의 문화혁명이 발생했다. 이 격동기가 시작될 즈음 일부는 자발적으로, 일부는 정부의 명령에 의해 거의 모든 외국인 선교사들이 중국을 떠났다. 그 때부터 상황이 악화되었다. 1950년 정부는 교회들에게 기독교 선언(Christian manifesto)을 채택할 것을 강요했는데, 많은 사람들이 그것을 자기의 양심을 거스르는 것이라고 여겼다. 이에 대한 저항은 정부의 견해와 완전히 일치하지 않는 견해를 가진 사람들을 고발할 것을 장려하는 "고발 운동"을 통해 박해를 초래했다. 정부는 교회가 지나치게 많다고 주장하면서 교회들의 합병을 강요하기 시작하여 많은 교회들을 폐쇄하고 재산을 몰수했다. 1960년대에 발생한 문화혁명으로 말미암아 모든 교회들이 폐쇄되고 더 큰 박해를 받았다. 중국 내외에서 많은 사람들은 교회가 심겨졌다가 사라지는 일이 반복되어 온 중국 기독교의 초기 역사가 또다시 반복되지 않을까 염려했다.

많은 중국인 신자들이 압박과 박해 앞에 굴복했지만 그렇지 않은 신자들도 많았다. 교회들이 폐쇄되고 예배모임이 금지된 일부 주요 도시에서는 신자들이 과거에 모이던 예배시간이 되면 교회 앞을 걸어가면서 서로 고개를 끄덕인 후 계속 걸어가곤 했다. 가정집에서 비밀리에 작은 집단들의 모임이 계속되었다.

1970년대에 문화혁명의 실패, 소비에트 연방과의 긴장 증가, 경제적 불가피성 때문에 정부가 기독교인들에게 더 큰 자유를 허락했을 때, 세계는 중국의 기독교가 계속 성장해왔음을 발견하고 놀랐다. 1900년에 약 5백만 명이었던 신자들이 약 5천 만 명으로 증가했다. 문화혁명의 그늘 아래서도 교회는 계속 존속하고 성장해왔던 것이다. 여러 해 동안 폐쇄되었던 교회들 중 다수가 다시 문을 열었고 곧 예배자들로 채워졌다. 비밀리에 모이던 공동체들은 다시 문을 연 교회에 합류하거나 "가정교회"가 되었다. 수백 명의 학생들이 문을 연 신학교에 등록했다. 처음에는 매우 적었지만 점차 많은 기독교 서적과 신학 서적들이 중국어로 번역되어 출판되었다. 20세기 말 중국에는 제한된 수이지만 외국인 사역자들이 일하고 있으며, 중국인 기독교 지도자들이 해외의 에큐메니컬 집회에 참석하여 간증하며 과거 기독교 중심지들 안에서의 교회의 활성화에 기여하고 있다.

중국의 에큐메니컬 운동은 인도의 그것과 매우 다른 경로를 따랐다. 중국에서는 정부가 교회들을 통제하기 위해 교회들의 통합을 강요했다. 그러한 압박이 완화됨에 따라 여러 교회들이 자체의 특성을 강조하고 스스로를 독립된 실체로 재구성했지만, 많은 교회들은 그렇지 않았다.

개신교인들 중에서 많은 사람들이 과거 중국에 강요되었던 "포스트 교단주의"(post-denominational) 시대에 대해 말하기 시작했지만, 그것은 세계의 다른 지역 교회의 장래의 형태를 가리키는 것이었다.

그러나 분열과 긴장은 여전히 남아 있었다. 가톨릭 신자들 사회에서 가장 어려운 질문은 정부의 정책을 따르며 종종 정부에 의해 선출되어 온 주교들의 권위를 받아들일지의 여부였다. 따라서 공식적인 가톨릭교회와 지하 가톨릭교회가 각기 자신이 가톨릭교회라고 주장하면서 로마의 권위자들로 하여금 건전한 외교 정책을 따르라고 강요했다. 2006년

문화혁명이 끝난 후 교회에 참석하는 교인들이 증가하여 건물 밖에서 성경 말씀을 듣고 읽어야 했다.

바티칸은 중국천주교애국회(Chinese Patriotic Catholic Association)-친 정부 가톨릭 단체-가 교황의 승인을 받지 않고 임명한 두 명의 주교를 파문했다. 개신교에서도 공식적인 정부의 인정을 받은 교회-중국기독교협의회-는 정치적 권위에 지나치게 복종한다는 비난을 받았다. 가정교회들은 독립적으로 집회를 계속하고 종종 큰 교회들보다 더 은사주의 경향을 나타내며 믿음을 확인했다. 그러나 그러한 긴장들을 과장해서는 안된다. 왜냐하면 공식 교회가 종종 가정교회를 위해 정부에 개입하곤 했으며, 양측 모두에 속한 신자들이 있었기 때문이다.

20세기와 21세기 초의 일본 기독교 역사는 어떤 면에서 중국의 역사와 비슷하지만 다른 면에서는 매우 상이하다. 일본에서도 페리 준장과 그의 뒤를 이은 사람들이 일본의 시장을 외국에 개방하고 일본 영토를 외국선교사들에게 개방할 것을 강요한 후 일본 전체가 기독교 국가가 될 것이라고 기대하는 사람들이 있었다. 일본에서도 제2차 세계대전과

중국교회는 국민들에 대한 봉사로 유명했다. 사진의 옥외상담센터는 이러한 봉사 사역의 중심이었다.

그 여파로 이러한 꿈은 사라졌다. 이념적으로는 중국 정부와 매우 달랐지만 일본 정부도 교회의 통합을 강요하여 일본연합교회를 탄생시켰다(1941). 새로운 정치 상황이 허락함에 따라 일부 중요한 집단들이 이 강요된 통합체에서 탈퇴했다. 그러나 중국의 경우처럼 대부분의 개신교인들은 연합교회 혹은 교단에 남았다. 그러나 이 교회는 중국교회만큼 극적으로 성장하지는 않았다. 일본 기독교의 수적 성장은 주로 오순절파와 은사파의 사역으로 말미암았는데, 이 교파가 1913년에 일본에 존재했음이 문서로 입증되었다.

이 책에서 아시아 모든 국가의 기독교 역사를 개관할 수 없으므로, 마지막으로 한국에 대해 살펴보려 한다. 한국의 개신교회는 매우 괄목할 만한 수적 성장을 경험했다. 19세기 말 한국에 파송된 선교사들은 네비우스 선교방법을 따르기 시작했다. 이 정책의 주창자인 네비우스(John L. Nevius)는 선교사역을 근로자와 부녀자 중심, 청소년 중심, 토착민 지도자 육성, 재정과 인원 면에서의 자조를 향한 교회 성장 중심으로 했다. 여기에 20세기 초 수십 년 동안 많은 한국교회, 특히 감리교와 장로교를 휩쓴 대부흥이 더해졌다. 그러므로 1910년의 일본 침략으로 말미암아 일본이 장려한 신사참배를 거부한 기독교인―대부분이 개신교인들이었다―들이 큰 곤경을 당했지만, 한국교회는 제2차 세계대전 기간 내내 생존하며 성장했다. 마침내 일본이 한반도에서 철수하게 되었을 때, 한국 교인들은 신앙과 자체의 문화를 보존할 수 있음을 증명했다.

한반도가 남한과 북한으로 분할되면서 당시 북한에 거주하여 세계에서 가장 억압적인 공산정권 하에서 살게 된 많은 기독교인들은 새로운 곤경에 처했다. 그럼에도 불구하고 남한과 북한에서 교회의 성장은 수 그러들지 않고 계속되었다. 여기에 오순절파 선교사들이 가세했다. 주로 미합중국에서 파송되어 남한에 정착한 이 선교사들은 새 교회들을 세우고 수십 년 전 한국교회가 경험했던 부흥을 강화했다. 그 결과 농촌 지역과 도시의 교회들이 활력을 얻었고, 종종 도시 교회의 신자들이 수십 만 명에 달했다. 게다가 한국교회는 곧 일본과 중국—이 두 국가는 과거에 한국을 점령하고 억압했던 국가들이다—뿐만 아니라 아프리카, 라틴아메리카, 미합중국 등 해외에 선교사들을 파송하기 시작했다. 많은 한국인 이민들이 살고 있는 미국에서는 한국인 사회에서 교회가 급성장하고 있었다. 이는 이민자들의 다수가 기독교인이었는데, 그들이 기독교인이 아닌 이웃과 친구들에게 전도했기 때문이다.

게다가 1960년대에 한국교회는 나름의 해방신학인 민중신학을 만들어내기 시작했다. 그것은 기독교인의 여부를 막론하고 경제적·사회적 압박으로부터의 해방을 추구하는 사람들의 투쟁을 인정하려는 신학이었다.

20세기 말과 21세기 초에 아시아 전역에 자치적이고(self-governing) 자립적이며(self-supporting) 자전하는(self-propagating) 토착 교회들이 성장했다. 한국 개신교가 전 세계에 선교사들을 파송할 수 있을 만큼 성장한 것처럼, 필리핀은 전통적인 가톨릭 국가이지만 현재 사제들과 수녀들이 부족한 국가에 사제들과 수녀들을 파송하고 있다. 이 모든 일에 있어서 아시아의 교회들은 자족하는 토착 교회 설립을 원했던 초기 선교사들의 꿈을 이루고 있었다. 그러나 이 교회들은 그러한 꿈을 초월하여 자치적이고 자립적이고 자전할 뿐만 아니라 자기들이 처한 문화적, 종교적, 사회적, 정치적 상황 안에서 자체의 신학적 관점과 성경읽기 및 선교에 대한 나름의 이해를 제시하는 자기해석적(self-interpreting) 교회로 성장했다. 이러한 교회들 중 일부는 과거 기독교계의 중심지에서 흔히 볼 수 없었던 방식으로 연합하고 단결함으로써 미래를 향하는 길을 보여주고 있었다.

아프리카

아프리카도 세계에서 가장 유서 깊은 교회들 중 하나를 자랑할 수 있었다. 4세기에 설립된 에티오피아 정교회는 칼케돈 공의회의 결정을 거부했기 때문에 단성론파라는 별명이 붙은 교회들 중 가장 큰 교회이다. 이 교회는 에티오피아의 전통과 국가적 정체성과 밀접한 유대를 지니고 있으며, 제2차 세계대전 중 이탈리아 제국주의에 저항하는 데 있어서 중요한 역할을 했다. 20세기 말 이 교회는 인접 국가들로부터의 이슬람의 침투와 1970년대의 적대적 정권의 득세로 인해 어려움에 처했지만 꿋꿋이 견뎌내어 2세기 초에는 교인이 3천5백만 명에 달했다. 20세기 후반 에티오피아인들이 다른 지역, 특히 유럽과 미합중국으로 이주함에 따라 의도적인 것은 아니었지만 이 교회가 다른 지역으로 전파되었다.

가톨릭교회는 오랫동안 아프리카에 존재해왔다. 처음에는 앙골라와 모잠비크 등 포르투갈령 식민지에, 다음에는 중앙아프리카와 북아프리카의 방대한 프랑스령 식민지에 가톨릭교회가 도입되었다. 제2차 바티칸 공의회의 결정, 특히 다양한 문화에 맞춘 전례 및 토착어 전례와 관련된 결정으로 말미암아 약간의 분열이 초래되었다. 왜냐하면 그 결정을 얼마나 받아들여야 할 것인지에 대해 의견이 크게 일치하지 않았기 때문이다. 예를 들어 자이르(Zaire)의 가톨릭교회가 자체의 전례를 제안했을 때 바티칸은 그것이 자체의 표준에서 너무 급격하게 벗어났다고 여겨 거부했지만 결국 크게 수정된 것을 승인했다. 다른 지역, 특히 식민지 세력들이 철수하고 국가들이 자신의 정체성과 문화와 전통을 재확인하기 시작한 지역에서 비슷한 갈등이 발생했다. 그럼에도 불구하고 20세기 말 사하라 사막 이남의 남부아프리카의 모든 국가에서 가톨릭교회가 성장하고 있었고, 일반적으로 아프리카 가톨릭 신자들이 교회에 크게 기여하고 있었다. 특히 전통적인 가톨릭 국가들이 사제 부족이라는 위기에 처해 있을 때에 사제의 소명을 느낀 많은 사람들을 배출했다는 점에서 아프리카 교회의 성장이 주목할 만하다. 따라서 21세기 초 많은 아프리카인 사제들이 포르투갈과 프랑스뿐만 아니라 아일랜드의 교구에서 사역하고 있었다. 이것은 과거 교회의 주변부에 불과했던 지역이 활력과 선교활동의 새로운 중심이 되고 있음을 보여주는 많은 예들 중 하나이다.

그러나 폭발적으로 성장한 것은 개신교였다. 과거 영국의 식민지였다가 독립한 신생국가의 지도자들─정치 분야뿐만 아니라 교육과 교역과 직업 분야의 지도자들─은 대체로 국교회의 지원을 받는 개신교 학교에서 교육을 받았다. 동시에 개신교 선교사들은 이미 오래 전부터 농촌과 도시의 빈곤층을 대상으로 사역하고 있었다. 독립은 주민들의 옛 전통과 연관된 형태의 기독교가 성장할 기회를 제공했으며, 그러한 기독교는 종종 갈등이 발생했을 때 국가를 지도하기도 했다. 우간다, 케냐, 탄자니아 등에서는 진정한 대규모 개종이 이루어졌다. 케냐의 경우 제2차 세계대전 이전 기독교인이 전체 인구의 10퍼센트 미만이었으나 20세기 초에는 60퍼센트로 증가했다. 사하라 사막 이남의 북부아프리카 지역의 나이지리아, 남수단 등지의 기독교도 크게 성장했지만 항상 이슬람과의 충돌이 있었다. 그것은 종종 이슬람의 법이 국가의 법이 되어야 한다는 신념과 이에 대항한 기독교인들을 비롯해 많은 사람들의 반대를 중심으로 발생하는 충돌이었다.

이슬람의 세력이 강하지 않은 남부아프리카의 큰 갈등은 식민지 통치와 백인우월주의에 대항한 것이었다. 이것은 오랫동안 인종차별정책이 시행되어온 남아프리카에서 매우 현저했다. 그 투쟁에서 성공회 소속인 데스몬드 투투(Desmond Tutu), 개혁파 소속인 앨런 보삭(Allan Boesak), 감리교 소속인 넬슨 만델라(Nelson Mandela) 등 아프리카 흑인 기독교인들이 다수집단인 흑인의 감정을 표현하고, 그것을 자기들의 기독교 신앙과 연결했으며, 공정하고 평화로운 해결책을 모색했다. 이들만큼 유명하지는 않으나 독립 후에 부패한 독재정권의 통치를 받은 짐바브웨와 나미비아에서도 비슷한 지도자들이 활동했다.

오순절운동은 아주사 부흥 운동 직후에 아프리카에 도입되었으나 20세기 후반에 크게 성장했다. 미합중국과의 긴밀한 관계를 고려해볼 때, 리베리아가 오순절운동의 영향을 받은 최초의 국가였다. 그러나 이 운동은 곧 아프리카 대륙 전체에 퍼져 기존 교회에 영향을 미쳤고, 많은 토착 독립교회를 탄생시켰는데 "선지자 킴방구의 지상의 예수 그리스도 교회"(Church of the Jesus Christ on Earth through the Prophet Kimbangu)가 그 예이다. 킴방구(Samuel Kimbangu, 1887-1951)는 오늘날의 자이르인 콩고가 벨기에의 통치 하에 있을 때 태어났다. 원래 침례교인이었으나 1921년에 은사주의 형태의 기독교를 전하며 병자들의 치유와 죽은 자 살리는 것을 강조하기 시작했다. 그는 불과 몇 달 동안 공적으로 사역했다. 왜냐하면

20세기 말 사하라 사막 이남의 시골 지역에는 그 지역 신자들이 세우고 유지하는 교회들이 생겨났다. 사진은 탄자니아의 시골 교회를 보여주고 있다.

벨기에 정부가 그를 선동 혐의로 체포하여 사형선고를 했기 때문이다. 그러나 그는 종신형으로 감형되었다. 감옥에 있는 동안 그의 명성과 추종자들이 증가했는데, 그들은 자기들이 섬기는 선지자가 예수님의 특사라고 결론지었다.

그의 사후 8년 후인 1959년 벨기에 정부는 킴방구의 추종자들이 공적으로 예배드리는 것을 허락했다. 곧 킴방구의 아들 조셉 디안기엔다 (Joseph Diangienda)의 지도 아래 그 교회는 사하라 사막 이남의 아프리카 여러 국가로 퍼졌다. 21세기에 그 교회는 선교사역과 일부 신자들의 이민으로 말미암아 영국, 카리브 국가들, 미합중국을 비롯하여 아프리카 외부 국가에 자리 잡았다. 킴방구파 교회는 처음에는 다른 기독교 집단들로부터 완전히 독립되어 있었으나 20세기 초 여러 아프리카 국가들 내의 교회협의회에 참여하기 시작했다.

아프리카에서 킴방구 운동이 가장 활발했지만, 많은 다른 토착 교회들이 있다. 아프리카 남부에만 만 이상이 있다. 2010년 이 교회들의 신자들은 8천만 명에서 9천만 명 사이로 추정되었다. 이 교회들의 다수는 킴방구 운동과 비슷한 방식을 따르며 아프리카의 다른 지역을 비롯하여 세계의 다른 지역, 특히 영국과 영어권의 카리브 국가들과 아이티에 선교사들을 파송했다.

이 교회들의 존재 및 기독교와 아프리카 문화의 관계로 말미암아 21세기 아프리카에 많은 신학논쟁이 발생했다. 최근까지 선교의 수혜지요 해외교회의 신학을 배워온 아프리카교회가 세계 여러 지역으로 선교사를 파송하는 중심지가 되어 자체의 신학을 발달시키기 시작했다. 또한 1978년 신학교육 확대와 여성들의 권리 증진, 그리고 아프리카 문화

성령 운동은 아프리카 기독교에 깊이 뿌리를 내렸다.

와 전통 안에 기독교를 토착화하려는 시도 등을 촉진하기 위한 아프리카 독립교단 연합(OAIC: Organization of African Instituted Churches)를 창립하면서 그 교회는 독특한 형태의 에큐메니즘의 중심이 되었다.

라틴아메리카

20세기 초 라틴아메리카에서는 보수파와 진보파의 갈등 및 이 갈등이 가톨릭교회 생활에 미친 영향이 지속되고 있었다. 이러한 갈등 중 가장 현저한 것은 1910년의 멕시코 혁명이지만 비슷한 갈등이 이 지역 전역에서 발생했다. 결국 20세기 내내 라틴아메리카에서 가장 보수적인 국가들도 사상의 자유와 종교의 자유를 허락하는 법이 제정되었고, 교회와 성직자들에게 부여했던 대부분의 특권이 폐지되었다. 그 복잡한 과정에 대해서는 여기에서 언급할 필요가 없을 것이며, 아르헨티나와 브라질의 예를 드는 것으로 충분할 듯하다.

1943년 페론(Juan Domingo Peron)이 쿠데타에 의해 권력을 장악했다. 그 단계에서 페론의 운동과 그를 지지하는 군대가 공산주의와 세속주의를 훌륭히 방어해줄 것이라고 여긴 가톨릭교회 성직자들이 그를 지원했다. 페론은 학교에서의 종교교육을 의무화했다. 한편 교회는 성장하는 노동운동과 협력했다. 노동 운동은 페론의 대중적 지지의 기반이었으며 "페론주의가 참 가톨릭주의이다"라는 슬로건에 반대하지 않았다. 그러나 어려움이 발생했다. 페론은 교회에 의식적 역할을 부여하고 교회가 그의 정부를 종교적으로 인정하는 데 의존하면서 교회생활을 통제하려 했다. 심지어 자기의 아내 에바를 시성할 것을 주장하기도 했다. 1954년에 일어나 1955년에 그의 정권을 전복시킨 반란은 많은 성직자들의 지지를 받았고 "성모 마리아와 자유와 가톨릭 신앙의 이름으로"라는 슬로건을 내세웠다. 결국 소동이 가라앉으면서 아르헨티나는 세속국가가 되어 교회는 의식적이고 고무적인 역할만 행하게 되었다.

브라질에서는 1930년대 바르가스(Getulio Vargas)의 독재 정권 시절 가톨릭교회의 지원으로 몇 개의 법이 통과되었다. 즉 이혼이 불법으로 규정되었고, 교회에게 외설적인 영화를 금지하는 권한이 주어졌고, 교회에서의 결혼이 공식적으로 인정되었다. 이것들은 대체로 Ação Integralista Brasileira—성직자단의 공식 인정을 받지 못했지만 리오의 세바스티아노 추기경이 비밀리에 지원한 운동—의 활동으로 말미암아 이루어졌다. 그러나 결국 이 운동은 성직자들이 합당하다고 여기는 범위를 넘어서서 나름대로 세례식, 결혼식, 장례식 등을 거행하며 그것이 영원한 구원에 이르는 길이라고 주장했으므로 성직자들의 지지를 잃기 시작했다. 1937년 바르가스는 공산주의 음모가 있다는 구실로 헌법을 폐지하고 명령에 의한 통치를 시작하여 교회의 역할을 영적인 것으로 제한하려 했다. 1945년에 쿠데타에 의해 정권을 잃은 바르가스는 1950년 선거에 의해 다시 정권을 잡았다. 그는 교회와 성직자들의 특혜 회복을 거부하면서 전통적으로 교회가 누려온 특혜들은 근거가 없는 것이며 경제적 약탈과 자유의 부족을 낳았다고 느끼는 브라질 국민들의 정서를 대변했다. 이와 같은 새로운 경향들은 헤시피(Recife)의 카마라 대주교(Helder Camara, 1909-1999)의 특권의 강화에서 찾아볼 수 있었다. 브라질통합행동(Integralista)의 회원이었던 그가 가난한 사람들과 압제받는 사람들의 수호자, 비폭력적 혁명의 수호자가 되었고 네 차례나 노벨 평화상 후보로 지명되었다. 1967년 그는 국제적인 주교 모임을 주도하여 제삼세계 주교단 선언(Declaration of Bishops of the Third World)을 작성하여 보다 공정한 사회·경제 질서를 옹호했다.

20세기 라틴아메리카 가톨릭교회의 분수령은 1968년 콜롬비아의 메델린(Medellin)에서 개최된 라틴아메리카주교협의회(Consejo Episcopal Latinoamericano, CELAM)였다. 당시 라틴아메리카의 해방신학이 가톨릭 지도층에 침투하기 시작했으므로 이 회의의 특징은 교회가 내면의 문제, 민중-특히 가난한 사람들과 학대받는 사람들-의 욕구에 관심을 기울이게 된 것이었다. 교황 바오로 6세는 매우 온건한 개회사에서 주교들에게 가난한 사람들의 참상을 생각하고 교회의 가난함을 재확인할 것을 권면했다. 그 회의에서는 이 권면 및 "교회는 세상 사람들의 기쁨과 희망, 슬픔과 고뇌를 이해하고 함께 해야 한다"라는 제2차 바티칸 공의회의 선언(사목헌장)을 마음에 새겼다. 메델린 회의에서 작성된 첫 문서는 세계경제질서에 관한 문제를 솔직하게 다루며 공산주의와 자본주의 모두 "인간의 권위에 악영향을 미친다는 것"과 "라틴아메리카가 이 두 가지 사이에서 자신의 경제를 지배하는 세력의 중심들 중 어느 하나를 의존하고 있다는 것"을 밝혔다.

메델린 회의는 교회생활의 주요한 변화를 초래했다. 교회는 전통적으로 우선 자체의 특권과 권력에 몰두해왔고 종종 자기들의 특권을 인정받으려는 권력자들에게 고용되어 왔었는데, 이제 스스로 가난한 자들과 학대받는 자들의 수호자라고 선포했다. 교회의 지도자들 중에는 목표와 관점을 바꾸지 않은 사람들이 여전히 많았다. 라틴아메리카 주교협의회는 곧 메델린에서 선포했던 것의 완화를 모색했다. 그러나 이 선언을 새로운 신학과 교회의 새로운 존재 방식을 탐구하라는 부름으로 여기는 사람들도 있었다. 이러한 갈등 속에서 처음부터 라틴아메리카 가톨릭교회 안에 존재했던 긴장—교회생활에 관심을 가진 사람들과 일반인들의 삶에 관심을 두는 사람들 사이의 긴장—이 다시 표면화되었다.

19세기가 끝날 무렵 이민과 선교사역의 결과로서 개신교는 라틴아메리카에 굳게 자리 잡았다. 20세기에 대부분의 전통적인 개신교회들은 계속 성장했고, 일부 교회들은 급속히 성장했다. 그러나 폭발적으로 성장한 것은 오순절운동이었다. 오순절운동이 크게 성장한 최초의 국가는 칠레였다. 칠레에서는 1906년의 아주사 대부흥의 영향을 받은 감리교 선교사 윌리스 후버가 1909년에 인도한 집회에서 큰 기쁨, 방언, 치유 등 여러 가지 현상이 나타났다. 그 운동은 곧 후버의 사역지인 발파라이소에서 산티아고 등지로 급속히 퍼졌다. 결국 후버는 교인들 중 10분의 1을 이끌고 감리교를 떠나 발파라이소에 새로 세워진 오순절감리교회(Methodist Pentacostal Church)의 목사로 옮겨갔다. *Ielesia Methodista Pentecostal*이라고 알려진 이 새 교파는 제삼세계 최초의 오순절 교파였다. 그때부터 그 운동은 급성장했다. 그 운동은 국가주의적 감정과 외국 선교사들의 통제에서 벗어나려는 욕구와 결합되어 초기에 일부 교회들의 명칭에 "nacional"이라는 단어가 포함될 정도였다. 이 교파는 평민들과 여성들에게 지도자로 활동할 많은 기회를 제공했다. 항상 그렇듯이 이 오순절감리교회도 거듭 분열했다. 그 운동이 다른 전통적인 교파들—특히 장로교와 침례교—에 알려짐에 따라 일부 교인들이 이 교파들을 떠나 독자적인 오순절교회들을 세웠다. 2005년 칠레의 오순절파 교인은 5천만 명이 넘었고, 그 운동의 모체인 칠레감리교회 교인은 1만8천 명 미만이었다.

라틴아메리카의 다른 지역에서 발생한 유사한 사건들로 말미암아 또 다른 오순절교회들이 등장하여 크게 성장했다. 브라질의 오순절운동은 장로교 안에서 시작되어 다른 교파들에게로 퍼졌다. 비록 하나님의 성회에서 파송한 선교사들이 세운 것은 아니었지만 규모가 큰 집단들 중 하나가 마침내 그 교파에 가입했다. 멕시코에서는 아주사 대부흥을 경험한 사람들에 의해 칠후아후아(Chilhuahua) 주에서 그 운동이 시작되었다. 멕시코 혁명의 위협과 혼란을 피해 도망친 로마나 카바할 데 발렌수엘라(Romana Carbajal de Valenzuela)라는 여인과 그의 남편이 캘리포니아로 와서 아주사 대부흥의 결과로 생긴 교회에 등록했다. 이 부부는 세례를 삼위 하나님의 이름이 아닌 "예수의 이름으로"만 베풀어야 한다고 주장했다. 1914년에 그녀가 멕시코로 돌아가 간증한 결과로서 Iglesia Apostolica de la Fe en Cristo Jesus가 세워졌는데, 21세기 초 이 교단의 신자는 백만 명이 넘었고 아메리카 대륙 전역에서 선교사들과 회중들이 활동했다.

이것이 큰 성장을 이룩했으므로 어떤 사람들은 라틴아메리카의 주도적 교단이 오순절교회가 될 것인지 의아하게 여겼다. 2010년대에 브라질의 오순절교회 신자들 및 교회와 관련된 사람들은 인구의 47퍼센트, 칠레에서는 36퍼센트, 멕시코에서는 36퍼센트였다. 이것은 아시아와 아프리카에서 발생하고 있는 것과는 다른 방식으로 기독교계에 대한 전통적인 견해에 대한 도전이었다. 왜냐하면 이곳에서 오랫동안 기독교계의 일부로 간주되어왔던 지역의 교인들이 교파를 이동하여 전통적으로 가톨릭 지역이었던 라틴아메리카가 세계에서 가장 규모가 큰 개신교 지역으로 급속히 변화하고 있었기 때문이다.

전통적인 기독교 신앙에서 크게 벗어난 운동들의 탄생과 거듭된 분열이 없었다면 이러한 성장이 불가능했을 것이다. 이 운동은 대체로 "번영의 복음"(gospel of prosperity)을 전파하며 추종자들에게 경제적 성공을 비롯한 여러 면에서의 성공을 약속했으며, 일부에서는 그 창시자들과 지도자들을 예배의 대상으로 삼았다. 전자에 속하는 대표적인 교회인 "하나님 통치의 보편교회"(Igreja Universal do Reinho de Deus)는 브라질에서 가장 규모가 큰 국제적인 경제기업이라고 언급되었다. 멕시코의 "세계교회의 빛"(Iglesia la Luz del Mundo)도 비슷한 경로를 따랐지만 브라질의 "하나님 통치의 보편교회"만큼 성공하지는 못했다. 또 교인들이 서로의 "사도성"을 인증하며 자기들의 조직에 가입한 목사들이 미증유의 성공을 누릴 것이라고 주장하는 "사도들의 네크워크"들이 있었다. 예를 들어 이러한 "사도들" 중 하나는 인터넷에 자신이 사도가 되기 전에는 바나나 한 송이를 얻기 위해 전도하곤 했지만 사도가 된 후에는 고급 승용차를 몰고 다닌다고 선전하면서 사람들에게 자신의 조직에 가입할 것을 권했다. 또 다른 사람은 자신이 "주교"로서 사역을 시작했다가 "사도"가 되었으며 결국 "대천사"가 되었다고 주장했다. 멕시코에서 자기들의 지도자를 신격화한 어느 집단에서는 지도자가 흰색 대형 컨버터블 승용차를 타고 마을에 들어오면 그 추종자들이 "주의 이름으로 오시는 이를 찬미하라"라고 외쳤다. 푸에르토리코와 마이애미에서는 헤로인 중독자였던 사람이 스스로 성육한 주님이라고 주장하며 교단을 세웠다.

이처럼 근본적으로 이단적인 운동들이 관심을 끄는 동안 오순절교회 신자들의 대다수는 기독교 신앙의 전통적인 교리 안에 머물러 있었다는 것, 대부분은 번영의 복음을 전하지 않았다는 것, 그리고 기존의 많은 고정관념들에도 불구하고 오순절파의 많은 교회들과 신자들은 사회봉사 및 가난하고 학대받는 자들을 옹호하는 일에 깊이 개입했다.

라틴아메리카에서 에큐메니컬 운동이 신속하게 발달하지 않은 데는 여러 가지 이유가 있었다. 우선 오랫동안 개신교 설교와 가르침이 대체로 반가톨릭적이요 반공산주의적이었으므로, 많은 사람들은 에큐메니컬 운동이 교황의 권위를 재확인하며 사람들에게 가톨릭 신앙을 강요하려는 교황의 술책일 수도 있다고 염려했으며, 또 세계교회협의회의 사회적·정치적 입장이 친공산주의라고 여기는 사람들도 있었다. 그 때 근본주의와 권력투쟁들로 말미암아 많은 교회들이 거듭 분열하여 다른 집단들과의 관계를 원하지 않는 비교적 작은 집단들이 등장했다. 구원이 교리의 모든 사소한 내용에 동의하는 데 의존한다고 여겨 모든 내용들을 강조함에 따라 사태가 더욱 악화되었다. 그럼에도 불구하고 라틴아메리카에서도 연합을 추구하게 되었다. 1961년 오순절교회로서는

라틴아메리카의 개신교는 미합중국 내의 이민자 교회들에게로 확장되었다. 사진은 로드아일랜드에 소재한 이민자 교회이다.

최초로 칠레의 두 개의 큰 오순절교회가 세계교회협의회에 가입했다. 1982년 복음주의교회와 오순절교회가 참여하여 설립한 라틴아메리카 교회협의회(Latin American Council of Churches, CLAI)는 세계교회협의회와 밀접한 유대를 가지고 있었다. 같은 해에 이에 맞서 보다 보수적인 라틴아메리카복음주의협회(Latin American Evangelical Confraternity)가 설립되었다.

에큐메니컬 운동

19세기에 진정한 의미에서의 범세계적 교회가 이루어졌다. 19세기 후반에는 각 지역에서 여러 교회들 간에 보다 긴밀한 협력 관계를 추구하는 운동들이 있었다. 1910년 에든버러에서 열린 세계선교회의(World Missionary Conference)를 통해 이 운동이 더욱 촉진되었으므로 두 차례의 세계대전에도 불구하고 결국은 세계교회협의회가 설립되었고, 교회 연합을 보여주는 가시적인 현상들이 나타났다. 그러나 이러한 연합은 세계 각처의 기독교인들이 본질적으로 서방 교회 안에서 하나가 될 것을 의미하는 것이 아니었다. 그것은 인종과 국적을 초월한 모든 기독교인들이 현대 세계에서 그리스도에게 순종하는 것의 의미를 공통적으로 추구하는 것을 의미했다. 따라서 에큐메니컬 운동에는 두 가지 면이 있다. 첫째는 보다 강력하고 가시적인 일치 추구였다. 둘째는 모든 교회들이 참여할 수 있는 선교와 자기이해를 소유한 범세계적 교회의 탄생으로서 한층 더 과격한 결과를 초래했다.

1910년의 세계선교회의는 상임위원회를 임명했고, 그 위원회는 1921년 국제선교협의회(International Missionary Council)를 결성했다. 그 때에는 이미 에든버러 회의를 모태로 하여 유럽, 미합중국, 캐나다, 오스트레일리아 등지에 선교협력기구들이 조직되어 있었다. 이 기구들이 새로운 단체의 중심이었지만, 선교 사역의 결과로 탄생한 "제3교회들"도 대표들을 파견하도록 결정되었다. 국제선교협의회의 의도는 선교 사역을 위한 지침이나 규칙들을 수립하려는 것이 아니라 다양한 전략과 경험과 자원들을 나눌 수 있는 만남의 장소 역할을 하는 데 있었다. 1928년 예루살렘에서 개최된 국제선교협의회 제1차 총회에 참석한 대표들의 4분의 1은 제3교회 소속이었다. 에든버러에 참석한 제3교회 대표들이 17명이었던 데 비하면 큰 발전이었다. 그런데 예루살렘 총회뿐만 아니라 1938년 인도의 마드라스에서 개최된 제2차 총회에서도 교회의 본질 및 기독교 메시지 내용 문제가 대두되었다. 즉 교회의 세계 선교 사역을 개방적으로 대면하기 위해서 신학적 논의가 선행해야 함을 보여주었다. 그때 제2차 세계대전으로 말미암아 협의회의 사역은 중단되었으며, 1947년 캐나다의 휘트비(Whitby)에서 열린 제3차 총회에서는 전쟁으로 인해 파괴된 통로를 재개하고 막심한 피해를 본 선교 사역의 재건에 중점을 두었다. 그러나 이때에는 교회와 선교의 관계가 분리될 수 없다는 의식이 성장하고 있었으므로 교회의 본질 및 중요한 신학 문제들에 관한 대화 없이 선교 문제를 논의하는 것이 지혜롭지 못하다고 여겨졌다. 이 주제는 1952년 독일의 빌링겐 총회와 1957년부터 1958년 가나(Ghana) 총회에서 더 크게 다루어졌다. 그 때 국제선교협의회와 세계교회협의회가 합병하기로 결정되었고, 1961년 세계교회협의회 뉴델리 총회 때에 그대로 이루어졌다. 그런데 합병 당시 여러 가지 사연으로 세계교회협의회에 합류할 수 없는 기관들은 계속 국제선교협의회의 사역을 이어갈 해당 분과에 참여하도록 조처했다.

세계교회협의회의 설립에 기여한 또 하나의 중요한 운동은 "신앙과 직제"(Faith and Order) 운동이었다. 1910년의 세계선교회의에서는 의심을 피하기 위해서 신앙과 직제에 관한 문제—교회들의 신조나 성직 임명 및 성례 등의 이해와 실천에 관한 신학적 논의—를 철저히 배제했다. 비록 이것은 가능한 한 많은 회원들을 포용하기 위해 필요한 조처였으나, 많은 사람들이 이 문제들을 논의해야 할 때가 되었다고 확신하고 있었다. 그중 가장 중요한 인물은 성공회 주교인 찰스 브렌트(Charles H. Brent)였다. 그의 재촉에 따라 성공회가 신앙과 직제 문제를 논의할 회의 소집에 앞장섰다. 곧 다른 기관들이 이에 합류했으며, 제1차 세계대전으로 말미암아 중단되었다가 여러 차례의 협상 끝에 1927년 스위스의 로잔(Lausanne)에서 제1차 신앙과 직제 세계 회의가 소집되었다. 개신교, 정교회, 그리고 구가톨릭교(Old Catholic Church, 교황무오설에 반발하여 로마교회를 떠난 가톨릭 일파) 등을 망라한 108개 교회의 4백 명의 대표들이 참석했다. 이들 중 다수는 이미 기독교 학생 운동(Student Christian Movement)을 통한 국제적인 에큐메니컬 모임에 참여한 경험을 가지고 있었다.

기독교 학생 운동은 수십 년 동안 에큐메니컬 운동의 지도자들을 배출해왔다. 회의에서는 광범위하고 무의미한 진술을 하거나 어쩔 수 없이 일부를 배제해야 하는 교리적 정의에 의한 만장일치를 추구하지 않기로 결정했다. 따라서 이미 합의된 요점들을 강조한 후에 의견이 일치되지 않은 것들을 진술하는 문서를 작성함으로써 현안에 대해 솔직하고 공개적으로 논의하는 방법이 채택되었다. 그리하여 회의에서 채택된 문서들은 대개 "우리는 다음과 같이 동의한다" 혹은 "우리는 다음과 같이 믿는다"라는 구절로 시작된 후 "우리 중에는 다른 입장을 취한 이들도 있다" 혹은 "회의에 참석한 많은 교회들은 다음과 같이 상이한 의견을 가지고 있다" 라고 이어졌다. 회의가 끝날 즈음 참석자들은 모두 자기들이 합의한 것들이 합의하지 못한 것들보다 더 중요하다는 데 동의했고, 합의하지 못한 문제들도 많은 대화와 명백한 설명을 통해 극복될 수 있으리라고 믿었다. 폐회되기 전 요크 대주교(후일 캔터베리 대주교가 되었음) 윌리엄 템플(William Temple)의 지도 아래 상임위원회가 조직되었다. 템플이 죽은 후 브렌트가 그 자리를 계승했고, 1937년에 에든버러에서 제2차 신앙과 직제 세계회의가 개최되었다. 회의에서는 로잔에서 채택한 것과 동일한 방법을 따랐으며 소중한 결과들을 얻었다. 이 회의의 가장 중요한 결정은 세계교회협의회(World Council of Churches) 설립을 위해서 옥스퍼드에서 개최된 생활과 실천협의회(Conference on Life and Work) 제2차 회의 소집에 합의한 것이었다.

생활과 실천 운동은 다양한 교회들이 가능한 한 협력하여 교회의 실질적인 문제들을 해결해야 한다는 확신과 이전 세대들의 선교 사역 경험의 결과였다. 이 운동의 중요한 지도자는 스웨덴 웁살라(Uppsala)의 루터교 대주교 나탄 쇠데르블롬(Nathan Soderblom)이었다. 제1차 세계대전 때문에 국제회의를 위한 계획들은 무산되었으나 쇠데르블롬을 비롯한 여러 지도자들은 투쟁이 가져온 엄청난 문제들의 해결책을 찾기 위해 협력할 기회를 제공했다. 마침내 "실천적 기독교"에 관한 제1차 회의(이것은 이 운동의 원래 이름이다)가 1925년 스톡홀름에서 열렸다. 그 의제는 복음에 근거하여 현대인들의 문제를 해결할 공동 대응책을 강구하자는 것이었다.

대표들은 다섯 분야—경제 및 산업 문제, 윤리 및 사회 문제, 국제적인 문제, 기독교 교육, 그리고 교파 간의 협력 방안—로 나뉘어 각기 다섯 개의 주요 주제 및 파생 주제들을 논의했다. 처음부터 이 운동은 모든 형태의 착취와 제국주의에 반대하는 강경 노선을 취했다. 그리하여 기계화로 말미암아 실업, 노동조합의 약화, 임금 저하 등의 문제가 야기되었을 때, 이 회의는 "공평한 공제(共濟) 질서를 향한 노동자들의 소망이야말로 하나님의 구속 계획에 합당한 유일한 길이다"라는 입장을 천명했다. 또 회의에서는 공개적인 갈등을 초래할 수 있는 "백인제국주의"에 대한 분노를 표명했는데, 이것의 진실성은 수십 년 후에 확인되었다. 이 회의에서 임명한 상임위원회는 제2차 생활과 실천 협의회(Conference on Life and Work)를 조직했다. 1937년 옥스퍼드에서 개최된 회의의 최종 문서에는 모든 형태의 전체주의에 대한 강력한 발언 및 국제 갈등을 해소하는 방법으로서의 전쟁에 대한 비난이 포함되어 있었다. 이미 지적한 바와 같이 이 회의에서는 생활과 실천 운동과 신앙과 직제 운동을 한데 묶어 세계교회협의회를 결성할 것을 요구했다.

그 결정과 신앙과 직제 운동의 동의에 따라 세계교회협의회를 조직할 수 있는 기초가 놓였다. 이 두 운동은 합동위원회를 구성하여 제1차 총회를 소집하기 위해 일하기 시작했다. 그러나 제2차 세계대전으로 말미암아 이 계획들이 중단되었다. 전쟁 중에도 초기 에큐메니컬 운동을 통해 이루어진 접촉들을 계기로 참전한 양측 신자들의 네크워크가 이루어져 독일 고백교회를 지원했고, 나치가 지배한 여러 지역에서 많은 유대인들을 구했다. 마침내 1948년 8월 22일 암스테르담에서 제1차 세계교회협의회 총회가 개회되었다. 44개국에서 107개의 교회가 참석했다. 개회설교를 했던 나일즈(D. T. Niles)는 실론(Ceylon) 출신의 감리교도로서 기독교 학생 운동 지도자로서의 풍부한 경험을 쌓은 인물이었다. 또 칼 바르트, 로마드카(Josef Hromadka), 마르틴 니묄러, 라인홀드 니버, 존 포스터 둘리스 등이 연단에 섰다. 협의회는 이전의 생활과 실천 운동 및 신앙과 직제 운동에 관련된 문제들을 포함할 수 있도록 조직되었다. 연구 분과 밑에 신앙과 직제 위원회를 둠으로써 세계 회의 모임과 조직을 계속하게 했고, 생활과 실천 협의회의 실질적인 관심들이 에큐메니컬 행동 분과에 포함되도록 했다.

대표들은 협의회의 존재 자체가 보여주는 일치의 모습을 기뻐하는 한편 주위 세계가 직면한 문제들을 해결하려 했다. 중요한 것은 냉전이 시작된 이 시기에 협의회가 교회들에게 공산주의 및 자유자본주의(liberal capitalism)를 모두 거부하며 이 두 체계만이 선택할 수 있는 유일한 대안이라는 잘못된 관념에 반대하라고 요청한 것이었다. 예상할 수 있듯이 이 선언 및 그 후의 유사한 선언들이 항상 환영을 받은 것은 아니었다.

1948년 이후 세계교회협의회 회원들은 계속 증가했다. 특히 중요한 것은 암스테르담 총회에 참석하기를 거부했던 정교회가 점차 적극적으로 참여했다는 점이다. 세계교회협의회가 니케아 공의회와 같은 형태의 세계종교회의가 아닐 뿐 아니라 하나의 교단이 되려는 의도가 없음을 밝히자 정교회가 협의회에 가입했다. 공산주의 정권 아래 있는 일부 정교회 대표들이 정부의 승인 아래 협의회에 참가하는 것이 가능했으므로, 많은 이들은 세계교회협의회가 국제 공산주의의 음모의 도구로 전락하고 있다고 의심했다. 어쨌든 1954년 미국 일리노이 주 에반스톤(Evanston)에서 열린 제2차 총회에는 163개 교회가 참여했다. 협의회는 구

초창기에 세계교회협의회를 주재한 사람들은 오랫동안 다양한 에큐메니컬 사역을 통해 많은 경험을 쌓은 사람들이었다. 위에서부터 두 번째가 미국 감리교 대표인 모트(John R. Mott)이다.

체적으로 전 세계에 흩어져 있는 개교회들에게 주목하여 총회에 참석한 사람들이 지구의 사방에서 살며 예배하는 수백만 명을 대표한다는 사실을 망각하지 않으려고 노력했다.

1961년 뉴델리에서 제3차 총회가 열렸을 때 참석한 회원 교회들은 197개였다. 뉴델리에서 국제선교협의회가 세계교회협의회와 합병함으로써 세계교회협의회는 제3세계와 제3교회들과 더 직접적으로 접촉할 수 있었다. 칠레의 2개의 오순절 교파가 가입함으로써 이러한 접촉은 더욱 증가했다. 이 총회에서는 "모든 교회들이 각자의 위치에서" 연합하여 공존할 것을 또다시 강조했다. 웁살라 총회(1968년), 나이로비 총회(1975), 그리고 밴쿠버 총회(1983)에서도 이러한 입장은 고수되었다. 나이로비 총회에서는 세례와 성찬과 사역에 관해 논란이 된 문서를 발표했는데, 많은 사람들이 그것을 이러한 문제들에 관한 돌파구라고 여겼다.

밴쿠버 회의에 참석한 대표들은 정의와 평화 문제를 다룰 것을 주장하며, 가장 위험한 군비경쟁과 세계적으로 전례 없이 파괴적인 정치적 불의라는 어두운 그림자를 언급했다. 이때 요한 23세와 제2차 바티칸 공의회에서 보여준 가톨릭교회의 새로운 개방 정책에 발맞추어 세계교회협의회는 가톨릭교회와 대화를 추진했으며 여러 가지 계획과 연구에 협력하게 되었다.

1991년 오스트레일리아의 캔버라에서 개최된 제7차 총회는 환경 문제와 창조질서의 보존, 그리고 성령운동에 의해 부각된 성령론에 초점을 두었다. 환경보호에 대한 관심은 "정의, 평화, 그리고 창조질서의 보존"을 강조하는 것으로 나타났다. 성령론에 대한 관심은 보다 심각한 분열을 초래했으므로, 정교회 측에서는 성령의 통로로서 교회와 전통의 역할을 강조했고 다른 사람들은 성령이 교회로 하여금 전통적인 종교관과 다양한 고대 문화권들의 관습을 받아들이고 사용하도록 이끄신다고 주장했다.

1998년에 하라레(Harare)에서 개최된 제8차 총회와 2006년에 포르투알레그레(Porto Alegre)에서 개최된 제9차 총회에서 세계교회협의회 및 미합중국을 비롯한 여러 국가의 유사한 많은 기구들이 위기에 처했음이 분명해졌다. 경제적 지원의 감소가 위기의 일부였지만 그것은 빙산의 일각에 불과했다. 왜냐하면 많은 사람들이 소위 에큐메니즘의 "제네바 모델"에 대해 의심을 제기하고 교회일치 증진을 위한 다른 수단을 모색하려 했다.

국제적으로 이러한 사건들이 발생한 것과 동시에 국가적·지역적 차원에서도 기독교 일치를 향한 비슷한 운동이 있었다. 그것은 지역적, 국가적, 지방적인 교회협의회들, 그리고 많은 교회들이 추구한 유기적 연합 안에 나타났다. 특히 유럽과 미국에서 대부분의 연합은 비슷한 배경과 신학을 가진 교회들로 이루어졌지만, 보다 과감한 교회 연합에서는 다른 지역들이 주도권을 잡았다. 1925년 캐나다연합교회가 결성되었다. 그것은 원래 40개의 상이한 교파들의 19회에 걸친 연합을 통해 형성된 것이었다. 1922년 중국의 전국기독교협의회(National Christian Council)는 모든 선교사들과 교회들에게 유기적 연합을 방해하는 "일체의 장애물을 제거하도록" 요청했다. 1927년 중국 그리스도교회 제1차 총회가 개최되었다. 여기에는 개혁교회, 감리교, 침례교, 회중파 신자들이 포함되어 있었다. 제2차 세계대전 중에 정부의 압력 아래 일본에 42개 교파가 참여한 그리스도교회(Church of Christ)가 조직되었다. 전후 이들 중 일부가 탈퇴했으나, 대부분은 복음에 대한 순종이 공동의 증언을 요구한다고 믿었기 때문에 잔류했다. 1947년에 남인도교회(Church of South)가 설립되었다. 이 합병은 특히 중요하다. 왜냐하면 이것은 사도적 계승을 주장하는 주교들을 가진 교회—성공회—와 주교가 존재조차 하지 않는 교회들을 포함한 연합이었기 때문이다. 그 때 이후 세계적으로 수백 차례에 걸쳐 교파 연합을 위한 대화와 합병이 이루어졌다. 미합중국의 교회 연합 회담(Consultation of Church Union)은 참가한 교파들에게 "그리스도 연합 교회"(Church of Christ Uniting) 창립을 위한 계획을 제안했다. 이러한 연합들은 과거 기독교권의 중심지였던 곳보다 선교지라고 불리던 지역에서 더 신속하게 진행됨으로써 선교와 일치 사이에 연관이 있음을 보여주었다.

이러한 일이 진행되는 동안 전 세계에서 다른 형태의 교회 통합이 탐구되고 있었다. 일부 지역에서는 세계교회협의회 및 지역적 · 국가적 공의회들의 견해에 동의하지 않는 보수적인 교회들이 차제의 협의회와 교회연합을 이룩했다. 비록 보수적인 견해를 가진 연합들에 한해서였지만 이러한 연합들은 대체로 공의회주의(혹은 제네바) 모델을 따랐다. 20세기 말 그것들 중 다수가 세계교회협의회 및 그와 관련된 에큐메니컬 집단들이 직면한 것과 비슷한 위기에 직면했다.

　20세기에 그밖에도 교회의 일치를 표현하려는 시도들이 많았다. 많은 경우 교파의 경계를 초월하는 공동의 관심사들-예를 들어 생태학적 책임, 인간의 성적 활동, 소수자의 권리 등-에 의해 어느 정도 일치가 이루어졌다. 가장 성공한 것은 교회의 전통적인 사역이 지닌 특별한 측면-굶주린 사람들을 먹이는 것, 가난한 사람들을 위한 의료봉사, 복음전도 등-과 관련된 것이었다. 이러한 형태의 에큐메니즘의 좋은 예가 로잔 언약(Lausanne Covenant)이다. 이것은 1974년 미국의 빌리 그레이엄과 영국의 존 스토트와 같은 복음주의자들의 주도 하에 로잔에서 개최된 세계복음화를 위한 국제회의에서 작성된 것으로서 로잔세계복음화위원회(Lausanne Committee for World Evangelization) 및 세계 여러 지역에 지회들이 설립되는 계기가 되었다. 로잔위원회는 2백 년 전 윌리엄 캐리가 세계선교대회 개최를 원했던 장소인 케이프타운에서 2010년에 세계 복음화를 위한 제3차 로잔대회(The Third Lausanne Congress on World Evangelization)를 개최할 계획을 세움으로써 다시 한 번 교회일치와 선교의 관계를 암시했다.

제3세계와 상황화 신학

이러한 일들이 발생하고 있는 동안 신학분야에서도 획기적인 일들이 발생하고 있었다. 20세기에 이르기까지 유럽 혈통의 백인들, 일반적으로 유럽이나 북아메리카에 거주하는 중산층 이상의 남성들-또는 비교적 편안하게 살고 있는 수도사들-이 기독교 신학을 주도해왔다. 그러나 20세기 후반에 새로운 신학적 경향들이 출현하여 전 세계의 신학과 성경해석학 분야에 영향을 미쳤다. 이 새로운 형태의 신학들에게 주어진 일반적인 명칭은 "상황화 신학"(혹은 맥락적 신학, contextual theologies)이다. 이것은 옳기도 하고 오해의 소지가 있기도 하다. 이것들은 자신이 처한 특별한 상황들을 진지하게 받아들이고 성경과 신학에 대한 나름의 이해를 발달시키기 위한 도구로 사용한다는 점에서 상황적 신학들이다. 그러나 그것은 전통적인 신학들이 상황적이 아니라는 의미, 즉 전통적인 신학들은 다양한 신학자들의 배경, 문화, 계층, 성, 인종 등과 관련이 없다는 의미를 암시한다는 점에서 오해의 소지가 있다. 따라서 대부분의 "상황적 신학자들"은 자신의 작업이 상황적이라는 데 동의하면서도 그것이 모든 신학 작업과 성경해석에 적용된다고 주장할 것이다.

이 신신학들은 각기 자체의 상황성(맥락성)을 주장한다는 점에서는 일치하지만, 발달과 발언의 배경이 되는 다양한 상황에 따라 내용이 크게 달라진다. 또 이 신학들의 대부분은 복음이 해방의 메시지-각각의 특별한 상황에 처한 사람들을 위한 해방의 메시지-라는 데 의견이 일치하므로 일반적으로 해방신학이라고 불린다. 따라서 20세기 말부터 21세기에 이르기까지 흑인신학 외에도 라틴아메리카의 신학, 한국의 신학, 남아프리카의 신학, 여권주의 신학 등 다양한 형태의 해방신학이 성행했다. 또 이것들이 다양하게 결합되어 흑인여성들의 신학인 "흑인여성신학" (womanist theology)과 미합중국의 라틴계 여성들의 신학인 "뮤헤리스타 여성신학"(mujerista theology)이 출현했다.

이처럼 다양한 신학들에 대해서 상세히 논할 수 없으므로 대표적인 신학 몇 가지만 간단히 살펴보기로 하자. "해방신학"이라는 용어는 라틴아메리카와 관련하여 자주 사용되는데, 그것은 1971년에 페루의 가톨릭 신학자 구티에레스(Gustavo Gutiérrez)가 출판한 『해방신학』(*Teologia de la liberacion: Perspectivas*) 및 그 후 성경과 복음을 사회적이고 경제적인 억압이라는 상황 안에서 해석하려 한 사람들–브라질의 이본느 게바라(Ivone Gebara, 어거스틴 수도회)와 레오나르도 보프(Leonardo Boff, 프란치스코 수도회), 우르과이의 후안 세군도(Juan Luis Segundo, 예수회), 아르헨티나의 호세 미구에즈 보니노(Jose Miguez Bonino, 감리교)–의 작업에 기초를 둔 것이었다. 이 신학자들 중 많은 사람들이 전통적인 신학적·성경적 해석들이 신학을 저술하는 사람들 및 그들이 속한 사회계층의 이해관계를 얼마만큼 반영하는지 드러내기 위해서 마르크스주의적 분석방법을 사용했다. 그들의 신학과 병행하여 자기들이 처한 상태 및 그것에 대해 성경과 복음이 무엇이라고 말하는지를 논의하기 위한 소그룹 모임인 기초교회공동체(basic ecclesial community)들이 폭발적으로 성장했다. 그들은 보고 판단하고 행동하는 세 단계 방법을 사용했는데, 그것은 처음에 상황을 묘사한 후 원인들이나 관련된 것들을 분석하고 마지막으로 복음과 기독교 신앙의 기초 위에서 행동하는 것을 의미한다. 이러한 공동체가 라틴아메리카에 수만 개가 있으므로, 그것들은 라틴아메리카 가톨릭교회의 활력 회복의 근원이다. 그것들의 지도자들은 대체로 평신도이므로 십 년 동안 라틴아메리카 가톨릭교회가 사제 부족 때문에 교회와의 관계가 악화되곤 했던 신자들에게 사역과 어느 정도의 공동체를 제공하는 데 도움이 된다.

후일 교황 베네딕트 16세가 된 요제프 라칭거(Joseph Ratzinger) 추기경은 해방신학을 반대하는 두 개의 문서를 발표했고, 해방신학 지도자들은 두 차례에 걸쳐 그러한 비난들이 자기들에 대해 정확하게 묘사하지 못했으므로 자기들에게 적용되지 않는다고 선언했다. 그 때 소비에트 연맹이 몰락하고 마르크스 공산주의가 신뢰를 상실함에 따라 많은 사람들은 이러한 종류의 신학의 쇠퇴를 예고했다. 그러나 소비에트 연방이 몰락하고 나서 20년 이상이 지났지만 라틴아메리카의 해방신학은 여전히 강력하게 존속하며 확장되어가고 있다.

다른 지역에서도 유사한 신학들이 발달되었다. 한국에서는 안병무를 비롯한 신학자들의 주도로 민중 운동의 일부인 민중신학이 발달했다. 남아프리카에서는 1982년부터 1991년까지 개혁교회세계연맹(World Alliance of Reformed Churches) 총재를 지낸 앨런 보삭(Allan Boesak)이 특별히 인종차별 문제를 다루는 신학을 발달시켰다. 아프리카의 다른 지역에서는 크와메 베디아코(Kwame Bediako)와 같은 신학자들이 전통적인 아프리카 문화와 기독교 신앙을 연결하려 했다. 미합중국의 제임스 콘 및 여러 학자들은 미국 흑인들의 압제 경험과 완전한 해방의 소망에 기초를 둔 흑인신학을 발달시켰다. 그러한 맥락에서 재클린 그랜트(Jacqueline Grant)와 델로리스 윌리엄스(Delores Williams)가 흑인여성신학—미국 흑인여성의 관점에서 본 신학—으로 유명해졌고, 아다 마리아 이사시-디아즈(Ada Maria Isasi-Diaz)는 미합중국 내 라틴아메리카 여성의 관점에서 뮤헤리스타 신학(남미여성신학)을 제안하여 유명해졌다. 버질리오 엘리존도(Virgilio Elizondo)는 미합중국 내 남미 여성들의 경험을 해석하기 위해 1세기 팔레스타인 갈릴리인들의 경험과 이미지를 채택했다. 미합중국과 유럽에서 활동한 많은 유럽 출신 신학자들은 그러한 상황적 신학들에 대해 극도로 비판적이었던 데 반해, 독일 신학자 위르겐 몰트 등은 그러한 신학을 지지하며 자신의 사상과 저술에 그들의 통찰을 반영했다.

땅끝으로부터의 선교

선교 사역의 목적은 세계 각처에 성숙한 토착 교회들을 세우는 것이라고 선포되어왔다. 가톨릭교회에서 전통적으로 이것은 독자적 성직제도, 궁극적으로는 현지인들로 구성된 성직 체제를 갖춘 교회의 개척을 의미했다. 개신교에서는 이 목표가 소위 "삼자(三自)이념"－즉 자진 전도, 자력 운영, 자주 치리(治理)－으로 표현되었다. 선교 초기에는 가톨릭과 개신교 모두 신생 교회들이 기독교 신학 발전에 큰 역할을 담당할 수 없으리라고 간주했다. 기껏해야 이 다양한 현지 교회들이 고유의 문화적 배경과 관련하여 서구신학을 표현할 것이라고 기대되었다. 그런데 에큐메니컬 운동, 식민지주의의 종식, 그리고 신생 교회들의 자신감 증가 등은 예기치 못했던 결과들을 초래했다. 왜냐하면 이 교회들 중 일부는 전통적인 신학의 적응이 아니라 이에 대한 도전의 양상을 띤 질문과 해답들을 제시했기 때문이다. 이렇게 상이한 신학들이 등장하게 된 것은 그들의 문화적 배경, 그리고 그들이 억압받는 자들의 사회적·경제적 갈등을 고려한 데 따른 것이었다.

가톨릭 진영에서 가장 놀랍고 광범위한 현상들은 라틴아메리카에서 발달했다. 엘살바도르에서 오스카 로메로(Oscar Arnulfo Romero) 대주교가 그를 기성질서를 위협하는 인물로 여긴 사람들에 의해 암살되었다. 브라질에서는 헬더 카마라(Helder Camara)와 파울로 에바리스토 아른스(Paulo Evaristo Arns)가 주교들을 이끌고 새 질서를 요구했다. 니카라과에서는 산디니스타(Sandinista) 정권과 주교단의 대결이 증가했다. 과테말라 및 여러 국가에서 수백 명의 가톨릭 평신도 교리문답 교사들이 체제를 전복하려 한다고 간주되어 살해되었다. 미합중국과 유럽 일부에서는 신신학을 저주라고 선언했지만 많은 신학자들과 지도자들은 복음의 기본적인 함

오스카 로메로 대주교는 가난한 사람들을 위한 목회적 관심과 기독교적 헌신의 상징이 되었고, 그의 무덤은 순례지가 되었다.

교황 요한 바오로 2세의 라틴아메리카 방문은 미래의 기독교에 있어서 라틴아메리카 및 세계 빈곤 지역의 중요성의 증가를 상징하는 것이었다.

축적 의미를 새롭게 바라보라는 신신학의 호소가 정당한 것이라고 선언했다.

이러한 상황이 벌어지는 동안 북아메리카가 크게 비기독교화되고 있었고, 남아메리카에서는 교회들이 크게 증가했다. 또 라틴아메리카의 가톨릭교회를 포함하여 오랫동안 휴면상태라고 간주되어온 남아메리카의 교회들이 예기치 않게 활력을 나타내고 있다. 그러므로 제3세계에서 출현하고 있는 다양한 신학들에 대해 어떻게 반응하든지 간에 21세기의 특징은 남아메리카에서 북아메리카를 향해 이루어지는 방대한 규모의 선교 사역일 것이다. 따라서 1세기 전에 "땅끝"으로 간주되었던 지역이 과거 자기들에게 복음을 전했던 사람들의 후손들에게 복음을 전할 기회를 갖게 될 것이다.

제24장
에필로그: 지구사

> 역사를 다시 읽는다는 것은 역사를 다시 만드는 것을 의미한다.
> 그것은 역사를 완전히 바로잡는 것을 의미한다. 그것은 기존질서를 허무는
> 역사가 될 것이다.…기존질서를 허무는 것이 아니라…압도적인 지배를
> 지원하고 강화하는 것이 죄다. 이처럼 기존질서를 허무는 역사 안에서
> 우리는 새로운 신앙경험, 새로운 영성–새로운 복음 전파–을 소유할 수 있다.
> —구스타보 구티에레즈—

기독교계 지도의 재작성

아프리카, 아시아, 라틴아메리카, 태평양 제도 등지의 기독교의 활력, 그리고 그와 병행하여 등장한 북대서양 국가들의 위기는 20세기 중반까지 기독교 역사의 무대 역할을 해온 기독교계가 21세기 초에는 작용하지 못하고 있음을 의미한다. 과거에는 기독교계와 관련하여 전통적으로 기독교 국가였으며 세계의 다른 지역을 향한 선교의 중심지였던 지역들에 의해 기독교계의 지도가 작성되었었다. 그러나 20세기 말 사태가 급변하여 과거의 지도가 쓸모없게 되었다. 모든 대륙에 새로운 중심지들이 생겼으므로 기독교가 서구에 기초를 두고서 밖으로 확장되었다고 보기보다는 다중심의 실체–과거에 중요하지 않은 주변 지역이었다가 새

로운 중심지가 된 많은 지역을 포함하는 실체-로 보게 되었다.

기독교 지도에 있어서의 이러한 변화들은 이전에도 발생했다. 1세기 말부터 250년 동안 과거 예루살렘에 중심을 두었던 기독교는 로마제국 전역으로 전파되어 안디옥, 알렉산드리아, 에베소, 카르타고, 로마 등 새로운 중심지들을 만들어냈다. 동시에 기독교는 동쪽으로 전파되면서 에데사, 아르메니아, 인도 등지에 중심지들을 발달시켰다. 그러나 대부분 서구적인 관점에서 저술하는 교회사가들은 이러한 지역들에 그리 관심을 기울이지 않았다. 그 때 이슬람의 침략으로 안디옥, 알렉산드리아, 카르타고 등 옛 기독교의 중심지들이 유린되었으므로 이제 서유럽이 신학 활동과 선교의 중심이 되었다. 16세기 선교 활동의 중심은 스페인과 포르투갈이었고, 신학적 토론과 혁신의 중심지들은 북유럽에 있었다. 19세기에 영국을 비롯한 유럽 제국들의 성장 및 북아메리카의 신식민지주의의 성장과 더불어 기독교의 중심이 북대서양 지역으로 이동했으므로 런던과 뉴욕 출신의 개신교 선교사들이 세계의 나머지 지역에서 사역했고, 가톨릭 선교사들은 파리와 브뤼셀에 기지를 두었다.

20세기 말과 21세기 초에 발생한 놀라운 변화는 새로운 기독교계의 지도의 중심이 하나가 아니라 다수라는 점이다. 교육기관을 비롯한 여러 기관들 및 경제적 자원은 여전히 북대서양 지역에 집중되어 있다. 그러나 이제 독창적인 신학이 그 지역에서만 이루어지지는 않는다. 한국, 페루, 또는 필리핀에서 저술된 글이 세계의 나머지 지역에서 읽히고 있으며, 종종 뉴욕, 런던 혹은 샌프란시스코에서 출판된 것만큼 영향력을 발휘한다. 에큐메니컬 운동이 세계교회협의회와 제네바 본부에만 한정된 것이 아니라, 세계 각지에서 그와 비슷한 많은 기구들- 세계교회협의회와 관련된 것도 있고 관련이 없는 것들도 있다—이 교회연합을 위해 일하고 있다. 과거 뉴욕과 런던을 중심으로 이루어진 국제 선교 사역은 복잡한 조직으로 발달하여 아르헨티나, 도미니카 공화국, 미합중국에서 사역하는 한국 선교사들, 일본에서 사역하는 페루 선교사들, 뉴욕에서 사역하는 푸에르토리코 선교사들, 아일랜드와 잉글랜드에서 사역하는 아프리카 선교사들, 스리랑카와 미합중국에서 사역하는 인도 선교사들 등을 포함한다. 따라서 기독교의 새 지도는 세계적인 지도, 과거에 지도들을 작성할 때 기초가 되었던 기독교계에 대한 관념을 크게 초월한 지도이다.

그러나 과거의 지도들에 대한 도전은 지리학적이고 사회정치적인 것만은 아니며 종교적이고 지적인 도전이기도 하다. 이제 기독교가 전 세계로 확장되었으므로 더 이상 기독교계가 존재하지 않는다는 것이 참이라면, 전통적인 기독교 지역에도 다양한 종교들이 존재하므로 더 이상 기독교계가 존재하지 않는다는 것도 참일 것이다. 이러한 종교들 중 일

오래 전에 소멸되었다고 추정되던 영지주의가 참된 지식으로 칭송되고 있으며, 종종 옛 영지주의자들이 인정하지 않았을 수많은 방식으로 주술과 결합되기도 한다.

부는 최근 수십 년 동안 이루어진 대규모 이민의 결과이다. 또 주술이나 영지주의처럼 오래 전에 소멸되었던 종교관에 대한 관심이 확대된 결과로 생겨난 것들도 있다.

지적인 도전도 심각하다. 식민지주의의 몰락, 그리고 다양한 문화와 견해의 재등장은 많은 사람들로 하여금 "현대란 과거의 일이며 우리는 지금 포스트모던 시대에 살고 있다"고 선포하게 만든 많은 요인들 중 하나이다. 지금도 현대성의 힘을 보여주는 많은 징후들이 있으므로, 이것은 성급한 진술일 수도 있다. 그러나 현대성의 확실성들 중 많은 것들이 사라지고 있다는 것, 세계의 많은 사람들이 더 이상 현대의 폐쇄된 기계적 기관에 머물지 않는다는 것, 우리가 점점 더 용어들을 정의하고 다시 정의해야 할 필요성을 의식한다는 것, 현대성에 의해 억제되었던 다양한 문화와 관점들이 다시 표면화되고 있다는 것 등은 의심의 여지가 없는 현상이다. 이것은 기독교에게 새로운 방식으로 포스트모던 세계에 참여할 기회와 아울러 기독교 자체의 본질에 충실한 방식으로 참여해야 할 도전을 제공할 것이다. 다가오는 포스트모던 세계에서 기독교인이 되어 복음을 전파하는 것은 하나의 도전이요 모험일 것이다.

미래의 역사

이제 교회사의 마지막 부분에 이르렀다. 교회사는 흥망성쇠, 시련의 시대, 영광의 시대 등을 포함하는 복합적인 것이다. 그러나 모든 역사가 그렇듯이 교회사는 미완성의 이야기이다. 왜냐하면 우리도 나름의 혼동, 흥망성쇠, 시련의 시대, 영광의 시대를 가지고 있으면서 역사의 일

푸에르토리코의 어느 벽에 새겨진 이 낙서는 포스트모던 시대가 과거의 정의들에 대해 얼마나 도전하는지 보여준다. 원래 "Christ is not religion" 이라고 썼던 사람과 "not" 을 지운 사람 모두 자신의 신앙을 증언하려 한 신실한 기독교인일 것이다.

부가 되어가고 있기 때문이다. 그러나 우리 시대는 아직 기록되지 않은 가장 최근의 역사이므로 우리는 역사의 일부이다. 동시에 우리는 그 역사의 서술자들이므로 역사의 일부이다. 우리는 나름대로 21세기의 관점에서 역사를 다시 말하면서 전체 역사를 형성하고 해석한다. 그러므로 현대사를 마치면서 21세기에 역사를 말하는 몇 가지 방식들이 이전의 방식들과 어떻게 다를 것인지 질문해야 한다. 21세기 말의 관점에서 서술되는 기독교 역사의 특징으로 등장하는 것은 무엇일까?

이 책의 저자로서 나는 이 질문에 대해 21세기 교회사는 지구사(global history)여야 한다고 대답한다. 우리에게는 특정 교파들과 운동들에 관한 논문들, 특정 지역에 관한 논문들, 그리고 다양한 도전과 기회에 대한 기독교적인 반응 등에 관한 논문이 필요하다. 그러나 이것들은 모두 지구적 관점의 일부이다. 우리는 이제 우리 자신의 특별한 신앙 표현이 기독교의 완성인 듯이 교회사를 저술할 수 없다. 우리는 기독교에 대한 우리의 이해와 표현들이 많은 국가와 문화, 전승, 여러 가지 예배 형태, 많은 신학적 표현들을 포함하는 다양한 풍경의 일부임을 충분히 인식하면서 저술해야 한다.

그러나 "지구의"(global)라는 단어는 지리학적인 것 이상을 의미한다. 우리의 새로운 지구사에는 살고 있는 지역과는 상관없이 전통적으로 배제되어온 사람들이 포함되어야 한다. 새로운 역사는 모든 지역과 민족들을 포괄하는 수평적이고 지리적인 차원, 그리고 교회사에서 배제되어온 사람들의 믿음과 삶과 투쟁을 인정하는 수직적이고 사회학적인 차원에서 지구사가 되어야 한다. 여기에는 세계 대부분 지역의 여성들, 가난한 사람들, 무식한 사람들, 인종적·문화적 소수집단들, 그리고 여러 가지 이유로 관심을 받지 못하는 사람들이 포함된다.

마지막으로 새로운 기독교 지구사는 선교 중심이어야 한다. 나는 수십 년 동안 선교의 역사가 전반적인 교회사와 분리된 분야가 되어서는 안 되며 전체 교회사에 통합되어야 한다고 주장해왔다. 16세기에 인도에서 이루어진 예수회 선교사들의 사역이 "선교의 역사"의 일부로 간주되고 있는데 16세기 종교개혁이 교회사의 일부가 되지 못할 이유가 없다. 나는 지금도 전통적으로 분리된 분야였던 이 두 분야를 통합해야 한다고 확신하지만, 이제는 기독교 역사가들이 중심으로부터 주변부로 나아가는 것이 아니라 주변부에서 중심으로 나아가는 역사의 가능성을 탐구해야 할 때가 되었다는 결론에 도달했다. 결국 신약성경의 책들 중에 예루살렘에서 기록된 책은 하나도 없지 않은가! 모서리들이 중심을 육성하고 보존하여 살게 하듯이, 대부분의 살아 있는 유기체들처럼 기독교도 모서리에서 자체의 환경과 관계를 갖고 성장한다.

"기독교계를 넘어선" 21세기, 기독교가 분명한 중심지들을 소유하지 못하는 이 시대는 교회사를 근본적으로 새롭게 바라보기 시작할 기회를 제공한다. 만일 특정 순간에 처음으로 메시지를 들은 사람에게 초점을 둔다면 교회사가 어떤 모습이 될 것인가? 그들이 매력을 느끼는 것은 무엇이며 거부하는 것은 무엇이었는가? 이것은 그들의 신앙을 받아들이고 해석하는 데 어떻게 작용했는가? 처음 복음이 전파되었을 때에 평범한 로마 여인은 어떻게 행동했는가? 이것은 메시지가 전파되고 해석되는 방식에 어떤 영향을 미쳤는가? 네스토리우스파 신자들에게서 복음을 들었을 때 중국인들은 어떻게 행동했는가? 그것은 메시지에 어떤 영향을 미쳤는가? 성상파괴논쟁이나 토마스 아퀴나스의 『대이교도대전』(Summa Contra Gentiles)에 기독교에 대한 이슬람의 비판이 어떻게 반영되었는가? 칼빈의 유배 경험이 그의 『기독교강요』 저술에 어떤 영향을 미쳤는가? 최초의 프란치스코회 선교사들이 복음을 전했을 때 아즈텍 사람들은 그것을 어떻게 이해했는가? 남성들이 전하는 복음을 여성들은 어떻게 받아들이는가? 이것들은 모두 교회사의 전 분야에 새로운 전망을 열어주는 중요한 질문들이다.

교회사는 아직 끝나지 않았다. 아직 해야 할 일이 많고, 배워야 할 것이 많고, 기록해야 할 것이 많다. 이 책을 읽는 독자들 중에서 이 일을 맡을 사람이 있지 않을까? 나는 모든 역사의 하나님을 바라며 그분께 기도한다.

Sydney E. Ahlstrom. *A Religious History of the American People.* Second edition, David D. Hall, ed. New Haven: Yale University Press, 2004.

Carl Bangs. *Arminius: A Study in the Dutch Reformation.* Nashville: Abindon, 1971.

Robert Bireley. *The Jesuits and the Thirty Year's War.* Cambridge [Eng.]: Cambridge University Press, 2003.

Francis J. Bremer. *Puritanism: A Very Short Introduction.* Oxford: Clarendon Press, 2009.

Frederick C. Copleston. *A History of Philosophy.* Vols. 4-6. London: Burns, Oates and Washburne, 1958-1960.

Rupert E. Davies. *Methodism.* Baltimore: Penguin, 1963.

Janer Glenn Gray. *The French Huguenots: Anatomy of Courage.* Grand Rapids: Baker Books House, 1981.

Herbert H. Henson. *Puritanism in England.* London: Hodder and Stoughton, 1912.

Richard P. Heitzenrater. *The People Called Methodists.* Nashville: Abingdon, 1994.

Randy L. Maddox and Jason E. Vickers. *The Cambridge Companion to John Wesley.* New York: Cambridge University Press, 2009.

Henry Petersen. *The Canons of Dort.* Grand Rapids: Baker, 1968.

Meic Pearse. *The Age of Reason: From the Wars of Religion to the French Revolution.* Grand Rapids: Baker Book House, 2006.

F. Ernest Stoeffler. *German Pietism during the Eighteenth Century.* Leiden: E. J. Brill, 1973.

N. M. Sutherland. *The Huguenot Struggle for Recognition.* New Haven: Yale

University Press, 1980.

Henry Van Etten. *George Fox and the Quakers*. New York: Harper, 1959.

John Bagnell Bury. *History of the Papacy in the 19th Century: Liberty and Authority in the Roman Catholic Church*. New York: Schocken Books, 1064.

Carlos F. Cardoza-Orlandi and Justo L. Gonzalez. *A History of the Christian Missionary Movement*. Nashville: Abingdon Press, 2011.

Justo L. Gonzalez. *The Changing Shape of Church History*. St. Louis: Chalice Press, 2002.

Ondina W. Gonzalez and Justo L. Gonzalez. *Christianity in Latin America: A History*. Cambridge: Cambridge University Press, 2008.

August B. Hasler. *How the Pope Became Infallible: Pius IX and the Politics of Persuasion*. Garden City, NY: Doubleday, 1981.

Gerrie ten Har. *How God Became African: African Spirituality and Western Secular Thought*. Philadelphia: University of Pennsylvania Press, 2006.

Philip Jenkins. *The Next Christendom: The Coming of Global Christianity*. New York: Oxford University Press, 2002.

Kenneth Scott Latourette. *Christianity in a Revolutionary Age*, vol. 4-5. New York: Harper & Row, 1961-1962.

Stephen Neill, ed. *Twentieth Century Christianity*. London: Collins, 1961.

Mark Noll. *The New Shape of World Christianity: How American Experience Reflects Global Faith*. Downers Grove, IL:InterVarsity Press, 2009.

John O'Malley. *What happened at Vatican Two*. Cambridge, MA: Harvard University Press, 2008.

Carla Gaundina Pestana. *Protestant Empire: Religion and the Making of the British Atlantic World*. Philadelphia: University of Pennsylvania Press, 2009.

Ruth Rouse and Stephen Neill, eds. *A History of the Ecumenical Movement, 1517-1948*. Philadelphia: Westminster, 1968.

Lamin Sanneh. *Translating the Message*. Maryknoll, NY: Orbis Books, 2008.

〈연대표 1〉

교황	황제	스페인	프랑스	영국	사건
클레멘트 8세 (1592-1605)	루돌프 2세 (1576-1621)	필립 3세 (1598-1621)	앙리 4세 (1589-1610)	엘리자베스 1세 (1558-1603)	
레오 1세(1605)				제임스 1세 (1603-1625)	화약음모사건(1605)
바울 4세 (1605-1621)					제임스타운 설립(1607)
					독일의 복음주의동맹(1608)
					독일의 가톨릭동맹(1609)
	마티아스 (1612-1619)		루이 13세 (1610-1643)		
	페르디난드 2세 (1619-1637)	필립 4세			도르트 종교회의(1618-1619)
					30년 전쟁(1618-1648)

교황	황제	스페인	프랑스	영국	사건
그레고리 15세 (1621-1623)		(1621-1665)			메이플라워 호 항해(1620)
우르반 8세 (1623-1644)				찰스 1세 (1625-1649)	라슐리외 집권(1624-1642)
					라로셸 포위(1627-1628)
					뤼베 조약(1629)
					청도교의 신세계 이주 (1630-1642)
					구스타부스 아돌푸스 사망 (1632)
	페르디난드 3세 (1637-1657)				프로비던스 설립(1636)
					메카르트의 방법서설(1637)
					앤 허친슨, 로드아일랜드 도착(1638)
					장기 회의(1640)

잉글랜드 내란(1642)

찰스 1세 의회에 포로가 됨(1647)

베스트팔렌 조약(1648)

찰스 1세 처형(1649)

크롬웰 호국경(1653-1658)

퀘이커파 메시주의주의에서 박해(1656)

영국인들이 뉴암스테르담 점령(1664)

킹 필립 전쟁(1675-1676)

스페냐 「장전한 소원」(1675)

번역 「천로역정」(1678)

펜실베니아 주 설립(1681)

루이 14세
(1643-1715)

찰스 2세
(1660-1685)

찰스 2세
(1665-1700)

레오폴트 1세
(1658-1705)

인노센트 10세
(1644-1655)

알렉산더 8세
(1655-1667)

클레멘트 9세
(1667-1669)

클레멘트 10세
(1670-1676)

인노센트 11세
(1676-1689)

교황	황제	스페인	프랑스	영국	사건
				제임스 2세	낭트칙령 철회(1685)
				(1685-1688)	
알렉산더 8세				윌리엄 3세	영국의 종교의 자유(1789)
(1689-1691)				(1689-1702)	로크의 『인간오성론』(1690)
				메리 2세	
				(1689-1694)	
인노센트 12세					조지 폭스(1691)
(1691-1700)					
클레멘트 11세		필립 5세		앤(1702-1714)	
(1700-1721)		(1700-1746)			
조셉 1세					
	찰스 6세			조지 1세	
	(1711-1740)			(1714-1727)	
			루이 15세		
인노센트 13세			(1715-1774)		

(1721-1724)
베네딕트 13세
(1724-1730)
클레멘트 12세
(1730-1740)
베네딕트 14세
1740-1758
클레멘트 13세
(1758-1769)

찰스 7세
(1742-1745)
프란시스 1세
(1745-1765)

조지 2세
(1727-1760)

페르디난드 6세
(1746-1759)
찰스 3세
(1759-1788)

프랑케(1727)
조지아 주 설립(1733)

웨슬리 조지아 주에(1736)
웨슬리의 엘더스케이트
체험(1738)

교황	황제	스페인	프랑스	영국	사건
	조셉 2세 (1765-1790)			조지 3세 (1760-1820)	진젠돌프(1760)
					캡틴 쿡의 항해(1768-1779)
클레멘트 14세 (1769-1774)			루이 16세 (1774-1792)		스웨덴보리 사망(1772)
					미 독립 전쟁(1775-1783)
피우스 6세 (1775-1799)					볼테르 죽음(1772)
					칸트 『순수이성비판』(1781)
					감리파 감독 교회(1784)
					프랑스의 종교의 자유(1787)
		찰스 4세 (1788-1808)			
	레오폴드 2세				바스티유 감옥 탈취(1787)

루이 16세 처형(1792)

(1792)

공화국

(1790-1792)

프란시스 2세

(1792-1809)

〈연대표 2〉

교황	사건
클레멘트 14세(1769-1774)	캡틴 쿠크의 항해(1775-1779)
피우스 6세(1775-1799)	미국 독립전쟁(1775-1783)
	증기기관(1776)
	투팍 아마루 반란(1780-1782)
	칸트의 『순수 이성 비판』(1781)
	감리교 크리스마스 회의(1784)
	프랑스 국민의회(1789)
	바스티유 장악(1789)
	성직자 시민헌법(1790)
	프랑스 입법의회(1791)
	국민공회(1792)
	특별침례교협회(1792)
	루이 16세 처형(1793)
	윌리엄 캐리 인도 도착(1793)
	프랑스 공포정치(1793-1795)
	런던 선교회(1795)
	영국 실론 정복(1796)
	제2차 대각성 운동 시작(1797)
	피우스 6세 프랑스에 포로(1798)
	로마 공화국(1798)
	시에라리온 건국(1799)
	교회선교협회(1799)
	슐라이어마허 『종교론』(1799)
피우스 7세(1800-1823)	케인 릿지 신앙부흥(1801)
	루이지에나 매입(1803)

교황	사건
	나폴레옹 황제의 등극(1804)
	영국성서공회(1804)
	아이티 독립(1804)
	영국인 희망봉에(1806)
	헤겔의 『정신현상학』(1807)
	프랑스 로마 점령(1808)
	스페인의 왕, 조셉 보나파르트(1808)
	멕시코의 독립(1810)
	미국해외선교국(1810)
	파라과이와 베네수엘라 독립(1811)
	영미 전쟁(1812-1814)
	나폴레옹 러시아 침략(1812)
	예수회 조직(1814)
	워털루 전쟁(1815)
	라 플라타 독립(1816)
	미국성서공회(18160
	회칙 "전쟁의 용사"(Esti Longissmo, 1816)
	마태복음이 버마어로 번역됨(1817)
	칠레 독립(1818)
	제임스 롱의 텍사스 침략(1819)
	페루와 중앙아메리카 독립(1821)
	슐라이어마허의 『기독교 신앙』(1821-1822)
레오 12세(1823-1829)	먼로주의(1823)
	회칙 "현재의 신"(Esti Iam diu, 1824)
	볼리비아 독립(1825)
	미국금주협회(1826)
	파나마 의회(1826)
피우스 13세(1829-1830)	멕시코 노예제도 폐지(1829)

교 황	사 건
	몰몬경(1830)
그레고리 16세(1831-1846)	꽁트『실증주의 철학의 흐름』(1830-1842)
	보어인들의 이주(1835)
	텍사스 공화국(1836)
	영국령 카리브에서 노예제도 폐지(1838)
	아편전쟁(1839-1842)
	시라와크의 브르크 정부
	리빙스턴 아프리카로(1842)
	키에르케고르 사역 개시(1843)
	"운명에의 길"(1845)
	노예제도 문제로 감리교 및 침례교 분열(1845)
피우스 9세(1846-1878)	멕시코-미국 전쟁(1846-1848)
	리베리아 독립(1847)
	아일랜드의 대흉년, 대규모 미국 이주(1847)
	프랑스 제2공화국(1848)
	공산주의 선언(1848)
	로마공화국(1849)
	태평천국의 난(1850-1864)
	이탈리아의 카부르 정부(1852-1861)
	나폴레옹 3세(1852-1870)
	마리아 무염시태(無染始胎) 공포(1854)
	페리 제독 일본에 도착(1854)
	홀리(Holly) 아이티에 도착(1855)
	다윈의 『종의 기원』(1859)
	이탈리아 왕국(1861)
	미국 남북전쟁(1861-1865)
	노예제도 문제로 장로교 분열(1861)
	동방예식 회중(1862)

교황	사건
	비스마르크 재상에 임명(1862)
	구세군(1864)
	『오류 목록』(1864)
	한국 가톨릭 신도들의 박해(1865)
	중국내륙선교회(1865)
	제1차 바티칸 공의회(1869-1870)
	교황 무오설(1870)
	프로이센-프랑스 전쟁(1870-1871)
	프랑스 제3공화국(1870-1914)
	무디의 설교 시작(1872)
	메리 베이커 에디의 『과학과 건강』(1875)
레오 13세(1878-1903)	한국에 프로테스탄트 선교사들 입국(1884)
	회칙 "레름 노바룸"(Rerum novarum, 1891)
	미 대법원 인종분리 인정(1892)
	5개 근본조항(1895)
	미국-스페인 전쟁(1898)
	중국의 의화단 사건(1899-1901)
	프로이드의 정신분석학(1900)
피우스 10세(1903-1914)	아주사 거리 신앙부흥(1906)
	파센디 도미니 레기스(Pascendi domini regus, 1907)
	벨기에령 콩고(1908)
	스코필드 성경(1909)
	전미흑인지위향상협회 설립
	일본의 한국 합병(1910)
	감리교 오순절교회, 칠레(1910)
	세계선교회의, 에딘버러(1910)
	중국(청)의 멸망(1912)
	하나님의 성회(1914)

교황	사건
베네딕트 15세(1914-1922)	제1차 세계대전(1914-1918)
	러시아 혁명(1917)
	바르트의 『로마서 주석』(1919)
	미국의 금주법(1919-1933)
	여성 참정권(1920)
피우스 11세(1922-1939)	무솔리니 로마에 입성(1922)
	『시격』(Zwischen den Zeiten) 창립(1922)
	스톡홀롬 회의(1925)
	최초의 중국인 주교 6명 임명(1926)
	로잔 회의(1927)
	중국 그리스도 교회 창립(1927)
	멕시코 정부 교회 재산 압류함(1927)
	국제선교협의회 예루살렘 총회(1928)
	주식 시장 붕괴(1929)
	미국의 대공황(1929)
	니버의 『교파주의의 사회적 근원』(1929)
	아울렌, 『승리자 그리스도』(1930)
	니그렌 『아가페와 에로스』(1930-1936)
	스페인 공화국(1931)
	회칙 "콰드라게시모 안노"(1931)
	파시즘에 대항한 교황의 회칙,
	"Non addiamo bisogno"(1931)
	바르트의 『교회 교의학』(1932-1967)
	히틀러 권력 장악(1933)
	독일과 바티칸의 협약(1933)
	루즈벨트 대통령 취임(1933)
	바르멘 선언(1934)
	스페인 내란(1936)

교 황	사 건
	나치와 공산주의에 대항한 교황의 회칙들(1937)
	옥스퍼드 회의(1937)
	에딘버러 총회, 신앙과 직제(1937)
	중·일 전쟁(1937)
	본회퍼의 『제자도의 대가』(1937)
	니버 『미국내의 하나님의 왕국』(1937)
	세계선교회의 마드라스 총회(1938)
피우스 12세(1939-1958)	프랑코 스페인에서의 승리(1939)
	본회퍼, 『신자의 공동생활』(1940)
	제2차 세계대전(1939-1945)
	불트만의 『신약과 신화』(1940)
	독일의 러시아 침공(1941)
	일본의 진주만 공습(1941)
	니버 『인간의 본성과 운명』(1941-1943)
	무솔리니의 몰락(1943)
	교황의 회칙, "Divino afflante spiritu" (1943)
	아르헨티나의 페론 집권
	본회퍼 사망(1945)
	독일의 항복(1945)
	히로시마에 원자탄 투하(1945)
	필리핀과 인도네시아의 독립(1945)
	남인도교회(1947)
	세계선교회의 휘트비 총회(1947)
	세계교회협의회 설립(1948)
	모한다스 간디 사망(1948)
	중화인민공화국(1949)
	성모몽소승천의 교리 공인(1950)
	한국전쟁(1950)

교황	사건
	교황 회칙, "Humani generis"(1950)
	빌리 그레이엄 전도협회(1950)
	인도 독립(1950)
	미 연방 대법원이 공립학교에서의 인종 분리에 반대하는 판결을 내림(1952)
	웰링겐 총회, 세계선교회의(1952)
	노동사제 운동 중지(1954)
	에반스톤 총회, 세계교회협의회(1954)
	테이야르 데 샤르뎅 사망(1955)
	아르헨티나의 페론 실각 라틴아메리카 주교회의 창립(1955)
	가나 독립(1957)
	가나 총회, 세계선교회의(1957-1958)
	쿠바혁명(1959)
요한 23세(1958-1963)	교황이 종교회의 소집을 시사(1959)
	교황이 기독교 연합을 위한 비서국 설치(1960)
	아프리카 17개국 독립(1960)
	교황 회칙 "Mater et Magistra"(1961)
	최초의 우주 비행(1961)
	뉴델리 총회, 세계선교회의와 협의회 연합(1961)
	칠레 오순절교회의 WCC 가입(1961)
	알제리 독립(1962)
	라이놀드 니버 사망(1962)
	로빈슨 『신에게 솔직히』(1963)
	제2차 바티칸 공의회(1962-1965)
	몰트만의 『소망의 신학』(1965)
바울 11세(1963-1978)	동남아시아 전쟁 심화(1965)
	교황 회칙 "Humanance vitae"(1968)

교황	사건
	마틴루터 킹 목사 사망(1968)
	메델린 총회, 라틴아메리카 주교회의(1968)
	칼 바르트 사망(1968)
	웁살라 총회, 세계교회 협의회(1968)
	우주비행사의 달 착륙(1969)
	시카고 선언(1973)
	칠레 쿠데타(1973)
	구티에레스의 『해방신학』(1971)
	하일레 셀라시에 황제 몰락(1974)
	로잔언약(1974)
	나이로비 총회, 세계교회협의회(1975)
요한 바울 1세(1978)	캠프데이비드 협정(1978)
요한 바울 2세(1978-2005)	아메리카주교회의 푸에블라 총회(1978)
	아프리카 독립교단 연합 결성(1978)
	소련의 아프가니스탄 침략(1979)
	이란회교공화국(1979)
	로디지아가 짐바브웨로 독립함(1979)
	라틴아메리카위원회(CLAI)(1982)
	포클랜드 전쟁(1982)
	WCC 밴쿠버 총회(1983)
	칼 라너 사망(1984)
	에이즈 출현(1984)
	소비에트연방 붕괴(1985-1991)
	베를린장벽 붕괴(1989)
	천안문 사태(1989)
	미국의 이라크 공격(1991)
	WCC 캔버라 총회(1991)
	라칭거 추기경 신앙교리성 수장이 됨(1991)

교 황	사 건
	유럽 연합(1993)
	회칙 "하나되게 하소서"(Ut Urum Sint)(1995)
	마더 테레사 사망(1997)
	헬더 카마라 사망(1999)
	9.11 국제무역센터 테러(2001)
	아프가니스탄 전쟁(2001)
	미국의 이라크 공격(2003)
	마드리드 테러(2004)
	유럽연합에 10개국 신규가입(2004)
베네딕트 16세(2005-)	
	WCC 포르투알레그레 총회(2006)
	중국천주교애국회 소속 주교들 파문됨(2006)
	코소보 독립 선언(2008)
	제3차 세계복음화 회의(2010)

색 인

◼

ㅅ

ㅊ